# SÉCURITÉ, TERRITOIRE, POPULATION

# Cours de Michel Foucault
## au Collège de France

Leçons sur la volonté de savoir
(1970-1971)

Théories et Institutions pénales
(1971-1972)

La Société punitive
(1972-1973)

Le Pouvoir psychiatrique
(1973-1974)

Les Anormaux
(1974-1975)

« Il faut défendre la société »
(1975-1976)

Sécurité, Territoire, Population
(1977-1978)

Naissance de la biopolitique
(1978-1979)

Du gouvernement des vivants
(1979-1980)

Subjectivité et Vérité
(1980-1981)

L'Herméneutique du sujet
(1981-1982)

Le Gouvernement de soi et des autres
(1982-1983)

Le Courage de la vérité
Le Gouvernement de soi et des autres II
(1983-1984)

# Michel Foucault

# Sécurité, territoire, population

## Cours au Collège de France
## (1977-1978)

*Édition établie sous la direction
de François Ewald et Alessandro Fontana,
par Michel Senellart*

HAUTES ÉTUDES

GALLIMARD
EHESS
SEUIL

« *Hautes Études* » *est une collection des Éditions*
*de l'École des Hautes études en sciences sociales, qui en assurent le suivi éditorial,*
*des Éditions Gallimard et des Éditions du Seuil.*

Édition établie sous la direction de François Ewald et Alessandro Fontana,
par Michel Senellart

ISBN 978-2-02-030799-4

© SEUIL / GALLIMARD, OCTOBRE 2004

www.seuil.com

# AVERTISSEMENT

Michel Foucault a enseigné au Collège de France de janvier 1971 à sa mort en juin 1984 – à l'exception de l'année 1977 où il a pu bénéficier d'une année sabbatique. Le titre de sa chaire était : *Histoire des systèmes de pensée.*

Elle fut créée le 30 novembre 1969, sur proposition de Jules Vuillemin, par l'assemblée générale des professeurs du Collège de France en remplacement de la chaire d'Histoire de la pensée philosophique, tenue jusqu'à sa mort par Jean Hyppolite. La même assemblée élut Michel Foucault, le 12 avril 1970, comme titulaire de la nouvelle chaire[1]. Il avait quarante-trois ans.

Michel Foucault en prononça la leçon inaugurale le 2 décembre 1970[2].

L'enseignement au Collège de France obéit à des règles particulières. Les professeurs ont l'obligation de délivrer vingt-six heures d'enseignement par an (la moitié au maximum pouvant être dispensée sous forme de séminaires[3]). Ils doivent exposer chaque année une recherche originale, les contraignant à renouveler chaque fois le contenu de leur enseignement. L'assistance aux cours et aux séminaires est entièrement libre ; elle ne requiert ni inscription ni diplôme. Et le professeur n'en dispense aucun[4]. Dans le vocabulaire du Collège de France, on dit que les professeurs n'ont pas d'étudiants mais des auditeurs.

Les cours de Michel Foucault se tenaient chaque mercredi de début janvier à fin mars. L'assistance, très nombreuse, composée d'étudiants,

---

1. Michel Foucault avait conclu une plaquette rédigée pour sa candidature par cette formule : « Il faudrait entreprendre l'histoire des systèmes de pensée » (« Titres et travaux », in *Dits et Écrits, 1954-1988*, éd. par D. Defert & F. Ewald, collab. J. Lagrange, Paris, Gallimard, 1994, 4 vol. ; cf. I, p. 846).

2. Elle sera publiée par les éditions Gallimard en mai 1971 sous le titre : *L'Ordre du discours.*

3. Ce que fit Michel Foucault jusqu'au début des années 1980.

4. Dans le cadre du Collège de France.

d'enseignants, de chercheurs, de curieux, dont beaucoup d'étrangers, mobilisait deux amphithéâtres du Collège de France. Michel Foucault s'est souvent plaint de la distance qu'il pouvait y avoir entre lui et son « public », et du peu d'échange que rendait possible la forme du cours[5]. Il rêvait d'un séminaire qui fût le lieu d'un vrai travail collectif. Il en fit différentes tentatives. Les dernières années, à l'issue du cours, il consacrait un long moment à répondre aux questions des auditeurs.

Voici comment, en 1975, un journaliste du *Nouvel Observateur*, Gérard Petitjean, pouvait en retranscrire l'atmosphère : « Quand Foucault entre dans l'arène, rapide, fonceur, comme quelqu'un qui se jette à l'eau, il enjambe des corps pour atteindre sa chaise, repousse les magnétophones pour poser ses papiers, retire sa veste, allume une lampe et démarre, à cent à l'heure. Voix forte, efficace, relayée par des haut-parleurs, seule concession au modernisme d'une salle à peine éclairée par une lumière qui s'élève de vasques en stuc. Il y a trois cents places et cinq cents personnes agglutinées, bouchant le moindre espace libre [...] Aucun effet oratoire. C'est limpide et terriblement efficace. Pas la moindre concession à l'improvisation. Foucault a douze heures par an pour expliquer, en cours public, le sens de sa recherche pendant l'année qui vient de s'écouler. Alors, il serre au maximum et remplit les marges comme ces correspondants qui ont encore trop à dire lorsqu'ils sont arrivés au bout de leur feuille. 19 h 15. Foucault s'arrête. Les étudiants se précipitent vers son bureau. Pas pour lui parler, mais pour stopper les magnétophones. Pas de questions. Dans la cohue, Foucault est seul. » Et Foucault de commenter : « Il faudrait pouvoir discuter ce que j'ai proposé. Quelquefois, lorsque le cours n'a pas été bon, il faudrait peu de chose, une question, pour tout remettre en place. Mais cette question ne vient jamais. En France, l'effet de groupe rend toute discussion réelle impossible. Et comme il n'y a pas de canal de retour, le cours se théâtralise. J'ai un rapport d'acteur ou d'acrobate avec les gens qui sont là. Et lorsque j'ai fini de parler, une sensation de solitude totale[6]... »

---

5. En 1976, dans l'espoir – vain – de raréfier l'assistance, Michel Foucault changea l'heure du cours qui passa de 17 h 45, en fin d'après-midi, à 9 heures du matin. Cf. le début de la première leçon (7 janvier 1976) de *« Il faut défendre la société »*. *Cours au Collège de France, 1976*, éd. s. dir. F. Ewald & A. Fontana, par M. Bertani & A. Fontana, Paris, Gallimard/Seuil, 1997.

6. Gérard Petitjean, « Les Grands Prêtres de l'université française », *Le Nouvel Observateur*, 7 avril 1975.

Michel Foucault abordait son enseignement comme un chercheur : explorations pour un livre à venir, défrichement aussi de champs de problématisation, qui se formuleraient plutôt comme une invitation lancée à d'éventuels chercheurs. C'est ainsi que les cours au Collège de France ne redoublent pas les livres publiés. Ils n'en sont pas l'ébauche, même si des thèmes peuvent être communs entre livres et cours. Ils ont leur propre statut. Ils relèvent d'un régime discursif spécifique dans l'ensemble des «actes philosophiques» effectués par Michel Foucault. Il y déploie tout particulièrement le programme d'une généalogie des rapports savoir/pouvoir en fonction duquel, à partir du début des années 1970, il réfléchira son travail – en opposition avec celui d'une archéologie des formations discursives qu'il avait jusqu'alors dominé [7].

Les cours avaient aussi une fonction dans l'actualité. L'auditeur qui venait les suivre n'était pas seulement captivé par le récit qui se construisait semaine après semaine ; il n'était pas seulement séduit par la rigueur de l'exposition ; il y trouvait aussi un éclairage de l'actualité. L'art de Michel Foucault était de diagonaliser l'actualité par l'histoire. Il pouvait parler de Nietzsche ou d'Aristote, de l'expertise psychiatrique au XIXe siècle ou de la pastorale chrétienne, l'auditeur en tirait toujours une lumière sur le présent et les événements dont il était contemporain. La puissance propre de Michel Foucault dans ses cours tenait à ce subtil croisement entre une érudition savante, un engagement personnel et un travail sur l'événement.

\*

Les années soixante-dix ayant vu le développement, et le perfectionnement, des magnétophones à cassettes, le bureau de Michel Foucault en fut vite envahi. Les cours (et certains séminaires) ont ainsi été conservés.

Cette édition prend comme référence la parole prononcée publiquement par Michel Foucault. Elle en donne la transcription la plus littérale possible [8]. Nous aurions souhaité pouvoir la livrer telle quelle. Mais le passage de l'oral à l'écrit impose une intervention de l'éditeur :

7. Cf., en particulier, «Nietzsche, la généalogie, l'histoire», in *Dits et Écrits,* II, p. 137.
8. Ont été plus spécialement utilisés les enregistrements réalisés par Gérard Burlet et Jacques Lagrange, déposés au Collège de France et à l'IMEC.

il faut, au minimum, introduire une ponctuation et découper des paragraphes. Le principe a toujours été de rester le plus près possible du cours effectivement prononcé.

Lorsque cela paraissait indispensable, les reprises et les répétitions ont été supprimées ; les phrases interrompues ont été rétablies et les constructions incorrectes rectifiées.

Les points de suspension signalent que l'enregistrement est inaudible. Quand la phrase est obscure, figure, entre crochets, une intégration conjecturale ou un ajout.

Un astérisque en pied de page indique les variantes significatives des notes utilisées par Michel Foucault par rapport à ce qui a été prononcé.

Les citations ont été vérifiées et les références des textes utilisés indiquées. L'appareil critique se limite à élucider les points obscurs, à expliciter certaines allusions et à préciser les points critiques.

Pour faciliter la lecture, chaque leçon a été précédée d'un bref sommaire qui en indique les principales articulations[9].

Le texte du cours est suivi du résumé publié dans l'*Annuaire du Collège de France*. Michel Foucault les rédigeait généralement au mois de juin, quelque temps donc avant la fin du cours. C'était, pour lui, l'occasion d'en dégager, rétrospectivement, l'intention et les objectifs. Il en constitue la meilleure présentation.

Chaque volume s'achève sur une « situation » dont l'éditeur du cours garde la responsabilité : il s'agit de donner au lecteur des éléments de contexte d'ordre biographique, idéologique et politique, replaçant le cours dans l'œuvre publiée et donnant des indications concernant sa place au sein du corpus utilisé, afin d'en faciliter l'intelligence et d'éviter les contresens qui pourraient être dus à l'oubli des circonstances dans lesquelles chacun des cours a été élaboré et prononcé.

*Sécurité, Territoire, Population,* cours prononcé en 1978, est édité par Michel Senellart.

*

Avec cette édition des cours au Collège de France, c'est un nouveau pan de « l'œuvre » de Michel Foucault qui se trouve publié.

Il ne s'agit pas, au sens propre, d'inédits puisque cette édition reproduit la parole proférée publiquement par Michel Foucault, à l'exclusion du support écrit qu'il utilisait et qui pouvait être très élaboré.

Daniel Defert, qui possède les notes de Michel Foucault, a permis aux éditeurs de les consulter. Qu'il en soit vivement remercié.

Cette édition des cours au Collège de France a été autorisée par les héritiers de Michel Foucault, qui ont souhaité pouvoir satisfaire la très forte demande dont ils faisaient l'objet, en France comme à l'étranger. Et cela dans d'incontestables conditions de sérieux. Les éditeurs ont cherché à être à la hauteur de la confiance qu'ils leur ont portée.

FRANÇOIS EWALD et ALESSANDRO FONTANA

*Cours*
*Année 1977-1978*

# LEÇON DU 11 JANVIER 1978

*Perspective générale du cours : l'étude du bio-pouvoir. – Cinq propositions sur l'analyse des mécanismes de pouvoir. – Système légal, mécanismes disciplinaires et dispositifs de sécurité. Deux exemples : (a) la punition du vol ; (b) le traitement de la lèpre, de la peste et de la variole. – Traits généraux des dispositifs de sécurité (I) : les espaces de sécurité. – L'exemple de la ville. – Trois exemples d'aménagement de l'espace urbain aux XVIe et XVIIe siècles : (a) La Métropolitée d'Alexandre Le Maître (1682) ; (b) la ville de Richelieu ; (c) Nantes.*

Cette année, je voudrais commencer l'étude de quelque chose que j'avais appelé comme ça, un petit peu en l'air, le bio-pouvoir[1], c'est-à-dire cette série de phénomènes qui me paraît assez importante, à savoir l'ensemble des mécanismes par lesquels ce qui, dans l'espèce humaine, constitue ses traits biologiques fondamentaux va pouvoir entrer à l'intérieur d'une politique, d'une stratégie politique, d'une stratégie générale de pouvoir, autrement dit comment la société, les sociétés occidentales modernes, à partir du XVIIIe siècle, ont repris en compte le fait biologique fondamental que l'être humain constitue une espèce humaine. C'est en gros ça que j'appelle, que j'ai appelé, comme ça, le bio-pouvoir. Alors d'abord, si vous voulez, un certain nombre de propositions, propositions au sens d'indications de choix ; ce ne sont ni des principes, ni des règles, ni des théorèmes.

Premièrement, l'analyse de ces mécanismes de pouvoir que l'on a commencée il y a quelques années et qu'on poursuit maintenant, l'analyse de ces mécanismes de pouvoir n'est en aucune manière une théorie générale de ce qu'est le pouvoir. Ce n'en est ni une partie, ni même un début. Il s'agit simplement dans cette analyse de savoir par où ça passe, comment ça se passe, entre qui et qui, entre quel point et quel point, selon quels procédés et avec quels effets. Donc, ça ne pourrait être tout au plus, et ça ne voudrait être tout au plus, qu'un début de théorie, non pas de ce qu'est le pouvoir, mais du pouvoir, à la condition qu'on admette que le pouvoir, ce n'est pas justement une substance, un fluide, quelque chose qui découlerait de ceci ou de cela, mais simplement dans la mesure où on admettrait que le pouvoir, c'est un ensemble de mécanismes et de procédures qui ont pour rôle ou fonction et thème, même s'ils n'y parviennent pas, d'assurer justement le pouvoir. C'est un ensemble de procédures, et c'est comme cela et comme cela seulement qu'on pourrait entendre que l'analyse des mécanismes de pouvoir amorce quelque chose comme une théorie du pouvoir.

Deuxième indication de choix : les relations, cet ensemble de relations ou plutôt, mieux, cet ensemble de procédures qui ont pour rôle d'établir, de maintenir, de transformer les mécanismes de pouvoir, eh bien ces relations ne sont pas autogénétiques *, ne sont pas autosubsistantes **, ne sont pas fondées sur elles-mêmes. Le pouvoir ne se fonde pas sur soi-même et ne se donne pas à partir de lui-même. Si vous voulez, plus simplement, il n'y aurait pas des relations de production, plus, à côté, au-dessus, venant après coup pour les modifier, perturber, rendre plus consistantes, plus cohérentes, plus stables, des mécanismes de pouvoir. Il n'y aurait pas, par exemple, des relations de type familial, avec en plus des mécanismes de pouvoir, il n'y aurait pas des relations sexuelles avec en plus, à côté, au-dessus, des mécanismes de pouvoir. Les mécanismes de pouvoir font partie intrinsèque de toutes ces relations, ils en sont circulairement l'effet et la cause, même si, bien sûr, entre les différents mécanismes de pouvoir que l'on peut trouver dans les relations de production, relations familiales, relations sexuelles, il est possible de trouver des coordinations latérales, des subordinations hiérarchiques, des isomorphismes, des identités ou analogies techniques, des effets d'entraînement qui permettent de parcourir d'une façon à la fois logique, cohérente et valable l'ensemble de ces mécanismes de pouvoir et de les ressaisir dans ce qu'ils peuvent avoir de spécifique à un moment donné, pendant une période donnée, dans un champ donné.

Troisièmement, l'analyse de ces relations de pouvoir peut, bien sûr, s'ouvrir sur, amorcer quelque chose comme l'analyse globale d'une société. L'analyse de ces mécanismes de pouvoir peut aussi s'articuler sur l'histoire, par exemple, des transformations économiques. Mais après tout, ce que je fais, je ne dis pas ce pour quoi je suis fait, parce que je n'en sais rien, mais enfin ce que je fais, ce n'est, après tout, ni de l'histoire, ni

---

* autogénétiques : entre guillemets dans le manuscrit.
** autosubsistantes : entre guillemets dans le manuscrit.

de la sociologie, ni de l'économie. Mais c'est bien quelque chose qui, d'une manière ou d'une autre, et pour des raisons simplement de fait, a à voir avec la philosophie, c'est-à-dire avec la politique de la vérité, car je ne vois pas beaucoup d'autres définitions du mot «philosophie» sinon celle-là. Il s'agit de la politique de la vérité. Eh bien, dans la mesure où il s'agirait de cela, et non de sociologie, non d'histoire ni d'économie, vous voyez que l'analyse des mécanismes de pouvoir, cette analyse a, dans mon esprit, pour rôle de montrer quels sont les effets de savoir qui sont produits dans notre société par les luttes, affrontements, combats qui s'y déroulent, et par les tactiques de pouvoir qui sont les éléments de cette lutte.

Quatrième indication : il n'y a pas, je crois, de discours théorique ou d'analyse tout simplement qui ne soit d'une manière ou d'une autre traversé ou sous-tendu par quelque chose comme un discours à l'impératif. Mais je crois que le discours impératif qui, dans l'ordre de la théorie, consiste à dire «aimez ceci, détestez cela, ceci est bien, cela est mal, soyez pour ceci, méfiez-vous de cela», tout ça me paraît ne pas être autre chose, actuellement en tout cas, qu'un discours esthétique et qui ne peut trouver son fondement que dans des choix d'ordre esthétique. Quant au discours impératif qui consiste à dire «battez-vous contre ceci et de telle et telle manière», eh bien il me semble que c'est là un discours bien léger dès lors qu'il est tenu à partir d'une institution quelconque d'enseignement ou même tout simplement sur une feuille de papier. De toute façon, la dimension de ce qu'il y a à faire ne peut apparaître, me semble-t-il, qu'à l'intérieur d'un champ de forces réelles, c'est-à-dire un champ de forces que jamais un sujet parlant ne peut créer seul et à partir de sa parole ; c'est un champ de forces qu'on ne peut en aucune manière contrôler ni faire valoir à l'intérieur de ce discours. L'impératif, par conséquent, qui sous-tend l'analyse théorique qu'on est en train d'essayer de faire – puisqu'il faut bien qu'il y en ait un –, je voudrais qu'il soit simplement un impératif conditionnel du genre de celui-ci : si vous voulez lutter, voici quelques points clés, voici quelques lignes de force, voici quelques verrous et quelques blocages. Autrement dit, je voudrais que ces impératifs ne soient rien d'autre que des indicateurs tactiques. À moi de savoir, bien sûr, et [à] ceux qui travaillent dans le même sens, à nous par conséquent de savoir sur quels champs de forces réelles on se repère pour faire une analyse qui serait efficace en termes tactiques. Mais, après tout, c'est là le cercle de la lutte et de la vérité, c'est-à-dire justement de la pratique philosophique.

Enfin un cinquième point, et dernier : ce rapport, je crois, sérieux et fondamental entre la lutte et la vérité, qui est la dimension même sur laquelle depuis des siècles et des siècles se déroule la philosophie, eh bien ce rapport sérieux et fondamental entre la lutte et la vérité, je crois qu'il ne fait rien d'autre que se théâtraliser, se décharner, perdre son sens et son efficace dans les polémiques qui sont intérieures au discours théorique. Je ne proposerai donc en tout ceci qu'un seul impératif, mais celui-là sera catégorique et inconditionnel : ne faire jamais de politique [2].

Eh bien, je voudrais maintenant commencer ce cours. Donc là, ça s'appelle « sécurité, territoire, population » [3].

Première question, bien sûr : qu'est-ce qu'on peut entendre par « sécurité » ? C'est à cela que je voudrais consacrer cette heure et peut-être la suivante, enfin selon la lenteur ou la rapidité de ce que je dirai. Bon, un exemple, ou plutôt une série d'exemples, un exemple plutôt modulé en trois temps. C'est très simple, c'est très enfantin, mais on va commencer par là et je crois que ça me permet de dire un certain nombre de choses. Soit une loi pénale tout à fait simple en forme d'interdit, disons « tu ne tueras pas, tu ne voleras pas », avec son châtiment, disons la pendaison ou bien le bannissement ou bien l'amende. Deuxième modulation, la même loi pénale, toujours « tu ne voleras pas », toujours assortie d'un certain nombre de châtiments si on enfreint cette loi, mais cette fois l'ensemble se trouve encadré, d'une part par toute une série de surveillances, contrôles, regards, quadrillages divers qui permettent de repérer, avant même que le voleur ait volé, s'il ne va pas voler, etc. Et puis de l'autre côté, à l'autre extrémité, le châtiment n'est pas simplement ce moment spectaculaire, définitif de la pendaison, de l'amende ou du bannissement, mais ça va être une pratique comme l'incarcération, avec sur le coupable toute une série d'exercices, travaux, travail de transformation sous la forme de, tout simplement, ce qu'on appelle des techniques pénitentiaires, travail obligatoire, moralisation, correction, etc. Troisième modulation à partir de la même matrice : soit la même loi pénale, soit également des châtiments, soit le même type d'encadrement en forme de surveillance d'un côté et de correction de l'autre. Mais cette fois, l'application de cette loi pénale, l'aménagement de la prévention, l'organisation du châtiment correctif, tout ça va être commandé par une série de questions qui vont être les questions du genre suivant : par exemple, quel est le taux moyen de la criminalité de ce [type] * ? Comment statistiquement est-ce qu'on peut prévoir qu'il y aura telle ou telle quantité de vols à un moment donné, dans une société donnée, dans une ville donnée, à la ville, à la campagne, dans telle couche sociale, etc. ? Deuxièmement, y a-t-il des moments, des régions, des systèmes pénaux qui sont tels que ce taux

* M. F. : genre

moyen va être augmenté ou diminué ? Est-ce que les crises, les famines, les guerres, est-ce que les châtiments rigoureux ou au contraire les châtiments adoucis vont modifier quelque chose à ces proportions ? Autres questions encore : cette criminalité, soit le vol par conséquent ou à l'intérieur du vol tel ou tel type de vol, combien est-ce que ça coûte à la société, quels dommages est-ce que ça produit, quel manque à gagner, etc. ? Autres questions encore : la répression de ces vols, qu'est-ce qu'elle coûte ? Est-ce qu'il est plus coûteux d'avoir une répression sévère et rigoureuse, une répression lâche, une répression de type exemplaire et discontinu, une répression continue au contraire ? Quel est donc le coût comparé et du vol et de sa répression, qu'est-ce qui vaut mieux : relâcher un peu le vol ou un peu la répression ? Autres questions encore : le coupable, une fois qu'on le tient, est-ce que ça vaut la peine qu'on le punisse ? Qu'est-ce que ça coûterait de le punir ? Qu'est-ce qu'il faudrait faire pour le punir et, en le punissant, le rééduquer ? Est-ce qu'effectivement il est rééducable ? Est-ce qu'il présente, indépendamment de l'acte même qu'il a commis, un danger permanent de sorte que, rééduqué ou pas, il recommencerait, etc. ? D'une façon générale, la question qui se pose sera de savoir comment maintenir, au fond, un type de criminalité, soit le vol, à l'intérieur de limites qui soient socialement et économiquement acceptables et autour d'une moyenne qu'on va considérer comme, disons, optimale pour un fonctionnement social donné. Eh bien, ces trois modalités me paraissent caractéristiques de différentes choses qu'on a pu étudier, [et de] celles que je voudrais maintenant étudier.

La première forme, vous la connaissez, celle qui consiste à poser une loi et à fixer une punition à celui qui l'enfreint, c'est le système du code légal avec partage binaire entre le permis et le défendu et un couplage en quoi consiste précisément le code, le couplage entre un type d'action interdit et un type de punition. Donc, c'est le mécanisme légal ou juridique. Le deuxième mécanisme, la loi encadrée par des mécanismes de surveillance et de correction, je n'y reviens pas, bien sûr c'est le mécanisme disciplinaire[4]. C'est le mécanisme disciplinaire qui va se caractériser par le fait que, à l'intérieur du système binaire du code, apparaît un troisième personnage qui est le coupable et en même temps, en dehors, outre l'acte législatif qui pose la loi, l'acte judiciaire qui punit le coupable, toute une série de techniques adjacentes, policières, médicales, psychologiques, qui relèvent de la surveillance, du diagnostic, de la transformation éventuelle des individus. Tout ça, on l'a vu. La troisième forme, c'est celle qui caractériserait non plus le code légal, non plus le mécanisme disciplinaire, mais le dispositif de sécurité[5], c'est-à-dire l'ensemble de ces phénomènes que je voudrais maintenant étudier. Dispositif de sécurité qui va, pour dire les choses de façon alors absolument globale, insérer le phénomène en question, à savoir le vol, à l'intérieur d'une série d'événements probables. Deuxièmement, on va insérer les réactions du pouvoir à l'égard de ce phénomène dans un calcul, qui est un calcul de coût. Et enfin, troisièmement, au lieu d'instaurer un partage binaire entre le permis et le défendu, on va fixer d'une part une moyenne considérée comme optimale et puis fixer des limites de l'acceptable, au-delà desquelles il ne faudra plus que ça se passe. C'est donc toute une autre distribution des choses et des mécanismes qui s'esquisse ainsi.

Pourquoi ai-je pris cet exemple très enfantin ? Pour tout de suite souligner deux ou trois choses dont je voudrais qu'elles soient bien claires, pour vous tous, pour moi le premier bien sûr. En apparence, si vous voulez, je vous ai donné là une espèce de schéma historique tout à fait décharné. Le système légal, c'est le fonctionnement pénal archaïque, celui qu'on connaît depuis le Moyen Âge jusqu'au xviie-xviiie siècle. Le second, c'est celui qu'on pourrait appeler moderne, qui est mis en place à partir du xviiie siècle, et puis le troisième, c'est le système, disons, contemporain, celui dont la problématique a commencé à apparaître assez tôt, mais qui est en train de s'organiser actuellement autour des nouvelles formes de pénalité et du calcul du coût des pénalités ; ce sont les techniques américaines[6], mais aussi européennes que l'on trouve maintenant. En fait, à caractériser les choses ainsi : l'archaïque, l'ancien, le moderne et le contemporain, je crois qu'on manque l'essentiel. On manque l'essentiel, d'abord, bien sûr, parce que ces modalités anciennes dont je vous parlais, impliquent, bien sûr, celles qui apparaissent comme plus nouvelles. Dans le système juridico-légal, celui qui fonctionnait, qui dominait en tout cas jusqu'au xviiie siècle, il est absolument évident que le côté disciplinaire était loin d'être absent puisque, après tout, quand on imposait à un acte, même et surtout s'il était en apparence de peu d'importance et de peu de conséquence, lorsqu'on imposait un châtiment dit exemplaire, c'était bien précisément que l'on voulait obtenir un effet correctif sinon sur le coupable lui-même – car si on le pendait la correction était faible pour lui –, [du moins sur le]* reste de la population. Et dans cette mesure-là, on peut dire que la pratique du supplice comme exemple était une technique corrective et disciplinaire. De même que dans le même système, lorsque l'on punissait le vol domestique d'une façon extraordinairement

---

\* M. Foucault dit : en revanche, la correction, l'effet correctif était évidemment adressé au

sévère, la peine de mort pour un vol de très, très peu d'importance pourvu qu'il ait été commis à l'intérieur même d'une maison par quelqu'un qui y était reçu ou employé à titre de domestique, il était évident qu'on visait là, au fond, un crime qui n'était important que par sa probabilité, et on peut dire que là aussi il y avait quelque chose comme un mécanisme de sécurité qu'on avait mis en place. On pourrait [dire]* la même chose aussi à propos du système disciplinaire qui, lui aussi, comporte toute une série de dimensions qui sont proprement de l'ordre de la sécurité. Au fond, lorsque l'on entreprend de corriger un détenu, un condamné, on essaie de le corriger en fonction des risques de rechute, de récidive qu'il présente, c'est-à-dire en fonction de ce qu'on appellera, très tôt, sa dangerosité – c'est-à-dire, là encore, mécanisme de sécurité. Donc les mécanismes disciplinaires n'apparaissent pas simplement à partir du XVIII<sup>e</sup> siècle, ils sont déjà présents à l'intérieur du code juridico-légal. Les mécanismes de sécurité eux aussi sont fort anciens comme mécanismes. Je pourrais dire aussi, à l'inverse, que si l'on prend les mécanismes de sécurité tels qu'on essaie de les développer à l'époque contemporaine, il est absolument évident que ça ne constitue aucunement une mise entre parenthèses ou une annulation des structures juridico-légales ou des mécanismes disciplinaires. Au contraire, prenez par exemple ce qui se passe actuellement, toujours dans l'ordre pénal, dans cet ordre de la sécurité. L'ensemble des mesures législatives, des décrets, des règlements, des circulaires qui permettent d'implanter des mécanismes de sécurité, cet ensemble est de plus en plus gigantesque. Après tout, le code légal sur le vol était relativement très simple dans la tradition du Moyen Âge et de l'époque classique. Reprenez maintenant tout l'ensemble de la législation qui va concerner non seulement le vol, mais le vol des enfants, le statut pénal des enfants, les responsabilités pour des raisons mentales, tout l'ensemble législatif qui concerne ce qu'on appelle justement les mesures de sécurité, les surveillances des individus après l'institution: vous voyez qu'on a une véritable inflation légale, inflation du code juridico-légal pour faire fonctionner ce système de sécurité. De la même façon, le corpus disciplinaire est lui aussi très largement activé et fécondé par la mise en place de ces mécanismes de sécurité. Car, après tout, pour assurer en effet cette sécurité, on est obligé de faire appel par exemple, et ce n'est qu'un exemple, à toute une série de techniques de surveillance, de surveillance des individus, de diagnostic de ce qu'ils sont, de classement de leur structure mentale, de leur pathologie propre,

---

* M. F. : prendre

etc., tout un ensemble disciplinaire qui foisonne sous les mécanismes de sécurité et pour les faire fonctionner.

Donc, vous n'avez pas du tout une série dans laquelle les éléments vont se succéder les uns aux autres, ceux qui apparaissent faisant disparaître les précédents. Il n'y a pas l'âge du légal, l'âge du disciplinaire, l'âge de la sécurité. Vous n'avez pas des mécanismes de sécurité qui prennent la place des mécanismes disciplinaires, lesquels auraient pris la place des mécanismes juridico-légaux. En fait, vous avez une série d'édifices complexes dans lesquels ce qui va changer, bien sûr, ce sont les techniques elles-mêmes qui vont se perfectionner, ou en tout cas se compliquer, mais surtout ce qui va changer, c'est la dominante ou plus exactement le système de corrélation entre les mécanismes juridico-légaux, les mécanismes disciplinaires et les mécanismes de sécurité. Autrement dit, vous allez avoir une histoire qui va être une histoire des techniques proprement dites. Exemple : la technique cellulaire, la mise en cellule est une technique disciplinaire. Vous pouvez parfaitement en faire l'histoire, et elle remonte très loin. Vous la trouvez déjà fort employée à l'âge du juridico-légal. Vous la trouvez employée pour les gens qui ont des dettes, vous la trouvez employée surtout dans l'ordre religieux. Cette technique cellulaire, alors, vous en faites l'histoire (c'est-à-dire [celle de] ses déplacements, [de] son utilisation), vous voyez à partir de quel moment la technique cellulaire, la discipline cellulaire est employée dans le système pénal commun, vous voyez quels conflits elle suscite, comment elle régresse. Vous pourriez faire aussi l'analyse de cette technique, alors de sécurité, qui serait par exemple la statistique des crimes. La statistique des crimes est quelque chose qui ne date pas d'aujourd'hui, ce n'est pas non plus quelque chose de très ancien. En France, ce sont les fameux Comptes du ministère de la Justice à partir de 1826[7] qui permettent la statistique des crimes. Donc, vous pouvez faire l'histoire de ces techniques. Mais il y a une autre histoire, qui serait l'histoire des technologies, c'est-à-dire l'histoire beaucoup plus globale, mais bien entendu également beaucoup plus floue des corrélations et des systèmes de dominante qui font que, dans une société donnée et pour tel et tel secteur donné – car ce n'est pas forcément toujours du même pas que dans tel ou tel secteur les choses vont évoluer, dans un moment donné, dans une société donnée, dans un pays donné –, une technologie de sécurité par exemple va se mettre en place, reprenant en compte et faisant fonctionner à l'intérieur de sa tactique propre des éléments juridiques, des éléments disciplinaires, quelquefois même en les multipliant. On en a actuellement un exemple très net, toujours à propos de ce domaine de la pénalité. Il est certain que l'évolution toute contemporaine, non seulement de la problématique, de la manière dont on réfléchit la pénalité, mais également [de] la manière dont on pratique la pénalité, il est clair que pour l'instant, depuis des années, une bonne dizaine d'années au moins, la question se pose essentiellement en termes de sécurité. Au fond, l'économie et le rapport économique entre le coût de la répression et le coût de la délinquance est la question fondamentale. Or ce qu'on voit, c'est que cette problématique a amené une telle inflation dans les techniques disciplinaires, qui pourtant étaient mises en place depuis très longtemps, que le point où, sinon le scandale, du moins la friction est apparue – et la blessure a été assez sensible pour provoquer des réactions, des réactions violentes et réelles –, ça a été cette multiplication disciplinaire. Autrement dit, c'est le disciplinaire qui, à l'époque même où les mécanismes de sécurité sont en train de se mettre en place, c'est le disciplinaire qui a provoqué, non pas l'explosion, car il n'y a pas eu d'explosion, mais du moins les conflits les plus manifestes et les plus visibles. Donc ce que je voudrais essayer de vous montrer au cours de cette année, c'est en quoi consiste cette technologie, quelques-unes de ces technologies [de sécurité] *, étant entendu que chacune d'entre elles consiste pour une large part en la réactivation et la transformation des techniques juridico-légales et des techniques disciplinaires dont je vous avais parlé les années précédentes.

Autre exemple que je vais simplement esquisser ici, mais pour introduire un autre ordre de problèmes ou pour souligner et généraliser le problème (là encore, ce sont des exemples dont on a déjà parlé cent fois **). Soit, si vous voulez, l'exclusion des lépreux au Moyen Âge [7], jusqu'à la fin du Moyen Âge [8]. C'est une exclusion qui se faisait essentiellement, bien qu'il y ait eu d'autres aspects aussi, par un ensemble là encore juridique de lois, de règlements, ensemble religieux aussi de rituels, qui amenaient en tout cas un partage, et un partage de type binaire entre ceux qui étaient lépreux et ceux qui ne l'étaient pas. Deuxième exemple : celui de la peste (là encore, je vous en avais parlé [9], donc j'y reviens très rapidement). Les règlements de peste, tels qu'on les voit formulés à la fin du Moyen Âge, au XVIᵉ et encore au XVIIᵉ siècle, donnent une tout autre impression, ils agissent tout autrement, ils ont une tout autre fin et surtout de tout autres instruments. Il s'agit dans ces règlements de peste de quadriller littéralement les régions, les villes à l'intérieur desquelles il y a la peste, avec réglementation indiquant aux gens quand ils peuvent sortir,

---

\* M. F. : disciplinaires
\*\* M. Foucault ajoute : et qui sont *[un mot inaudible]*

comment, à quelles heures, ce qu'ils doivent faire chez eux, quel type
d'alimentation ils doivent avoir, leur interdisant tel et tel type de contact,
les obligeant à se présenter à des inspecteurs, à ouvrir leur maison aux
inspecteurs. On peut dire qu'on a là un système qui est de type disciplinaire. Troisième exemple : celui qu'on est en train d'étudier au séminaire actuellement, c'est-à-dire la variole ou, à partir du XVIIIᵉ siècle, les
pratiques d'inoculation [10]. Le problème se pose tout autrement, non pas
tellement d'imposer une discipline, bien que la discipline [soit] * appelée à
la rescousse, mais le problème fondamental, ça va être de savoir combien
de gens sont attaqués de variole, à quel âge, avec quels effets, quelle mortalité, quelles lésions ou quelles séquelles, quels risques on prend à se
faire inoculer, quelle est la probabilité selon laquelle un individu risquera
de mourir ou d'être atteint de variole malgré l'inoculation, quels sont les
effets statistiques sur la population en général, bref tout un problème qui
n'est plus celui de l'exclusion comme dans la lèpre, qui n'est plus celui
de la quarantaine comme dans la peste, qui va être le problème des épidémies et des campagnes médicales par lesquelles on essaie de juguler
les phénomènes soit épidémiques, soit endémiques.

Là encore, d'ailleurs, il suffit de voir l'ensemble législatif, les obligations disciplinaires que les mécanismes de sécurité modernes incluent
pour voir qu'il n'y a pas une succession : loi, puis discipline, puis sécurité,
mais la sécurité est une certaine manière d'ajouter, de faire fonctionner,
en plus des mécanismes proprement de sécurité, les vieilles armatures
de la loi et de la discipline. Dans l'ordre du droit, donc, dans l'ordre de
la médecine et on pourrait multiplier les exemples, c'est bien pour cela
que je vous ai cité cet autre, vous voyez qu'on trouve tout de même une
évolution qui est un peu semblable, des transformations un petit peu de
même type dans les sociétés, disons, comme les nôtres, occidentales. Il
s'agit de l'émergence de technologies de sécurité à l'intérieur, soit de
mécanismes qui sont proprement des mécanismes de contrôle social,
comme dans le cas de la pénalité, soit des mécanismes qui ont pour
fonction de modifier quelque chose au destin biologique de l'espèce.
Alors, et c'est là l'enjeu de ce que je voudrais analyser, peut-on dire que
dans nos sociétés l'économie générale de pouvoir est en train de devenir
de l'ordre de la sécurité ? Je voudrais donc faire ici une sorte d'histoire
des technologies de sécurité et essayer de repérer si on peut effectivement
parler d'une société de sécurité. En tout cas, sous ce nom de société
de sécurité, je voudrais simplement savoir s'il y a effectivement une

* M. F. : sera

économie générale de pouvoir qui a la forme [de], ou qui est en tout cas dominée par la technologie de sécurité.

Alors, quelques traits généraux de ces dispositifs de sécurité. Je voudrais en repérer quatre, je ne sais pas combien…, enfin je vais toujours commencer à vous en analyser quelques-uns. Premièrement, je voudrais étudier un petit peu, comme ça en survol, ce qu'on pourrait appeler les espaces de sécurité. Deuxièmement, étudier le problème du traitement de l'aléatoire. Troisièmement, étudier la forme de normalisation qui est spécifique à la sécurité et qui ne me paraît pas du même type que la normalisation disciplinaire. Et enfin, arriver à ce qui va être le problème précis de cette année, la corrélation entre la technique de sécurité et la population, comme à la fois objet et sujet de ces mécanismes de sécurité, c'est-à-dire l'émergence non seulement de cette notion, mais de cette réalité de la population. C'est au fond une idée et une réalité sans doute absolument modernes par rapport au fonctionnement politique, mais également par rapport au savoir et à la théorie politiques antérieurs au XVIII⁰ siècle.

Alors, premièrement, en gros, les questions d'espace. On pourrait dire comme ça, au premier regard et d'une façon un peu schématique : la souveraineté s'exerce dans les limites d'un territoire, la discipline s'exerce sur le corps des individus, et enfin la sécurité s'exerce sur l'ensemble d'une population. Limites du territoire, corps des individus, ensemble d'une population, bon, oui…, mais ce n'est pas ça et je crois que ça ne colle pas. Ça ne colle pas, d'abord, parce que le problème des multiplicités est un problème que l'on rencontre déjà à propos de la souveraineté et à propos de la discipline. S'il est vrai que la souveraineté s'inscrit et fonctionne essentiellement dans un territoire, et qu'après tout l'idée d'une souveraineté sur un territoire non peuplé est une idée juridiquement et politiquement non seulement acceptable, mais parfaitement acceptée et première, de fait l'exercice de la souveraineté dans son déroulement effectif, réel, quotidien, indique bien entendu toujours une certaine multiplicité, mais qui va être justement traitée soit comme la multiplicité de sujets, soit [comme] la multiplicité d'un peuple.

La discipline également, bien sûr, s'exerce sur le corps des individus, mais j'ai essayé de vous montrer comment, en fait, l'individu n'est pas dans la discipline la donnée première sur laquelle elle s'exerçait. Il n'y a de discipline que dans la mesure où il y a une multiplicité et une fin, ou un objectif, ou un résultat à obtenir à partir de cette multiplicité. La discipline scolaire, la discipline militaire, la discipline pénale aussi, la discipline dans les ateliers, la discipline ouvrière, tout ça, c'est une certaine manière de gérer la multiplicité, de l'organiser, d'en fixer les points d'implantation, les coordinations, les trajectoires latérales ou horizontales, les trajectoires verticales et pyramidales, la hiérarchie, etc. Et l'individu est beaucoup plutôt une certaine manière de découper la multiplicité, pour une discipline, que le matériau premier à partir duquel on la bâtit. La discipline est un mode d'individualisation des multiplicités et non pas quelque chose qui, à partir des individus travaillés d'abord à titre individuel, construirait ensuite une sorte d'édifice à éléments multiples. Donc après tout la souveraineté, la discipline comme bien sûr la sécurité ne peuvent avoir affaire qu'à des multiplicités.

Et d'autre part les problèmes d'espace sont également communs à toutes les trois. Pour la souveraineté, ça va de soi, puisque c'est d'abord comme quelque chose qui s'exerce à l'intérieur du territoire que la souveraineté apparaît. Mais la discipline implique une répartition spatiale, et je crois que la sécurité également, et c'est de cela justement, de ces traitements différents de l'espace par la souveraineté, la discipline et la sécurité que je voudrais vous parler maintenant.

On va prendre là encore une série d'exemples. Je vais prendre bien entendu le cas des villes. La ville était, au XVIIᵉ siècle encore, au début du XVIIIᵉ siècle aussi, essentiellement caractérisée par une spécificité juridique et administrative qui l'isolait ou la marquait d'une façon très singulière par rapport aux autres étendues et espaces du territoire. Deuxièmement, la ville se caractérisait par un enfermement à l'intérieur d'un espace muré et resserré, dans lequel la fonction militaire était loin d'être la seule. Et enfin, elle se caractérisait par une hétérogénéité économique et sociale très marquée par rapport à la campagne.

Or tout ceci a suscité au XVIIᵉ-XVIIIᵉ siècle toute une masse de problèmes liés au développement des États administratifs pour lesquels la spécificité juridique de la ville posait un problème difficile à résoudre. Deuxièmement, la croissance du commerce, puis au XVIIIᵉ siècle de la démographie urbaine posait le problème de son resserrement et de son enfermement à l'intérieur des murs. Le développement aussi des techniques militaires posait ce même problème. Et enfin, la nécessité d'échanges économiques permanents entre la ville et son entourage immédiat pour la subsistance, son entourage lointain pour ses relations commerciales, tout ceci [faisait que] l'enfermement de la ville, son enclavement, [posait également] un problème. Et en gros ce dont il s'est agi, c'est bien ce désenclavement spatial, juridique, administratif, économique de la ville, c'est de ça qu'il s'est agi au XVIIIᵉ siècle. Replacer la ville dans un espace de circulation. Je vous renvoie sur ce point à une étude extraordinairement complète et parfaite puisqu'elle est faite par un historien: c'est l'étude de Jean-

Claude Perrot sur la ville de Caen au XVIIIe siècle [11], où il montre que le problème de la ville, c'était essentiellement et fondamentalement un problème de circulation.

Soit un texte du milieu du XVIIe siècle, écrit par quelqu'un qui s'appelle Alexandre Le Maître, sous le titre *La Métropolitée* [12]. Cet Alexandre Le Maître était un protestant qui avait quitté la France avant même la révocation de l'édit de Nantes et qui était devenu, le mot est important, ingénieur général de l'Électeur de Brandebourg. Et il a dédié *La Métropolitée* au roi de Suède, le livre ayant été édité à Amsterdam. Tout ceci : protestant, Prusse, Suède, Amsterdam, n'est pas absolument sans signification. Et le problème de *La Métropolitée,* c'est : faut-il qu'il y ait une capitale dans un pays et en quoi cette capitale doit-elle consister ? L'analyse que fait Le Maître est celle-ci : l'État, dit-il, est composé en fait de trois éléments, trois ordres, trois états même, les paysans, les artisans et ce qu'il appelle le tiers ordre ou le tiers état, qui est, curieusement, le souverain et les officiers qui sont à son service [13]. Par rapport à ces trois éléments, l'État doit être comme un édifice. Les fondations de l'édifice, celles qui sont dans la terre, sous la terre, qu'on ne voit pas mais qui assurent la solidité de l'ensemble, ce sont bien sûr les paysans. Les parties communes, les parties de service de l'édifice, ce sont bien entendu les artisans. Quant aux parties nobles, aux parties d'habitation et de réception, ce sont les officiers du souverain et le souverain lui-même [14]. À partir de cette métaphore architecturale, le territoire doit lui aussi comprendre ses fondations, ses parties communes et ses parties nobles. Les fondations, cela va être les campagnes, et dans les campagnes, pas besoin de vous dire que doivent habiter tous les paysans et rien que les paysans. Deuxièmement, dans les petites villes doivent habiter tous les artisans et rien que les artisans. Et enfin dans la capitale, partie noble de l'édifice de l'État, doivent habiter le souverain, ses officiers et ceux des artisans et commerçants qui sont indispensables au fonctionnement même de la cour et de l'entourage du souverain [15]. Le rapport entre cette capitale et le reste du territoire, Le Maître le perçoit de différentes façons. Cela doit être un rapport géométrique en ce sens qu'un bon pays, c'est un pays en somme qui a la forme du cercle, et c'est bien au centre du cercle que la capitale doit se trouver [16]. Une capitale qui serait au bout d'un territoire allongé et biscornu ne pourrait pas exercer toutes les fonctions qu'elle doit exercer. En effet, et c'est là où le second rapport apparaît, il faut que ce rapport de la capitale au territoire soit un rapport esthétique et symbolique. La capitale doit être l'ornement même du territoire [17]. Mais ça doit être aussi un rapport politique en ceci que les ordonnances et les lois doivent avoir dans un territoire une sorte d'implantation, [telle] qu'aucun petit coin du royaume n'échappe à ce réseau général des lois et ordonnances du souverain[18]. La capitale doit aussi avoir un rôle moral et diffuser jusqu'au bout du territoire tout ce qu'il est nécessaire d'imposer aux gens quant à leur conduite et leurs manières de faire[19]. La capitale doit donner l'exemple des bonnes mœurs[20]. La capitale doit être l'endroit où les orateurs sacrés sont les meilleurs et se font le mieux entendre[21], ça doit être également le siège des académies puisque les sciences et la vérité doivent naître là pour se diffuser dans le reste du pays[22]. Et enfin un rôle économique : la capitale doit être le lieu du luxe pour qu'elle constitue un lieu d'appel pour les marchandises qui viennent de l'étranger[23], et en même temps elle doit être le point de redistribution par le commerce d'un certain nombre de produits fabriqués, manufacturés, etc.[24].

Laissons l'aspect proprement utopique de ce projet. Je crois qu'il est tout de même intéressant, parce qu'il me semble qu'on voit là une définition de la ville, une réflexion sur la ville essentiellement en termes de souveraineté. C'est-à-dire que c'est le rapport de la souveraineté au territoire qui est essentiellement premier et qui sert de schéma, de grille pour arriver à comprendre ce que doit être une ville-capitale et comment elle peut et doit fonctionner. Il est intéressant de voir comment, d'ailleurs, à travers cette grille de la souveraineté comme problème fondamental, on voit apparaître un certain nombre de fonctions proprement urbaines, fonctions économiques, fonctions morales et administratives, etc. Et ce qui est intéressant enfin, c'est que le rêve de Le Maître c'est de brancher l'efficacité politique de la souveraineté sur une distribution spatiale. Un bon souverain, que ce soit un souverain collectif ou individuel, c'est quelqu'un qui est bien placé à l'intérieur d'un territoire, et un territoire qui est bien policé au niveau de son obéissance au souverain est un territoire qui a une bonne disposition spatiale. Eh bien tout ceci, cette idée de l'efficacité politique de la souveraineté est liée à l'idée ici d'une intensité des circulations : circulation des idées, circulation des volontés et des ordres, circulation commerciale aussi. Il s'agit au fond pour Le Maître, – et c'est là une idée à la fois ancienne, puisqu'il s'agit de la souveraineté, et moderne, puisqu'il s'agit de la circulation –, de superposer l'État de souveraineté, l'État territorial et l'État commercial. Il s'agit de les boucler et de les renforcer les uns par rapport aux autres. Inutile de vous dire qu'on est là, en cette période et en cette région de l'Europe, en plein mercantilisme, ou plutôt en plein caméralisme[25]. C'est-à-dire le problème : comment, à l'intérieur d'un système de souveraineté stricte, assurer un développement économique maximal par le biais du commerce. En

somme, le problème de Le Maître c'est celui-ci : comment assurer un
État bien capitalisé, c'est-à-dire bien organisé autour d'une capitale,
siège de la souveraineté et point central de circulation politique et
commerciale. On pourrait, puisque après tout ce Le Maître a été ingénieur général de l'Électeur de Brandebourg, on pourrait voir la filiation
qu'il y a entre cette idée d'un État, d'une province bien « capitalisée » *,
et le fameux État commercial fermé de Fichte [26], c'est-à-dire toute l'évolution du mercantilisme caméraliste à l'économie nationale allemande du
début du XIXe siècle. En tout cas, la ville-capitale est dans ce texte pensée
en fonction des rapports de souveraineté qui s'exercent sur un territoire.

Je vais prendre maintenant un autre exemple. J'aurais pu le prendre
également dans les mêmes régions du monde, c'est-à-dire cette Europe
du Nord qui a été si importante dans la pensée et la théorie politiques
du XVIIe siècle, cette région qui va de la Hollande à la Suède, autour
de la mer du Nord et de la Baltique. Kristiania [27], Göteborg [28] en Suède
seraient des exemples. Je vais en prendre un en France. C'est donc là
toute cette série de villes artificielles qui ont été construites, certaines
dans le Nord de l'Europe et un certain nombre, ici, en France, à l'époque
de Louis XIII et Louis XIV. [Soit] ** une toute petite ville qui s'appelle
Richelieu, qui a été construite aux confins de la Touraine et du Poitou,
et qui a été construite à partir précisément de rien [29]. Là où il n'y avait
rien, on construit une ville. Et on la construit comment ? Eh bien, là, on
utilise cette fameuse forme du camp romain qui, à l'époque, venait d'être
réutilisée à l'intérieur de l'institution militaire comme instrument fondamental de la discipline. Fin XVIe - début XVIIe siècle, précisément dans
les pays protestants – d'où l'importance de tout cela dans l'Europe du
Nord –, on remet en vigueur la forme du camp romain en même temps
que les exercices, la subdivision des troupes, les contrôles collectifs et
individuels dans la grande entreprise de disciplinarisation de l'armée [30].
Or, qu'il s'agisse de Kristiania, de Göteborg ou de Richelieu, c'est bien
cette forme du camp qu'on utilise. La forme du camp est intéressante. En
effet, dans le cas précédent, *La Métropolitée* de Le Maître, l'aménagement
de la ville était essentiellement pensé dans la catégorie plus générale, plus
globale du territoire. C'était à travers un macrocosme qu'on essayait de
penser la ville, avec une espèce de répondant de l'autre côté, puisque l'État
lui-même était pensé comme un édifice. Enfin, c'était tout ce jeu du macrocosme et du microcosme qui traversait la problématique du rapport entre

---

* Les guillemets figurent dans le manuscrit du cours, p. 8.
** M. F. : Je prends l'exemple d'

la ville, la souveraineté et le territoire. Là, dans le cas de ces villes construites sur la figure du camp, on peut dire que la ville est tout de même pensée d'abord non pas à partir du plus grand qu'elle, le territoire, mais à partir du plus petit qu'elle, à partir d'une figure géométrique qui est une sorte de module architectural, à savoir le carré ou le rectangle subdivisés eux-mêmes par des croix en d'autres carrés ou d'autres rectangles.

Il faut tout de suite souligner que, dans le cas de Richelieu au moins, comme dans les camps bien aménagés et dans les bonnes architectures, cette figure, ce module qui est utilisé ne met pas simplement en œuvre le principe de la symétrie. Bien sûr, il y a un axe de symétrie, mais qui est encadré et qui devient fonctionnel grâce à des dissymétries bien calculées. Dans une ville comme Richelieu par exemple, vous avez une rue médiane qui divise bien effectivement en deux rectangles le rectangle même de la ville, et puis d'autres rues dont certaines sont parallèles à cette rue médiane, dont d'autres sont perpendiculaires, mais qui sont à des distances différentes, les unes plus rapprochées, les autres plus éloignées, de telle manière que la ville est bien subdivisée en rectangles, mais en rectangles dont les uns sont grands, les autres petits, avec une gradation du plus grand au plus petit. Les plus grands rectangles, c'est-à-dire le plus grand espacement des rues, se trouvent à une extrémité de la ville, et les plus petits, le quadrillage le plus serré, sont au contraire à l'autre extrémité de la ville. Du côté des plus grands rectangles, là où les croisillons sont larges, où les rues sont larges, c'est là que les gens doivent habiter. Au contraire, là où le croisillon est beaucoup plus serré, c'est là où il doit y avoir les commerces, les artisans, les boutiques, c'est là aussi où il doit y avoir une place où se tiendront les marchés. Et ce quartier du commerce – on voit bien comment le problème de la circulation [... *], plus il y a de commerces, plus il doit y avoir de circulation, plus il y a de commerces, plus il doit y avoir de surface sur la rue et de possibilités de sillonner la rue, etc. –, ce quartier du commerce est flanqué d'un côté par l'église, de l'autre par les halles. Et du côté des habitations, du quartier d'habitation, là où les rectangles sont plus larges, il y aura deux catégories de maisons, celles qui vont donner sur la grand-rue ou sur les rues parallèles à la grand-rue, qui vont être des maisons d'un certain nombre d'étages, deux je crois, avec des mansardes, et au contraire, dans les rues perpendiculaires, les plus petites maisons avec un seul étage : différence de statut social, différence de fortune, etc. Je crois que, dans ce schéma simple, on retrouve exactement le traitement disciplinaire des

---

* Phrase inachevée.

multiplicités dans l'espace, c'est-à-dire [la] constitution d'un espace vide et fermé à l'intérieur duquel on va construire des multiplicités artificielles qui sont organisées selon le triple principe de la hiérarchisation, [de] la communication exacte des relations de pouvoir et des effets fonctionnels spécifiques à cette distribution, par exemple assurer le commerce, assurer l'habitation, etc. Dans le cas de Le Maître et de sa *Métropolitée*, il s'agissait en somme de « capitaliser » * un territoire. Là, il va s'agir d'architecturer un espace. La discipline est de l'ordre du bâtiment (bâtiment au sens large).

Maintenant, troisième exemple : ce seraient les aménagements réels des villes qui existaient effectivement au xviiie siècle. Et là, alors, on en a toute une série. Je vais prendre l'exemple de Nantes qui a été étudié en 1932, je crois, par quelqu'un qui s'appelle Pierre Lelièvre et qui a donné différents plans de construction, d'aménagement de Nantes [31]. Ville importante, puisqu'elle est en plein développement commercial d'une part et que, d'autre part, ses relations avec l'Angleterre ont fait que le modèle anglais a été utilisé. Et le problème de Nantes, c'est bien entendu le problème : défaire les entassements, faire place aux nouvelles fonctions économiques et administratives, régler les rapports avec la campagne environnante et enfin prévoir la croissance. Je passe sur le projet, bien charmant pourtant, d'un architecte qui s'appelle Rousseau [32] et qui avait l'idée de reconstruire Nantes autour d'une sorte de boulevard-promenade qui aurait la forme d'un cœur. Oui, il rêve, mais ça a tout de même une importance. On voit bien que le problème c'était la circulation, c'est-à-dire que, pour que la ville soit un agent parfait de circulation, il fallait que ça ait la forme d'un cœur qui assure la circulation du sang. À la fois ça fait rire, mais après tout, l'architecture de la fin du xviiie siècle, Boullée [33], Ledoux [34], etc., fonctionnera encore très souvent sur des principes comme ça, la bonne forme devant être le support de l'exercice exact de la fonction. En fait, les projets qui ont été réalisés n'ont pas été Nantes en forme de cœur. Ça a été des projets, un projet en particulier présenté par quelqu'un qui s'appelait Vigné de Vigny [35] et dans lequel il s'agissait non pas du tout de tout reconstruire, ni d'imposer une forme symbolique susceptible d'assurer la fonction, mais il s'agissait d'un certain nombre de choses précises et concrètes.

Premièrement, percer des axes qui traversent la ville et des rues assez larges pour assurer quatre fonctions : premièrement l'hygiène, l'aération, dégager toutes ces espèces de poches où s'accumulaient les miasmes

---

* Guillemets indiqués par M. Foucault.

morbides dans les quartiers trop resserrés, où les habitations étaient trop
entassées. Donc fonction d'hygiène. Deuxièmement, assurer le commerce
intérieur de la ville. Troisièmement, articuler ce réseau de rues sur les
routes extérieures de manière à ce que les marchandises de l'extérieur
puissent arriver ou être expédiées, mais ceci sans abandonner les nécessités du contrôle douanier. Et enfin, – ce qui était un des problèmes
importants des villes au XVIII<sup>e</sup> siècle –, permettre la surveillance, dès
lors que la suppression des murailles rendue nécessaire par le développement économique faisait qu'on ne pouvait plus fermer les villes le soir
ou surveiller exactement les allées et venues pendant la journée, et par
conséquent l'insécurité des villes était accrue par l'afflux de toutes les
populations flottantes, mendiants, vagabonds, délinquants, criminels,
voleurs, assassins, etc., qui pouvaient venir, comme chacun sait, de la
campagne [... *]. Autrement dit, il s'agissait d'organiser la circulation,
d'éliminer ce qui en était dangereux, de faire le partage entre la bonne et
la mauvaise circulation, [de] maximaliser la bonne circulation en diminuant la mauvaise. Il s'agissait donc également d'aménager les accès
à l'extérieur, essentiellement pour ce qui est de la consommation de la
ville et de son commerce avec le monde extérieur. On a organisé un axe
de circulation avec Paris, on a aménagé l'Erdre par où venaient les bois
de Bretagne avec lesquels on se chauffait. Et enfin il s'est agi, dans ce
plan de réaménagement de Vigny, de répondre à une question fondamentale et qui est, paradoxalement, assez nouvelle, c'est-à-dire : comment
intégrer à un plan actuel les possibilités de développement de la ville ?
Et ça a été tout le problème du commerce des quais, et de ce qu'on
n'appelait pas encore des docks. La ville se perçoit elle-même comme
étant en développement. Un certain nombre de choses, d'événements,
d'éléments vont arriver ou se produire. Qu'est-ce qu'il faut faire pour
faire face à l'avance à ce qu'on ne connaît pas exactement ? L'idée,
c'est tout simplement d'utiliser les bords de la Loire et de construire des
quais, les plus longs, les plus grands possible le long de la Loire. Mais
plus on allonge la ville, plus on va perdre le bénéfice de cette espèce de
quadrillage clair, cohérent, etc. Est-ce qu'on va bien pouvoir administrer
une ville dont l'étendue est si grande, est-ce que la circulation va bien se
faire, dès lors qu'on va étendre la ville indéfiniment dans le sens de la lon-
gueur ? Le projet de Vigny était de construire des quais le long d'un des
bords de Loire, de laisser se développer un quartier, puis de construire, en
s'appuyant sur des îles, des ponts sur la Loire, et à partir de ces ponts, de

---

* Quelques mots inaudibles.

laisser se développer, de faire se développer un quartier en face du premier, de sorte que cet équilibre des deux bords de la Loire aurait évité l'allongement indéfini d'un des côtés de la Loire.

Enfin, peu importe le détail même de l'aménagement prévu. Je crois qu'il est assez important, en tout cas qu'il est significatif pour un certain nombre de raisons. Premièrement, il ne s'agit plus du tout de construire, à l'intérieur d'un espace vide ou vidé, comme dans le cas de ces villes, disons, disciplinaires comme Richelieu, Kristiania, etc. La discipline travaille dans un espace vide, artificiel, que l'on va construire entièrement. La sécurité, elle, va prendre appui sur un certain nombre de données matérielles. Elle va travailler avec bien sûr l'emplacement, avec l'écoulement des eaux, avec les îles, avec l'air, etc. Donc elle travaille sur un donné. [Deuxièmement], ce donné, il ne s'agit pas pour elle de le reconstruire de telle manière qu'on atteindrait un point de perfection comme dans une ville disciplinaire. Il s'agit simplement de maximaliser les éléments positifs, que l'on circule le mieux possible, et de minimiser au contraire ce qui est risque et inconvénient comme le vol, les maladies, tout en sachant parfaitement qu'on ne les supprimera jamais. On travaille donc non seulement sur des données naturelles, mais aussi sur des quantités qui sont relativement compressibles, mais qui ne le sont jamais totalement. Ça ne peut jamais être annulé, on va donc travailler sur des probabilités. Troisièmement, ce qu'on va essayer d'organiser dans ces aménagements des villes, ce sont des éléments qui se justifient pas leur polyfonctionnalité. Qu'est-ce que c'est qu'une bonne rue ? C'est une rue dans laquelle il va y avoir, bien sûr, une circulation de ce qu'on appelle les miasmes, donc les maladies, et il va falloir gérer la rue en fonction de ce rôle nécessaire, bien que peu souhaitable de la rue. La rue, ça va être aussi ce à travers quoi on porte les marchandises, ça va être également ce le long de quoi il va y avoir des boutiques. La rue, ça va être aussi ce à travers quoi vont pouvoir passer les voleurs, éventuellement les émeutiers, etc. C'est donc toutes ces différentes fonctions de la ville, les unes positives, les autres négatives, mais c'est celles-là qu'il va falloir mettre en place dans l'aménagement. Enfin, le quatrième point important, c'est qu'on va travailler sur l'avenir, c'est-à-dire que la ville ne va pas être conçue ni aménagée en fonction d'une perception statique qui assurerait dans l'instant la perfection de la fonction, mais elle va s'ouvrir sur un avenir non exactement contrôlé ni contrôlable, non exactement mesuré ni mesurable, et le bon aménagement de la ville, ça va être précisément : tenir compte de ce qui peut se passer. Bref, je crois qu'on peut parler là d'une technique qui s'ordonne essentiellement au problème de la sécurité, c'est-à-dire, au fond, au problème de la série. Série indéfinie des éléments qui se déplacent : la circulation, nombre x de chariots, nombre x de passants, nombre x de voleurs, nombre x de miasmes, etc.* Série indéfinie des événements qui se produisent : tant de bateaux vont accoster, tant de chariots vont arriver, etc. Série indéfinie également des unités qui s'accumulent : combien d'habitants, combien de maisons, etc. C'est la gestion de ces séries ouvertes, et par conséquent qui ne peuvent être contrôlées que par une estimation de probabilités, c'est cela, je crois, qui caractérise assez essentiellement le mécanisme de sécurité.

Disons pour résumer tout cela que, alors que la souveraineté capitalise un territoire, posant le problème majeur du siège du gouvernement, alors que la discipline architecture un espace et se pose comme problème essentiel une distribution hiérarchique et fonctionnelle des éléments, la sécurité va essayer d'aménager un milieu en fonction d'événements ou de séries d'événements ou d'éléments possibles, séries qu'il va falloir régulariser dans un cadre multivalent et transformable. L'espace propre à la sécurité renvoie donc à une série d'événements possibles, il renvoie au temporel et à l'aléatoire, un temporel et un aléatoire qu'il va falloir inscrire dans un espace donné. L'espace dans lequel se déroulent des séries d'éléments aléatoires, c'est, je crois, à peu près cela que l'on appelle le milieu. Le milieu, c'est une notion bien sûr qui, en biologie, n'apparaît – vous ne le savez que trop – qu'avec Lamarck[36]. C'est une notion qui, en revanche, existe déjà en physique, qui avait été utilisée par Newton et les newtoniens[37]. Le milieu, qu'est-ce que c'est ? C'est ce qui est nécessaire pour rendre compte de l'action à distance d'un corps sur un autre. C'est donc bien le support et l'élément de circulation d'une action[38]. C'est donc le problème circulation et causalité qui est en question dans cette notion de milieu. Eh bien, je crois que les architectes, les urbanistes, les premiers urbanistes du XVIIIe siècle, sont précisément ceux qui ont, non pas utilisé la notion de milieu, car, autant que j'aie pu le voir, elle n'est jamais utilisée pour désigner les villes ni les espaces aménagés. En revanche, si la notion n'existe pas, je dirais que le schéma technique de cette notion de milieu, l'espèce – comment dire ? – de structure pragmatique qui la dessine à l'avance est présente dans la manière dont les urbanistes essaient de réfléchir et de modifier l'espace urbain. Les dispositifs de sécurité travaillent, fabriquent, organisent, aménagent un milieu avant même que la notion ait été formée et isolée. Le milieu, ça va être donc ce en quoi se fait la circulation. Le milieu, c'est un ensemble de données naturelles,

---

* M. Foucault répète : Série indéfinie des éléments qui se déplacent

fleuves, marécages, collines, c'est un ensemble de données artificielles, agglomération d'individus, agglomération de maisons, etc. Le milieu, c'est un certain nombre d'effets qui sont des effets de masse portant sur tous ceux qui y résident. C'est un élément à l'intérieur duquel se fait un bouclage circulaire des effets et des causes, puisque ce qui est effet d'un côté va devenir cause de l'autre. Par exemple, plus l'entassement est grand, plus il va y avoir de miasmes, plus on va être malade. Plus on est malade, bien sûr, plus on meurt. Plus on meurt, plus il va y avoir de cadavres et par conséquent plus il y a de miasmes, etc. C'est donc ce phénomène de circulation des causes et des effets qui est visé à travers le milieu. Et enfin le milieu apparaît comme un champ d'intervention où, au lieu d'atteindre les individus comme un ensemble de sujets de droit capables d'actions volontaires – ce qui était le cas de la souveraineté –, au lieu de les atteindre comme une multiplicité d'organismes, de corps susceptibles de performances, et de performances requises comme dans la discipline, on va essayer d'atteindre, précisément, une population. Je veux dire une multiplicité d'individus qui sont et qui n'existent que profondément, essentiellement, biologiquement liés à la matérialité à l'intérieur de laquelle ils existent. Ce qu'on va essayer d'atteindre, par ce milieu, c'est là où précisément interfère une série d'événements que ces individus, populations et groupes produisent, avec des événements de type quasi naturel qui se produisent autour d'eux.

Il me semble qu'avec ce problème technique posé par la ville, on voit – mais ce n'est qu'un exemple, on en trouverait encore bien d'autres et on y reviendra –, on voit l'irruption du problème de la « naturalité » * de l'espèce humaine à l'intérieur d'un milieu artificiel. Et cette irruption de la naturalité de l'espèce à l'intérieur de l'artificialité politique d'une relation de pouvoir, c'est quelque chose, me semble-t-il, de fondamental, et je renverrai pour terminer simplement à un texte de celui qui a sans doute été le premier grand théoricien de ce qu'on pourrait appeler la bio-politique, le bio-pouvoir. Il en parle d'ailleurs à propos d'autre chose qui est la natalité, qui a été bien sûr un des grands enjeux, mais on voit très bien apparaître là cette notion d'un milieu historico-naturel comme cible

---

* Entre guillemets dans le manuscrit, p. 16. M. Foucault écrit :
« Dire que c'est l'irruption de la "naturalité" de l'espèce humaine dans le champ des techniques de pouvoir serait trop dire. Mais alors que [jusque-]là elle apparaissait surtout sous la forme du besoin, de l'insuffisance, ou de la faiblesse, du mal, maintenant elle apparaît comme intersection entre une multiplicité d'individus vivant, travaillant et coexistant les uns avec les autres dans un ensemble d'éléments matériels qui agissent sur eux et sur lesquels en retour ils agissent. »

d'une intervention de pouvoir, qui me paraît tout à fait différente de la notion juridique de la souveraineté et du territoire, différente aussi de l'espace disciplinaire. [C'est à propos de] cette idée d'un milieu artificiel et naturel, où l'artifice joue comme une nature par rapport à une population qui, tout en étant tramée de rapports sociaux et politiques, fonctionne aussi comme une espèce, qu'on trouve, dans les *Recherches sur la population* de Moheau[39], un texte comme ceci : « Il dépend du gouvernement de changer la température de l'air, et d'améliorer le climat ; un cours donné aux eaux croupissantes, des forêts plantées ou brûlées, des montagnes détruites par le temps ou par la culture continuelle de leur superficie, forment un sol et un climat nouveau. Tel est l'effet du temps, de l'habitation de la terre et des vicissitudes dans l'ordre physique, que les cantons les plus sains sont devenus morbifiques[40]. » Et il se réfère à un vers de Virgile où il est question du vin qui gèle dans les tonneaux et il dit : est-ce qu'on verrait jamais actuellement en Italie le vin geler dans les tonneaux ?[41] Eh bien, s'il y a eu tant de changement, ce n'est pas que le climat ait changé, c'est que les interventions politiques et économiques du gouvernement ont modifié le cours des choses au point que la nature même a constitué pour l'homme, j'allais dire un autre milieu, sauf que le mot « milieu » ne figure pas chez Moheau. Et en conclusion, il dit : « Si du climat, du régime, des usages, de l'habitude de certaines actions, il résulte le principe inconnu qui forme le caractère et les esprits, on peut dire que les souverains, par des lois sages, par des établissements utiles, par la gêne qu'apportent les impôts, par la faculté résultante de leur suppression, enfin par leur exemple, régissent l'existence physique et morale de leurs sujets. Peut-être un jour pourra-t-on tirer parti de ces moyens pour donner aux mœurs et à l'esprit de la nation une nuance à volonté[42]. » Vous voyez, là, on retrouve le problème du souverain, mais cette fois le souverain, ce n'est plus celui qui exerce son pouvoir sur un territoire à partir d'une localisation géographique de sa souveraineté politique, le souverain c'est quelque chose qui a affaire à une nature, ou plutôt à l'interférence, à l'intrication perpétuelle d'un milieu géographique, climatique, physique avec l'espèce humaine, dans la mesure où elle a un corps et une âme, une existence physique [et] morale ; et le souverain, ce sera celui qui aura à exercer son pouvoir en ce point d'articulation où la nature, au sens des éléments physiques, vient interférer avec la nature au sens de la nature de l'espèce humaine, en ce point d'articulation, là où le milieu devient déterminant de la nature. C'est là que le souverain va intervenir, et s'il veut changer l'espèce humaine, c'est bien, dit Moheau, en agissant sur le milieu. Je crois qu'on a là un des axes, un des éléments fondamentaux dans cette mise en place des mécanismes de sécurité, c'est-à-dire l'apparition, non pas encore d'une notion de milieu, mais d'un projet, d'une technique politique qui s'adresserait au milieu.

\*

NOTES

1. Cf. *« Il faut défendre la société »*. *Cours au Collège de France, 1975-1976*, éd. par M. Bertani & A. Fontana, Paris, Gallimard - Le Seuil (« Hautes Études »), 1997, p. 216 (« De quoi s'agit-il dans cette nouvelle technologie de pouvoir, dans cette bio-politique, dans ce bio-pouvoir qui est en train de s'installer ? ») ; *La Volonté de savoir*, Paris, Gallimard (« Bibliothèque des histoires »), 1976, p. 184.

2. Ces dernières phrases sont à rapprocher de ce que déclare Foucault, à la fin de cette même année, dans son long entretien avec D. Trombadori, sur sa déception, à son retour de Tunisie, face aux polémiques théoriques des mouvements d'extrême gauche après Mai 1968 : « On a parlé en France d'hyper-marxisme, de déchaînement de théories, d'anathèmes, de groupuscularisation. C'était exactement le contrepied, le revers, le contraire de ce qui m'avait passionné en Tunisie [lors des émeutes étudiantes de mars 1968]. Ceci explique peut-être la manière dont j'ai essayé de prendre les choses à partir de ce moment-là, en décalage par rapport à ces discussions infinies, à cette hyper-marxisation [...]. J'ai essayé de faire des choses qui impliquent un engagement personnel, physique et réel, et qui poserait les problèmes en termes concrets, précis, définis à l'intérieur d'une situation donnée » (« Entretien avec Michel Foucault » (fin 1978), in *Dits et Écrits, 1954-1988,* éd. par D. Defert & E. Ewald, collab. J. Lagrange, Paris, Gallimard, 1994, 4 vol. [ultérieurement : *DE* en référence à cette édition], IV, n° 281, p. 80). Sur le lien entre cette conception de l'engagement et le regard que Foucault, en octobre et novembre 1978, porte sur les événements d'Iran, cf. notre « Situation des cours », *infra*, p. 391.

3. Cf. leçon du 1er février (*DE*, III, p. 655), où Foucault précise qu'il aurait été plus exact d'intituler ce cours « Histoire de la gouvernementalité ».

4. Cf. *Surveiller et Punir*, Paris, Gallimard (« Bibliothèque des histoires »), 1975.

5. C'est dans la dernière leçon (17 mars 1976) du cours de 1975-1976, *« Il faut défendre la société »*, *op. cit.*, p. 219, que Foucault distingue pour la première fois les mécanismes de sécurité des mécanismes disciplinaires. Le concept de « sécurité », toutefois, n'est pas repris dans *La Volonté de savoir*, où Foucault lui préfère, par opposition aux disciplines, qui s'exercent sur le corps des individus, celui de « contrôles régulateurs » prenant en charge la santé et la vie des populations (p. 183).

6. Sur ces nouvelles formes de pénalité dans le discours néolibéral américain, cf. *Naissance de la biopolitique. Cours au Collège de France, 1978-1979,* éd. par M. Senellart, Paris, Gallimard - Le Seuil (« Hautes Études »), 2004, leçon du 21 mars 1979, p. 245 *sq*.

7. Il s'agit des statistiques judiciaires publiées chaque année, depuis 1825, par le ministère de la Justice. Cf. A.-M. Guerry, *Essai sur la statistique morale de la*

*France,* Paris, Crochard, 1833, p. 5 : « Les premiers documents authentiques publiés sur l'administration de la justice criminelle en France ne remontent qu'à l'année 1825. [...] Aujourd'hui les procureurs généraux adressent chaque trimestre au garde-des-sceaux les états des affaires criminelles ou correctionnelles portées devant les tribunaux de leur ressort. Ces états rédigés sur des modèles uniformes, pour qu'ils ne présentent que des résultats positifs et comparables, sont examinés avec soin au ministère, contrôlés les uns par les autres dans leurs diverses parties, et leur analyse faite à la fin de chaque année forme le *Compte général de l'administration de la justice criminelle.* »

8. Cf. *Histoire de la folie à l'âge classique,* Paris, Gallimard (« Bibliothèque des histoires »), éd. 1972, p. 13-16 ; *Les Anormaux. Cours au Collège de France, année 1974-1975,* éd. par V. Marchetti & A. Salomoni, Paris, Gallimard-Le Seuil (« Hautes Études »), 1999, leçon du 15 janvier 1975, p. 40-41 ; *Surveiller et Punir, op. cit.,* p. 200.

9. *Les Anormaux, op. cit.,* p. 41-45 ; *Surveiller et Punir,* p. 197-200.

10. M. Foucault revient sur ce thème dans la leçon du 25 janvier, p. 59 *sq.* Sur l'exposé de A.-M. Moulin présenté dans le séminaire, cf. *infra,* p. 82, note 2.

11. Jean-Claude Perrot, *Genèse d'une ville moderne, Caen au XVIIIᵉ siècle* (thèse, Université de Lille, 1974, 2 vol.), Paris-La Haye, Mouton (« Civilisations et Sociétés »), 1975, 2 vol. Michèle Perrot fait référence à ce livre dans sa postface à J. Bentham, *Le Panoptique,* Paris, Belfond, 1977 : « L'inspecteur Bentham », p. 189 et 208, ouvrage auquel avait participé Foucault (entretien avec J.-P. Barrou et M. Perrot, « L'œil du pouvoir », *ibid.,* p. 9-31).

12. Alexandre Le Maître (cy-devant Quartiermaître & Ingenieur General pour S. A. E. de Brandebourg), *La Métropolitée, ou De l'établissement des villes Capitales, de leur Utilité passive & active, de l'Union de leurs parties & de leur anatomie, de leur commerce, etc.,* Amsterdam, B. Bockholt, 1682 ; rééd. Éditions d'histoire sociale, 1973.

13. *La Métropolitée, op. cit.,* ch. X, p. 22-24 : « Des trois États, qui sont à distinguer dans une Province ; de leur fonction, & de leurs qualités ».

14. *Ibid.*

15. *Ibid.,* ch. XI, p. 25-27 : « Que comme dans la vie Champêtre ou dans les villages il n'y a que les païsans, on devoit distribuer les Artisans dans les petites villes, & n'avoir dans les grandes Villes, ou les Capitales que les gens de tête, & les Artisans absolument necessaires ».

16. *Ibid.,* ch. XVIII, p. 51-54 : « La grandeur que doit avoir le païs, la Province ; ou le district à qui l'on veut donner une ville Capitale ».

17. *Ibid.,* ch. IV, p. 11-12 : « Que la ville Capitale n'est pas seulement en possession de l'utile ; mais aussi de l'honnête, non seulement des richesses : mais aussi du rang et de la gloire ».

18. *Ibid.,* ch. XVIII, p. 52 : « [La Capitale] sera le Cœur politique, qui fait vivre & mouvoir tout le corps de la Province, par le principe fondamental de la science regente, qui forme un entier de plusieurs pièces, sans pourtant les ruiner. »

19. *Ibid.,* ch. XXIII, p. 69 : « Il est [...] necessaire, que l'Oeil du Prince jette ses rayons sur les démarches de son peuple, qu'il en observe la conduite, les puisse remarquer de près, & que sa seule presence tienne en bride le vice, les desordres & l'injustice. Or cela ne peut mieux reüssir, que par l'union des parties dans la Metropolitaine. »

20. *Ibid.,* p. 67-72 : « Que la presence du Souverain est necessaire dans ses États là, où se fait le plus grand commerce, pour être témoin des actions & du negoce de

ses Sujets, les maintenir dans l'equité & dans la crainte, se faire voir au peuple, & en être comme le soleil, qui les éclaire par sa presence.»

21. *Ibid.,* ch. XXVIII, p. 79-87 : «Que dans la Métropolitaine les gens de Chaire & qui prêchent, doivent être des orateurs celebres.»

22. *Ibid.,* ch. XXVII, p. 76-79 : «Qu'il y a des raisons fortes, pour la fondation des Academies dans les Villes Capitales, ou Metropolitaines.»

23. *Ibid.,* ch. XXV, p. 72-73 : «Que la Capitale, faisant la plus grande consomption, doit aussi être le siege du commerce.»

24. *Ibid.,* ch. V, p. 12-13 : «Que la cause essentielle & finale de la ville Capitale ne peut être que l'Utilité publique, & qu'à cette fin elle doit être la plus opulente.»

25. La caméralistique, ou science camérale *(Cameralwissenschaft),* désigne la science des finances et de l'administration qui s'est développée, à partir du XVII$^e$ siècle, dans les «chambres» des princes, ces organes de planification et de contrôle bureaucratique qui se substituèrent peu à peu aux conseils traditionnels. C'est en 1727 que cette discipline obtint le droit d'entrer dans les Universités de Halle et de Francfort-sur-l'Oder, devenant un objet d'enseignement pour les futurs fonctionnaires d'État (cf. M. Stolleis, *Geschichte des öffentlichen Rechts in Deutschland, 1600-1800,* Munich, C. H. Beck, t. 1, 1988 / *Histoire du droit public en Allemagne, 1600-1800,* trad. M. Senellart, Paris, PUF, 1998, p. 556-558). Cette création de chaires d'*Oeconomie-Policey und Cammersachen* résultait de la volonté de Frédéric Guillaume I$^{er}$ de Prusse, qui avait entrepris de moderniser l'administration de son royaume et d'ajouter l'étude de l'économie à celle du droit dans la formation des futurs fonctionnaires. A. W. Small résume ainsi la pensée des caméralistes : «Le problème central de la science, pour les caméralistes, était le problème de l'État. L'objet de toute théorie sociale, selon eux, était de montrer comment le bien-être *(welfare)* de l'État pouvait être assuré. Ils voyaient dans le bien-être de l'État la source de tout autre bien-être. La clé de ce bien-être était les revenus permettant à l'État de pourvoir à ses besoins. Toute leur théorie sociale rayonnait à partir de cette tâche centrale : fournir l'État en argent comptant *(ready means)*» (A. W. Small, *The Cameralists : The pioneers of German social polity,* Londres, Burt Franklin, 1909, p. VIII). Sur le mercantilisme, cf. *infra,* leçon du 5 avril, p. 345.

26. Johann Gottlieb Fichte (1762-1814), *Der geschlossene Handelsstaat,* Tübingen, Cotta / *L'État commercial fermé,* trad. J. Gibelin, Paris, Librairie générale de droit et de jurisprudence, 1940 ; nouv. éd. avec introduction et notes de D. Schulthess, Lausanne, L'Âge d'homme («Raison dialectique»), 1980. Dans cet ouvrage dédié au ministre des Finances, l'économiste Struensee, Fichte s'élève aussi bien contre le libéralisme que contre le mercantilisme, accusés d'appauvrir la majorité de la population, auxquels il oppose le modèle d'un «État de raison» à fondement contractuel, contrôlant la production et planifiant l'allocation des ressources.

27. Kristiania, ou Christiania : ancien nom de la capitale de la Norvège (aujourd'hui Oslo, depuis 1925), rebâtie par le roi Christian IV en 1624 après l'incendie qui détruisit la ville. M. Foucault dit à chaque fois : «Kristiana».

28. Fondée par Gustav II Adolphe en 1619, la ville fut construite sur le modèle des cités hollandaises en raison des terrains marécageux.

29. Située au sud-est de Chinon (Indre-et-Loire), sur les bords du Mable, la ville fut bâtie par le cardinal de Richelieu, qui fit démolir les anciennes masures, à l'emplacement du domaine patrimonial, pour la reconstruire, à partir de 1631, sur un

plan régulier tracé par Jacques Lemercier (1585-1654). Les travaux furent conduits par le frère de ce dernier, Pierre Lemercier, qui donna les plans du château et de la ville dans son ensemble.

30. Le camp romain *(castra)* était constitué d'un carré ou d'un rectangle, sub-divisé en divers carrés ou rectangles. Sur la castramétation (ou art d'établir les armées dans les camps) romaine, cf. la notice très détaillée du *Nouveau Larousse illustré*, t. 2, 1899, p. 431. Sur la reprise de ce modèle, au début du XVIIe siècle, comme condi-tion de la discipline militaire et forme idéale des «"observatoires" de la multiplicité humaine» – «le camp, c'est le diagramme d'un pouvoir qui agit par l'effet d'une visibilité générale» –, cf. *Surveiller et Punir*, p. 173-174 et figure 7. La bibliogra-phie citée par Foucault, alors, est essentiellement française (p. 174 n. 1), à l'exception du traité de J. J. von Wallhausen, *L'Art militaire pour l'infanterie*, Francker, Uldrick Balck, 1615 (trad. de *Kriegskunst zu Fusz* par J.Th. de Bry; cité p. 172 n. 1). Wall-hausen fut le premier directeur de la *Schola militaris* fondée à Siegen, en Hollande, par Jean de Nassau en 1616. Sur les caractéristiques de la «révolution militaire» hollandaise et sa diffusion en Allemagne et en Suède, cf. la très riche bibliographie fournie par G. Parker, *The Thirty Years'War*, Londres, Routledge & Kegan Paul, 1984 / *La Guerre de Trente Ans*, trad. A. Charpentier, Paris, Aubier («Collection his-torique»), 1987, p. 383 et 407.

31. P. Lelièvre, *L'Urbanisme et l'Architecture à Nantes au XVIIIe siècle*, thèse de doctorat, Nantes, Librairie Durance, 1942.

32. *Plan de la ville de Nantes et des projets d'embellissement présentés par M. Rousseau, architecte*, 1760, avec cette dédicace: «Illustrissimo atque ornatis-simo D. D. Armando Duplessis de Richelieu, duci Aiguillon, pari Franciae». Cf. P. Lelièvre, *op. cit.*, p. 89-90: «Une imagination si complètement arbitraire ne présente vraiment que l'intérêt de sa déconcertante fantaisie.» (Le plan de la ville de Nantes, avec sa forme de cœur, est reproduit au verso de la page 87.) Cf. aussi p. 205: «Est-il absurde de supposer que l'idée même de "circulation" a pu inspirer cette figure anatomique, sillonnée d'artères? Ne poussons pas plus loin que lui cette analogie limitée au contour, schématique et stylisé de l'organe de la circulation.»

33. Étienne-Louis Boullée (1728-1799), architecte et dessinateur français. Il prô-nait l'adoption de formes géométriques inspirées de la nature (voir ses projets d'un Museum, d'une Bibliothèque Nationale, d'un palais de capitale d'un grand empire ou d'un tombeau en l'honneur de Newton, *in* J. Starobinski, *1798. Les Emblèmes de la raison*, Paris, Flammarion, 1973, p. 62-67).

34. Claude-Nicolas Ledoux (1736-1806), architecte et dessinateur français, auteur de *L'Architecture considérée sous le rapport de l'art, des mœurs et de la législation*, Paris, l'auteur, 1804.

35. *Plan de la ville de Nantes, avec les changements et les accroissemens par le sieur de Vigny, architecte du Roy et de la Société de Londres, intendant des bâtiments de Mgr le duc d'Orléans. – Fait par nous, architecte du Roy, à Paris, le 8 avril 1755.* Cf. P. Lelièvre, *L'Urbanisme et l'Architecture...*, p. 84-89; cf. également l'étude que lui consacre L. Delattre, *in Bulletin de la Société archéologique et historique de Nantes*, t. LII, 1911, p. 75-108.

36. Jean-Baptiste Monet de Lamarck (1744-1829), auteur de la *Philosophie zoolo-gique* (1809); cf. G. Canguilhem, «Le vivant et son milieu», *in* Id., *La Connaissance de la vie*, Paris, Vrin, 1965, p. 131: «Lamarck parle toujours de milieux, au pluriel,

et entend par là expressément des fluides comme l'eau, l'air et la lumière. Lorsque Lamarck veut désigner l'ensemble des actions qui s'exercent du dehors sur un vivant, c'est-à-dire ce que nous appelons aujourd'hui le milieu, il ne dit jamais le milieu, mais toujours "circonstances influentes". Par conséquent, circonstances est pour Lamarck un genre dont climat, lieu et milieu sont les espèces.»

37. Cf. G. Canguilhem, *ibid.,* p. 129-130: «Historiquement considérés la notion et le terme de milieu sont importés de la mécanique dans la biologie, dans la deuxième partie du xviiie siècle. La notion mécanique, mais non le terme, apparaît avec Newton, et le terme de milieu, avec sa signification mécanique, est présent dans l'*Encyclopédie* de D'Alembert et Diderot, à l'article Milieu. [...] Les mécaniciens français ont appelé milieu ce que Newton entendait par fluide, et dont le type, sinon l'archétype unique, est, dans la physique de Newton, l'éther.» C'est par l'intermédiaire de Buffon, explique Canguilhem, que Lamarck emprunte à Newton le modèle d'explication d'une réaction organique par l'action d'un milieu. Sur l'émergence de l'idée de milieu, dans la seconde moitié du xviiie siècle, à travers la notion de «forces pénétrantes» (Buffon), cf. M. Foucault, *Histoire de la folie..., op. cit.,* III, 1, éd. 1972, p. 385 *sq.* («Notion négative [...] qui apparaît au xviiie siècle, pour expliquer les variations et les maladies plutôt que les adaptations et les convergences. Comme si ces "forces pénétrantes" formaient l'envers, le négatif de ce qui deviendra, par la suite, la notion positive de milieu», p. 385).

38. G. Canguilhem, *in op. cit.,* p. 130: «Le problème à résoudre pour la mécanique, à l'époque de Newton, était celui de l'action à distance d'individus physiques distincts.»

39. Moheau, *Recherches et Considérations sur la population de la France,* Paris, Moutard, 1778; rééd. avec introd. et table analytique par R. Gonnard, Paris, P. Geuthner («Collection des économistes et des réformateurs sociaux de la France»), 1912; rééd. annotée par E. Vilquin, Paris, INED/PUF, 1994. Selon J.-Cl. Perrot, *Une histoire intellectuelle de l'économie politique, xviie-xviiie siècle,* Paris, Éd. de l'EHESS («Civilisations et Sociétés»), 1992, p. 175-176, ce livre constitue «le véritable "esprit des lois" démographiques du xviiie siècle». L'identité de l'auteur («Moheau», sans aucun prénom) a fait l'objet d'une longue controverse depuis la publication de l'ouvrage. Un certain nombre de commentateurs y ont vu un pseudonyme derrière lequel se serait dissimulé le baron Auget de Montyon, successivement intendant de Riom, d'Aix et de La Rochelle. Il semble établi aujourd'hui que le livre fut bien écrit par celui qui fut son secrétaire jusqu'en 1775 et mourut guillotiné en 1794, Jean-Baptiste Moheau. Cf. R. Le Mée, «Jean-Baptiste Moheau (1745-1794) et les *Recherches...* Un auteur énigmatique ou mythique?», in Moheau, *Recherches et Considérations...,* éd. 1994, p. 313-365.

40. *Recherches et Considérations...,* livre II, 2e partie, ch. XVII: «De l'influence du Gouvernement sur toutes les causes qui peuvent déterminer les progrès ou les pertes de la population», éd. 1778, p. 154-155; éd. 1912, p. 291-292; éd. 1994, p. 307. La phrase s'achève ainsi: «[...] et qu'il ne se trouve point de rapport entre les degrés de froid et de chaud dans les mêmes contrées à des époques différentes.»

41. *Ibid.*: «Virgile nous étonne quand il parle du vin qui se geloit en Italie dans les tonneaux; certainement la campagne de Rome n'étoit pas ce qu'elle est aujourd'hui, du temps des Romains qui améliorèrent l'habitation de tous les lieux qu'ils soumirent à leur domination» (éd. 1778, p. 155; éd. 1912, p. 292; éd. 1994, p. 307).

42. *Ibid.,* p. 157/293/307-308.

# LEÇON DU 18 JANVIER 1978

*Traits généraux des dispositifs de sécurité (II) : le rapport à l'événement :*
*l'art de gouverner et le traitement de l'aléatoire. – Le problème de la disette*
*aux XVIIᵉ et XVIIIᵉ siècles. – Des mercantilistes aux physiocrates. – Différences*
*entre dispositif de sécurité et mécanisme disciplinaire dans la manière de*
*traiter l'événement. – La nouvelle rationalité gouvernementale et l'émer-*
*gence de la «population». – Conclusion sur le libéralisme : la liberté comme*
*idéologie et technique de gouvernement.*

On avait donc commencé à étudier un petit peu ce qu'on pourrait
appeler la forme, simplement la forme de quelques-uns des dispositifs
importants de sécurité. La dernière fois, j'avais dit deux mots à propos
des rapports entre le territoire et le milieu. J'avais essayé de vous montrer
à travers quelques textes, d'une part, quelques projets, quelques aménagements réels aussi de villes au XVIIIᵉ siècle, comment le souverain du
territoire était devenu architecte de l'espace discipliné, mais aussi, et
presque en même temps, régulateur d'un milieu dans lequel il ne s'agit
pas tellement de fixer les limites, les frontières, dans lequel il ne s'agit pas
tellement de déterminer des emplacements, mais surtout essentiellement
de permettre, de garantir, d'assurer des circulations : circulation des gens,
circulation des marchandises, circulation de l'air, etc. À dire vrai, cette
fonction structurante de l'espace et du territoire par le souverain n'est
pas chose nouvelle au XVIIIᵉ siècle. Après tout, quel est donc le souverain
qui n'a pas voulu jeter un pont au-dessus du Bosphore ou déplacer des
montagnes ?* Encore faut-il savoir, justement, à l'intérieur de quelle économie générale de pouvoir se situent ce projet et cette structuration de
l'espace et du territoire. Est-ce qu'il s'agit de marquer un territoire ou de
le conquérir ? Est-ce qu'il s'agit de discipliner des sujets et de leur faire

---

* Au lieu de cette phrase figurent dans le manuscrit ces trois noms : «Nemrod,
Xerxès, Yu Kong».

produire des richesses, ou est-ce qu'il s'agit de constituer pour une population quelque chose qui soit comme un milieu de vie, d'existence, de travail ?

Je voudrais maintenant reprendre cette même analyse des dispositifs de sécurité à partir d'un autre exemple et pour essayer de cerner un peu autre chose : non plus le rapport à l'espace et au milieu, mais le rapport du gouvernement à l'événement. * Problème de l'événement. Je vais prendre directement un exemple, celui de la disette. La disette, qui n'est pas exactement la famine, c'est, – comme la définissait un économiste de la seconde moitié du xviii<sup>e</sup> siècle dont on aura à reparler tout à l'heure –, c'est « l'insuffisance *actuelle* de la quantité des grains nécessaire pour faire subsister une nation [1] ». C'est-à-dire que la disette, c'est un état de rareté qui a cette propriété d'engendrer un processus qui la reconduit elle-même et tend, s'il n'y a pas un autre mécanisme qui vient l'arrêter, à la prolonger et à l'accentuer. C'est un état de rareté, en effet, qui fait monter les prix. Plus les prix montent, plus bien entendu ceux qui détiennent les objets rares tiennent à les stocker et à les accaparer pour que les prix montent encore davantage, et ceci jusqu'au moment où les besoins les plus élémentaires de la population cessent d'être satisfaits. La disette, c'est pour les gouvernements, en tout cas pour le gouvernement français au xvii<sup>e</sup> et au xviii<sup>e</sup> siècle, le type même d'événement à éviter, pour un certain nombre de raisons qui sont évidentes. Je ne rappelle que celle qui est la plus claire et, pour le gouvernement, la plus dramatique. La disette est un phénomène dont les conséquences immédiates et les plus sensibles apparaissent, bien sûr, d'abord en milieu urbain, car après tout la disette est toujours relativement moins difficile à supporter – relativement – en milieu rural. En tout cas, elle apparaît en milieu urbain, et elle entraîne presque immédiatement, et avec une grande probabilité, la révolte. Or, bien sûr, depuis les expériences du xvii<sup>e</sup> siècle, la révolte urbaine est la grande chose à éviter pour le gouvernement. Fléau du côté de la population, catastrophe, crise si vous voulez, du côté du gouvernement.

D'une manière générale, si on veut simplement restituer l'espèce d'horizon philosophico-politique sur fond duquel apparaît la disette, je dirai que [celle-ci], comme tous les fléaux, est reprise dans les deux catégories par lesquelles la pensée politique essayait de penser le malheur

---

* M. Foucault s'interrompt ici pour faire une remarque sur les magnétophones : « Je ne suis pas contre les appareils quelconques, mais je ne sais pas – je m'excuse de vous dire ça –, j'ai une petite allergie comme ça... »

inévitable. [Premièrement], le vieux concept antique, gréco-latin, de la fortune, la mauvaise fortune[2]. Après tout, la disette, c'est la malchance à l'état pur, puisque précisément son facteur le plus immédiat, le plus apparent, c'est l'intempérie, la sécheresse, le gel, le trop d'humidité, en tout cas ce sur quoi on n'a pas prise. Et cette mauvaise fortune, vous le savez, ce n'est pas simplement un constat d'impuissance. C'est tout un concept politique, moral, cosmologique également qui, depuis l'Antiquité jusqu'à Machiavel et finalement jusqu'à Napoléon, a été non seulement une manière de penser philosophiquement le malheur politique, mais même un schéma de comportement dans le champ politique. Le responsable politique dans l'antiquité gréco-romaine, au Moyen Âge, jusqu'à Napoléon compris et peut-être même au-delà, joue avec la mauvaise fortune et, Machiavel l'a montré, il y a toute une série de règles de jeu par rapport à la mauvaise fortune[2]. Donc, la disette apparaît comme l'une des formes fondamentales de la mauvaise fortune pour un peuple et pour un souverain.

Deuxièmement, l'autre matrice philosophique et morale qui permet de penser la disette, c'est la mauvaise nature de l'homme. Mauvaise nature qui va se lier au phénomène de la disette dans la mesure où celle-ci va apparaître comme un châtiment[3]. Mais d'une façon plus concrète et plus précise, la mauvaise nature de l'homme va influer sur la disette, en apparaître comme un des principes dans la mesure où l'avidité des hommes – leur besoin de gagner, leur désir de gagner encore plus, leur égoïsme – va provoquer tous ces phénomènes de stockage, accaparement, rétention de la marchandise qui vont accentuer le phénomène de la disette[4]. Le concept juridico-moral de la mauvaise nature humaine, de la nature déchue, le concept cosmologico-politique de la mauvaise fortune sont les deux cadres généraux à l'intérieur desquels on pense la disette.

D'une façon beaucoup plus précise et institutionnelle, dans les techniques de gouvernement, de gestion politique et économique d'une société comme la société française au XVIIe et au XVIIIe siècle, qu'est-ce qu'on va faire contre la disette ? On a établi contre elle et depuis longtemps tout un système que je dirai à la fois juridique et disciplinaire, un système de légalité et un système de règlements qui est essentiellement destiné à empêcher la disette, c'est-à-dire non pas simplement à l'arrêter quand elle se produit, non pas simplement à la déraciner, mais littéralement à la prévenir : qu'elle ne puisse pas avoir lieu du tout. Système juridique et disciplinaire qui, concrètement, prend les formes que vous savez : classiques – limitation de prix, limitation surtout du droit de stockage : interdit de stocker, nécessité par conséquent de vendre immédiatement ;

limitation de l'exportation* : interdit d'envoyer des grains à l'étranger, avec simplement comme restriction à cela la limitation de l'étendue des cultures dans la mesure où, si les cultures de grains sont trop larges, trop abondantes, l'excès d'abondance fera qu'il y aura un effondrement des prix tel que les paysans ne s'y retrouveront pas. Donc, toute une série de limitations de prix, de stockage, de l'exportation, et limitation de la culture. Système de contraintes aussi, puisqu'on va contraindre les gens à ensemencer au moins une quantité minimale, on va interdire la culture de telle ou telle chose. On va obliger les gens, par exemple, à arracher la vigne pour les forcer à ensemencer en grains. On va forcer les marchands à vendre avant d'attendre la hausse des prix et, dès les premières récoltes, on va établir tout un système de surveillance qui va permettre de contrôler les stocks, d'empêcher les circulations de pays à pays, de province à province. On va empêcher les transports maritimes de grains. Tout ceci, tout ce système juridique et disciplinaire de limitations, de contraintes, de surveillance permanente, tout ce système est organisé pour quoi ? L'objectif, c'est bien entendu que les grains soient vendus au plus bas prix possible, que les paysans par conséquent fassent le plus petit profit possible et que les gens des villes puissent ainsi se nourrir au plus bas prix possible, ce qui va avoir pour conséquence que les salaires qu'on aura à leur donner seront eux aussi les plus bas possible. Cette régulation par en bas du prix de vente des grains, du profit paysan, du coût d'achat pour les gens, du salaire, vous savez que c'est évidemment le grand principe politique qui a été développé, organisé, systématisé pendant toute la période que l'on peut appeler mercantiliste, si on entend par mercantilisme ces techniques de gouvernement et de gestion de l'économie qui ont pratiquement dominé l'Europe depuis le début du XVIIᵉ jusqu'au début du XVIIIᵉ siècle. Ce système est essentiellement un système anti-disette, puisque par ce système d'interdictions et d'empêchements, qu'est-ce qui va se produire ? C'est que, d'une part, tous les grains seront mis sur le marché, et le plus vite possible. [Les grains] étant mis sur le marché le plus vite possible, le phénomène de rareté sera relativement limité, et de plus les interdictions à l'exportation*, les interdictions de stockage et de hausse de prix vont empêcher ce qu'on redoute par excellence : que les prix s'emballent dans les villes et que les gens se révoltent.

Système anti-disette, système essentiellement centré sur un événement éventuel, un événement qui pourrait se produire et qu'on essaie d'empêcher de se produire avant même qu'il se soit inscrit dans la réalité. Inutile

* M. F. : l'importation

d'insister sur les échecs bien connus, mille fois constatés de ce système. Échecs qui consistent en ceci : c'est que, primo, ce maintien du prix des grains au plus bas produit ce premier effet que, même lorsque il y a abondance de grains, ou plutôt surtout lorsqu'il y a abondance de grains, les paysans vont se ruiner, puisque qui dit abondance de grains, dit tendance des prix à la baisse, et finalement le prix * du blé pour les paysans va être inférieur aux investissements qu'ils ont faits pour l'obtenir ; donc, gain qui tend vers zéro, éventuellement même qui tombe au-dessous du coût même de la production pour les paysans. Deuxièmement, seconde conséquence, ça va être que les paysans n'ayant pas tiré, même des années où le blé est abondant, suffisamment de profit de leur récolte, vont être nécessairement voués et contraints à un faible ensemencement. Moins ils auront fait de profit, moins bien entendu ils vont pouvoir ensemencer largement. Ce faible ensemencement va avoir pour conséquence immédiate qu'il suffira du moindre dérèglement climatique, je veux dire de la moindre oscillation climatique, un peu trop de froid, un peu trop de sécheresse, un peu trop d'humidité, et cette quantité de blé qui est juste suffisante pour nourrir la population va tomber au-dessous des normes requises, et la disette va apparaître dès l'année suivante. De sorte qu'on est à chaque instant exposé, par cette politique du plus bas prix possible, à la disette et à ce fléau précisément qu'il s'agissait de conjurer.

[Pardonnez-moi le] caractère à la fois très schématique et un peu austère de tout ça. Comment les choses vont-elles se passer au XVIIIe siècle, lorsqu'on a essayé de déverrouiller ce système ? Tout le monde sait, et ma foi c'est exact, que c'est de l'intérieur d'une nouvelle conception de l'économie, et peut-être même de l'intérieur de cet acte fondateur de la pensée économique et de l'analyse économique qu'est la doctrine physiocratique, qu'on a commencé à poser comme principe fondamental de gouvernement économique [5] celui de la liberté de commerce et de circulation des grains. Conséquence théorique, ou plutôt conséquence pratique d'un principe théorique fondamental qui était celui des physiocrates, à savoir que le seul ou à peu près le seul produit net qui pouvait être obtenu dans une nation, c'était le produit paysan [6]. À dire vrai, que la liberté de circulation des grains soit bien effectivement une des conséquences théoriques logiques du système physiocratique, ça ne peut pas être nié. Que ce soit la pensée physiocratique elle-même, que ce soient les physiocrates avec leur influence qui l'aient imposée au gouvernement français dans les années 1754-1764, c'est encore un peu vrai, bien que sans doute ce ne soit

* M. F. : le prix de revient

pas suffisant. Mais en fait, je crois que ce qui serait inexact, c'est de considérer que cette forme de choix politique, cette programmation de la régulation économique ne soit rien autre chose que la conséquence pratique d'une théorie économique. Il me semble qu'on pourrait montrer assez facilement que ce qui s'est passé là et qui a amené les grands édits ou «déclarations» des années 1754-1764, ce qui s'est passé là, c'est en réalité, à travers peut-être et grâce au relais, à l'appui des physiocrates et de leur théorie, c'est en fait tout un changement, ou plutôt une phase d'un grand changement dans les techniques de gouvernement et un des éléments de cette mise en place de ce que j'appellerai des dispositifs de sécurité. Autrement dit, vous pouvez lire le principe de la libre circulation du grain aussi bien comme la conséquence d'un champ théorique que comme un épisode dans la mutation des technologies de pouvoir et comme un épisode dans la mise en place de cette technique des dispositifs de sécurité qui me paraît caractéristique, une des caractéristiques des sociétés modernes.

Il y a une chose, en tout cas, qui est vraie, c'est que, bien avant les physiocrates, un certain nombre de gouvernements avaient pensé, en effet, que la libre circulation des grains était non seulement une meilleure source de profit, mais certainement un bien meilleur mécanisme de sécurité contre le fléau de la disette. C'était en tout cas l'idée que les hommes politiques anglais avaient eue très tôt, dès la fin du XVIIᵉ siècle, puisqu'en 1689, ils avaient mis au point et fait adopter par le Parlement un ensemble législatif qui, en somme, imposait, admettait la liberté de circulation et de commerce des grains, avec cependant un soutien et un correctif. Premièrement, la liberté d'exportation, qui devait permettre en période faste, en période par conséquent d'abondance et de bonnes récoltes, de soutenir le prix du blé, des grains en général, qui risquait de s'effondrer du fait même de cette abondance. Pour soutenir le prix, non seulement on permettait l'exportation, mais on l'aidait par un système de primes, instituant un correctif, un adjuvant à cette liberté[7]. Et deuxièmement, pour éviter également qu'il y ait, en période favorable, une trop grosse importation de blé en Angleterre, on avait établi des taxes à l'importation de telle manière que l'excès d'abondance venant des produits importés ne fasse à nouveau baisser les prix[8]. Donc, le bon prix était obtenu par ces deux séries de mesures.

Ce modèle anglais de 1689 va être le grand cheval de bataille des théoriciens de l'économie, mais également de ceux qui, d'une manière ou d'une autre, avaient une responsabilité administrative, politique, économique en France au XVIIIᵉ siècle[9]. Et alors, ça a été les trente ans pendant

lesquels le problème de la liberté des grains a été un des problèmes politiques et théoriques majeurs en France au XVIIIᵉ siècle. Si vous voulez,
trois phases : d'une part, avant 1754, au moment donc où le vieux système
juridico-disciplinaire joue encore à plein avec ses conséquences négatives, toute une phase de polémiques ; 1754, l'adoption en France d'un
régime qui est, en gros, modelé à peu de choses près sur celui de l'Angleterre, donc une liberté relative mais cependant corrigée et en quelque
sorte soutenue [10] ; puis de 1754 à 1764, alors, arrivée des physiocrates [11],
mais à ce moment-là seulement, sur la scène théorique et politique, toute
une série de polémiques en faveur de la liberté des grains ; et enfin les
édits de mai 1763 [12] et d'août 1764 [13] qui établissent la liberté à peu près
totale des grains, à quelques restrictions près. Victoire par conséquent
des physiocrates [14], mais de tous ceux aussi qui, sans être directement
physiocrates, les disciples de Gournay [15] par exemple, avaient soutenu
cette cause-là. 1764 donc, c'est la liberté des grains. Malheureusement,
l'édit est pris en août [17] 64. En septembre [17] 64, c'est-à-dire la même
année, quelques semaines après, de mauvaises récoltes en Guyenne font
monter les prix à une vitesse astronomique, et déjà on commence à se
demander s'il ne faut pas revenir sur cette liberté des grains. Et du coup,
on va avoir une troisième campagne de discussions, cette fois, défensive,
dans laquelle les physiocrates et ceux qui soutiennent les mêmes principes sans être physiocrates vont être obligés de défendre la liberté qu'ils
ont fait à peu près intégralement reconnaître en 1764 [16].

Donc on a tout un paquet, là, de textes, de projets, de programmes,
d'explications. Je me référerai simplement à [celui, parmi eux,] qui est à
la fois le plus schématique, le plus clair et qui a eu d'ailleurs une importance considérable. C'est un texte qui date de 1763, qui s'appelle *Lettre
d'un négociant sur la nature du commerce des grains*. Il a été écrit par
quelqu'un qui s'appelait Louis-Paul Abeille [17] et qui est important à la fois
par l'influence qu'a eue son texte et par le fait que, disciple de Gournay,
il avait en somme rallié la plupart des positions physiocratiques. Il représente donc une [sorte] de position charnière dans la pensée économique
de cette époque-là. Alors, [si l'on prend] ce texte comme référence – mais
il est simplement exemplaire de toute une série d'autres, et avec quelques
modifications, je crois qu'on retrouverait dans les autres textes les mêmes
principes que ceux qui sont mis en œuvre par Abeille dans sa *Lettre d'un
négociant* –, au fond, qu'est-ce qu'il fait ? Encore une fois, on pourrait
reprendre le texte d'Abeille dans une analyse du champ théorique en
essayant de retrouver quels sont les principes directeurs, les règles de
formation des concepts, des éléments théoriques, etc., et il faudrait sans

doute reprendre la théorie du produit net[18]. Mais ce n'est pas comme ça que je voudrais reprendre ce texte. Non pas donc comme à l'intérieur d'une archéologie du savoir, mais dans la ligne d'une généalogie des technologies de pouvoir. Et là je crois qu'on pourrait reconstituer le fonctionnement du texte en fonction non pas des règles de formation de ces concepts, mais des objectifs, des stratégies auxquelles il obéit et des programmations d'action politique qu'il suggère.

Je crois que la première chose qui apparaîtrait, ce serait ceci : c'est qu'au fond, pour Abeille, cette même chose qui était précisément à éviter à tout prix, et avant même qu'elle se produise, dans le système juridico-disciplinaire, à savoir la rareté et la cherté, ce mal à éviter pour Abeille, et pour les physiocrates, et pour ceux qui pensent de la même façon, au fond ce n'est pas un mal du tout. Et il ne faut pas le penser comme un mal, c'est-à-dire qu'il faut le considérer comme un phénomène qui est premièrement naturel et par conséquent, deuxièmement, qui n'est ni bien ni mal. Il est ce qu'il est. Cette disqualification en termes de morale ou en termes tout simplement de bien ou de mal, de choses à éviter ou à ne pas éviter, cette disqualification implique que l'analyse ne va pas avoir pour cible principale le marché, c'est-à-dire le prix de vente du produit en fonction de l'offre et de la demande, mais qu'elle va en quelque sorte reculer d'un cran ou sans doute même de plusieurs crans et prendre pour objet, non pas tellement le phénomène rareté-cherté, tel qu'il peut apparaître sur le marché, puisque c'est le marché, l'espace même du marché qui fait apparaître et la rareté et la cherté, mais ce que j'appellerai l'histoire du grain, depuis le moment où le grain est mis en terre, avec ce que ça implique et de travail et de temps passé et de champs ensemencés – de coût par conséquent. Qu'est-ce qu'il en est du grain depuis ce moment-là jusqu'au moment où il aura finalement produit tous les profits qu'il peut produire ? L'unité d'analyse ne va donc plus être le marché avec ses effets rareté-cherté, mais le grain avec tout ce qui peut lui arriver et qui lui arrivera naturellement en quelque sorte, en fonction en tout cas d'un mécanisme et de lois où vont interférer aussi bien la qualité du terrain, le soin avec lequel on le cultive, les conditions climatiques de sécheresse, chaleur, humidité, finalement l'abondance bien sûr ou la rareté, la mise sur le marché, etc. C'est la réalité du grain beaucoup plus que la hantise de la disette qui va être l'événement sur lequel on va essayer d'avoir prise. Et c'est sur cette réalité du grain, dans toute son histoire et avec toutes les oscillations et événements qui peuvent en quelque sorte faire basculer ou bouger son histoire par rapport à une ligne idéale, c'est sur cette réalité qu'on va essayer de greffer un dispositif tel que les oscillations de

l'abondance et du bon marché, de la rareté et de la cherté vont se trouver
non pas empêchées par avance, non pas interdites par un système juridique et disciplinaire qui, en empêchant ceci, en contraignant à cela, doit
éviter que ça se passe. Ce que Abeille et les physiocrates et les théoriciens de l'économie au xviiie siècle ont essayé d'obtenir, c'est un dispositif qui, se branchant sur la réalité même de ces oscillations, va faire en
sorte, par une série de mises en relation avec d'autres éléments de réalité,
que ce phénomène, sans rien perdre en quelque sorte de sa réalité, sans
être empêché, se trouve petit à petit compensé, freiné, finalement limité
et, au dernier degré, annulé. Autrement dit, c'est un travail dans l'élément
même de cette réalité qu'est l'oscillation abondance / rareté, cherté /
bon marché, c'est en prenant pied sur cette réalité, et non pas en essayant
d'empêcher à l'avance, qu'un dispositif va être mis en place, un dispositif qui est précisément, je crois, un dispositif de sécurité et non plus un
système juridico-disciplinaire.

En quoi va consister ce dispositif qui se branche donc sur la réalité en
quelque sorte reconnue, acceptée, ni valorisée ni dévalorisée, reconnue
simplement comme nature, quel est le dispositif qui, se branchant sur cette
réalité d'oscillation, va permettre de la régler ? La chose est connue, je la
résume simplement. Premièrement, non pas viser au plus bas prix possible, mais au contraire autoriser, favoriser même une montée du prix du
grain. Cette montée du prix du grain qui peut être assurée par des moyens
un petit peu artificiels, comme dans la méthode anglaise où on soutenait
l'exportation par des primes, où on faisait pression au contraire sur les
importations en les taxant, on peut utiliser ce moyen-là pour faire monter
le prix du grain, mais on peut aussi, – et c'est cette solution libérale
(je reviendrai tout à l'heure sur ce mot « libéral ») à laquelle se rallient
les physiocrates –, [supprimer] tous les interdits de stockage, de sorte
que les gens vont pouvoir, comme ils le veulent, quand ils le veulent, en
aussi grande quantité qu'ils le désirent, stocker leur grain et le retenir,
allégeant ainsi le marché dès qu'il y a abondance. On va supprimer également toutes les interdictions d'exportation, de sorte que les gens auront
le droit, dès qu'ils en ont envie, dès que les prix extérieurs sont pour
eux favorables, d'expédier à l'étranger leur grain. Et là encore, nouveau
soulagement du marché, désencombrement, et du coup, lorsqu'il y aura
abondance, la possibilité de stockage d'une part, la permission d'exportation de l'autre vont maintenir les prix. On aura donc cette chose
qui est paradoxale par rapport au système précédent, qui y était impossible et non souhaitée, à savoir que, quand il y aura abondance, il y aura
en même temps prix relativement hauts. Il se trouve que quelqu'un

comme Abeille par exemple, et tous ceux qui ont écrit à cette époque-là, écrivaient à un moment où justement une série de bonnes récoltes entre 1762 et 1764 permettait de prendre cet exemple favorable.

Donc, les prix montent même en période d'abondance. À partir de cette montée des prix, qu'est-ce qu'on va avoir ? Premièrement, une extension de la culture. Les paysans ayant été bien rémunérés de la récolte précédente, vont pouvoir avoir beaucoup de grain pour ensemencer, et faire les frais nécessaires pour un large ensemencement et une bonne culture. Et du coup, il y a d'autant plus de chances, après cette première récolte bien payée, que la récolte suivante soit bonne. Et même si les conditions climatiques n'ont pas été très favorables, l'étendue plus grande des champs ensemencés, la meilleure culture compensera ces mauvaises conditions et la disette aura d'autant plus de chances d'être évitée. Mais de toute façon, en étendant ainsi la culture, qu'est-ce qui va se produire ? C'est que cette première hausse des prix ne sera pas suivie d'une hausse semblable et de même proportion l'année suivante car, finalement, plus il y aura abondance, plus évidemment les prix auront tendance à se tasser, de sorte qu'une première montée des prix va avoir pour conséquence nécessaire une diminution du risque de disette et un tassement du prix ou un ralentissement de cette augmentation. La probabilité de la disette et celle de la hausse des prix vont [donc] se trouver diminuées d'autant.

Supposons maintenant, à partir de ce schéma où les deux années consécutives ont été en somme favorables, la première très favorable avec hausse de prix, la seconde suffisamment favorable – et donc on a dans ces cas-là ralentissement de la hausse des prix –, supposons maintenant que la seconde année soit au contraire une année de pure et franche disette. Alors voici comment raisonne Abeille. Au fond, dit-il, qu'est-ce que c'est qu'une disette ? Ce n'est jamais l'absence pure et simple, l'absence totale de la subsistance nécessaire pour une population. Car, tout simplement, elle mourrait. Elle mourrait en quelques jours ou en quelques semaines et, dit-il, on n'a jamais vu une population disparaître par faute de nourriture. La disette, dit-il, c'est « une chimère [19] ». C'est-à-dire que, quelle que soit la petite quantité de la récolte, il y a toujours de quoi nourrir la population pendant dix mois, ou huit mois, ou six mois, c'est-à-dire que, pendant un certain temps au moins, la population va pouvoir vivre. Bien sûr, la disette va s'annoncer très tôt. Les phénomènes à régler ne vont pas se produire uniquement lorsque, au bout du sixième mois, les gens n'auront plus de quoi manger. Dès le début, dès le moment où on aperçoit que la récolte va être mauvaise, un certain nombre de phénomènes et d'oscillations vont se produire. Et, tout de suite, la hausse des prix, que les vendeurs ont immédiatement calculée de la manière suivante, en se disant : l'an dernier, avec telle quantité de blé, j'ai obtenu pour chaque sac de blé, chaque setier de blé, telle somme ; cette année, j'ai deux fois moins de blé, je vais donc vendre chaque setier de blé deux fois plus cher. Et les prix montent sur le marché. Mais, dit Abeille, laissons faire cette montée des prix. Ce n'est pas cela qui est important. Du moment que les gens savent que le commerce est libre – il est libre à l'intérieur du pays, libre également d'un pays à l'autre –, ils savent parfaitement qu'au bout du sixième mois les importations vont prendre la relève du blé qui manque dans le pays. Or les gens qui ont du blé et qui peuvent le vendre, et qui auraient la tentation de le retenir en attendant ce fameux sixième mois au terme duquel les prix devraient s'emballer, ne savent pas combien de blé va pouvoir venir des pays exportateurs et va donc arriver dans le pays. Ils ne savent pas si le sixième mois, finalement, il ne va pas y avoir une quantité de blé telle que les prix s'effondreront. Donc, au lieu d'attendre ce sixième mois où ils ne savent pas si les prix ne vont pas baisser, les gens vont plutôt profiter, dès le début, dès l'annonce de la mauvaise récolte, de la petite flambée des prix qui se produit. Ils vont jeter leur grain sur le marché et on ne va pas avoir ces phénomènes que l'on observe maintenant en période de réglementation, les types de comportement dans lesquels les gens retiennent le blé dès le moment où on annonce une mauvaise récolte. Donc, la flambée des prix va avoir lieu, mais elle va très vite se tasser ou plafonner, dans la mesure où tout le monde va donner son blé dans la perspective de ces fameuses importations peut-être massives qui vont se produire à partir du sixième mois [20].

Du côté des exportateurs venant des pays étrangers, on va avoir le même phénomène, c'est-à-dire que, si on apprend qu'en France il y a une disette, les exportateurs anglais, allemands, etc., vont vouloir profiter des hausses de prix. Mais ils ne savent pas quelle quantité de blé va venir en France de cette manière-là. Ils ne savent pas de quelle quantité de blé leurs concurrents disposent, quand, à quel moment, dans quelle proportion ils vont apporter leur blé, et par conséquent ils ne savent pas eux non plus si, à trop attendre, ils ne vont pas faire une mauvaise affaire. D'où la tendance qu'ils vont avoir à profiter de la hausse des prix immédiate pour lancer leur blé sur ce marché étranger pour eux qu'est la France et, du coup, le blé va affluer dans la mesure même où il est rare [21]. C'est-à-dire que c'est le phénomène de rareté-cherté induit par une mauvaise récolte à un moment donné qui va amener, par toute une série de mécanismes qui sont à la fois collectifs et individuels (on reviendra là-dessus tout à l'heure), ce par quoi il va être petit à petit corrigé, compensé, freiné et finalement annulé. C'est-à-dire que c'est la hausse qui produit la baisse. La disette sera annulée à partir de la réalité de ce mouvement qui porte vers la disette. De sorte que, dans une technique comme celle-ci de liberté pure et simple de circulation des grains, il ne peut pas y avoir de disette. Comme le dit Abeille, la disette, c'est une chimère.

Cette conception des mécanismes du marché, ce n'est pas simplement l'analyse de ce qui se passe. C'est à la fois une analyse de ce qui se passe et une programmation de ce qui doit se passer. Or, pour faire cette analyse-programmation, il faut un certain nombre de conditions. Vous avez pu les repérer au passage. Premièrement, il a fallu que l'analyse * soit considérablement élargie. Premièrement, qu'elle soit élargie du côté de la production. Encore une fois, il ne faut pas considérer simplement le marché, mais le cycle tout entier depuis les actes producteurs initiaux jusqu'au profit dernier. Le profit de l'agriculteur fait partie de cet ensemble qu'il faut à la fois prendre en considération, traiter ou laisser se développer. Deuxièmement, élargissement du côté du marché, car il ne s'agit pas simplement de considérer un marché, le marché intérieur à la France, c'est le marché mondial des grains qui doit être pris en considération et mis en relation avec chaque marché sur lequel le grain peut être mis en vente. Il ne suffit donc pas de penser aux gens qui vendent et qui achètent en France sur un marché donné. Il faut penser à toutes les quantités de grain qui peuvent être mises en vente sur tous les marchés et dans tous les pays du monde. Élargissement, donc, de l'analyse du côté de la production, élargissement du côté du marché. [Troisièmement,] élargissement aussi du côté des protagonistes, dans la mesure où, plutôt que de leur imposer des règles impératives, on va essayer de repérer, comprendre, connaître comment et pourquoi ils agissent, quel est le calcul qu'ils font lorsque devant une hausse de prix ils retiennent le grain, quel calcul au contraire ils vont faire lorsqu'ils savent qu'il y a liberté, lorsqu'ils ne savent pas quelle quantité de grain va arriver, lorsqu'ils hésitent pour savoir s'il y aura hausse ou baisse du grain. C'est tout ça, c'est-à-dire cet élément de comportement tout à fait concret de l'*homo œconomicus,* qui doit être pris également en considération. Autrement dit, une économie, ou une analyse économico-politique, qui intègre le moment de la production, qui intègre le marché mondial et qui intègre enfin les comportements économiques de la population, producteurs et consommateurs.

* M. Foucault ajoute : la prise en considération

Ce n'est pas tout. Cette nouvelle manière de concevoir les choses et de les programmer implique quelque chose de très important par rapport à cet événement qu'est la disette, par rapport à cet événement-fléau qu'est la rareté-cherté, avec sa conséquence éventuelle, la révolte. Au fond le fléau, la disette, tel qu'on le concevait jusque-là, c'était un phénomène à la fois individuel et collectif, et de la même façon des gens avaient faim, des populations entières avaient faim, la nation avait faim, et c'était cela précisément, cette espèce de solidarité immédiate, de massivité de l'événement qui constituait son caractère de fléau. Or dans l'analyse que je viens de vous faire et dans le programme économico-politique qui en est le résultat immédiat, qu'est-ce qui va se passer? C'est qu'au fond l'événement va être dissocié en deux niveaux. En effet, on peut dire que grâce à ces mesures, ou plutôt grâce à la suppression du carcan juridico-disciplinaire qui encadrait le commerce des grains, au total, comme disait Abeille, la disette devient une chimère. Il apparaît que, d'une part, elle ne peut pas exister et que, quand elle existait, loin d'être une réalité, une réalité en quelque sorte naturelle, elle n'était rien d'autre que le résultat aberrant d'un certain nombre de mesures artificielles elles-mêmes aberrantes. Désormais, donc, plus de disette. Il ne va plus y avoir de disette comme fléau, il ne va plus y avoir ce phénomène de rareté, de faim massive, individuelle et collective qui marche absolument du même pas et sans discontinuité en quelque sorte chez les individus et dans la population en général. Là, maintenant, plus de disette au niveau de la population. Mais ça veut dire quoi? Cela veut dire qu'on obtient ce freinage de la disette par un certain «laisser-faire», un certain «laisser-passer»[22], un certain «aller», au sens de «laisser les choses aller». Il va faire qu'on va laisser monter les prix là où ils ont tendance à monter. On va laisser se créer et se développer ce phénomène de cherté-rareté sur tel ou tel marché, dans toute une série de marchés et c'est cela, cette réalité même à laquelle on a donné liberté de se développer, c'est ce phénomène-là qui va entraîner justement son auto-freinage et son autorégulation. De sorte qu'il n'y aura plus de disette en général, à condition qu'il y ait pour toute une série de gens, dans toute une série de marchés, une certaine rareté, une certaine cherté, une certaine difficulté à acheter du blé, une certaine faim par conséquent, et après tout il se peut bien que des gens meurent de faim. Mais c'est en laissant ces gens-là mourir de faim que l'on pourra faire de la disette une chimère et empêcher qu'elle se produise dans cette massivité de fléau qui la caractérisait dans les systèmes précédents. De sorte que l'événement-disette est ainsi dissocié. La disette-fléau disparaît, mais la rareté qui fait mourir les individus, elle, non seulement ne disparaît pas, mais ne doit pas disparaître.

On a donc deux niveaux de phénomènes. Non pas niveau collectif et niveau individuel, car après tout ce n'est pas simplement un individu qui va mourir, ou souffrir en tout cas, de cette rareté. C'est bien toute une série d'individus. Mais on va avoir une césure absolument fondamentale entre le niveau pertinent pour l'action économico-politique du gouvernement, et ce niveau, c'est celui de la population, et un autre niveau, qui va être celui de la série, de la multiplicité des individus qui, lui, ne va pas être pertinent ou plutôt ne sera pertinent que dans la mesure où, géré comme il faut, maintenu comme il faut, encouragé comme il faut, il va permettre ce qu'on veut obtenir au niveau qui, lui, est pertinent. La multiplicité des individus n'est plus pertinente, la population, oui. Cette césure à l'intérieur de ce qui constituait la totalité des sujets ou des habitants d'un royaume, cette césure n'est pas une césure réelle. Il ne va pas y avoir les uns et les autres. Mais c'est à l'intérieur même du savoir-pouvoir, à l'intérieur même de la technologie et de la gestion économique que l'on va avoir cette coupure entre le niveau pertinent de la population et le niveau non pertinent, ou encore le niveau simplement instrumental. L'objectif final, ça va être la population. La population est pertinente comme objectif et les individus, les séries d'individus, les groupes d'individus, la multiplicité d'individus, elle, ne va pas être pertinente comme objectif. Elle va être simplement pertinente comme instrument, relais ou condition pour obtenir quelque chose au niveau de la population.

Césure fondamentale sur laquelle j'essaierai de revenir la prochaine fois, parce que je crois que tout ce qui est engagé dans cette notion de population apparaît très clairement là. La population comme sujet politique, comme nouveau sujet collectif absolument étranger à la pensée juridique et politique des siècles précédents, est en train d'apparaître là dans sa complexité, avec ses césures. Déjà vous voyez qu'elle apparaît aussi bien comme objet, c'est-à-dire ce sur quoi, ce vers quoi on dirige les mécanismes pour obtenir sur elle un certain effet, [que comme] sujet puisque c'est à elle qu'on demande de se conduire de telle et telle façon. La population recouvre la notion ancienne de peuple, mais d'une manière telle que les phénomènes s'échelonnent par rapport à elle et qu'il y aura un certain nombre de niveaux à retenir et d'autres qui, au contraire, ne seront pas retenus ou seront retenus d'une autre façon. Et pour pointer simplement la chose sur laquelle, donc, je voudrais revenir la prochaine fois, parce qu'elle est fondamentale, je voudrais – et j'en terminerai là avec ce texte d'Abeille – vous indiquer que dans ce texte justement on trouve une très curieuse distinction. Parce que, quand Abeille a terminé son analyse, il a tout de même un scrupule. Il dit : tout ça, c'est bien gentil. La disette-fléau est une chimère, d'accord. Elle est une chimère dès lors, en effet, que les gens se conduisent comme il faut, c'est-à-dire que les uns acceptent d'endurer la rareté-cherté, que les autres vendent leur blé au moment où il faut, c'est-à-dire très tôt, dans la mesure où les exportateurs envoient leur produit dès que les prix commencent à monter. Tout ça, c'est très bien et on a là je ne dis pas les bons éléments de la population, mais des comportements qui font que chacun des individus fonctionne bien comme membre, comme élément de cette chose que l'on veut gérer de la meilleure manière possible, à savoir la population. Ils agissent bien comme membres de la population. Mais supposez que justement dans un marché, dans une ville donnée, les gens, au lieu d'attendre, au lieu de supporter la rareté, au lieu d'accepter que le grain soit cher, au lieu d'accepter par conséquent d'en acheter peu, au lieu d'accepter d'avoir faim, au lieu d'accepter [d'attendre]\* que le blé arrive en quantité suffisante pour que les prix baissent ou que la hausse en tout cas s'atténue ou se tasse un peu, supposez qu'au lieu de cela, d'une part ils se jettent sur les approvisionnements, qu'ils les saisissent sans même les payer, supposez que d'un autre côté il y ait un certain nombre de gens qui fassent des rétentions de grain irrationnelles et mal calculées, et tout va s'enrayer. Et du coup, on va avoir révolte d'une part, accaparement de l'autre, ou accaparement et révolte. Eh bien, dit Abeille, tout cela prouve que ces gens n'appartiennent pas réellement à la population. Qu'est-ce qu'ils sont ? Eh bien, c'est le peuple. Le peuple, c'est celui qui se comporte par rapport à cette gestion de la population, au niveau même de la population, comme s'il ne faisait pas partie de ce sujet-objet collectif qu'est la population, comme s'il se mettait hors d'elle, et par conséquent c'est eux qui, en tant que peuple refusant d'être population, vont dérégler le système [23].

On a là une analyse à peine esquissée chez Abeille, mais qui est très importante dans la mesure où, d'une part, vous voyez qu'elle est relativement proche par certains côtés, qu'elle fait écho, qu'elle a une espèce de symétrie par rapport à la pensée juridique qui disait par exemple que tout individu qui accepte les lois de son pays se trouve avoir souscrit au contrat social, l'accepte et le reconduit à chaque instant dans son propre comportement et que celui, en revanche, qui viole les lois, rompt le contrat social, devient un étranger dans son propre pays et relève par conséquent des lois pénales qui vont le punir, l'exiler, en quelque sorte le tuer [24]. Le délinquant par rapport à ce sujet collectif créé par le contrat

---

\* Mot omis par M. Foucault.

social rompt bien ce contrat et tombe à l'extérieur de ce sujet collectif. Là également, dans ce dessin qui commence à esquisser la notion de population, on voit se faire un partage dans lequel le peuple apparaît comme étant d'une façon générale celui qui résiste à la régulation de la population, qui essaie de se soustraire à ce dispositif par lequel la population existe, se maintient, subsiste, et subsiste à un niveau optimal. Cette opposition peuple/population est très importante. J'essaierai de vous montrer la prochaine fois comment, malgré la symétrie apparente par rapport au sujet collectif du contrat social, c'est en fait de tout autre chose qu'il s'agit, et [que] le rapport population-peuple n'est pas semblable à l'opposition sujet obéissant/délinquant, que le sujet collectif population est lui-même très différent du sujet collectif constitué et créé par le contrat social [25].

En tout cas, pour en terminer avec ça, je voudrais vous montrer que, si on veut un peu ressaisir de près en quoi consiste un dispositif de sécurité comme celui que les physiocrates et d'une façon générale les économistes du XVIIIe siècle ont pensé à propos de la disette, si on veut caractériser un dispositif comme celui-ci, je crois qu'il faut le comparer aux mécanismes disciplinaires tels qu'on peut les trouver non seulement aux époques précédentes, mais à l'époque même où se mettaient en place ces dispositifs de sécurité. Au fond, je crois qu'on peut dire ceci. La discipline, elle est essentiellement centripète. Je veux dire que la discipline fonctionne dans la mesure où elle isole un espace, détermine un segment. La discipline concentre, elle centre, elle enferme. Le premier geste de la discipline, c'est bien en effet de circonscrire un espace dans lequel son pouvoir et les mécanismes de son pouvoir joueront à plein et sans limite. Et justement, si on reprend l'exemple de la police disciplinaire des grains, telle qu'elle existait jusqu'au milieu du XVIIIe siècle, telle que vous la trouvez exposée dans des centaines de pages dans le *Traité de police* de Delamare [26], la police disciplinaire des grains est effectivement centripète. Elle isole, elle concentre, elle enferme, elle est protectionniste et elle centre essentiellement son action sur le marché ou sur cet espace du marché et ce qui l'entoure. Au contraire, vous voyez que les dispositifs de sécurité, tels que j'ai essayé de les reconstituer, sont au contraire, ont perpétuellement tendance à élargir, ils sont centrifuges. On intègre sans cesse de nouveaux éléments, on intègre la production, la psychologie, les comportements, les manières de faire des producteurs, des acheteurs, des consommateurs, des importateurs, des exportateurs, on intègre le marché mondial. Il s'agit donc d'organiser, ou en tout cas de laisser se développer des circuits de plus en plus larges.

Deuxièmement, deuxième grande différence : la discipline, par définition, réglemente tout. La discipline ne laisse rien échapper. Non seulement elle ne laisse pas faire, mais son principe, c'est que même les choses les plus petites ne doivent pas être abandonnées à elles-mêmes. La plus petite infraction à la discipline doit être relevée avec d'autant plus de soin qu'elle est petite. Le dispositif de sécurité, au contraire, vous l'avez vu, laisse faire *. Non pas qu'il laisse tout faire, mais il y a un niveau auquel le laisser-faire est indispensable. Laisser monter les prix, laisser la rareté s'établir, laisser les gens avoir faim pour ne pas laisser faire quelque chose, à savoir s'installer le fléau général de la disette. Autrement dit, la manière dont la discipline traite le détail n'est pas du tout la même que la manière dont les dispositifs de sécurité le traitent. La discipline a essentiellement pour fonction d'empêcher tout, même et surtout le détail. La sécurité a pour fonction de prendre appui sur des détails que l'on ne va pas valoriser en eux-mêmes comme bien ou mal, que l'on va prendre comme processus nécessaires, inévitables, comme processus de nature au sens large, et on va prendre appui sur ces détails qui sont ce qu'ils sont, mais qui ne vont pas être considérés comme pertinents, pour obtenir quelque chose qui, en lui-même, sera considéré comme pertinent parce que se situant au niveau de la population.

Troisième différence encore. Au fond la discipline, comme d'ailleurs les systèmes de légalité, comment est-ce qu'ils procèdent ? Eh bien, ils répartissent toute chose selon un code qui est celui du permis et du défendu. Et puis ils vont, à l'intérieur de ces deux champs du permis et du défendu, spécifier, déterminer exactement ce qui est défendu, ce qui est permis, ou plutôt ce qui est obligatoire. Et on peut dire qu'à l'intérieur de ce schéma général, le système de légalité, le système de la loi a essentiellement pour fonction de déterminer les choses d'autant plus qu'elles sont interdites. Au fond, ce que dit la loi, essentiellement, c'est ne pas faire ceci, ne pas faire encore cette chose-là, ne pas faire non plus celle-ci, etc. De sorte que le mouvement de spécification et de détermination dans un système de légalité porte toujours et avec d'autant plus de précision qu'il s'agit de ce qui est à empêcher, de ce qui est à interdire. Autrement dit, c'est en prenant le point de vue du désordre que l'on analyse de plus en plus finement, que l'on va établir l'ordre – c'est-à-dire : c'est ce qui reste. L'ordre, c'est ce qui reste lorsqu'on aura empêché en effet tout ce qui est interdit. C'est cette pensée négative qui est, je crois, caractéristique d'un code légal. Pensée et technique négatives.

* Entre guillemets dans le manuscrit, p. 7 : « La sécurité, elle, "laisse faire", au sens positif de l'expression. »

Le mécanisme disciplinaire, lui aussi, il code perpétuellement en permis et en défendu, ou plutôt en obligatoire et en défendu, c'est-à-dire que le point sur lequel un mécanisme disciplinaire porte, ce n'est pas tellement les choses à ne pas faire que les choses à faire. Une bonne discipline, c'est ce qui vous dit, à chaque instant, ce que vous devez faire. Et si on prend pour modèle de saturation disciplinaire la vie monastique qui en a été en effet le point de départ et la matrice, dans la vie monastique parfaite, ce que fait le moine est réglé entièrement, du matin au soir et du soir au matin, et la seule chose qui soit indéterminée, c'est ce qu'on ne dit pas et qui est défendu. Dans le système de la loi, ce qui est indéterminé, c'est ce qui est permis ; dans le système du règlement disciplinaire, ce qui est déterminé, c'est ce qu'on doit faire, et par conséquent tout le reste, étant indéterminé, se trouve être interdit.

Dans le dispositif de sécurité tel que je viens de vous l'exposer, il me semble que justement ce dont il s'est agi, c'est de ne prendre ni le point de vue de ce qui est empêché ni le point de vue de ce qui est obligatoire, mais de prendre suffisamment de recul pour que l'on puisse saisir le point où les choses vont se produire, qu'elles soient souhaitables ou qu'elles ne le soient pas. C'est-à-dire qu'on va essayer de les ressaisir au niveau de leur nature, ou disons, – ce mot au XVIIIᵉ siècle n'ayant pas le sens que nous lui donnons maintenant [27] –, qu'on va les prendre au niveau de leur réalité effective. Et c'est à partir de cette réalité, en essayant de prendre appui sur elle et de la faire jouer, d'en faire jouer les éléments les uns par rapport aux autres, que le mécanisme de sécurité va [fonctionner]*. Autrement dit, la loi interdit, la discipline prescrit et la sécurité, sans interdire ou sans prescrire, éventuellement cependant en se donnant quelques instruments du côté de l'interdiction et de la prescription, la sécurité a essentiellement pour fonction de répondre à une réalité de manière à ce que cette réponse annule cette réalité à laquelle elle répond – l'annule, ou la limite ou la freine ou la règle. C'est cette régulation dans l'élément de la réalité qui est, je crois, fondamental dans les dispositifs de la sécurité.

On pourrait dire encore que la loi travaille dans l'imaginaire, puisque la loi imagine et ne peut se formuler qu'en imaginant toutes les choses qui pourraient être faites et ne doivent pas être faites. Elle imagine le négatif. La discipline travaille, en quelque sorte, dans le complémentaire de la réalité. L'homme est méchant, l'homme est mauvais, il a de mauvaises pensées, mauvaises tendances, etc. On va à l'intérieur de l'espace disciplinaire constituer le complémentaire de cette réalité, des prescriptions,

* M. F. : jouer

des obligations, d'autant plus artificielles et d'autant plus contraignantes que la réalité est ce qu'elle est, et qu'elle est insistante et difficile à vaincre. Et enfin la sécurité, à la différence de la loi qui travaille dans l'imaginaire et de la discipline qui travaille dans le complémentaire de la réalité, va essayer de travailler dans la réalité, en faisant jouer, grâce à et à travers toute une série d'analyses et de dispositions spécifiques, les éléments de la réalité les uns par rapport aux autres. De sorte que l'on arrive, je crois, à ce point qui est essentiel et dans lequel à la fois toute la pensée et toute l'organisation des sociétés politiques modernes se trouvent engagées, cette idée que la politique n'a pas à reconduire jusque dans le comportement des hommes cet ensemble de règles qui sont celles imposées par Dieu à l'homme ou rendues nécessaires simplement par sa mauvaise nature. La politique a à jouer dans l'élément d'une réalité que les physiocrates appellent précisément la physique, et ils vont dire, à cause de cela, que la politique c'est une physique, que l'économie c'est une physique [28]. Lorsqu'ils disent cela, ils ne visent pas tellement la matérialité au sens, si vous voulez, post-hégélien du mot « matière », ils visent de fait cette réalité qui est le seul donné sur lequel la politique doit agir et avec lequel elle doit agir. Ne se placer jamais que dans ce jeu de la réalité avec elle-même, c'est cela qui est, je crois, ce que les physiocrates, ce que les économistes, ce que la pensée politique du XVIIIe siècle entendait quand elle disait que, de toute façon, on reste dans l'ordre de la physique et qu'agir dans l'ordre de la politique, c'est agir encore dans l'ordre de la nature.

Et vous voyez en même temps que ce postulat, je veux dire ce principe fondamental que la technique politique ne doit jamais décoller du jeu de la réalité avec elle-même est profondément lié au principe général de ce qu'on appelle le libéralisme. Le libéralisme, le jeu : laisser les gens faire, les choses passer, les choses aller, laisser faire, passer et aller, cela veut dire essentiellement et fondamentalement faire en sorte que la réalité se développe et aille, suive son cours selon les lois mêmes, les principes et les mécanismes qui sont ceux de la réalité. De sorte que ce problème de la liberté [sur lequel] je reviendrai, j'espère, la prochaine fois [29], je crois qu'on peut le considérer, le ressaisir de différentes façons. Bien sûr, on peut dire – et je crois que ça ne serait pas faux, ça ne peut pas être faux – que cette idéologie de liberté, cette revendication de liberté a bien été une des conditions de développement de formes modernes ou, si vous voulez, capitalistes de l'économie. C'est indéniable. Le problème est de savoir si effectivement, dans la mise en place de ces mesures libérales, comme par exemple on l'a vu à propos du commerce des grains, c'était bien effectivement cela qui était visé ou cherché en première instance. Problème, en tout cas, qui se pose. Deuxièmement, j'ai dit quelque part qu'on ne pouvait pas comprendre la mise en place des idéologies et d'une politique libérales au XVIII<sup>e</sup> siècle sans bien garder à l'esprit que ce même XVIII<sup>e</sup> siècle qui avait si fort revendiqué les libertés, les avait tout de même lestées d'une technique disciplinaire qui, prenant les enfants, les soldats, les ouvriers là où ils étaient, limitait considérablement la liberté et donnait en quelque sorte des garanties à l'exercice même de cette liberté[30]. Eh bien, je crois que j'ai eu tort. Je n'ai jamais tout à fait tort, bien sûr, mais enfin, ce n'est pas exactement ça. Je crois que ce qui est en jeu, c'est tout autre chose. C'est qu'en fait cette liberté, à la fois idéologie et technique de gouvernement, cette liberté doit être comprise à l'intérieur des mutations et transformations des technologies de pouvoir. Et, d'une façon plus précise et particulière, la liberté n'est pas autre chose que le corrélatif de la mise en place des dispositifs de sécurité. Un dispositif de sécurité ne peut bien marcher, et en tout cas celui dont je vous ai parlé là, qu'à la condition, justement, que l'on donne quelque chose qui est la liberté, au sens moderne [que ce mot]* prend au XVIII<sup>e</sup> siècle : non plus les franchises et les privilèges qui sont attachés à une personne, mais la possibilité de mouvement, déplacement, processus de circulation et des gens et des choses. Et c'est cette liberté de circulation, au sens large du terme, c'est cette faculté de circulation qu'il faut entendre, je crois, par le mot de liberté, et la comprendre comme étant une des faces, un des aspects, une des dimensions de la mise en place des dispositifs de sécurité.

L'idée d'un gouvernement des hommes qui penserait d'abord et fondamentalement à la nature des choses et non plus à la mauvaise nature des hommes, l'idée d'une administration des choses qui penserait avant tout à la liberté des hommes, à ce qu'ils veulent faire, à ce qu'ils ont intérêt à faire, à ce qu'ils pensent à faire, tout cela, ce sont des éléments corrélatifs. Une physique du pouvoir ou un pouvoir qui se pense comme action physique dans l'élément de la nature et un pouvoir qui se pense comme régulation qui ne peut s'opérer qu'à travers et en prenant appui sur la liberté de chacun, je crois que c'est là quelque chose qui est absolument fondamental. Ce n'est pas une idéologie, ce n'est pas proprement, ce n'est pas fondamentalement, ce n'est pas premièrement une idéologie. C'est d'abord et avant tout une technologie de pouvoir, c'est en tout cas dans ce sens qu'on peut le lire. J'essaierai la prochaine fois de terminer ce que je vous ai dit sur la forme générale des mécanismes de sécurité en vous parlant des procédures de normalisation.

* M. F. : qu'il

NOTES

1. Louis-Paul Abeille, *Lettre d'un négociant sur la nature du commerce des grains,* 1763, p. 4; rééd. 1911, p. 91 (mot souligné par l'auteur). Sur cet ouvrage, cf. *infra,* note 17.

2. Cf. notamment *Le Prince,* ch. 25: «*Quantum fortuna in rebus humanis possit et quomodo illi sit occurrendum* (Combien peut la fortune dans les choses humaines et de quelle façon on peut lui tenir tête)» (trad. J.-L. Fournel & J.-Cl. Zancarini, Paris, PUF, 2000, p. 197).

3. Cf. par exemple N. Delamare, *Traité de la police,* 2ᵉ éd. Paris, M. Brunet, 1722, t. II, p. 294-295: «C'est souvent un de ces fleaux salutaires, dont Dieu se sert pour nous châtier & nous faire rentrer dans notre devoir. [...] Dieu se sert souvent des causes secondes pour exercer ici bas sa Justice [...]. Aussi soit qu'elles [la disette ou la famine] nous soient envoyées du ciel dans cette vûë de nous corriger, soit qu'elles arrivent par le cours ordinaire de la nature, ou par la malice des hommes, elles sont en apparence toûjours les mêmes, mais toujours dans l'ordre de la Providence.» Sur cet auteur, cf. *infra,* note 26.

4. Sur cette «avidité» imputée aux marchands monopoleurs qui, selon une explication fréquemment invoquée par la police et le peuple sous l'Ancien Régime, aurait été la cause essentielle de la pénurie et de la flambée des prix, cf. par exemple N. Delamare, *op. cit.,* p. 390, à propos de la crise des subsistances de 1692-93: «Cependant [alors que la rouille, au printemps 1692, n'avait détruit que la moitié de la récolte sur pied], comme il ne faut qu'un prétexte aux Marchands mal intentionnez & toûjours avides de gain, pour les déterminer à grossir les objets du côté de la disette, ils ne manquerent pas à profiter de celuy-cy; on les vit aussitôt reprendre toutes leurs allures ordinaires & remettre en usage toutes leurs mauvaises pratiques pour faire renchérir les grains: societez, courses dans les Provinces, faux bruits répandus, monopoles par les achats de tous les grains, surencheres dans les marchez, arremens de grains en vert ou dans les granges & les greniers, rétention en magazins; ainsi tout le commerce se trouva réduit à un certain nombre d'entr'eux qui s'en estoient rendus les maistres» (cité par S. L. Kaplan, *Bread, Politics and Political Economy in the Reign of Louis XV,* La Haye, Martinus Nijhoff, 1976, p. 56 / *Le Pain, le Peuple et le Roi,* trad. M.-A. Revellat, Paris, Perrin, «Pour l'histoire», 1986, p. 52-53).

5. Cette notion constitue le fil directeur de la pensée de Quesnay, des «Maximes de gouvernement économique», qui concluent l'article «Grains» (1757; in *F. Quesnay et la physiocratie,* INED, 1958, t. 2, p. 496-510) aux «Maximes générales du gouvernement économique d'un royaume agricole» (1767; *ibid.,* p. 949-976).

6. Cf. par exemple F. Quesnay, art. «Impôts» (1757), *ibid.,* t. 2, p. 582: «Les richesses annuelles qui constituent les revenus de la nation sont les produits qui, toutes dépenses reprises, forment les profits que l'on retire des biens-fonds.»

7. C'est le système de la gratification à la sortie des grains sur des vaisseaux anglais, tant qu'ils n'excédaient pas les prix fixés par la loi (cf. E. Depitre, introduction à Cl.-J. Herbert, *Essai sur la police générale des grains* (1755), Paris, L. Geuthner, «Collection des économistes et des réformateurs sociaux de la France», 1910, p. XXXIII. Ce texte constitue l'une des sources documentaires de Foucault).

8. Prohibition de l'importation des grains étrangers « tant que leur prix courant se soutenait au-dessous de celui fixé par les statuts (cf. E. Depitre, *ibid.*).

9. Cf. par exemple Claude-Jacques Herbert (1700-1758), *Essai sur la police générale des grains, op. cit.,* éd. Londres, 1753, p. 44-45 : « L'Angleterre fondée sur les mêmes principes [que la Hollande], semble ne point craindre d'être épuisée, & n'être en garde au contraire que contre la superfluité. Elle a depuis soixante ans adopté une méthode qui paroît étrange au premier coup d'œil & qui cependant l'a préservée depuis ce temps des suites fâcheuses de la disette. Il n'y a de droits que sur l'entrée, il n'y en a point à la sortie ; au contraire ils l'encouragent & la récompensent. » Analyse plus détaillée dans la deuxième édition (citée) de 1755, p. 43-44. Disciple de Gournay, Herbert fut l'un des premiers, avec Boisguilbert (*Détail de la France* et *Traité de la nature, culture, commerce et intérêt des grains,* 1707), Dupin (*Mémoire sur les Bleds,* 1748) et Plumart de Dangeul (*Remarques sur les avantages et les désavantages de la France et de la Grande-Bretagne par rapport au commerce et aux autres sources de la Puissance des États,* 1754) à défendre le principe de la liberté des grains d'après le modèle anglais. C'est son traité, toutefois, qui exerça l'influence la plus profonde. Sur les « innombrables Mémoires, Essais, Traités, Lettres, Observations, Réponses ou Dialogues » qui saisirent l'opinion sur la question des grains à partir du milieu du XVIIIe siècle, cf. J. Letaconnoux, « La question des subsistances et du commerce des grains en France au XVIIIe siècle : travaux, sources et questions à traiter », *Revue d'histoire moderne et contemporaine,* mars 1907, article auquel renvoie Depitre, *in op. cit.,* p. VI.

10. Édit du 17 septembre 1754, signé par le contrôleur général Moreau de Séchelles (mais conçu par son prédécesseur Machault d'Arnouville), instaurant la libre circulation des grains et farines à l'intérieur du royaume et autorisant les exportations dans les années d'abondance. Le texte en avait été préparé par Vincent de Gournay (cf. *infra,* note 15).

11. Cf. G. Weulersse, *Le Mouvement physiocratique en France de 1756 à 1770,* Paris, Félix Alcan, 1910, 2 vol. ; sur ces années 1754-1764, cf. t. 1, p. 44-90 : « Les débuts de l'École ».

12. Cf. G.-F. Letrosne, *Discours sur l'état actuel de la magistrature et sur les causes de sa décadence,* [s.l.], 1764, p. 68 : « La déclaration du 25 mai 1763 a abattu ces barrières intérieures élevées par la timidité, si longtemps maintenues par l'usage, si favorables au monopole, et si chères aux yeux de l'autorité arbitraire, mais il reste encore à faire le pas le plus essentiel » (i.e. la liberté d'exportation, complément nécessaire à la liberté intérieure), cité *in* S. L. Kaplan, *Le Pain...,* trad. citée, p. 107. Letrosne (ou Le Trosne) est également l'auteur d'un opuscule sur la liberté du commerce des grains (cf. *infra,* note 14).

13. En réalité juillet 1764. « La déclaration de mai traite le commerce des grains comme une affaire nationale. L'édit de juillet 1764 lui ajoute une dimension internationale en permettant l'exportation des grains et de la farine. [...] » (S. L. Kaplan, trad. citée, p. 78 ; pour plus de détails, cf. p. 79).

14. Cf. G. Weulersse, *Les Physiocrates,* Paris, G. Doin, 1931, p. 18 : « C'était [Trudaine de Montigny, le conseiller du contrôleur-général Laverdy, qui était] le véritable auteur de l'Édit libérateur de 1764, et pour le rédiger, à qui avait-il fait appel ? À Turgot, et même à Dupont, dont le texte avait fini par prévaloir presque entièrement. C'est par ses soins, sans doute, que l'opuscule de Le Trosne sur *La liberté [du commerce] des grains toujours utile et jamais nuisible* [Paris, 1765] est

répandu dans les provinces, et c'est là que le contrôleur général va puiser des armes pour défendre sa politique. »

15. Vincent de Gournay (1712-1759) : négociant à Cadix pendant quinze ans, puis Intendant du commerce (de 1751 à 1758), à la suite de divers voyages en Europe, il est l'auteur, avec son élève Cliquot-Blervache, de *Considérations sur le commerce* (1758), de nombreux mémoires rédigés pour le Bureau du commerce et d'une traduction des *Traités sur le commerce* de Josiah Child (1754 ; orig. : 1694) (son commentaire ne put être imprimé de son vivant ; 1ʳᵉ édition par Takumi Tsuda, Tokyo, 1983). « Son influence sur l'évolution de la pensée économique en France [fut] considérable, grâce à son rôle dans l'administration commerciale française, grâce à son travail de direction des études économiques à l'Académie d'Amiens et surtout grâce à son rôle officieux dans la publication de travaux économiques » (A. Murphy, « Le développement des idées économiques en France (1750-1756) », *Revue d'histoire moderne et contemporaine*, t. XXXIII, oct.-déc. 1986, p. 523). Il contribua à la diffusion des idées de Cantillon et assura le succès de la formule (dont la paternité, depuis Dupont de Nemours, lui fut souvent attribuée) « laissez faire, laissez passer » (sur l'origine de celle-ci, cf. la note sur d'Argenson, in *Naissance de la biopolitique, op. cit.*, leçon du 10 janvier 1979, p. 27 n. 13). Cf. Turgot, « Éloge de Vincent de Gournay », *Mercure de France*, août 1759 ; G. Schelle, *Vincent de Gournay*, Paris, Guillaumin, 1897 ; G. Weulersse, *Le Mouvement physiocratique…, op. cit.*, t. 1, p. 58-60 ; Id., *Les Physiocrates, op. cit.*, p. xv, et l'ouvrage de référence, désormais, de S. Meysonnier, *La Balance et l'Horloge. La genèse de la pensée libérale en France au XVIIIᵉ siècle*, Montreuil, Les Éditions de la passion, 1989, p. 168-236 : « Vincent de Gournay ou la mise en œuvre d'une nouvelle politique économique » (biographie détaillée p. 168-187). Le principal disciple de Gournay, avec Turgot, fut Morellet (cf. G. Weulersse, *Le Mouvement physiocratique…*, t. 1, p. 107-108 ; Id., *Les Physiocrates*, p. 15).

16. Cf. E. Depitre, introd. à Herbert, *Essai…, op. cit.*, p. VIII : « […] c'est alors une période de publications intense et de vives polémiques. Mais la position des Économistes est moins bonne, ils se voient obligés de passer de l'offensive à la défensive ; ils répondent en nombre aux *Dialogues* de l'abbé Galiani [*Dialogues sur le commerce des blés*, Londres, 1770]. »

17. Louis-Paul Abeille (1719-1807), *Lettre d'un négociant sur la nature du commerce des grains* (Marseille, 8 octobre 1763), [s.l.n.d.] ; rééd. in L.-P. Abeille, *Premiers Opuscules sur le commerce des grains : 1763-1764*, introduction et table analytique par Edgard Depitre, Paris, P. Geuthner (« Collection des économistes et des réformateurs sociaux de la France »), 1911, p. 89-103. Abeille, au moment où il publia ce texte, était secrétaire de la Société d'agriculture de Bretagne, fondée en 1756 en présence de Gournay. Acquis aux thèses physiocratiques, il fut nommé secrétaire du Bureau du Commerce en 1768, mais prit ensuite ses distances avec l'École. Sur sa vie et ses écrits, cf. J.-M. Quérard, *La France littéraire, ou Dictionnaire bibliographique des savants, historiens et gens de lettres de la France*, Paris, F. Didot, t. I, 1827, p. 3-4 ; G. Weulersse, *Le Mouvement physiocratique…*, t. 1, p. 187-188 : sur la rupture d'Abeille avec les physiocrates, survenue en 1769 (« Plus tard, précise-t-il, Abeille soutiendra Necker contre Dupont »). Il est également l'auteur de *Réflexions sur la police des grains en France* (1764), rééditées par Depitre dans les *Premiers Opuscules…*, p. 104-126, et de *Principes sur la liberté du commerce des grains*, Amsterdam-Paris, chez Desaint, parus sans nom d'auteur en 1768 (brochure qui fit l'objet d'une réplique immédiate de F. Véron de Forbonnais,

«Examen des *Principes sur la liberté du commerce des grains*», *Journal de l'agriculture* (août 1768), à laquelle répondirent les *Éphémérides du citoyen* – le journal physiocrate – en décembre de la même année) (cf. G. Weulersse, *Le Mouvement physiocratique...*, t. 1, index bibliographique, p. XXIV).

18. Sur cette notion, cf. G. Weulersse, *ibid.,* t. 1, p. 261-268 («Pour les Physiocrates [...], il n'y a de vrai revenu, de revenu proprement dit, que le revenu net ou le produit net; et par produit net ils entendent le surplus du produit total, ou produit brut, au-delà des frais de production»).

19. L.-P. Abeille, *Lettre d'un négociant...,* éd. 1763, p. 4; rééd. 1911, p. 91: «La disette, c'est-à-dire l'insuffisance actuelle de la quantité de grains nécessaire pour faire subsister une Nation, est évidemment une chimère. Il faudroit que la récolte eût été nulle, en prenant ce terme en toute rigueur. Nous n'avons vu aucun Peuple que la faim ait fait disparoître de dessus la terre, même en 1709». Cette conception n'est pas propre au seul Abeille. Cf. S. L. Kaplan, *Le Pain...,* p. 74-75: «[...] les hommes qui traitent des problèmes de subsistances ne sont pas convaincus que la pénurie est "réelle". Ils admettent que certaines prétendues disettes ressemblent à de vraies famines, mais ils objectent qu'elles ne sont pas accompagnées de véritables pénuries de grains. Les critiques les plus véhéments sont les physiocrates qui sont aussi les plus hostiles au gouvernement. Lemercier écrit que la disette de 1725 est artificielle. Roubaud ajoute celle de 1740 à la liste des disettes factices. Quesnay et Dupont croient tous deux que la plupart des disettes sont créées par l'opinion. Galiani lui-même, qui déteste les physiocrates, déclare que, dans les trois quarts des cas, la disette est "une maladie de l'imagination".» En novembre 1764, alors qu'éclataient des émeutes à Caen, à Cherbourg et dans le Dauphiné, le *Journal économique,* accueillant chaleureusement la nouvelle ère de politique libérale, se moquait de la «crainte chimérique de la disette» (S. L. Kaplan, *ibid.,* p. 138).

20. L.-P. Abeille, *Lettre d'un négociant...,* éd. 1763, p. 9-10; éd. 1911, p. 94: «Il est vrai que la liberté n'empêcheroit pas le prix du marché de se soutenir; mais loin de l'augmenter, elle pourroit peut-être contribuer à le faire baisser, parce qu'elle menaceroit continuellement de la concurrence des étrangers, et que ceux qui ont des concurrens à craindre doivent se hâter de vendre, et par conséquent borner leurs profits, pour ne pas courir les risques d'être forcés de se contenter de moindres profits encore.»

21. *Ibid.,* éd. 1763, p. 7-8; éd. 1911, p. 93: «Je vois clairement que l'intérêt sera l'unique moteur de ces Commerçants étrangers. Ils apprennent que le blé manque dans un pays; que par conséquent il s'y vend facilement et à bon prix; dès ce moment toutes les spéculations sont faites: c'est là qu'il faut envoyer du grain, et l'envoyer promptement, afin de profiter du temps où la vente est favorable.»

22. Sur l'origine de cette formule «Laissez faire, laissez passer», cf. *supra,* la note 15 sur Vincent de Gournay et *Naissance de la biopolitique,* leçon du 10 janvier 1979, p. 27 n. 13.

23. L.-P. Abeille, *Lettre d'un négociant...,* éd. 1763, p. 16-17; éd. 1911, p. 98-99: «Quand le besoin se fait sentir, c'est-à-dire, lorsque les blés montent à un trop haut prix, le Peuple devient inquiet. Pourquoi augmenter son inquiétude en déclarant celle du Gouvernement par l'interdiction de la sortie? [...] Si l'on joint à cette défense, qui en soi est pour le moins inutile, des ordres de faire des déclarations, etc., le mal en fort peu de temps pourroit être porté à son comble. N'a-t-on pas tout à perdre, en

aigrissant ceux qui sont gouvernés contre ceux qui gouvernent; et en rendant le Peuple audacieux contre ceux qui lui fournissent jour par jour les moyens de subsister? C'est allumer une guerre civile entre les Propriétaires et le Peuple.» Cf. également éd. 1763, p. 23; éd. 1911, p. 203: «Rien ne leur [les Nations] seroit plus funeste que de renverser les droits de la propriété, et de réduire ceux qui font la force d'un État, à n'être que les Pourvoyeurs d'un Peuple inquiet, qui n'envisage que ce qui favorise son avidité, et qui ne sait point mesurer ce que doivent les Propriétaires par ce qu'ils peuvent.»

24. Cf. par exemple J.-J. Rousseau, *Du contrat social,* 1762, II, 5, in *Œuvres complètes,* Paris, Gallimard («Bibliothèque de la Pléiade»), t. III, 1964, p. 376-377: «[...] tout malfaiteur attaquant le droit social devient par ses forfaits rebelle et traître à la patrie, il cesse d'en être membre en violant ses loix, et même il lui fait la guerre. Alors la conservation de l'État est incompatible avec la sienne, il faut qu'un des deux périsse, et quand on fait mourir le coupable, c'est moins comme Citoyen que comme ennemi. Les procédures, le jugement sont les preuves et la déclaration qu'il a rompu le traité social, et par conséquent qu'il n'est plus membre de l'État. Or comme il s'est reconnu tel, tout au moins par son séjour, il en doit être retranché par l'exil comme infracteur du pacte, ou par la mort comme ennemi public; car un tel ennemi n'est pas une personne morale, c'est un homme, et c'est alors que le droit de la guerre est de tuer le vaincu.»

25. Cf. *infra,* leçon du 25 janvier, p. 67-68 (3ᵉ remarque à propos des trois exemples de la ville, de la disette et de l'épidémie).

26. Nicolas Delamare (de La Mare) (1639-1723), *Traité de la police, où l'on trouvera l'histoire de son établissement, les fonctions et les prérogatives de ses magistrats, toutes les loix et tous les règlemens qui la concernent,* t. I-III, Paris, 1705-1719, t. IV par A.-L. Lecler du Brillet, 1738 (cf. *infra,* leçon du 5 avril, p. 366, note 1, pour plus de précisions). Delamare fut commissaire au Châtelet de 1673 à 1710, sous la lieutenance de La Reynie – premier magistrat chargé de la lieutenance de police, depuis sa création par l'édit de mars 1667 – puis sous d'Argenson. Cf. P.-M. Bondois, «Le Commissaire N. Delamare et le *Traité de la police*», *Revue d'histoire moderne,* 19, 1935, p. 313-351. Sur la police des grains, cf. le tome II qui constitue, selon L. S. Kaplan, *Le Pain...,* p. 394, note 1 du chapitre I, «la source la plus riche pour les questions d'administration des subsistances» (*Traité de la police,* t. II, livre V: «Des vivres»; voir en particulier le titre 5: «De la Police de France, touchant le commerce des grains», p. 55-89, et le titre 14: «De la Police des Grains, & de celle du Pain, dans les temps de disette ou de famine», p. 294-447).

27. Pour une analyse approfondie des différentes acceptions du mot «nature» au XVIIIᵉ siècle, cf. l'ouvrage classique de J. Ehrard, que connaissait Foucault, *L'Idée de nature en France dans la première moitié du XVIIIᵉ siècle,* Paris, SEVPEN, 1963; rééd. Paris, Albin Michel («Bibliothèque de l'évolution de l'humanité»), 1994.

28. Cf. Dupont de Nemours, *Journal de l'agriculture, du commerce et des finances,* septembre 1765, préface (fin): «[L'économie politique] n'est pas une science d'opinion, où l'on conteste entre des vraisemblances et des probabilités. L'étude des lois physiques, qui toutes se réduisent au calcul, en décide les moindres résultats» (cité par G. Weulersse, *Le Mouvement physiocratique...,* t. 2, p. 122); Le Trosne, *ibid.,* juin 1766, p. 14-15: «La science économique n'étant autre chose que l'application de l'ordre naturel au gouvernement des sociétés, est aussi constante

dans ses principes et aussi susceptible de démonstration que les sciences physiques les plus certaines » (cité par G. Weulersse, *loc. cit.*, note 3). Le nom « Physiocratie », qui résume cette conception du gouvernement économique, apparut en 1768, avec le recueil *Physiocratie ou Constitution naturelle du gouvernement le plus avantageux au genre humain*, publié par Dupont de Nemours.

29. M. Foucault ne revient pas sur ce sujet dans la leçon suivante.

30. Cf. *Surveiller et Punir, op. cit.*, p. 223-225.

# LEÇON DU 25 JANVIER 1978

*Traits généraux des dispositifs de sécurité (III) : la normalisation. – Normation et normalisation. – L'exemple de l'épidémie (la variole) et les campagnes d'inoculation au XVIIIᵉ siècle. – Émergence de nouvelles notions : cas, risque, danger, crise. – Les formes de normalisation dans la discipline et dans les mécanismes de sécurité. – Mise en place d'une nouvelle technologie politique : le gouvernement des populations. – Le problème de la population chez les mercantilistes et les physiocrates. – La population comme opérateur de transformations dans les savoirs : de l'analyse des richesses à l'économie politique, de l'histoire naturelle à la biologie, de la grammaire générale à la philologie historique.*

Les années précédentes *, j'avais essayé de faire apparaître un petit peu ce qu'il y avait de spécifique, me semble-t-il, dans les mécanismes disciplinaires par rapport à ce qu'on peut appeler, en gros, le système de la loi. Cette année, mon projet était de faire apparaître, en revanche, ce qu'il peut y avoir de spécifique, de particulier, de différent dans les dispositifs de sécurité si on les compare à ces mécanismes de la discipline que j'avais essayé de repérer. C'est donc sur l'opposition, la distinction en tout cas, sécurité / discipline que je voulais insister. Et ceci ayant pour objet immédiat, et immédiatement sensible et visible bien sûr, de couper court à l'invocation répétée du maître et aussi bien à l'affirmation monotone du pouvoir. Ni pouvoir ni maître, ni le pouvoir ni le maître et ni l'un ni l'autre comme Dieu. Cette distinction entre discipline et sécurité, j'ai essayé dans le premier cours, donc, de montrer comment on pouvait la saisir à propos de la manière dont l'une et l'autre, la discipline et la sécurité, traitaient, aménageaient les distributions spatiales. La dernière fois, j'ai essayé de vous montrer comment discipline et sécurité traitaient chacune d'une manière différente ce qu'on peut appeler l'événement,

---

\* M. Foucault ajoute : enfin, les années précédentes, une ou deux années, disons celles qui viennent de s'écouler

et je voudrais aujourd'hui, mais d'une façon qui sera brève parce que je voudrais tout de même assez vite arriver au cœur, et en un sens à la fin du problème, essayer de vous montrer comment elles traitent l'une et l'autre de façon différente ce qu'on peut appeler la normalisation.

Vous connaissez mieux que moi la fâcheuse fortune de ce mot de « normalisation ». Qu'est-ce qui n'est pas normalisation ? Je normalise, tu normalises, etc. Essayons de repérer tout de même quelques points importants dans tout cela. Premièrement, un certain nombre de gens ayant la prudence, ces temps-ci, de relire Kelsen [1] se sont aperçu que Kelsen disait, démontrait, voulait montrer qu'entre la loi et la norme il y avait et il ne pouvait pas manquer d'y avoir un rapport fondamental, que tout système de loi se rapporte à un système de normes. Mais je crois qu'il faut bien montrer que le rapport de la loi à la norme indique bien en effet qu'il y a, intrinsèque à tout impératif de la loi, quelque chose que l'on pourrait appeler une normativité, mais que cette normativité intrinsèque à la loi, fondatrice peut-être de la loi, ne peut en aucun cas être confondue avec ce qu'on essaie ici de repérer sous le nom de procédures, procédés, techniques de normalisation. Je dirais même au contraire que, s'il est vrai que la loi se réfère à une norme, la loi a donc pour rôle et fonction – c'est l'opération même de la loi – de codifier une norme, d'opérer par rapport à la norme une codification, alors que le problème que j'essaie de repérer, c'est de montrer comment, à partir [de] et au-dessous, dans les marges et peut-être même à contresens d'un système de la loi se développent des techniques de normalisation.

Prenons maintenant la discipline. La discipline normalise et je crois que cela ne peut pas, ne peut guère être contesté. Encore faut-il bien préciser en quoi consiste, dans sa spécificité, la normalisation disciplinaire. Je résume d'une façon très schématique et grossière des choses mille fois dites, vous me le pardonnerez. La discipline, bien sûr, analyse, décompose, décompose les individus, les lieux, les temps, les gestes, les actes, les opérations. Elle les décompose en éléments qui sont suffisants pour les percevoir d'une part et les modifier de l'autre. C'est ça, ce fameux quadrillage disciplinaire qui essaie d'établir les éléments minimaux de perception et suffisants de modification. Deuxièmement, la discipline classe les éléments ainsi repérés en fonction d'objectifs déterminés. Quels sont les meilleurs gestes à faire pour obtenir tel résultat : quel est le meilleur geste à faire pour charger son fusil, quelle est la meilleure position à prendre ? Quels sont les ouvriers les plus aptes à telle tâche, les enfants les plus aptes à obtenir tel résultat ? Troisièmement, la discipline établit les séquences ou les coordinations qui sont optimales : comment enchaîner les gestes les uns avec les autres, comment répartir les soldats pour une manœuvre, comment distribuer les enfants scolarisés dans des hiérarchies et à l'intérieur de classements ? Quatrièmement, la discipline fixe les procédés de dressage progressif et de contrôle permanent et enfin, à partir de là, elle établit le partage entre ceux qui seront considérés comme inaptes, incapables et les autres. C'est-à-dire que c'est à partir de là qu'elle fait le partage du normal et de l'anormal. La normalisation disciplinaire consiste à poser d'abord un modèle, un modèle optimal qui est construit en fonction d'un certain résultat, et l'opération de la normalisation disciplinaire consiste à essayer de rendre les gens, les gestes, les actes conformes à ce modèle, le normal étant précisément ce qui est capable de se conformer à cette norme et l'anormal, ce qui n'en est pas capable. En d'autres termes, ce qui est fondamental et premier dans la normalisation disciplinaire, ce n'est pas le normal et l'anormal, c'est la norme. Autrement dit, il y a un caractère primitivement prescriptif de la norme et c'est par rapport à cette norme posée que la détermination et le repérage du normal et de l'anormal deviennent possibles. Ce caractère premier de la norme par rapport au normal, le fait que la normalisation disciplinaire aille de la norme au partage final du normal et de l'anormal, c'est à cause de cela que j'aimerais mieux dire, à propos de ce qui se passe dans les techniques disciplinaires, qu'il s'agit d'une normation plus que d'une normalisation. Pardonnez le mot barbare, enfin c'est pour bien souligner le caractère premier et fondamental de la norme.

Maintenant, si l'on prend cet ensemble de dispositifs que j'ai appelés, selon un mot qui à coup sûr n'est pas satisfaisant et sur lequel il faudra revenir, les dispositifs de sécurité, comment est-ce que se passent les choses du point de vue de la normalisation ? Comment est-ce qu'on normalise ? Après avoir pris l'exemple de la ville puis celui de la disette, je voudrais prendre l'exemple, évidemment quasi nécessaire dans cette série, de l'épidémie, et en particulier de cette maladie endémo-épidémique qu'était au XVIIIe siècle la variole [2]. Problème important, bien sûr, d'abord parce que la variole était à coup sûr la maladie la plus largement endémique de toutes celles que l'on connaissait à cette époque-là, puisque tout enfant naissant avait deux chances sur trois d'attraper la variole. D'une façon générale et pour toute la population, le taux de [mortalité] * [dû à] la variole était de 1 sur 7,782, presque 8. Donc, phénomène largement endémique, à mortalité très élevée. Deuxièmement, c'était un phénomène qui présentait aussi ce caractère d'avoir des flambées

* M. F. : morbidité

épidémiques très fortes et très intenses. À Londres en particulier, à la fin du xviie et au début du xviiie siècle, vous aviez eu, à des intervalles qui ne dépassaient guère cinq ou six ans, des flambées épidémiques très intenses. Troisièmement enfin, la variole est évidemment un exemple privilégié, puisque, à partir de 1720, avec ce qu'on appelle l'inoculation ou la variolisation[3], et puis à partir de 1800 avec la vaccination[4], on dispose de techniques qui présentent le quadruple caractère, absolument insolite, dans les pratiques médicales de l'époque, premièrement, d'être absolument préventives, deuxièmement de présenter un caractère de certitude, de succès presque total, troisièmement de pouvoir, en principe et sans difficultés matérielles ou économiques majeures, être généralisables à la population tout entière, et enfin et surtout la variolisation d'abord, mais même encore la vaccination au début du xixe siècle, présentaient ce quatrième avantage, considérable, d'être complètement étrangères à toute théorie médicale. La pratique de la variolisation et de la vaccination, le succès de la variolisation et de la vaccination étaient impensables dans les termes de la rationalité médicale de l'époque[5]. C'était une pure donnée de fait[6], on était dans l'empirisme le plus dépouillé, et ceci jusqu'à ce que la médecine, au milieu du xixe siècle en gros avec Pasteur, puisse donner une appréhension rationnelle du phénomène.

On avait donc des techniques absolument impensables dans les termes de la théorie médicale, généralisables, sûres, préventives. Qu'est-ce qui s'est passé et quels ont été les effets de ces techniques purement empiriques dans l'ordre de ce qu'on pourrait appeler la police médicale?[7] Je crois que la variolisation d'abord, la vaccination ensuite ont bénéficié de deux supports qui ont rendu possible [leur] inscription dans les pratiques réelles de population et de gouvernement de l'Europe occidentale. Premièrement, bien sûr, ce caractère certain, généralisable, de la vaccination et de la variolisation permettait de penser le phénomène en termes de calcul des probabilités, grâce aux instruments statistiques dont on disposait[8]. Dans cette mesure-là, on peut dire que la variolisation et la vaccination ont bénéficié d'un support mathématique qui a été en même temps une sorte d'agent d'intégration à l'intérieur des champs de rationalité acceptables et acceptés à l'époque. Deuxièmement, il me semble que le second support, le second facteur d'importation, d'immigration de ces pratiques à l'intérieur des pratiques médicales acceptées – malgré son étrangeté, son hétérogénéité par rapport à la théorie –, le second facteur a été le fait que la variolisation et la vaccination s'intégraient, au moins d'une manière analogique et par toute une série de ressemblances importantes, aux autres mécanismes de sécurité dont je vous parlais. Ce qui m'a paru en effet important, très caractéristique des mécanismes de sécurité à propos de la disette, c'était justement que, alors que les règlements juridico-disciplinaires qui avaient régné jusqu'au milieu du XVIIIᵉ siècle essayaient d'empêcher le phénomène de la disette, ce qu'on a cherché, à partir du milieu du XVIIIᵉ siècle avec les physiocrates, mais également avec bien d'autres économistes, ça a été de prendre appui sur le processus même de la disette, sur l'espèce d'oscillation quantitative qui produisait tantôt l'abondance, tantôt la disette : prendre appui sur la réalité de ce phénomène, ne pas essayer de l'empêcher, mais au contraire de faire jouer par rapport à lui d'autres éléments du réel, de manière que le phénomène en quelque sorte s'annule lui-même. Or ce qu'il y avait de remarquable dans la variolisation, et dans la variolisation mieux encore et d'une façon plus claire que dans la vaccination, c'est que la variolisation n'essayait pas tellement d'empêcher la variole qu'au contraire de provoquer chez les individus que l'on inoculait quelque chose qui était la variole elle-même, mais dans des conditions telles que l'annulation pouvait se produire au moment même de cette vaccination qui n'aboutissait pas à une maladie totale et complète, et c'était en prenant appui sur cette espèce de première petite maladie artificiellement inoculée que l'on pouvait prévenir les autres attaques éventuelles de la variole. On a donc là, typiquement, un mécanisme de sécurité qui a la même morphologie que celui qu'on observe à propos de la disette. Donc, double intégration à l'intérieur des différentes technologies de sécurité, à l'intérieur de la rationalisation du hasard et des probabilités. Voilà, sans doute, ce qui rendait acceptables ces techniques nouvelles, acceptables sinon pour la pensée médicale, du moins pour les médecins, pour les administrateurs, pour ceux qui étaient chargés de la police médicale et finalement pour les gens eux-mêmes.

Or, je crois qu'à travers cette pratique typiquement de sécurité, on voit se dessiner un certain nombre d'éléments qui sont tout à fait importants pour l'extension ultérieure des dispositifs, en général, de sécurité. Premièrement, à travers tout ce qui se passe dans la pratique de l'inoculation, dans la surveillance qu'on fait subir aux gens qui ont été inoculés, dans l'ensemble des calculs par lesquels on essaie de savoir si vraiment ça vaut ou non la peine d'inoculer les gens, si on risque de mourir de l'inoculation, ou plutôt de mourir de la variole elle-même, à travers tout cela, qu'est-ce qu'on voit ? On voit d'abord que la maladie va cesser d'être appréhendée dans la catégorie qui était encore très solide, très consistante à l'intérieur de la pensée et de la pratique médicales de l'époque, cette notion de « maladie régnante [9] ». Une maladie régnante, telle que vous la voyez définie ou décrite dans la médecine du XVIIᵉ siècle et même encore du XVIII<sup>e</sup> siècle, c'est une espèce de maladie substantielle, si vous voulez, enfin qui fait corps avec un pays, avec une ville, avec un climat, avec un groupe de gens, avec une région, avec une manière de vivre. C'est dans ce rapport massif et global entre un mal et un lieu, un mal et des gens, que se définissait, se caractérisait la maladie régnante. À partir du moment où l'on va faire à propos de la variole les analyses quantitatives de succès et d'insuccès, d'échecs ou de réussites, quand on va calculer les différentes éventualités de mort ou de contamination, du coup la maladie ne va plus apparaître dans ce rapport massif de la maladie régnante à son lieu, son milieu, elle va apparaître comme une distribution de cas, dans une population qui, elle, sera circonscrite dans le temps ou dans l'espace. Apparition, par conséquent, de cette notion de cas, qui n'est pas le cas individuel mais qui est une manière d'individualiser le phénomène collectif de la maladie, ou de collectiviser, mais sur le mode de la quantification et du rationnel et du repérable, de collectiviser les phénomènes, d'intégrer à l'intérieur d'un champ collectif les phénomènes individuels. Donc, notion de cas.

Deuxièmement, ce qu'on voit apparaître, c'est le fait suivant : si la maladie est ainsi accessible au niveau du groupe et au niveau de chaque individu, dans cette notion, dans cette analyse de la distribution des cas, on va pouvoir repérer, à propos de chaque individu ou de chaque groupe individualisé, quel est le risque pour chacun soit [d'attraper] * la petite vérole, soit d'en mourir, soit d'en guérir. On va donc [pouvoir], pour chaque individu, étant donné son âge, étant donné l'endroit où il habite, on va pouvoir également pour chaque couche d'âge, pour chaque ville, pour chaque profession, déterminer quel va être le risque de morbidité, le risque de mortalité. On saura ainsi, – et là je me réfère par exemple à ce texte qui est en quelque sorte le bilan de toutes ces recherches quantitatives, qui a été publié tout à fait au début du XIX<sup>e</sup> siècle par Duvillard sous le titre *Analyse de l'influence de la petite vérole* [10], ce texte établit toutes ces données quantitatives qui ont été cumulées [au] XVIII<sup>e</sup> siècle et montre que pour tout enfant qui naît il y a un certain risque [d'attraper] ** la variole et qu'on peut établir ce risque qui est de l'ordre de 2/3 –, pour chaque tranche d'âge, quel est le risque spécifique ? Si on attrape la variole, on peut déterminer quel est le risque de mourir de cette variole selon telle tranche d'âge, si l'on est jeune, vieux, si l'on appartient à tel milieu, si l'on a telle profession, etc. On peut établir aussi, si on se fait

* M. F. : de prendre
** M. F. : de prendre

varioliser, quel est le risque que cette vaccination ou cette variolisation provoque la maladie elle-même, et quel est le risque que, malgré cette variolisation, on puisse l'attraper plus tard. Donc, notion tout à fait capitale, qui est celle de risque.

Troisièmement, ce calcul des risques montre aussitôt qu'ils ne sont pas les mêmes pour tous les individus, à tous les âges, dans toutes les conditions, dans tous les lieux ou milieux. Il y a donc des risques différentiels qui font apparaître, en quelque sorte, des zones de plus haut risque et des zones, au contraire, de risque moins élevé, plus bas en quelque sorte. C'est-à-dire qu'on peut ainsi repérer ce qui est dangereux. Il est dangereux, [par rapport à] la variole, d'avoir moins de trois ans. Il est plus dangereux, [par rapport au] risque de variole, d'habiter dans une ville qu'à la campagne. Donc, troisième notion importante, après le cas et le risque, la notion de danger.

Et enfin on peut repérer, autrement que sous la catégorie générale de l'épidémie, des espèces de phénomènes d'emballement, d'accélération, de multiplication qui font que la multiplication de la maladie à un moment donné, dans un lieu donné, risque, par la voie bien sûr de la contagion, de multiplier les cas qui vont eux-mêmes multiplier d'autres cas, et ceci selon une tendance, une ligne de pente qui risque de ne pas s'arrêter, à moins que, par un mécanisme artificiel, ou encore par un mécanisme naturel mais énigmatique, il se trouve que le phénomène puisse être enrayé et le soit effectivement. Ces phénomènes d'emballement qui se produisent d'une manière régulière et qui s'annulent aussi de manière régulière, c'est en somme ce qu'on appelle, – non pas d'ailleurs exactement dans le vocabulaire médical, parce que le mot était déjà employé pour désigner autre chose –, c'est en gros ce qu'on va appeler la crise. La crise, c'est ce phénomène d'emballement circulaire qui ne peut s'enrayer que par un mécanisme supérieur, naturel et supérieur qui va le freiner, ou par une intervention artificielle.

Cas, risque, danger, crise : ce sont là, je crois, des notions qui sont nouvelles, du moins dans leur champ d'application et dans les techniques qu'elles appellent, car on va précisément avoir toute une série de formes d'intervention qui vont avoir pour but, non pas justement de faire comme on faisait autrefois, à savoir essayer d'annuler purement et simplement la maladie chez tous les sujets chez lesquels elle se présente, ou d'empêcher encore que les sujets qui sont malades aient contact avec ceux qui ne sont pas malades. Le système disciplinaire, au fond, celui qu'on voit appliqué dans les règlements d'épidémie, ou encore dans les règlements appliqués pour les maladies endémiques comme la lèpre, ces mécanismes disciplinaires, ils tendent à quoi ? Premièrement, traiter bien sûr la maladie chez le malade, chez tout malade qui se présente, dans la mesure où elle peut être guérie, et deuxièmement, annuler la contagion par l'isolement des individus non malades par rapport à ceux qui sont malades. Le dispositif, au contraire, qui apparaît avec variolisation-vaccination va consister à quoi ? Non pas du tout à faire ce partage entre malades et non-malades. Ça va consister à prendre en considération l'ensemble sans discontinuité, sans rupture, des malades et non malades, c'est-à-dire en somme la population, et à voir dans cette population quel est le coefficient de morbidité probable, ou de mortalité probable, c'est-à-dire ce qui est normalement attendu, en fait d'atteinte par la maladie, en fait de mort liée à la maladie dans cette population. Et c'est ainsi qu'on a établi, – là-dessus les statistiques telles qu'elles ont été faites au XVIIIᵉ siècle concordent toutes –, que le taux de mortalité normal dû à la petite vérole* était donc de 1 sur 7,782. On a donc l'idée d'une morbidité ou d'une mortalité normale**. C'est là la première chose.

La seconde chose, c'est que par rapport à cette morbidité ou à cette mortalité dite normale, considérée comme normale, on va essayer d'arriver à une analyse plus fine qui permettra de déboîter en quelque sorte les différentes normalités les unes par rapport aux autres. On va avoir la distribution normale *** des cas d'atteinte par la petite vérole****, ou de décès dus à la petite vérole***** à chaque âge, dans chaque région, dans chaque ville, dans les différents quartiers de la ville, selon les différentes professions des gens. On va donc avoir la courbe normale, globale, les différentes courbes considérées comme normales, et la technique va consister à quoi ? À essayer de rabattre les normalités les plus défavorables, les plus déviantes par rapport à la courbe normale, générale, [de] les rabattre sur cette courbe normale, générale. C'est ainsi par exemple que, quand on a découvert, ce qui s'est produit évidemment très tôt, que la variole atteignait beaucoup plus vite, beaucoup plus facilement, beaucoup plus fort et avec un taux de morbidité beaucoup plus élevé les enfants au-dessous de trois ans, le problème qui s'est posé, ça a été d'essayer de rabattre cette morbidité et cette mortalité infantiles de manière qu'elle tente de rejoindre le niveau moyen de morbidité et de mortalité, qui se trouvera d'ailleurs lui-même déplacé par le fait

---

\* M. F. : variole
\** normale : entre guillemets dans le manuscrit, p. 7.
\*** normale : entre guillemets dans le manuscrit, p. 7.
\**** M. F. : variole
\***** M. F. : variole

qu'une tranche des individus qui figurent à l'intérieur de cette population générale se trouvera avoir une morbidité et une mortalité plus faibles. C'est à ce niveau-là du jeu des normalités différentielles, de leur déboîtement et de leur rabattement les unes sur les autres que, – ce n'est pas encore l'épidémiologie, enfin la médecine des épidémies –, la médecine de la prévention va agir.

On a donc un système qui est, je crois, exactement inverse de celui qu'on pouvait observer à propos des disciplines. Dans les disciplines, on partait d'une norme et c'est par rapport à ce dressage effectué par la norme que l'on pouvait ensuite distinguer le normal de l'anormal. Là, au contraire, on va avoir un repérage du normal et de l'anormal, on va avoir un repérage des différentes courbes de normalité, et l'opération de normalisation va consister à faire jouer les unes par rapport aux autres ces différentes distributions de normalité et [à] faire en sorte que les plus défavorables soient ramenées à celles qui sont les plus favorables. On a donc là quelque chose qui part du normal et qui se sert de certaines distributions considérées, si vous voulez, comme plus normales que les autres, plus favorables en tout cas que les autres. Ce sont ces distributions-là qui vont servir de norme. La norme est un jeu à l'intérieur des normalités différentielles*. C'est le normal qui est premier et c'est la norme qui s'en déduit, ou c'est à partir de cette étude des normalités que la norme se fixe et joue son rôle opératoire. Donc, je dirais là qu'il ne s'agit plus d'une normation, mais plutôt, au sens strict enfin, d'une normalisation.

J'ai donc pris, il y a quinze jours, il y a huit jours et aujourd'hui, trois exemples : la ville, la disette, l'épidémie, ou encore, si vous voulez, la rue, le grain, la contagion. Ces trois phénomènes, on voit immédiatement qu'ils ont entre eux un lien très visible, très manifeste : c'est qu'ils sont tous liés au phénomène de la ville elle-même. Ils se rabattent tous sur le premier des problèmes que j'ai essayé d'esquisser, car après tout le problème de la disette et du grain, c'est le problème de la ville-marché, le problème de la contagion et des maladies épidémiques, c'est le problème de la ville comme foyer de maladies. La ville comme marché, c'est aussi la ville comme lieu de révolte ; la ville, foyer de maladies, c'est la ville comme lieu de miasmes et de mort. De toute façon, c'est bien le problème de la ville qui est, je crois, au cœur de ces différents exemples de mécanismes de sécurité. Et s'il est vrai que l'esquisse de la très complexe technologie des sécurités apparaît vers le milieu du XVIIIe siècle, je crois

---

* M. Foucault, ici, répète : et l'opération de normalisation consiste à jouer et à faire jouer les unes par rapport aux autres ces différentes distributions de normalité

que c'est dans la mesure où la ville posait des problèmes économiques et politiques, des problèmes de technique de gouvernement qui étaient, à la fois, nouveaux et spécifiques. Disons encore, d'une façon très grossière, il faudrait raffiner tout cela, qu'à l'intérieur d'un système de pouvoir qui était essentiellement territorial, qui s'était fondé et développé à partir de la domination territoriale telle qu'elle avait été définie par la féodalité, la ville avait constitué toujours une exception. La ville, d'ailleurs, par excellence, c'était la ville franche. C'était la ville qui avait la possibilité, le droit, à laquelle on avait reconnu le droit de se gouverner elle-même jusqu'à un certain point et dans une certaine mesure et avec un certain nombre de limites bien marquées. Mais la ville représentait toujours une sorte de plage d'autonomie par rapport aux grandes organisations et aux grands mécanismes de pouvoir territoriaux qui caractérisaient un pouvoir développé à partir de la féodalité. Je crois que l'intégration de la ville à l'intérieur des mécanismes centraux de pouvoir, mieux, l'inversion qui a fait que la ville est devenue le problème premier, avant même le problème du territoire, – je crois qu'on a là un phénomène, un renversement caractéristique de ce qui s'est passé entre le XVIIᵉ et le début du XIXᵉ siècle. Problème auquel il a bien fallu répondre par de nouveaux mécanismes de pouvoir dont la forme est sans doute à trouver dans ce que j'appelle les mécanismes de sécurité. Au fond, il a fallu réconcilier le fait de la ville et la légitimité de la souveraineté. Comment exercer la souveraineté sur la ville ? Ce n'était pas si simple, et il a fallu pour cela toute une série de transformations dont ce que je vous ai indiqué là n'est évidemment qu'à peine une toute petite esquisse.

Deuxièmement, je voudrais faire remarquer que ces trois phénomènes que j'ai essayé de repérer – la rue, le grain, la contagion ou la ville, la disette, l'épidémie –, ces trois phénomènes ou ces trois problèmes plutôt ont ceci en commun, c'est que les questions qu'ils posent tournent finalement toutes plus ou moins autour du problème de la circulation. Circulation entendue bien sûr au sens très large comme déplacement, comme échange, comme contact, comme forme de dispersion, comme forme de distribution aussi, le problème étant : comment faut-il que ça circule ou que ça ne circule pas ? Et l'on pourrait dire que, si le problème traditionnel de la souveraineté, et par conséquent du pouvoir politique lié à la forme de la souveraineté, a été jusque-là toujours ou bien de conquérir des territoires nouveaux, ou bien au contraire de garder le territoire conquis, on peut dire, dans cette mesure-là, que le problème de la souveraineté était en quelque sorte : comment est-ce que ça ne bouge pas, ou comment est-ce que je peux avancer sans que ça bouge ? Comment

marquer le territoire, comment le fixer, comment le protéger ou l'agrandir ?
Autrement dit, il s'agissait de quelque chose que l'on pourrait appeler
précisément la sûreté du territoire ou la sûreté du souverain qui règne
sur le territoire. Et c'est bien après tout cela le problème de Machiavel.
Le problème que Machiavel posait, c'était justement de savoir comment
dans un territoire donné, soit qu'il ait été conquis, soit qu'il ait été reçu
par héritage [11], – que le pouvoir soit légitime ou illégitime peu importe –,
comment faire que le pouvoir du souverain ne soit pas menacé ou qu'il
puisse en tout cas, en toute certitude, écarter les menaces qui pesaient sur
lui. Sûreté du Prince : c'était ça le problème du Prince, dans la réalité de
son pouvoir territorial, c'était cela, je crois, qui était le problème politique
de la souveraineté. Mais loin de penser que Machiavel ouvre le champ
à la modernité de la pensée politique, je dirai qu'il marque, au contraire,
la fin d'un âge, ou en tout cas qu'il culmine à un moment, il marque le
sommet d'un moment dans lequel le problème était bien celui de la sûreté
du Prince et de son territoire. Or il me semble que ce qu'on voit apparaître à travers les phénomènes évidemment très partiels que j'ai essayé
de repérer, c'est un tout autre problème : non plus fixer et marquer le territoire, mais laisser faire les circulations, contrôler les circulations, trier
les bonnes et les mauvaises, faire que ça bouge toujours, que ça se déplace
sans cesse, que ça aille perpétuellement d'un point à un autre, mais d'une
manière telle que les dangers inhérents à cette circulation en soient annulés.
Non plus sûreté du prince et de son territoire, mais sécurité de la population et, par conséquent, de ceux qui la gouvernent. Autre changement,
donc, que je crois très important.

Ces mécanismes ont [encore] un troisième caractère en commun. Que
ce soient les nouvelles formes de recherche urbanistique, que ce soit la
manière d'empêcher les disettes ou du moins de les contrôler, que ce
soient les manières de prévenir les épidémies, de toute façon ces mécanismes ont en commun ceci : c'est qu'ils tentent de faire jouer les uns et
les autres, non pas du tout, non pas premièrement en tout cas et d'une
manière fondamentale, un rapport d'obéissance entre une volonté supérieure, celle du souverain, et les volontés qui lui seraient soumises. Il
s'agit au contraire de faire jouer des éléments de réalité les uns par rapport
aux autres. Autrement dit, ce n'est pas sur l'axe du rapport souverain-
sujets que le mécanisme de sécurité doit se brancher, assurant l'obéissance totale et en quelque sorte passive des individus à leur souverain.
Il se branche sur des processus que les physiocrates disaient physiques, que l'on pourrait dire naturels, que l'on peut dire également éléments de réalité. Ils tendent aussi, ces mécanismes, à une annulation

des phénomènes, non pas du tout dans la forme de l'interdit : « tu ne feras pas cela », ni même : « cela n'aura pas lieu », mais à une annulation progressive des phénomènes par les phénomènes eux-mêmes. Il s'agit en quelque sorte de les délimiter dans des bornes acceptables plutôt que de leur imposer une loi qui leur dit non. Ce n'est donc pas sur l'axe souverain-sujets, ce n'est pas non plus dans la forme de l'interdit que les mécanismes de sécurité se mettent à jouer.

Et enfin, tous ces mécanismes – et on arrive au point, je crois, central dans tout cela –, ces mécanismes ne tendent pas comme ceux de la loi, comme ceux de la discipline, à répercuter de la manière la plus homogène et la plus continue, la plus exhaustive possible, la volonté de l'un sur les autres. Il s'agit de faire apparaître un certain niveau où l'action de ceux qui gouvernent est nécessaire et suffisante. Ce niveau de pertinence pour l'action d'un gouvernement, ce n'est pas la totalité effective et point par point des sujets, c'est la population avec ses phénomènes et ses processus propres. L'idée du panoptique[12], idée moderne en un sens, on peut dire aussi qu'elle est tout à fait archaïque puisqu'il s'agit au fond dans le mécanisme panoptique de placer au centre quelqu'un, un œil, un regard, un principe de surveillance qui pourra en quelque sorte faire jouer sa souveraineté sur tous les individus [situés] à l'intérieur de cette machine de pouvoir. Dans cette mesure-là, on peut dire que le panoptique, c'est le plus vieux rêve du plus vieux souverain : qu'aucun de mes sujets n'échappe et qu'aucun des gestes d'aucun de mes sujets ne me soit inconnu. Souverain parfait encore, d'une certaine façon, que le point central du panoptique. En revanche, ce qu'on voit apparaître maintenant, c'est [non pas] l'idée d'un pouvoir qui prendrait la forme d'une surveillance exhaustive des individus pour qu'en quelque sorte chacun d'entre eux, à chaque moment, dans tout ce qu'il fait, soit présent aux yeux du souverain, mais l'ensemble des mécanismes qui vont rendre pertinents pour le gouvernement et pour ceux qui gouvernent des phénomènes bien spécifiques qui ne sont pas exactement les phénomènes individuels, bien que – et là il faudra y revenir parce que c'est très important –, bien que les individus y figurent d'une certaine manière et que les processus d'individualisation y soient bien spécifiques. C'est une tout autre manière de faire jouer le rapport collectif / individu, totalité du corps social / fragmentation élémentaire, c'est une autre façon qui va jouer dans ce qu'on appelle la population. Et le gouvernement des populations est, je crois, quelque chose de tout à fait différent de l'exercice d'une souveraineté jusque sur le grain le plus fin des comportements individuels. On a là deux économies de pouvoir qui sont, me semble-t-il, tout à fait différentes.

Je voudrais donc, maintenant, commencer à analyser cela. J'ai essayé simplement, à travers les exemples de la ville, de la disette et de l'épidémie, de saisir des mécanismes, je crois, nouveaux à cette époque-là. Et à travers eux, on voit que ce qui est en question, c'est d'une part une tout autre économie de pouvoir et, d'autre part – c'est là-dessus maintenant que je voudrais vous dire quelques mots –, un personnage politique absolument nouveau, je crois, et qui n'avait pas existé, qui n'avait pas été perçu, reconnu en quelque sorte, découpé jusque-là, ce nouveau personnage qui fait une entrée remarquable, et d'ailleurs très tôt remarquée, au xviiie siècle, c'est donc la population.

Bien sûr, ce n'est pas la première fois que le problème, les soucis concernant la population apparaissent, non seulement dans la pensée politique en général, mais à l'intérieur même des techniques, des procédés de gouvernement. On peut dire que, de façon très lointaine, en regardant d'ailleurs l'usage du mot «population» dans des textes plus anciens [13], on voit que le problème de la population avait été depuis longtemps posé et, en quelque sorte, d'une façon presque permanente, mais sous une modalité essentiellement négative. Ce qu'on appelait la population, c'était essentiellement le contraire de la dépopulation. C'est-à-dire qu'on entendait par «population» le mouvement par lequel, après quelque grand désastre, que ce soit l'épidémie, la guerre ou la disette, après un de ces grands moments dramatiques dans lequel les hommes étaient morts avec une rapidité, une intensité tout à fait spectaculaire, le mouvement par lequel se repeuplait un territoire devenu désert. Disons encore que c'est par rapport au désert ou à la désertification due aux grandes catastrophes humaines que se posait le problème de la population. Il est d'ailleurs tout à fait caractéristique de voir que ces fameuses tables de mortalité, – vous savez que la démographie du xviiie siècle n'a pu commencer que dans la mesure où on avait, dans un certain nombre de pays et en Angleterre surtout, établi des tables de mortalité qui permettaient toute une série de quantifications, et permettaient aussi de savoir de quoi les gens étaient morts [14] –, ces tables de mortalité, bien sûr, elles n'ont pas toujours existé et surtout elles n'ont pas toujours été continues. Et en Angleterre, qui a été le premier pays à faire ces tables de mortalité, on ne faisait, pendant le xvie siècle et je crois même encore jusqu'au début du xviie siècle, – je ne sais plus très bien la date à laquelle les choses ont changé –, en tout cas pendant tout le xvie siècle, on ne faisait des tables de mortalité qu'à l'époque des grandes épidémies et dans les moments où quelque fléau rendait la mortalité si dramatique que l'on voulait savoir exactement combien de gens mouraient, où ils mouraient et de quoi ils mouraient [15].

Autrement dit, la question de la population n'était pas prise du tout dans sa positivité et dans sa généralité. C'était par rapport à une mortalité dramatique qu'on posait la question de savoir ce qu'est la population et comment on pourra repeupler.

La valeur positive de la notion de population, là encore, ne date pas non plus de ce milieu du XVIIIe siècle auquel jusqu'à présent je me suis référé. Il suffit de lire les textes des chroniqueurs, des historiens, des voyageurs pour bien voir que la population figure toujours, dans leur description, comme un des facteurs, un des éléments de la puissance d'un souverain. Pour qu'un souverain soit puissant, il fallait bien sûr qu'il règne sur un territoire étendu. On mesurait aussi, ou on estimait, ou on supputait l'importance de ses trésors. Étendue du territoire, importance des trésors et population, sous trois aspects d'ailleurs : donc, une population nombreuse et par conséquent pouvant figurer au blason de la puissance d'un souverain, cette population se manifestait par le fait qu'il disposait de troupes nombreuses, le fait que les villes étaient peuplées, le fait enfin que les marchés étaient très fréquentés. Cette population nombreuse ne pouvait caractériser la puissance du souverain qu'à deux conditions supplémentaires. C'est qu'elle soit obéissante d'une part et, d'autre part, animée d'un zèle, d'un goût du travail, d'une activité qui permettaient que le souverain, d'une part, soit effectivement puissant, c'est-à-dire obéi, et d'autre part riche. Tout ceci appartient à ce qu'il y a de plus traditionnel dans la manière de concevoir la population.

Où les choses commencent à changer, c'est avec le XVIIe siècle, à cette époque que l'on a caractérisée par le caméralisme [16] et le mercantilisme [17]*, non pas tellement doctrines économiques que manière nouvelle de poser les problèmes du gouvernement. Éventuellement, on y reviendra. En tout cas, pour les mercantilistes du XVIIe siècle, la population apparaît non plus simplement comme un trait positif permettant de figurer dans les emblèmes de la puissance du souverain, mais elle apparaît à l'intérieur d'une dynamique ou plutôt, non pas à l'intérieur, mais au principe même d'une dynamique et de la dynamique de puissance de l'État et du souverain. La population, c'est un élément fondamental, c'est-à-dire un élément qui conditionne tous les autres. Conditionne, pourquoi ? Parce que la population fournit des bras pour l'agriculture, c'est-à-dire qu'elle garantit l'abondance des récoltes, puisqu'il y aura beaucoup de cultivateurs, beaucoup de terres cultivées, abondance des récoltes et donc bas prix des grains et des produits agricoles. Elle fournit aussi des bras pour

---

* M. Foucault, dans le manuscrit (p. 11), pose ici la question : « Les assimiler ? ».

les manufactures, c'est-à-dire qu'elle permet par conséquent que l'on se passe, autant que possible, des importations et de tout ce qu'il faudrait payer en bonne monnaie, en or ou en argent, aux pays étrangers. [Enfin], la population est un élément fondamental dans la dynamique de la puissance des États parce qu'elle assure, à l'intérieur même de l'État, toute une concurrence entre la main-d'œuvre possible, ce qui assure bien entendu des bas salaires. Bas salaire veut dire bas prix des marchandises produites et possibilité d'exportation, d'où nouvelle garantie de la puissance, nouveau principe pour la puissance même de l'État.

Que la population soit ainsi à la base et de la richesse et de la puissance de l'État, ceci ne peut se faire, bien sûr, qu'à la condition qu'elle soit encadrée par tout un appareil réglementaire qui va empêcher l'émigration, appeler les immigrants, favoriser la natalité, un appareil réglementaire aussi qui va définir quelles sont les productions utiles et exportables, qui va fixer encore les objets à produire, les moyens de les produire, les salaires aussi, qui va interdire encore l'oisiveté et le vagabondage. Bref tout un appareil qui va faire de cette population considérée donc comme principe, racine en quelque sorte de la puissance et de la richesse de l'État, qui va assurer que cette population travaillera comme il faut, où il faut et à quoi il faut. Autrement dit, la population comme force productive, au sens strict du terme, c'était ça le souci du mercantilisme, et je crois justement que ce n'est pas, après les mercantilistes, ce n'est pas au XVIIIᵉ siècle, ce n'est évidemment pas non plus au XIXᵉ siècle, que la population sera considérée essentiellement et fondamentalement comme force productive. Ceux qui ont considéré la population essentiellement comme cela, ça a été les mercantilistes ou ça a été les caméralistes et à condition, bien entendu, que cette population soit effectivement dressée, répartie, distribuée, fixée selon des mécanismes disciplinaires. Population, principe de richesse, force productive, encadrement disciplinaire : tout ceci fait corps à l'intérieur de la pensée, du projet et de la pratique politique des mercantilistes.

À partir du XVIIIᵉ siècle, dans ces années que j'ai prises jusqu'à présent comme repère, il me semble que les choses vont changer. On a l'habitude de dire que les physiocrates, par opposition aux mercantilistes de la période précédente, étaient antipopulationnistes [18]. C'est-à-dire que, alors que les uns considéraient que la population, puisqu'elle était source de richesse et de puissance, devait être majorée le plus possible, on dit que les physiocrates, eux, avaient des positions beaucoup plus nuancées. En fait, je crois que ce n'est pas tellement sur la valeur ou la non-valeur de l'extension de la population que se fait la différence. Il me semble que les physiocrates se différencient des mercantilistes ou des caméralistes essentiellement parce qu'ils ont une autre manière de traiter la population[19]. Car, au fond, les mercantilistes et les caméralistes, quand ils parlaient de cette population qui d'une part était fondement de richesse et qui d'autre part devait être encadrée par un système réglementaire, ne la considéraient encore que comme la collection des sujets d'un souverain, auxquels on pouvait précisément imposer par en haut, d'une manière entièrement volontariste, un certain nombre de lois, de règlements leur disant ce qu'il fallait faire, où il fallait le faire, comment le faire. Autrement dit, les mercantilistes considéraient en quelque sorte le problème de la population essentiellement dans l'axe du souverain et des sujets. C'était comme sujets de droit, sujets soumis à une loi, sujets pouvant être susceptibles d'un encadrement réglementaire, c'était dans le rapport de la volonté du souverain à la volonté soumise des gens que se situait le projet mercantiliste, caméraliste ou colbertien si vous voulez. Or, je crois qu'avec les physiocrates, d'une façon générale avec les économistes du XVIIIe siècle, la population va cesser d'apparaître comme une collection de sujets de droit, comme une collection de volontés soumises qui doivent obéir à la volonté du souverain par l'intermédiaire des règlements, lois, édits, etc. On va la considérer comme un ensemble de processus qu'il faut gérer dans ce qu'ils ont de naturel et à partir de ce qu'ils ont de naturel.

Mais qu'est-ce que signifie cette naturalité * de la population ? Qu'est-ce qui fait que la population, à partir de ce moment-là, va être perçue, non pas à partir de la notion juridico-politique de sujet, mais comme une sorte d'objet technico-politique d'une gestion et d'un gouvernement ? Qu'est-ce que c'est que cette naturalité ? Je crois, pour dire les choses très brièvement, qu'elle apparaît de trois manières. Premièrement, la population, telle qu'on la problématise dans la pensée, mais [aussi] dans la pratique gouvernementale du XVIIIe siècle, n'est pas la simple somme des individus habitant un territoire. Elle n'est pas non plus le seul résultat de leur volonté de se reproduire. Elle n'est pas non plus le vis-à-vis d'une volonté souveraine qui peut ou bien la favoriser ou bien la dessiner. En fait, la population n'est pas une donnée première, elle est sous la dépendance de toute une série de variables. La population va varier avec le climat. Elle va varier avec l'entourage matériel. Elle va varier avec l'intensité du commerce et l'activité dans la circulation des richesses. Elle va varier, bien sûr, selon les lois auxquelles elle sera soumise, par exemple les

---

* naturalité : entre guillemets dans le manuscrit, p. 13.

impôts, les lois sur le mariage. Elle va varier aussi avec les habitudes des gens, par exemple la manière dont on dote les filles, la manière dont on assure les droits de primogéniture, avec le droit d'aînesse, la manière aussi dont on élève les enfants, dont on les confie ou non à des nourrices. La population va varier avec les valeurs morales ou religieuses qui sont reconnues à tel ou tel type de conduite : valorisation, par exemple, éthico-religieuse du célibat des prêtres ou des moines. Elle va varier aussi et surtout avec, bien sûr, l'état des subsistances, et c'est là que l'on rencontre le fameux aphorisme de Mirabeau, disant que la population ne variera jamais au-delà et ne peut en aucun cas aller au-delà des limites qui lui sont fixées par les quantités de subsistance[20]. Toutes ces analyses, qu'elles soient celles de Mirabeau, de l'abbé Pierre Jaubert[21], de Quesnay dans l'article « Hommes » de l'*Encyclopédie*[22], tout ceci montre à l'évidence que, dans cette pensée-là, la population n'est donc pas cette espèce de donnée primitive, de matière sur laquelle va s'exercer l'action du souverain, ce vis-à-vis du souverain. La population, c'est une donnée qui dépend de toute une série de variables qui font donc qu'elle ne peut pas être transparente à l'action du souverain, ou encore que le rapport entre la population et le souverain ne peut pas être simplement de l'ordre de l'obéissance ou du refus d'obéissance, de l'obéissance ou de la révolte. En fait, les variables dont dépend la population la font, pour une part très considérable, échapper à l'action volontariste et directe du souverain dans la forme de la loi. Si l'on dit à une population « fais ceci », rien ne prouve non seulement qu'elle le fera, mais tout simplement qu'elle pourra le faire. La limite de la loi, tant que l'on ne considère que le rapport souverain-sujet, c'est la désobéissance du sujet, c'est le « non » opposé par le sujet au souverain. Mais quand il s'agit du rapport du gouvernement à la population, la limite de ce qui est décidé par le souverain ou par le gouvernement, ce n'est pas forcément du tout le refus des gens auxquels il s'adresse.

La population apparaît donc là, dans cette espèce d'épaisseur par rapport au volontarisme légaliste du souverain, comme un phénomène de nature. Un phénomène de nature que l'on ne peut pas changer comme par décret, ce qui ne veut pas dire, pourtant, que la population soit une nature inaccessible et qui ne soit pas pénétrable, au contraire. Et c'est là où l'analyse des physiocrates et des économistes devient intéressante, c'est que cette naturalité que l'on repère dans le fait de la population est perpétuellement accessible à des agents et à des techniques de transformation, à condition que ces agents et ces techniques de transformation soient à la fois éclairés, réfléchis, analytiques, calculés, calculateurs. Il faut non seulement, bien sûr, prendre en considération le changement volontaire des lois si les lois sont défavorables à la population. Mais surtout, si l'on veut favoriser la population ou obtenir que la population soit dans un rapport juste avec les ressources et les possibilités d'un État, il faut agir sur tout un tas de facteurs, d'éléments qui sont apparemment loin de la population elle-même, de son comportement immédiat, loin de sa fécondité, de sa volonté de reproduction. Il faut par exemple agir sur les flux de monnaie qui vont irriguer le pays, savoir par où ces flux de monnaie passent, savoir s'ils irriguent bien tous les éléments de la population, s'ils ne laissent pas de régions inertes. Il va falloir agir sur les exportations : plus il y aura de demandes d'exportation, plus bien entendu il y aura de possibilités de travail, donc de possibilités de richesse, donc de possibilités de population. Se pose le problème des importations : est-ce qu'en important on favorise ou on défavorise la population ? Si on importe, on ôte du travail aux gens d'ici, mais si on importe, on leur donne aussi de la nourriture. Problème donc, qui a été capital au XVIIIᵉ siècle, de la réglementation des importations. En tout cas, c'est par tous ces facteurs éloignés, par le jeu de ces facteurs que l'on va effectivement pouvoir agir sur la population. C'est donc une tout autre technique, vous voyez, qui se dessine : non pas obtenir l'obéissance des sujets par rapport à la volonté du souverain, mais avoir prise sur des choses apparemment éloignées de la population, mais dont on sait, par le calcul, l'analyse et la réflexion, qu'effectivement elles peuvent agir sur la population. C'est cette naturalité pénétrable de la population qui fait, je crois, qu'on a là une mutation très importante dans l'organisation et la rationalisation des méthodes de pouvoir.

On pourrait dire aussi que la naturalité de la population apparaît d'une seconde façon dans le fait que, après tout, cette population, bien sûr elle est faite d'individus, d'individus parfaitement différents les uns des autres et dont on ne peut pas, au moins dans une certaine limite, prévoir exactement le comportement. Il n'en reste pas moins qu'il y a, selon les premiers théoriciens de la population au XVIIIᵉ siècle, au moins un invariant, qui fait que la population prise dans son ensemble a et n'a qu'un seul moteur d'action. Ce moteur d'action, c'est le désir. Le désir – vieille notion qui avait fait son entrée et qui avait eu son utilisation dans la direction de conscience (éventuellement on pourrait y revenir) [23] –, le désir fait là, maintenant, une seconde fois son entrée à l'intérieur des techniques de pouvoir et de gouvernement. Le désir, c'est ce par quoi tous les individus vont agir. Désir contre lequel on ne peut rien. Comme le dit Quesnay : vous ne pourrez pas empêcher les gens de venir habiter là où ils considèrent qu'il y aura le plus de profit pour eux et où ils désirent habiter, parce qu'ils désirent ce profit. N'essayez pas de les changer, ça ne changera pas [24]. Mais, – et c'est là où cette naturalité du désir marque ainsi la population et devient pénétrable à la technique gouvernementale –, ce désir, pour des raisons sur lesquelles il faudrait revenir et qui constituent un des éléments théoriques importants de tout le système, ce désir est tel que, si on le laisse jouer et à condition de le laisser jouer, dans une certaine limite et grâce à un certain nombre de mises en relation et de connexions, il produira au total l'intérêt général de la population. Le désir, c'est la recherche de l'intérêt pour l'individu. L'individu peut d'ailleurs parfaitement se tromper dans son désir quant à son intérêt personnel, il y a une chose qui ne trompe pas, c'est que le jeu spontané, ou en tout cas à la fois spontané et réglé du désir, permettra en effet la production d'un intérêt, de quelque chose qui est intéressant pour la population elle-même. Production de l'intérêt collectif par le jeu du désir : c'est là ce qui marque à la fois la naturalité de la population et l'artificialité possible des moyens que l'on se donne pour la gérer.

C'est important parce que vous voyez qu'avec cette idée d'une gestion des populations à partir de la naturalité de leur désir et de la production spontanée de l'intérêt collectif par le désir, avec cette idée-là, on a quelque chose qui est tout à fait à l'opposé de ce qui était la vieille conception éthico-juridique du gouvernement et de l'exercice de la souveraineté. Car qu'est-ce que c'était que le souverain pour les juristes, et ceci pour les juristes médiévaux, mais également pour tous les théoriciens du droit naturel, aussi bien pour Hobbes que pour Rousseau ? Le souverain, c'est celui qui est capable de dire non au désir de tout individu, le problème étant de savoir comment ce « non » opposé au désir des individus peut être légitime et fondé sur la volonté même des individus. Enfin cela, c'est un énorme problème. Or on voit se former, à travers cette pensée économico-politique des physiocrates, une tout autre idée qui est : mais le problème de ceux qui gouvernent, ça ne doit pas être absolument de savoir comment ils peuvent dire non, jusqu'où ils peuvent dire non, avec quelle légitimité ils peuvent dire non. Le problème, c'est de savoir comment dire oui, comment dire oui à ce désir. Non pas, donc, la limite de la concupiscence ou la limite de l'amour-propre au sens de l'amour de soi-même, mais au contraire tout ce qui va stimuler, favoriser cet amour-propre, ce désir, de manière à ce qu'il puisse produire les effets bénéfiques qu'il doit nécessairement produire. On a donc là la matrice de toute une philosophie, disons, utilitariste [25]. Et tout comme je crois que l'Idéologie de Condillac [26], enfin ce qu'on a appelé le sensualisme, était l'instrument théorique par lequel on pouvait sous-tendre la pratique de la discipline[27], je dirai que la philosophie utilitariste a été l'instrument théorique qui a sous-tendu cette nouveauté qu'était à l'époque le gouvernement des populations. *

Enfin, la naturalité de la population qui apparaît dans cet universel bénéfice du désir, qui apparaît aussi dans le fait que la population est toujours dépendante de variables complexes et modifiables, la naturalité de la population apparaît d'une troisième façon. Elle apparaît dans la constance des phénomènes dont on pourrait attendre qu'ils soient variables puisqu'ils dépendent d'accidents, de hasards, de conduites individuelles, de causes conjoncturelles. Or ces phénomènes qui devraient être irréguliers, il suffit de les observer, de les regarder et de les comptabiliser pour s'apercevoir qu'ils sont en fait réguliers. Et ça a été la grande découverte à la fin du XVIIe siècle de l'Anglais Graunt[28] qui, justement à propos de ces tables de mortalité, a pu établir non seulement qu'il y avait de toute façon un nombre constant de morts, chaque année, dans une ville, mais qu'il y avait une proportion constante des différents accidents, pourtant très variés, qui produisent cette mort. La même proportion de gens meurt de consomption, la même proportion de gens meurt de fièvres, ou de la pierre, ou de la goutte, ou de la jaunisse[29]. Et ce qui évidemment n'a pas manqué de laisser Graunt absolument pantois, c'est que la proportion de suicides est exactement la même d'une année sur l'autre dans les tables de mortalité de Londres[30]. On voit aussi d'autres phénomènes réguliers qui sont que, par exemple, il y a plus d'hommes que de femmes à la naissance, mais qu'il y a plus d'accidents divers qui viennent frapper les garçons que les filles, de sorte qu'au bout d'un certain temps la proportion se rétablit[31]. La mortalité des enfants est en tout état de cause toujours plus grande que celle des adultes[32]. La mortalité est toujours plus élevée à la ville qu'à la campagne[33], etc. On a donc là une troisième surface d'affleurement pour la naturalité de la population.

C'est donc non pas une collection de sujets juridiques, en rapport individuel ou collectif, avec une volonté souveraine. La population, c'est un ensemble d'éléments à l'intérieur duquel on peut remarquer des constantes et des régularités jusque dans les accidents, à l'intérieur duquel on peut repérer l'universel du désir produisant régulièrement le bénéfice de tous, et à propos duquel on peut repérer un certain nombre de variables dont il est dépendant et qui sont susceptibles de le modifier. Avec la prise en considération, la pertinisation, si vous voulez, d'effets

* Manuscrit, p. 17 : « L'important aussi est que la "philosophie utilitariste" est un peu au gouvernement des populations ce que l'Idéologie était aux disciplines. »

propres à la population, je crois qu'on a un phénomène qui est très important : c'est l'entrée, dans le champ des techniques de pouvoir, d'une nature* qui n'est pas ce à quoi, ce au-dessus de quoi, ce contre quoi le souverain doit imposer des lois justes. Il n'y a pas la nature et puis, au-dessus de la nature, contre elle, le souverain et le rapport d'obéissance qu'on lui doit. On a une population dont la nature est telle que c'est à l'intérieur de cette nature, à l'aide de cette nature, à propos de cette nature que le souverain doit déployer des procédures réfléchies de gouvernement. En d'autres termes, avec la population on a tout autre chose qu'une collection de sujets de droit différenciés par leur statut, leur localisation, leurs biens, leurs charges, leurs offices ; [on a]** un ensemble d'éléments qui, d'un côté, s'enfoncent dans le régime général des êtres vivants et, d'un autre côté, offrent une surface de prise à des transformations autoritaires, mais réfléchies et calculées. La dimension par laquelle la population s'enfonce parmi les autres êtres vivants, c'est celle qui va apparaître et que l'on sanctionnera lorsque, pour la première fois, on cessera d'appeler les hommes « le genre humain » et on commencera à les appeler « l'espèce humaine [34] ». À partir du moment où le genre humain apparaît comme espèce, dans le champ de détermination de toutes les espèces vivantes, du coup on peut dire que l'homme apparaîtra dans son insertion biologique première. La population, c'est donc par un bout l'espèce humaine et par un autre bout, c'est ce qu'on appelle le public. Là encore le mot n'est pas nouveau, mais l'usage l'est [35]. Le public, notion capitale au XVIIIᵉ siècle, c'est la population prise du côté de ses opinions, de ses manières de faire, de ses comportements, de ses habitudes, de ses craintes, de ses préjugés, de ses exigences, c'est ce sur quoi on a prise par l'éducation, par les campagnes, par les convictions. La population, c'est donc tout ce qui va s'étendre depuis l'enracinement biologique par l'espèce jusqu'à la surface de prise offerte par le public. De l'espèce au public, on a là tout un champ de réalités nouvelles, réalités nouvelles en ce sens qu'elles sont pour les mécanismes de pouvoir, les éléments pertinents, l'espace pertinent à l'intérieur duquel et à propos duquel on doit agir.

On pourrait ajouter encore ceci : à mesure que j'ai parlé de la population, il y avait un mot qui revenait sans cesse – vous me direz que je l'ai fait exprès, peut-être pas tout à fait –, c'est le mot de « gouvernement ». Plus je parlais de la population, plus je cessais de dire « souverain ». J'étais amené à désigner ou à viser quelque chose qui, là encore je crois,

---

* nature : entre guillemets dans le manuscrit, p. 18.
** M. F. : mais

est relativement nouveau, non pas dans le mot, non pas à un certain niveau de réalité, mais en tant que technique nouvelle. Ou plutôt, le privilège que le gouvernement commence à exercer par rapport aux règles, au point qu'un jour on pourra dire, pour limiter le pouvoir du roi : « le roi règne mais ne gouverne pas [36] », cette inversion du gouvernement par rapport au règne et le fait que le gouvernement soit au fond beaucoup plus que la souveraineté, beaucoup plus que le règne, beaucoup plus que l'*imperium,* le problème politique moderne, je crois que c'est lié absolument à la population. La série : mécanismes de sécurité - population - gouvernement et ouverture du champ de ce qu'on appelle la politique, tout ceci, je crois, constitue une série qu'il faudrait analyser.

Je voudrais vous demander encore cinq minutes pour ajouter quelque chose, et vous comprendrez peut-être pourquoi. C'est un petit peu en marge de tout cela [37]. Émergence donc de cette chose absolument nouvelle qu'est la population, avec la masse de problèmes juridiques, politiques, techniques que cela pose. Maintenant, si l'on prend une tout autre série de domaines, [celle] de ce qu'on pourrait appeler les savoirs, on s'aperçoit – et c'est là non pas une solution que je vous propose, mais un problème – que, dans toute une série de savoirs, ce même problème de la population apparaît.

Plus précisément, prenons le cas de l'économie politique. Au fond, tant qu'il s'est agi, pour les gens qui s'occupaient de finances – puisque c'était de cela qu'il s'agissait encore au XVIIᵉ siècle –, de quantifier les richesses, de mesurer leur circulation, de déterminer le rôle de la monnaie, de savoir s'il valait mieux dévaluer ou au contraire réévaluer une monnaie, tant qu'il s'agissait d'établir ou de soutenir les flux du commerce extérieur, je crois que l'« analyse économique » * restait exactement au niveau de ce qu'on pourrait appeler l'analyse des richesses [38]. En revanche, à partir du moment où on a pu faire entrer, dans le champ non seulement de la théorie, mais de la pratique économique, ce sujet nouveau, sujet-objet nouveau qu'est la population, et ceci sous ses différents aspects, aspects démographiques, mais aussi comme rôle spécifique des producteurs et des consommateurs, des propriétaires et de ceux qui ne sont pas propriétaires, de ceux qui créent du profit et de ceux qui prélèvent le profit, je crois qu'à partir du moment où, à l'intérieur de l'analyse des richesses, on a pu faire entrer le sujet-objet qu'est la population, avec tous les effets de bouleversement que ceci a pu avoir dans le champ de la réflexion et de la pratique économiques, du coup on a cessé de faire de

---

* M. Foucault ajoute : entre guillemets

l'analyse des richesses et on a ouvert un domaine de savoir nouveau qui est l'économie politique. Après tout, l'un des textes fondamentaux de Quesnay, c'est bien l'article « Hommes » de l'*Encyclopédie*[39], et Quesnay n'a pas cessé de dire tout au long de son œuvre que le vrai gouvernement économique, c'était le gouvernement qui s'occupait de la population[40]. Mais après tout, que ce soit bien encore ce problème de la population qui soit au fond central dans toute la pensée de l'économie politique jusqu'au XIXe siècle encore, la fameuse opposition Malthus et Marx[41] en serait la preuve, car après tout, où est leur point de partage à partir d'un fond [s] ricardien[42] qui leur est absolument commun à l'un et à l'autre ? C'est que pour l'un, Malthus, le problème de la population a essentiellement été pensé comme un problème de bio-économie, alors que Marx a essayé de contourner le problème de la population et d'évacuer la notion même de la population, mais pour le retrouver sous la forme proprement, non plus bio-économique, mais historico-politique de classe, d'affrontement de classes et de lutte de classes. C'est bien cela : ou la population ou les classes, et c'est là où s'est faite la fracture, à partir d'une pensée économique, d'une pensée de l'économie politique qui n'avait été possible comme pensée que dans la mesure où le sujet-population avait été introduit.

Prenez maintenant le cas de l'histoire naturelle et de la biologie. Au fond, l'histoire naturelle, vous le savez, avait essentiellement pour rôle et fonction de déterminer quels étaient les caractères classificateurs des êtres vivants permettant de les répartir dans telle ou telle case du tableau[43]. Ce qui s'est [produit] au XVIIIe et au début du XIXe siècle, ça a été toute une série de transformations qui ont fait que l'on est passé du repérage des caractères classificateurs à l'analyse interne de l'organisme[44], puis de l'organisme dans sa cohérence anatomo-fonctionnelle aux relations constitutives ou régulatrices de cet organisme avec le milieu de vie. En gros, c'est tout le problème Lamarck-Cuvier[45] dont la solution est dans Cuvier, dont les principes de rationalité sont dans Cuvier[46]. Et enfin on est passé, et ceci c'est le passage de Cuvier à Darwin[47], du milieu de vie, dans son rapport constitutif à l'organisme, à la population, la population dont Darwin a pu montrer qu'elle était, en fait, l'élément à travers lequel le milieu produisait ses effets sur l'organisme. Pour penser les rapports du milieu et de l'organisme, Lamarck était obligé d'imaginer quelque chose comme une action directe et comme un modelage de l'organisme par le milieu. Cuvier était obligé, lui, d'invoquer toute une série de choses apparemment plus mythologiques, mais qui en fait ménageaient beaucoup plus de champ de rationalité, qui étaient les catastrophes et la Création, les différents actes créateurs de Dieu, enfin peu importe. Darwin, lui, a trouvé que c'était la population qui était le médium entre le milieu et l'organisme, avec tous les effets propres à la population : mutations, élimination, etc. C'est la problématisation, donc, de la population à l'intérieur de cette analyse des êtres vivants qui a permis de passer de l'histoire naturelle à la biologie. La charnière histoire naturelle - biologie est à chercher du côté de la population.

On pourrait dire, je crois, la même chose à propos du passage de la grammaire générale à la philologie historique[48]. La grammaire générale, c'était l'analyse des relations entre les signes linguistiques et les représentations de n'importe quel sujet parlant ou du sujet parlant en général. La philologie n'a pu naître qu'à partir du moment où une série d'enquêtes qui avaient été faites dans différents pays du monde, particulièrement dans les pays d'Europe centrale et également en Russie pour des raisons politiques, a pu arriver à repérer le rapport qu'il y avait entre une population et une langue, et où par conséquent le problème a été de savoir comment la population, comme sujet collectif, selon des régularités propres d'ailleurs non pas à la population, mais à sa langue, pouvait au cours de l'histoire transformer la langue qu'elle parlait. Là encore, c'est l'introduction du sujet-population qui a permis de passer, je crois, de la grammaire générale à la philologie.

Je crois que, pour résumer tout ceci, on pourrait dire que si on cherche l'opérateur de transformation qui a fait passer de l'histoire naturelle à la biologie, de l'analyse des richesses à l'économie politique, de la grammaire générale à la philologie historique, l'opérateur qui a fait ainsi basculer tous ces systèmes, ces ensembles de savoirs vers les sciences de la vie, du travail et de la production, vers les sciences des langues, c'est du côté de la population qu'il faut le chercher. Non pas sous la forme qui consisterait à dire : les classes dirigeantes comprenant enfin l'importance de la population ont lancé dans cette direction les naturalistes qui, du coup, se sont mués en biologistes, les grammairiens qui, du coup, se sont transformés en philologues et les financiers qui sont devenus économistes. Ce n'est pas sous cette forme-là, mais sous la forme suivante : c'est un jeu incessant entre les techniques de pouvoir et leur objet qui a petit à petit découpé dans le réel et comme champ de réalité la population et ses phénomènes spécifiques. Et c'est à partir de la constitution de la population comme corrélatif des techniques de pouvoir que l'on a pu voir s'ouvrir toute une série de domaines d'objets pour des savoirs possibles. Et en retour, c'est parce que ces savoirs découpaient sans cesse de nouveaux objets que la population a pu se constituer, se continuer, se maintenir comme corrélatif privilégié des mécanismes modernes de pouvoir.

De là cette conséquence : c'est que la thématique de l'homme, à travers les sciences humaines * qui l'analysent comme être vivant, individu travaillant, sujet parlant, il faut la comprendre à partir de l'émergence de la population comme corrélatif de pouvoir et comme objet de savoir. L'homme, ce n'est, après tout, rien d'autre, tel qu'il a été pensé, défini à partir des sciences dites humaines du xixe siècle et tel qu'il a été réfléchi dans l'humanisme du xixe siècle, cet homme ce n'est rien d'autre, finalement, qu'une figure de la population. Ou disons encore, s'il est vrai que, tant que le problème du pouvoir se formulait dans la théorie de la souveraineté, en face de la souveraineté ne pouvait pas exister l'homme, mais seulement la notion juridique de sujet de droit. À partir du moment, au contraire, où comme vis-à-vis non pas de la souveraineté, mais du gouvernement, de l'art de gouverner, on a eu la population, je crois que l'on peut dire que l'homme a été à la population ce que le sujet de droit avait été au souverain. Voilà, le paquet est empaqueté et le nœud [noué] **.

---

\* sciences humaines : entre guillemets dans le manuscrit.
\*\* Conjecture ; mot inaudible.

*

NOTES

1. Hans Kelsen (1881-1973). Né à Prague, il enseigna le droit public et la philosophie à Vienne, de 1919 à 1929, puis à Cologne de 1930 à 1933. Révoqué par les nazis, il poursuivit sa carrière à Genève (1933-1938) et à Berkeley (1942-1952). Fondateur de l'École de Vienne (autour de la *Zeitschrift für öffentliches Recht,* créée en 1914), qui radicalisait la doctrine du positivisme juridique, il défendit, dans sa *Reine Rechtslehre* (2e éd. Vienne, 1960 / *Théorie pure du droit,* trad. de la 1re éd. par H. Thévenaz, Neuchâtel, La Baconnière, 1953 ; trad. de la 2e éd. par Ch. Eisenmann, Paris, Dalloz, 1962) une conception normativiste du droit, selon laquelle le droit constitue un système hiérarchisé et dynamique de normes, articulées les unes aux autres par une relation d'imputation (distincte de la relation de causalité, sur laquelle repose le raisonnement scientifique), c'est-à-dire « la relation entre un certain comportement comme condition et une sanction comme conséquence » (*Théorie générale des normes,* trad. O. Beaud & F. Malkani, Paris, PUF, « Léviathan », 1996, ch. 7, § 2,

p. 31). Afin de ne pas conduire à une régression à l'infini (tout pouvoir juridique ne pouvant découler que d'autorisations juridiques supérieures), ce système tire sa validité d'une norme fondamentale *(Grundnorm),* non pas posée comme les autres normes, mais présupposée, et par là suprapositive, « représentant le fondement ultime de la validité de toutes les normes juridiques qui constituent l'ordre juridique » *(ibid.,* ch. 59, p. 343), selon laquelle « on doit, en tant que juriste, présupposer qu'on doit se comporter comme la constitution historiquement la première le prescrit » *(ibid.).* Cf. également son ouvrage posthume, *Allgemeine Theorie der Normen* (Vienne, Manz Verlag, 1979; trad. citée). Sur Kelsen, cf. les remarques de G. Canguilhem, *Le Normal et le Pathologique,* Paris, PUF, 3ᵉ éd. 1975, p. 184-185.

2. Cf. la thèse pour le doctorat en médecine d'Anne-Marie Moulin, *La Vaccination anti-variolique. Approche historique de l'évolution des idées sur les maladies transmissibles et leur prophylaxie,* Université Pierre et Marie Curie (Paris 6)-Faculté de Médecine Pitié-Salpétrière, 1979, [s.l.n.d.]. L'auteur de cette thèse fit un exposé sur « les campagnes de variolisation au xviiiᵉ siècle », en 1978, dans le séminaire de M. Foucault (cf. *infra,* « Résumé des cours », p. 377). Cf. également J. Hecht, « Un débat médical au xviiiᵉ siècle, l'inoculation de la petite vérole », *Le Concours médical,* 18, 1ᵉʳ mai 1959, p. 2147-2152, et les deux ouvrages parus l'année précédant ce cours : P. E. Razzell, *The Conquest of Smallpox : The impact of inoculation on smallpox mortality in the 18th century,* Firle, Caliban Books, 1977, et G. Miller, *The Adoption of Inoculation for Smallpox in England and France,* Philadelphie, University of Philadelphia Press, 1977, que Foucault avait pu consulter.

3. Le premier mot s'employait, au xviiiᵉ siècle, par référence au processus de greffe végétale. Le second ne fut utilisé qu'au xixᵉ siècle.

4. C'est à partir de 1800 que la vaccination jennérienne va se substituer progressivement à l'inoculation (cf. E. Jenner, *An Inquiry into the Causes and Effects of the Variolae Vaccinae,* Londres, 1798 [repr. de la 1ʳᵉ éd.: Londres, Dawson, 1966]; R. Le Droumaguet, *À propos du centenaire de Jenner. Notes sur l'histoire des premières vaccinations contre la variole,* Thèse de médecine, Belfort-Mulhouse, 1923; A.-M. Moulin, *op. cit.,* p. 33-36).

5. Cf. A.-M. Moulin, *op. cit.,* p. 36: « [À la fin du xviiiᵉ siècle] la médecine n'a pas élucidé la signification profonde des inoculations »; et p. 42, à propos de la « modification » instaurée par le vaccin dans l'organisme, cette citation de Berthollet : « Quelle est la nature de cette différence et de ce changement ? Personne ne le sait ; l'expérience seule en prouve la réalité » *(Exposition des faits recueillis jusqu'à présent concernant les effets de la vaccination,* 1812).

6. L'inoculation était pratiquée en Chine depuis le xviiᵉ siècle et en Turquie (cf. A.-M. Moulin, *op. cit.,* p. 12-22). Voir, pour la pratique chinoise, la lettre du Père La Coste en 1724 parue dans les *Mémoires de Trévoux,* et, pour la Turquie, le débat sur l'inoculation à la Royal Society, en Angleterre, d'après les rapports des marchands de la Compagnie du Levant. Le 1ᵉʳ avril 1717, Lady Montaigu, l'épouse de l'ambassadeur d'Angleterre à Istanbul, qui fut l'une des propagandistes les plus zélées de l'inoculation dans son pays, écrivait à une correspondante: « La petite vérole, si fatale et si fréquente chez nous, est ici rendue inoffensive par la découverte de l'inoculation [...] Il y a ici un groupe de vieilles femmes spécialisées dans cette opération » (cité par A.-M. Moulin, *ibid.,* p. 19-20).

7. Sur cette notion, cf. l'article de M. Foucault, « La politique de la santé au xviiiᵉ siècle », in *Les Machines à guérir. Aux origines de l'hôpital moderne ; dossiers*

*et documents,* Paris, Institut de l'environnement, 1976, p. 11-21; *DE,* III, n° 168, p. 15-27 (voir p. 17-18).

8. Cf. A.-M. Moulin, *La Vaccination anti-variolique...,* p. 26: «En 1760, le mathématicien Bernoulli informe de façon plus rigoureuse [que les tableaux de J. Jurin, dans les *Philosophical Transactions* de la Royal Society, en 1725] la statistique qui est en fait la seule justification théorique de l'inoculation. [...] Si on adopte l'inoculation, il en résultera un gain de plusieurs milliers de personnes pour la société civile; même si elle est meurtrière, comme elle tue les enfants au berceau, elle est préférable à la variole qui fait périr des adultes devenus utiles à la société; s'il est vrai que la généralisation de l'inoculation risque de remplacer les grandes épidémies par un état d'endémie permanente, le danger est moindre car la variole est une éruption généralisée, et l'inoculation n'atteint qu'une petite surface de la peau.» Bernoulli conclut, de cette démonstration, que, si l'on néglige le point de vue de l'individu, «il sera toujours géométriquement vrai que l'intérêt des Princes est de favoriser l'inoculation» (D. Bernoulli, «Essai d'une nouvelle analyse de la mortalité causée par la petite vérole et des avantages de l'inoculation pour la prévenir», *Histoires et Mémoires de l'Académie des sciences,* 2, 1766). Cet essai, qui date de 1760, suscita la réaction hostile de D'Alembert, le 12 novembre 1760, à l'Académie des sciences. Pour une analyse détaillée de la méthode de calcul de Bernouilli et de la querelle avec d'Alembert, cf. H. Le Bras, *Naissance de la mortalité,* Paris, Gallimard - Le Seuil («Hautes Études»), 2000, p. 335-342.

9. Sur cette notion, cf. M. Foucault, *Naissance de la clinique,* Paris, PUF («Galien»), 1963, p. 24 (citation de L. S. D. Le Brun, *Traité théorique sur les maladies épidémiques,* Paris, Didot le jeune, 1776, p. 2-3) et p. 28 (référence à F. Richard de Hautesierck, *Recueil d'observations. Médecine des hôpitaux militaires,* Paris, Imprimerie royale, 1766, t. I, p. XXIV-XXVII).

10. Emmanuel Étienne Duvillard (1755-1832), *Analyse et Tableaux de l'influence de la petite vérole sur la mortalité à chaque âge, et de celle qu'un préservatif tel que la vaccine peut avoir sur la population et la longévité,* Paris, Imprimerie impériale, 1806. (Sur Duvillard, «spécialiste de la statistique des populations, mais aussi théoricien des assurances et du calcul des rentes», cf. G. Thuillier, «Duvillard et la statistique en 1806», *Études et Documents,* Paris, Imprimerie nationale, Comité pour l'histoire économique et financière de la France, 1989, t. 1, p. 425-435; A. Desrosières, *La Politique des grands nombres. Histoire de la raison statistique,* Paris, La Découverte, 1993; rééd. 2000, p. 48-54.)

11. Sur cette distinction, qui fonde chez Machiavel toute la problématique du «prince nouveau», cf. *Le Prince,* ch. 1: «Les principats sont soit héréditaires, quand leurs princes ont été depuis longtemps du sang de leur seigneur, soit nouveaux» (trad. citée, p. 45) et 2: «Je dis donc que, dans les états héréditaires, accoutumés à des princes du même sang, il y a de bien moindres difficultés à se maintenir que dans les nouveaux [...]»

12. Cf. *infra,* leçon du 8 février, p. 121.

13. M. Foucault fait peut-être allusion, ici, aux écrits de Bacon, crédité par nombre de dictionnaires de l'invention du mot «population» (cf. par exemple *Dictionnaire historique de la langue française. Le Robert*). Ce mot, en réalité, reste introuvable chez Bacon et n'apparaît que dans des traductions tardives. La première occurrence du mot anglais semble remonter aux *Political Discourses* (1751) de Hume, le terme français, quant à lui, n'ayant commencé à circuler que dans la

seconde moitié du XVIIIᵉ siècle. Montesquieu, en 1748, l'ignore encore. Il parle de «nombre des hommes» (*De l'esprit des lois, XVIII*, 10, in *Œuvres complètes,* Paris, Gallimard, «Bibliothèque de la Pléiade», 1958, t. 2, p. 536) ou des habitants, de «propagation de l'espèce» (*ibid.,* XXIII, 26, *O. C.,* p. 710; 27, *O. C.,* p. 711; cf. *Lettres persanes* (1721), CXXII, *O. C.,* t. 1, p. 313). En revanche, il emploie fréquemment, dès les *Lettres persanes,* la forme négative du mot, «dépopulation» (Lettre CXVII, *O. C.,* p. 305; *De l'esprit des lois,* XXIII, 19, *O. C.,* p. 695; 28, *O. C.,* p. 711). L'usage du mot remonte au XIVᵉ siècle (cf. Littré, *Dictionnaire de la langue française,* Paris, J.-J. Pauvert, 1956, t. 2, p. 1645), au sens actif du verbe «se dépeupler». Absent de la première édition de l'*Essai sur la police générale des grains* de Herbert *(op. cit.)* en 1753, «population» figure dans l'édition de 1755. Pour une mise au point récente sur la question, cf. H. Le Bras, avant-propos à l'ouvrage publié sous sa direction, *L'Invention des populations,* Paris, Odile Jacob, 2000, et I. Tamba, «Histoires de démographe et de linguiste: le couple population/dépopulation», *Linx* (Paris X), 47, 2002, p. 1-6.

14. Sur John Graunt, cf. *infra,* note 28.

15. Cf. E. Vilquin, introduction à J. Graunt, *Observations naturelles ou politiques répertoriées dans l'Index ci-après et faites sur les bulletins de mortalité de John Graunt citoyen de Londres, en rapport avec le gouvernement, la religion, le commerce, l'accroissement, l'atmosphère, les maladies et les divers changements de ladite cité,* Paris, INED, 1977, p. 18-19: «Les bulletins de mortalité de Londres comptent parmi les premiers relevés démographiques publiés, mais leur origine est mal connue. Le plus ancien bulletin qui ait été retrouvé répond à une demande du Conseil royal au maire de Londres à propos du nombre de décès dus à la peste, le 21 octobre 1532 […]. En 1532 et en 1535, il y eut des séries de bulletins hebdomadaires, indiquant le nombre total de décès et le nombre de décès dus à la peste, pour chaque paroisse. De toute évidence, ces bulletins n'avaient d'autre raison d'être que de donner aux autorités londoniennes une idée de l'ampleur et de l'évolution de la peste, donc ils apparaissaient et disparaissaient avec elle. La peste de 1563 a donné lieu à une longue série de bulletins s'étendant du 12 juin 1563 au 26 juillet 1566. Il y en eut aussi une série en 1574, une autre, continue, de 1578 à 1583, puis de 1592 à 1595 et de 1597 à 1600. Il n'est pas impossible que la régularité des bulletins hebdomadaires remonte à 1563, elle n'est certaine qu'à partir de 1603.»

16. Cf. *supra,* p. 27, note 25.

17. *Ibid.*

18. Sur cette question, cf. G. Weulersse, *Le Mouvement physiocratique…, op. cit.,* t. 2, livre V, chap. 1, p. 268-295: «Discussion des principes du populationnisme»; Id., *Les Physiocrates, op. cit.,* p. 251-254; J. J. Spengler, *Économie et Population. Les doctrines françaises avant 1800 : de Budé à Condorcet,* trad. G. Lecarpentier & A. Fage, Paris, PUF («Travaux et Documents», Cahier n° 21), 1954, p. 165-200; A. Landry, «Les idées de Quesnay sur la population», *Revue d'Histoire des doctrines économiques et sociales,* 1909, rééd. in *F. Quesnay et la physiocratie, op. cit.,* t. I, p. 11-49; J.-Cl. Perrot, *Une histoire intellectuelle de l'économie politique, op. cit.,* p. 143-192 («Les économistes, les philosophes et la population»).

19. La position essentielle des physiocrates sur le sujet consiste dans l'introduction des richesses comme médiation entre la population et les subsistances. Cf. F. Quesnay, art. «Hommes», in *F. Quesnay et la physiocratie,* t. II, p. 549: «On voudrait accroître la population dans les campagnes, et on ne sait pas que l'accroissement

de la population dépend préalablement de l'accroissement des richesses.» Cf. G. Weulersse, *Les Physiocrates*, p. 252-253: «Non pas que l'accroissement de la population les laissât indifférents: car les hommes contribuent à enrichir l'État de deux manières, comme producteurs et comme consommateurs. Mais ils ne seront des producteurs utiles que s'ils produisent plus qu'ils ne consomment, c'est-à-dire si leur travail s'accomplit avec l'aide des capitaux nécessaires; et leur consommation, de même, ne sera avantageuse que s'ils payent les denrées dont ils vivent un bon prix, c'est-à-dire égal à celui auquel les paieraient des acheteurs étrangers: autrement, une forte population nationale, loin d'être une ressource, devient une charge. Mais commencez par faire grandir les revenus de la terre: les hommes, appelés en quelque sorte à la vie par l'abondance des salaires, se multiplieront d'eux-mêmes à proportion; voilà le véritable populationnisme, indirect, mais bien entendu.» Excellente mise au point, également, *in* J. J. Spengler, trad. citée, p. 167-170. Sur l'analyse du rôle de la population par les physiocrates et les économistes, cf. déjà M. Foucault, *Histoire de la folie..., op. cit.*, p. 429-430.

20. Cf. Victor Riquet [t] i, marquis de Mirabeau (1715-1789), dit Mirabeau l'Aîné, *L'Ami des hommes, ou Traité de la population*, publié sans nom d'auteur, Avignon, [s.n.], 1756, 3 vol. (voir L. Brocard, *Les Doctrines économiques et sociales du marquis de Mirabeau dans l'«Ami des hommes»*, Paris, Giard et Brière, 1902). L'aphorisme de Mirabeau, tiré de *L'Ami des hommes* – «la mesure de la subsistance est celle de la population» (t. 1, p. 37) –, trouve son pendant dans l'ouvrage de A. Goudart, *Les Intérêts de la France mal entendus, dans les branches de l'agriculture, de la population, des finances...*, paru la même année (à Amsterdam, chez Jacques Cœur, 3 vol.): «C'est du degré général de subsistance que dépend toujours le nombre d'hommes», et est repris, jusque dans sa formulation imagée (les hommes se multiplient «comme des souris dans une grange s'ils ont les moyens de subsister sans limitation») de Richard Cantillon, *Essai sur la nature du commerce en général*, Londres, Fletcher Gyles, 1755, réimpr. (fac-simile) Paris, INED, 1952 et 1997, ch. 15, p. 47.

21. Abbé Pierre Jaubert, *Des causes de la dépopulation et des moyens d'y remédier*, publié sans nom d'auteur, Londres-Paris, chez Dessain junior, 1767.

22. Cet article, écrit pour l'*Encyclopédie*, dont la publication fut interdite en 1757 et ne reprit qu'en 1765, demeura inédit jusqu'en 1908 (*Revue d'histoire des doctrines économiques et sociales*, 1); rééd. in *François Quesnay et la physiocratie*, t. 2, *Œuvres*, p. 511-578. Il fut cependant partiellement recopié et diffusé par Henry Pattullo, dans son *Essai sur l'amelioration des terres*, Paris, Durand, 1758 (cf. J.-Cl. Perrot, *Une histoire intellectuelle de l'économie politique*, p. 166). L'article de Quesnay fut remplacé dans l'*Encyclopédie*, après 1765, par celui de Diderot, «Hommes» (Politique) et celui de Damilaville, «Population». Le manuscrit de l'article, déposé à la Bibliothèque Nationale, ne fut redécouvert qu'en 1889. C'est pourquoi il n'est pas reproduit dans le recueil d'E. Daire, *Les Physiocrates* (Paris, Guillaumin, 1846). Cf. L. Salleron, in *F. Quesnay et la physiocratie*, t. 2, p. 511 n. 1.

23. M. Foucault fait allusion, ici, à une question déjà traitée, en 1975 dans le cours sur les *Anormaux (op. cit.)*. Cf. *infra*, p.193, note 43.

24. Cf. l'article «Hommes», *in op. cit.*, p. 537: «Les hommes se rassemblent et se multiplient partout où ils peuvent acquérir des richesses, vivre dans l'aisance, posséder sûrement et en propriété les richesses que leurs travaux et leur industrie peuvent leur procurer.»

25. Sur cette notion, cf. *Naissance de la biopolitique, op. cit.*, leçon du 17 janvier 1979, p. 42 (l'utilitarisme comme «technologie de gouvernement»).

26. Étienne Bonnot de Condillac (1715-1780), auteur de *l'Essai sur l'origine des connaissances humaines*, Paris, P. Mortier, 1746, du *Traité des sensations*, Paris, De Bure, 1754, et du *Traité des animaux*, Paris, De Bure, 1755. Il soutient, dans le *Traité des sensations*, qu'il n'est aucune opération de l'âme qui ne soit une sensation transformée – d'où le nom de sensualisme donné à sa doctrine – et que toute sensation, quelle qu'elle soit, suffit à engendrer toutes les facultés, imaginant, pour défendre sa thèse, une statue à laquelle il confère séparément et successivement les cinq sens. L'Idéologie désigne le mouvement philosophique issu de Condillac, qui commença en 1795 avec la création de l'Institut (dont faisait partie l'Académie des sciences morales et politiques, à laquelle appartenaient les condillaciens). Le principal représentant de cette école fut Destutt de Tracy (1754-1836), auteur des *Éléments d'idéologie*, Paris, Courcier, 1804-1815, 4 vol. M. Foucault, qui a consacré plusieurs pages aux Idéologues dans *Les Mots et les Choses* (Paris, Gallimard, «Bibliothèque des sciences humaines», 1966, ch. VII, p. 253-255), met déjà en rapport la conception génétique de Condillac avec le dispositif panoptique de Bentham – présenté comme la forme pure du pouvoir disciplinaire – dans son cours de 1973-1974, *Le Pouvoir psychiatrique* (éd. par J. Lagrange, Paris, Gallimard-Le Seuil, «Hautes Études», 2003), leçon du 28 novembre 1973, p. 80. Sur Condillac, cf. également *Les Mots et les Choses*, ch. III, p. 74-77.

27. Cf. *Surveiller et Punir, op. cit.*, p. 105: «[Le discours des idéologues] donnait [...], par la théorie des intérêts, des représentations et des signes, par les séries et les genèses qu'il reconstituait, une sorte de recette générale pour l'exercice du pouvoir sur les hommes: l'"esprit" comme surface d'inscription pour le pouvoir, avec la sémiologie pour instrument; la soumission des corps par le contrôle des idées; l'analyse des représentations, comme principe dans une politique des corps, bien plus efficace que l'anatomie rituelle des supplices. La pensée des idéologues n'a pas été seulement une théorie de l'individu et de la société; elle s'est développée comme une technologie des pouvoirs subtils, efficaces et économiques, en opposition aux dépenses somptuaires du pouvoir des souverains.»

28. John Graunt (1620-1674), *Natural and Political Observations Mentioned in a Following Index, and Made upon the Bills of Mortality. With reference to the Government, Religion, Trade, Growth, Ayre, Diseases, and the Several Changes of the Said City*, Londres, John Martin, 1662, 5e éd. 1676; rééd. in *The Economic Writings of Sir William Petty*, par C. H. Hull, Cambridge, University Press, 1899 / *Les Œuvres économiques de Sir William Petty*, trad. H. Dussauze & M. Pasquier, t. 2, Paris, Giard et Brière, 1905, p. 351-467; nouvelle trad. annotée par E. Vilquin (cf. *supra*, note 15). Autodidacte, maître drapier de profession, ami de W. Petty, Graunt eut l'idée de dresser des tableaux chronologiques à partir des bulletins de mortalité publiés à l'occasion de la grande peste qui décima Londres au XVIIe siècle. Ce texte est considéré comme le point de départ de la démographie moderne (cf. P. Lazarsfeld, *Philosophie des sciences sociales*, Paris, Gallimard, «Bibliothèque des sciences humaines», 1970, p. 79-80: «[...] les premières tables de mortalité, publiées en 1662 par Graunt qui est considéré comme le fondateur de la démographie moderne...»). L'attribution des *Observations* à Graunt, toutefois, fut contestée dès le XVIIe siècle au profit de Petty. Cf. H. Le Bras, *Naissance de la mortalité, op. cit.*, p. 9, pour qui «la balance penche nettement contre la paternité de Graunt et en faveur

de celle de Petty». La thèse opposée est défendue par Ph. Kreager, «New light on Graunt», *Population Studies,* 42 (1), mars 1988, p. 129-140.

29. J. Graunt, *Observations, op. cit.,* ch. II, § 19, trad. E. Vilquin, p. 65-66: «[...] parmi les différentes causes [de Décès], certaines sont en rapport constant avec le nombre total des Enterrements. Ainsi en est-il des Maladies chroniques et des Maladies auxquelles la cité est le plus sujette, par exemple, la consomption, l'hydropisie, la jaunisse, la goutte, la pierre, la paralysie, le scorbut, le soulèvement des poumons ou suffocation de la matrice, le rachitisme, la vieillesse, les fièvres quartes, les fièvres, le flux de ventre et la diarrhée.»

30. *Ibid.*: «Et il en va de même de certains Accidents, comme les chagrins, les noyades, les suicides, les morts dues à divers accidents, etc.» Sur la probabilité des suicides, cf. également ch. III, § 13, trad. E. Vilquin, p. 69-70.

31. *Ibid.,* ch. VIII, § 4, trad. E. Vilquin, p. 93: «Nous avons déjà dit qu'il y a plus d'Hommes que de Femmes [cf. le § 1 de ce chapitre]; nous ajoutons que le nombre des premiers dépasse celui des secondes d'environ 1/3. Ainsi, plus d'Hommes que de Femmes meurent de Mort violente, c'est-à-dire qu'il y en a un plus grand nombre qui sont massacrés à la guerre, tués par accident, noyés en mer ou mis à mort par la main de la justice. [...] et cependant, cette différence de 1/3 amène les choses à un situation telle que chaque Femme peut avoir un Mari sans que l'on tolère la polygamie.»

32. *Ibid.,* ch. XI, trad. E. Vilquin, p. 105: «Nous avons trouvé [cf. ch. II, § 12-13, p. 62-63] que, sur 100 individus conçus et animés, 36 environ meurent avant l'âge de 6 ans et peut-être un seul est survivant à 76 ans» (suit alors ce que nombre de commentateurs appellent improprement la «table de mortalité» de Graunt).

33. *Ibid.,* ch. XI, § 12, trad. E. Vilquin, p. 114: «[...] quoique les Hommes meurent d'une manière plus régulière et moins saccadée *(per saltum)* à Londres qu'en Province, en fin de compte, il en meurt comparativement *(per rata)* moins [en Province], en sorte que les fumées, vapeurs et puanteurs mentionnées plus haut, tout en rendant le climat de Londres plus stable, ne le rendent pas plus salubre.» L'allusion de Foucault à Durkheim est ici évidente. Sur l'intérêt manifesté par la sociologie, au XIXe siècle, pour le suicide, «cette obstination à mourir, si étrange et pourtant si régulière, si constante dans ses manifestations, si peu explicable par conséquent par des particularités ou accidents individuels», cf. *La Volonté de savoir, op. cit.,* p. 182.

34. «L'espèce, unité systématique, telle que l'ont comprise longtemps les naturalistes, fut définie pour la première fois par John Ray [dans son *Historia plantarum,* Londres, Faithorne] en 1686 [«ensemble d'individus qui engendrent, par la reproduction, d'autres individus semblables à eux-mêmes»]. Auparavant, le mot était employé dans des acceptions très diverses. Pour Aristote, il désignait de petits groupes. Plus tard, il fut confondu avec celui de genre» (E. Guyénot, *Les Sciences de la vie aux XVIIe et XVIIIe siècles. L'idée d'évolution,* Paris, Albin Michel, «L'Évolution de l'humanité», 1941, p. 360). C'est en 1758, dans la 10e édition de son *Systema naturae,* que Linné inclut le genre *Homme* dans l'ordre des *Primates,* distinguant deux espèces: l'*Homo sapiens* et l'*Homo troglodytes (Systema naturae per Regna Tria Naturae,* 12e éd. Stockholm, Salvius, 1766, t. I, p. 28 *sq.).* Sur la naissance du concept d'espèce au XVIIe siècle, cf. également F. Jacob, *La Logique du vivant,* Paris, Gallimard («Bibliothèque des sciences humaines»), 1970, p. 61-63. L'expression «espèce humaine» est d'un usage courant au XVIIIe siècle. Elle se rencontre fréquemment chez Voltaire, Rousseau, d'Holbach... Cf. par exemple Georges Louis de Buffon (1707-1788), *Des époques de la nature,* Paris, Imprimerie royale, 1778,

p. 187-188 : « [...] l'homme est en effet le grand et dernier œuvre de la création. On ne manquera pas de nous dire que l'analogie semble démontrer que l'espèce humaine a suivi la même marche et qu'elle date du même temps que les autres espèces, qu'elle s'est même plus universellement répandue ; et que si l'époque de sa création est postérieure à celle des animaux, rien ne prouve que l'homme n'ait pas au moins subi les mêmes loix de la nature, les mêmes altérations, les mêmes changemens. Nous conviendrons que l'espèce humaine ne diffère pas essentiellement des autres espèces par ses facultés corporelles, et qu'à cet égard son sort eut été le même à peu-près que celui des autres espèces ; mais pouvons-nous douter que nous ne différions prodigieusement des animaux par le rayon divin qu'il a plu au souverain être de nous départir ? [...] »

35. Sur ce nouvel usage du mot « public », cf. l'ouvrage fondamental de J. Habermas, *Strukturwandel der Öffentlichkeit,* Neuwied-Berlin, H. Luchterhand, 1962, dont la traduction française par M. de Launay, *L'Espace public. Archéologie de la publicité comme dimension constitutive de la société bourgeoise,* venait de paraître chez Payot (1978). Foucault revient plus longuement sur cette question du public à la fin de la leçon du 15 mars (cf. *infra,* p. 283).

36. Formule célèbre de Thiers dans un article du *National,* 4 février 1830.

37. M. Foucault va effectuer, à la lumière du phénomène de la population, une remise en perspective des trois grands domaines épistémiques étudiés dans *Les Mots et les Choses, op. cit.* : le passage de l'analyse des richesses à l'économie politique, de l'histoire naturelle à la biologie, de la grammaire générale à la philologie historique, tout en précisant qu'il ne s'agit pas là d'une « solution », mais d'un « problème » à approfondir. Pour une première reprise « généalogique » de ces trois champs de savoir, à partir de la généralisation tactique du savoir historique à la fin du XVIIIᵉ siècle, cf. *« Il faut défendre la société », op. cit.,* leçon du 3 mars 1976, p. 170.

38. Cf. *Les Mots et les Choses,* ch. VI : « Échanger », p. 177-185 (I. L'analyse des richesses, II. Monnaie et prix).

39. Cf. *supra,* note 22.

40. Cf. l'article « Hommes » de F. Quesnay, *in op. cit.,* p. 512 : « L'état de la population et de l'emploi des hommes sont [...] les principaux objets du gouvernement économique des États ; car c'est du travail et de l'industrie des hommes que résultent la fertilité des terres, la valeur vénale des productions et le bon emploi des richesses pécuniaires. Voilà les quatre sources de l'abondance ; elles concourent mutuellement à l'accroissement des unes des autres ; mais elle ne peuvent se soutenir que par la manutention de l'administration générale des hommes, des biens, des productions [...] » Sur le gouvernement économique, voir par exemple *Despotisme de la Chine* (1767), ch. 8, in *F. Quesnay et la physiocratie,* t. 2, p. 923 : « Le gouvernement économique de la culture des terres est un échantillon du gouvernement général de la nation ». C'est donc – commente C. Larrère qui cite ce passage (*L'Invention de l'économie au XVIIIᵉ siècle,* Paris, PUF, « Léviathan », 1992, p. 194) – autour du gouvernement que se forme l'unité d'une doctrine, où l'on doit pouvoir trouver « ces lois et ces conditions qui doivent régler l'administration du gouvernement général de la société » (*Despotisme de la Chine, ibid.*). Cf. l'article de A. Landry cité *supra* (« Les idées de Quesnay... ») et *infra,* p. 116, note 23.

41. Cf. les textes réunis in K. Marx & F. Engels, *Critique de Malthus,* éd. par R. Dangeville *et al.,* Paris, Maspero, 1978.

42. David Ricardo (1772-1823), économiste britannique, auteur des *Principes de l'économie politique et de l'impôt* (éd. orig.: *On the Principles of Political Economy and Taxation,* Londres, J. Murray, 1817). Il noua avec Malthus, à partir de 1809, des liens d'amitié que n'altérèrent pas leurs désaccords théoriques. Sur ce rapport Malthus-Ricardo, cf. *Les Mots et les Choses,* p. 269: «[...] ce qui rend l'économie possible, et nécessaire [pour Ricardo], c'est une perpétuelle et fondamentale situation de rareté: en face d'une nature qui par elle-même est inerte et, sauf pour une part minuscule, stérile, l'homme risque sa vie. Ce n'est plus dans les jeux de la représentation que l'économie trouve son principe, mais du côté de cette région périlleuse où la vie s'affronte à la mort. Elle renvoie donc à cet ordre de considérations assez ambiguës qu'on peut appeler anthropologiques: elle se rapporte en effet aux propriétés biologiques d'une espèce humaine, dont Malthus, à la même époque que Ricardo, a montré qu'elle tend toujours à croître si on n'y porte remède ou contrainte [...]»

43. Cf. *Les Mots et les Choses,* ch. V: «Classer», p. 140-144 (II. L'histoire naturelle) et 150-158 (IV. Le caractère).

44. Cf. *ibid.,* ch. VII: «Les limites de la représentation», p. 238-245 (III. L'organisation des êtres) – pages consacrées notamment à Lamarck, crédité d'avoir «clos l'âge de l'histoire naturelle» et «entrouvert celui de la biologie», non par ses thèses transformationnistes, mais par la distinction qu'il établit, le premier, «entre l'espace de l'organisation et celui de la nomenclature».

45. Cf. *ibid.,* p. 287-288. Le problème évoqué ici par Foucault concerne la place respective qu'il convient d'attribuer à Lamarck et Cuvier dans l'histoire de la biologie naissante. Lamarck, par ses intuitions transformistes «qui ont l'air de "préfigurer" ce qui sera l'évolutionnisme», fut-il plus moderne que Cuvier, attaché à un «vieux fixisme, tout imprégné de préjugés traditionnels et de postulats théologiques» (p. 287)? Refusant l'opposition sommaire, issue d'un «jeu d'amalgames, de métaphores, d'analogies mal contrôlées» *(ibid.),* entre la pensée «progressiste» du premier et la pensée «réactionnaire» du second, Foucault démontre que c'est avec Cuvier, paradoxalement, que «l'historicité s'est introduite dans la nature» (p. 288) – grâce à sa découverte de la discontinuité des formes vivantes, qui rompait avec la continuité ontologique encore acceptée par Lamarck – et que s'est ouverte ainsi la possibilité d'une pensée de l'évolution. Une analyse assez convergente de ce problème est exposée par F. Jacob, dans *La Logique du vivant,* p. 171-175, dont Foucault rendit compte avec éloge («Croître et multiplier», *Le Monde,* n° 8037, 15-16 novembre 1970; *DE,* II, n° 81, p. 99-104).

46. Cf. *Les Mots et les Choses,* ch. VIII: «Travail, vie, langage», p. 275-292 (III. Cuvier). Cf. également la conférence prononcée par Foucault, lors des Journées Cuvier, à l'Institut d'histoire des sciences en mai 1969: «La situation de Cuvier dans l'histoire de la biologie», *Revue d'histoire des sciences et de leurs applications,* t. XXIII (1), janv.-mars 1970, p. 63-92 *(DE,* II, n° 77, p. 30-36, discussion, p. 36-66).

47. Cette question n'est pas traitée dans *Les Mots et les Choses.* Cf. «La situation de Cuvier...», p. 36.

48. Cf. *Les Mots et les Choses,* ch. IV: «Parler», p. 95-107 (§ II. La grammaire générale), ch. VIII: «Travail vie, langage», p. 292-307 (§ V. Bopp), et l'introduction à A. Arnauld & C. Lancelot, *Grammaire générale et raisonnée,* Paris, Republications Paulet, 1969, p. III-XXVI *(DE,* I, n° 60, p. 732-752).

# LEÇON DU 1er FÉVRIER 1978 *

*Le problème du « gouvernement » au XVIe siècle. – Multiplicité des pratiques de gouvernement (gouvernement de soi, gouvernement des âmes, gouvernement des enfants, etc.). – Le problème spécifique du gouvernement de l'État. – Le point de répulsion de la littérature sur le gouvernement : Le Prince de Machiavel. – Brève histoire de la réception du Prince jusqu'au XIXe siècle. – L'art de gouverner, distinct de la simple habileté du Prince. – Exemple de ce nouvel art de gouverner : Le Miroir politique de Guillaume de La Perrière (1555). – Un gouvernement qui trouve sa fin dans les « choses » à diriger. – Régression de la loi au profit de tactiques diverses. – Les obstacles historiques et institutionnels à la mise en œuvre de cet art de gouverner jusqu'au XVIIIe siècle. – Le problème de la population, facteur essentiel du déblocage de l'art de gouverner. – Le triangle gouvernement - population - économie politique. – Questions de méthode : le projet d'une histoire de la « gouvernementalité ». La survalorisation du problème de l'État.*

À travers l'analyse de quelques mécanismes de sécurité, j'avais essayé de voir comment apparaissaient les problèmes spécifiques de la population, et en regardant d'un peu plus près ces problèmes de la population, la dernière fois, vous vous [en] souvenez, on avait été vite renvoyé au problème du gouvernement. En somme, il s'agissait de la mise en place, dans ces premiers cours, de la série sécurité-population-gouvernement. Eh bien, c'est maintenant ce problème du gouvernement que je voudrais essayer d'inventorier un peu.

Bien sûr, il n'a jamais manqué, et ceci aussi bien au Moyen Âge que dans l'antiquité gréco-romaine, de ces traités qui se présentaient comme conseils au prince, quant à la manière de se conduire, d'exercer le pouvoir, de se faire accepter ou respecter de ses sujets ; conseils pour aimer Dieu, obéir à Dieu, faire passer dans la cité des hommes la loi de Dieu [1], etc. Mais je crois que ce qui est assez frappant, c'est que, à partir du XVIe siècle et dans toute cette période qui va en gros du milieu du XVIe siècle jusqu'à la fin du XVIIIe siècle, on voit se développer, fleurir

toute une série très considérable de traités qui se donnent non plus exactement comme conseils au prince, qui ne se donnent pas non plus, encore,
comme science de la politique, mais qui, entre le conseil au prince et le
traité de science politique, se présentent comme arts de gouverner. Je crois
que d'une façon générale le problème du « gouvernement »\* éclate au
XVIᵉ siècle, d'une manière simultanée, à propos de bien des questions différentes et sous des aspects tout à fait multiples. Problème, par exemple,
du gouvernement de soi-même. Le retour au stoïcisme tourne bien, au
XVIᵉ siècle, autour de cette réactualisation du problème : comment se
gouverner soi-même. Problème, également, du gouvernement des âmes
et des conduites – et cela a été, bien sûr, tout le problème de la pastorale
catholique ou protestante. Problème du gouvernement des enfants – et
c'est la grande problématique de la pédagogie telle qu'elle apparaît et
se développe au XVIᵉ siècle. Et enfin, enfin seulement peut-être, gouvernement des États par les princes. Comment se gouverner, comment être
gouverné, comment gouverner les autres, par qui doit-on accepter d'être
gouverné, comment faire pour être le meilleur gouverneur possible ? Il
me semble que tous ces problèmes sont, dans leur intensité et dans leur
multiplicité aussi, très caractéristiques du XVIᵉ siècle, et ceci au point de
croisement, pour dire les choses très schématiquement, de deux mouvements, de deux processus : le processus, bien sûr, qui, défaisant les structures féodales, est en train d'aménager, de mettre en place les grands
États territoriaux, administratifs, coloniaux, et puis un tout autre mouvement, qui n'est pas d'ailleurs sans interférences avec le premier, mais
complexe – il n'est pas question d'analyser tout ça ici –, et qui, avec la
Réforme, puis la Contre-Réforme, remet en question la manière dont on
veut être spirituellement dirigé sur cette terre vers son salut. Mouvement,
d'une part, de concentration étatique ; mouvement, d'autre part, de dispersion et de dissidence religieuse : c'est là, je crois, dans le croisement
entre ces deux mouvements, que se pose, avec bien sûr cette intensité
particulière au XVIᵉ siècle, le problème du « comment être gouverné, par
qui, jusqu'à quel point, à quelles fins, par quelles méthodes ». C'est une
problématique générale du gouvernement en général, qui est, je crois, le
trait dominant de cette question du gouvernement au XVIᵉ siècle.

Dans toute cette littérature sur le gouvernement qui va s'étendre
jusqu'à la fin du XVIIIᵉ siècle, avec la mutation que j'essaierai de repérer
tout à l'heure, dans toute cette énorme littérature sur le gouvernement
qui s'inaugure donc, ou en tout cas qui éclate, qui explose au milieu du

---

\* Entre guillemets dans le manuscrit, p. 2.

xvie siècle, je voudrais isoler simplement quelques points remarquables – car c'est une littérature immense, c'est une littérature monotone aussi. Je voudrais simplement repérer les points qui concernent la définition même de ce qu'on entend par le gouvernement de l'État, ce que nous appellerions, si vous voulez, le gouvernement sous sa forme politique. Pour essayer d'isoler quelques-uns de ces points remarquables quant à la définition du gouvernement de l'État, je crois que le plus simple, ce serait sans doute d'opposer cette masse de littérature sur le gouvernement à un texte qui, du xvie au xviiie siècle, n'a pas cessé de constituer, pour cette littérature du gouvernement, une sorte de point de répulsion, explicite ou implicite. Ce point de répulsion, par rapport auquel, par opposition [auquel] et [par le] rejet duquel se situe la littérature du gouvernement, ce texte abominable, c'est évidemment *Le Prince* de Machiavel[2]. Texte dont l'histoire est intéressante, ou plutôt dont il serait intéressant de retracer les rapports qu'il a eus avec, justement, tous les textes qui l'ont suivi, critiqué, rejeté.

[D'abord], *Le Prince* de Machiavel, [il faut bien s'en souvenir], n'a pas été immédiatement abominé, [mais il a été] honoré, au contraire, par ses contemporains et ses successeurs immédiats, et honoré à nouveau juste à la fin du xviiie siècle, ou plutôt au tout début du xixe siècle, au moment où, justement, est en train de disparaître, vient de disparaître, toute cette littérature sur l'art de gouverner. *Le Prince* de Machiavel réapparaît à ce moment-là, au début du xixe siècle, essentiellement d'ailleurs en Allemagne, où il est traduit, présenté, commenté par des gens comme Rehberg[3], Leo[4], Ranke[5], Kellermann[6], en Italie également avec Ridolfi[7], et je crois dans un contexte – enfin, ce serait à analyser, je vous dis ça de façon tout à fait isométrique –, un contexte qui était celui, d'une part, bien sûr, de Napoléon, mais contexte aussi créé par la Révolution et le problème de la Révolution, c'est-à-dire[8] : comment et dans quelles conditions peut-on maintenir la souveraineté d'un souverain sur un État ? C'est également l'apparition, avec Clausewitz, du problème des rapports entre politique et stratégie. C'est l'importance politique, manifestée par le congrès de Vienne[9], en 1815, des rapports de force et du calcul des rapports de force comme principe d'intelligibilité et de rationalisation des relations internationales. C'est enfin le problème de l'unité territoriale de l'Italie et de l'Allemagne, puisque vous savez que Machiavel avait été précisément un de ceux qui avaient cherché à définir à quelles conditions l'unité territoriale de l'Italie pouvait être faite.

C'est dans ce climat-là que Machiavel va donc réapparaître au début du xixe siècle. Mais entre-temps, entre l'honneur qui a été fait à

Machiavel au début du XVIᵉ siècle et cette redécouverte, cette revalorisation du début du XIXᵉ siècle, il est certain qu'il y a eu une longue littérature anti-Machiavel. Tantôt sous une forme explicite : toute une série de livres qui, en général d'ailleurs, viennent des milieux catholiques, souvent même des jésuites ; vous avez par exemple le texte d'Ambrogio Politi qui s'appelle *Disputationes de libris a Christiano detestandis* [10], c'est-à-dire, autant que je sache, *Discussions sur les livres qu'un chrétien doit détester* ; il y a le livre de quelqu'un qui a le malheur de porter le nom de Gentillet et le prénom d'Innocent : Innocent Gentillet a écrit l'un des premiers anti-Machiavel, qui s'appelle *Discours d'Estat sur les moyens de bien gouverner contre Nicolas Machiavel* [11] ; on retrouvera aussi plus tard, dans la littérature explicitement antimachiavélienne, le texte de Frédéric II de 1740 [12]. Mais il y a aussi toute une littérature implicite qui est en position de démarquage et d'opposition sourde à Machiavel. C'est, par exemple, le livre anglais de Thomas Elyot, qui s'appelle *The Governour,* publié en 1580 [13], le livre de Paruta sur *La Perfection de la vie politique* [14], et peut-être un des premiers, sur lequel je m'arrêterai d'ailleurs, celui de Guillaume de La Perrière, *Le Miroir politique,* publié en 1555 * [15]. Que cet anti-Machiavel soit manifeste ou rampant, je crois que ce qui est important ici, c'est qu'il n'a pas simplement les fonctions négatives de barrage, de censure, de rejet de l'inacceptable, et quel que soit le goût de nos contemporains pour ce genre d'analyse – vous savez, une pensée si forte et si subversive, si en avant d'elle-même, que tous les discours quotidiens sont obligés de lui faire barrage par un mécanisme de refoulement essentiel –, je crois que ce n'est pas ça qui est intéressant dans la littérature anti-Machiavel [16]. La littérature anti-Machiavel est un genre, c'est un genre positif qui a son objet, qui a ses concepts et qui a sa stratégie, et c'est comme telle, dans cette positivité, que je voudrais l'envisager.

Donc, prenons cette littérature anti-Machiavel, explicite ou implicite. Qu'est-ce qu'on y trouve ? Bien sûr, on y trouve négativement une sorte de représentation en creux de la pensée de Machiavel. On se donne ou on se reconstruit un Machiavel adverse, dont on a besoin d'ailleurs pour dire ce qu'on a à dire. Ce Prince plus ou moins reconstitué – je ne pose évidemment pas la question de savoir en quoi, dans quelle mesure ça ressemble bien effectivement au *Prince* de Machiavel lui-même –, en tout cas ce Prince contre lequel on se bat ou contre lequel on veut dire autre chose, comment est-ce qu'on le caractérise dans cette littérature ?

* M. F. : 1567

Premièrement, par un principe : pour Machiavel, le Prince est en rapport de singularité et d'extériorité, de transcendance par rapport à sa principauté. Le Prince de Machiavel reçoit sa principauté soit par héritage, soit par acquisition, soit par conquête ; de toute façon, il n'en fait pas partie, il est extérieur par rapport à elle. Le lien qui le lie à sa principauté est un lien soit de violence soit de tradition, soit encore un lien qui a été établi par l'accommodement de traités et la complicité ou l'accord des autres princes, peu importe. De toute façon, c'est un lien purement synthétique : il n'y a pas d'appartenance fondamentale, essentielle, naturelle et juridique entre le Prince et sa principauté. Extériorité, transcendance du Prince, voilà le principe. Corollaire du principe, bien sûr : c'est que dans la mesure où ce rapport est d'extériorité, il est fragile, et il ne va pas cesser d'être menacé. Menacé de l'extérieur par les ennemis du Prince qui veulent prendre ou reprendre sa principauté ; de l'intérieur également, car il n'y a pas de raison en soi, de raison a priori, de raison immédiate, pour que les sujets acceptent la principauté du Prince. Troisièmement, de ce principe et de ce corollaire, un impératif se déduit : c'est que l'objectif de l'exercice du pouvoir, ça va être, bien entendu, de maintenir, de renforcer et de protéger cette principauté. Plus exactement, cette principauté entendue non pas comme l'ensemble constitué par les sujets et le territoire, si vous voulez la principauté objective, – il va s'agir de protéger cette principauté en tant qu'elle est le rapport du Prince à ce qu'il possède, au territoire dont il a hérité ou qu'il a acquis, aux sujets qui lui sont soumis. Cette principauté comme rapport du Prince à ses sujets et à son territoire, c'est cela qu'il s'agit de protéger, et non pas directement ou immédiatement ou fondamentalement ou premièrement, le territoire et ses habitants. C'est ce lien fragile du Prince à sa principauté que l'art de gouverner, l'art d'être Prince présenté par Machiavel, doit avoir pour objectif.

Et du coup, ceci entraîne pour le livre de Machiavel cette conséquence, que le mode d'analyse va avoir deux aspects. D'une part, il s'agira de repérer les dangers : d'où viennent-ils, en quoi consistent-ils, quelle est leur intensité comparée : quel est le plus grand danger, quel est le plus faible ? Et deuxièmement, l'art de manipuler les rapports de force qui vont permettre au Prince de faire en sorte que sa principauté, comme lien à ses sujets et à son territoire, pourra être protégée. En gros, disons que *Le Prince* de Machiavel, tel qu'il apparaît au filigrane de ces différents traités, explicites ou implicites, voués à l'anti-Machiavel, apparaît essentiellement comme un traité de l'habileté du Prince à conserver sa principauté. Eh bien, je crois que c'est à cela, à ce traité de l'habileté du Prince, du savoir-faire du Prince, que la littérature anti-Machiavel veut substituer quelque chose d'autre et, par rapport à cela, de nouveau, qui est un art de gouverner : être habile à conserver sa principauté, ce n'est pas du tout posséder l'art de gouverner. L'art de gouverner, c'est autre chose. En quoi consiste-t-il ?

Je vais prendre, pour essayer de repérer les choses dans leur état encore fruste, un des premiers textes de cette grande littérature antimachiavélienne, celui de Guillaume de La Perrière, qui date donc de 1555 * et qui s'appelle *Le Miroir politique, contenant diverses manières de gouverner* [17]. Dans ce texte, encore une fois très décevant, surtout quand on le compare à Machiavel lui-même, on voit cependant s'esquisser un certain nombre de choses qui sont, je crois, importantes. Premièrement, qu'est-ce que La Perrière entend par « gouverner » et « gouverneur », quelle définition en donne-t-il ? Il dit – c'est à la page 23 de son texte : « Gouverneur peut être appelé tout monarque, empereur, roi, prince, seigneur, magistrat, prélat, juge et semblable [18]. » Comme La Perrière, d'autres aussi, traitant de l'art de gouverner, rappelleront régulièrement que l'on dit également « gouverner une maison », « gouverner des âmes », « gouverner des enfants », « gouverner une province », « gouverner un couvent, un ordre religieux », « gouverner une famille ».

Ces remarques, qui ont l'air d'être et qui sont des remarques de pur vocabulaire, ont en fait des implications politiques importantes. C'est qu'en effet le Prince, tel qu'il apparaît chez Machiavel ou dans les représentations qu'on en donne, est par définition, – c'était là un principe fondamental du livre tel qu'on le lisait –, unique dans sa principauté, et dans une position d'extériorité et de transcendance par rapport à elle. Alors que, là, on voit que le gouverneur, les gens qui gouvernent, la pratique du gouvernement, d'une part, sont des pratiques multiples, puisque beaucoup de gens gouvernent : le père de famille, le supérieur d'un couvent, le pédagogue, le maître par rapport à l'enfant ou au disciple ; il y a donc beaucoup de gouvernements par rapport auxquels celui du Prince gouvernant son État n'est que l'une des modalités **. Et, d'autre part, tous ces gouvernements sont intérieurs à la société même ou à l'État. C'est à l'intérieur de l'État que le père de famille va gouverner sa famille, que le supérieur du couvent va gouverner son couvent, etc. Il y a donc, à la fois, pluralité des formes de gouvernement et immanence des pratiques de gouvernement par rapport à l'État, multiplicité et immanence de cette activité, qui l'opposent radicalement à la singularité transcendante du Prince de Machiavel.

Bien sûr, parmi toutes ces formes de gouvernement se laissant saisir, s'entrecroisant, s'enchevêtrant à l'intérieur de la société, à l'intérieur de l'État, il y a une forme bien particulière de gouvernement, qu'il va s'agir précisément de repérer : c'est cette forme particulière de gouvernement qui va s'appliquer à l'État tout entier. Et c'est ainsi que, essayant de faire la typologie des différentes formes de gouvernement dans un texte un peu plus tardif que celui auquel je me réfère – qui date exactement du siècle suivant –, François La Mothe Le Vayer, dans une série de textes qui sont des textes pédagogiques pour le Dauphin, dira : au fond, il y a trois types de gouvernement qui relèvent chacun d'une forme de science ou de réflexion particulière : le gouvernement de soi-même qui relève de la morale ; l'art de gouverner une famille comme il faut, et qui relève de l'économie ; et enfin, la « science de bien gouverner » l'État qui, elle, relève de la politique [19]. Par rapport à la morale et à l'économie, il est bien évident que la politique a sa singularité, et La Mothe Le Vayer indique bien que la politique, ce n'est pas exactement l'économie ni tout à fait la morale. Je crois que ce qui est important ici, c'est que, malgré cette typologie, ce à quoi se réfèrent, ce que postulent toujours ces arts de gouverner, c'est une continuité essentielle de l'une à l'autre et de la deuxième à la troisième. Alors que la doctrine du Prince ou la théorie juridique du souverain essaient sans cesse de bien marquer la discontinuité entre le pouvoir du Prince et toute autre forme de pouvoir, alors qu'il s'agit d'expliquer, de faire valoir, de fonder cette discontinuité, là, dans ces arts de gouverner, on doit essayer de repérer la continuité, continuité ascendante et continuité descendante.

Continuité ascendante, en ce sens que celui qui veut pouvoir gouverner l'État doit d'abord savoir se gouverner lui-même ; puis, à un autre niveau, gouverner sa famille, son bien, son domaine, et, finalement, il arrivera à gouverner l'État. C'est cette espèce de ligne ascendante qui va caractériser toutes ces pédagogies du Prince qui sont si importantes à cette époque-là et dont La Mothe Le Vayer donne un exemple. Pour le Dauphin, il écrit d'abord un livre de morale, puis un livre d'économie [... *] et, enfin, un traité de politique [20]. C'est la pédagogie du Prince qui va donc assurer cette continuité ascendante des différentes formes de gouvernement. Inversement, vous avez une continuité descendante en ce sens que, quand un État est bien gouverné, les pères de famille savent bien gouverner leur famille, leurs richesses, leurs biens, leur propriété, et les individus, aussi, se dirigent comme il faut. Cette ligne descendante, qui fait retentir, jusque sur

* Quelques mots inaudibles.

la conduite des individus ou la gestion des familles, le bon gouvernement de l'État, c'est ce qu'on commence à appeler, à cette époque-là, précisément la « police ». La pédagogie du Prince assure la continuité ascendante des formes de gouvernement, et la police, leur continuité descendante.

Vous voyez en tout cas que, dans cette continuité, la pièce essentielle aussi bien dans la pédagogie du Prince que dans la police, l'élément central, c'est ce gouvernement de la famille, que l'on appelle justement l'« économie ». Et l'art du gouvernement, tel qu'il apparaît dans toute cette littérature, doit répondre essentiellement à cette question : comment introduire l'économie, – c'est-à-dire la manière de gérer comme il faut les individus, les biens, les richesses, comme on peut le faire à l'intérieur d'une famille, comme peut le faire un bon père de famille qui sait diriger sa femme, ses enfants, ses domestiques, qui sait faire prospérer la fortune de sa famille, qui sait ménager pour elle les alliances qui conviennent –, comment introduire cette attention, cette méticulosité, ce type de rapport du père de famille à sa famille à l'intérieur de la gestion d'un État ? L'introduction de l'économie à l'intérieur de l'exercice politique, c'est cela, je crois, qui sera l'enjeu essentiel du gouvernement. Et que ça le soit au XVIe siècle, c'est vrai, ça le sera également encore au XVIIIe. Dans l'article « Économie politique » de Rousseau, vous voyez très bien comment Rousseau pose encore le problème dans ces mêmes termes, disant en gros : le mot « économie » désigne originairement « le sage gouvernement de la maison pour le bien commun de toute la famille[21] ». Problème, dit Rousseau : comment ce sage gouvernement de la famille pourra-t-il, *mutatis mutandis,* et avec les discontinuités que l'on remarquera, être introduit à l'intérieur de la gestion générale de l'État ?[22] Gouverner un État sera donc mettre en œuvre l'économie, une économie au niveau de l'État tout entier, c'est-à-dire [exercer]* à l'égard des habitants, des richesses, de la conduite de tous et de chacun une forme de surveillance, de contrôle, non moins attentive que celle du père de famille sur la maisonnée et ses biens.

Une expression d'ailleurs importante au XVIIIe siècle caractérise bien cela encore. Quesnay parle d'un bon gouvernement comme d'un « gouvernement économique »[23]. Et on trouve dans Quesnay, j'y reviendrai plus tard, le moment [où naît]** cette notion du gouvernement économique, qui est, au fond, une tautologie, puisque l'art de gouverner, c'est l'art précisément d'exercer le pouvoir dans la forme et selon le modèle de l'économie. Mais si Quesnay dit « gouvernement économique », c'est

---

* M. F. : avoir
** Mots difficilement audibles.

que déjà le mot « économie », pour des raisons que j'essaierai d'élucider tout à l'heure, est en train de prendre son sens moderne, et il apparaît à ce moment-là que l'essence même de ce gouvernement, c'est-à-dire de l'art d'exercer le pouvoir dans la forme de l'économie, va avoir pour objet principal ce que nous appelons maintenant l'économie. Le mot « économie » désignait une forme de gouvernement au XVIᵉ siècle, il désignera au XVIIIᵉ siècle un niveau de réalité, un champ d'intervention pour le gouvernement, à travers une série de processus complexes et, je crois, absolument capitaux pour notre histoire. Donc, voilà ce que c'est que gouverner et être gouverné.

Deuxièmement, toujours dans ce texte de Guillaume de La Perrière, on trouve [la phrase]* suivant [e] : « Gouvernement est la droite disposition des choses, desquelles on prend charge pour les conduire jusqu'à fin convenable [24]. » C'est à cette seconde phrase que je voudrais accrocher une nouvelle série de remarques, autres que celles qui concernaient la définition même du gouverneur et du gouvernement. « Gouvernement est droite disposition des choses » : je voudrais m'arrêter un petit peu à ce mot « choses », parce que, quand on regarde dans *Le Prince* de Machiavel ce qui caractérise l'ensemble des objets sur lesquels porte le pouvoir, on s'aperçoit que, pour Machiavel, l'objet, en quelque sorte la cible du pouvoir, ce sont deux choses : c'est d'une part, un territoire, et [d'autre part], les gens qui habitent ce territoire. En ceci d'ailleurs, Machiavel ne fait rien d'autre que reprendre pour son usage propre et les fins particulières de son analyse un principe juridique qui est celui même par lequel on caractérisait la souveraineté : la souveraineté dans le droit public, du Moyen Âge au XVIᵉ siècle, ne s'exerce pas sur les choses, elle s'exerce d'abord sur un territoire et, par conséquent, sur les sujets qui y habitent. En ce sens, on peut dire que le territoire est bien l'élément fondamental et de la principauté de Machiavel et de la souveraineté juridique du souverain telle que la définissent les philosophes ou les théoriciens du droit. Bien sûr, ces territoires peuvent être féconds ou stériles, ils peuvent avoir une population dense ou au contraire clairsemée, les gens peuvent être riches ou pauvres, actifs ou paresseux, mais tous ces éléments ne sont que des variables par rapport au territoire qui est le fondement même de la principauté ou de la souveraineté.

Or, dans le texte de La Perrière, vous voyez que la définition du gouvernement ne se réfère en aucune manière au territoire : on gouverne des choses. Quand La Perrière dit que le gouvernement gouverne « des

---

* M. F. : le texte

choses », qu'est-ce qu'il veut dire ? Je ne crois pas qu'il s'agisse d'opposer les choses aux hommes, mais plutôt de montrer que ce à quoi se rapporte le gouvernement, c'est non pas, donc, le territoire, mais une sorte de complexe constitué par les hommes et les choses. C'est-à-dire encore que ces choses dont le gouvernement doit prendre la charge, dit La Perrière, ce sont : les hommes, mais dans leurs rapports, dans leurs liens, dans leurs intrications avec ces choses que sont les richesses, les ressources, les subsistances, le territoire bien sûr, dans ses frontières, avec ses qualités, son climat, sa sécheresse, sa fécondité. Ce sont les hommes dans leurs rapports avec ces autres choses que sont les coutumes, les habitudes, les manières de faire ou de penser. Et enfin, ce sont les hommes dans leurs rapports avec ces autres choses encore que peuvent être les accidents ou les malheurs, comme la famine, les épidémies, la mort.

Que le gouvernement porte sur les choses entendues ainsi comme intrication des hommes et des choses, je crois qu'on en trouverait facilement la confirmation dans la métaphore inévitable à laquelle on se réfère toujours dans ces traités du gouvernement, qui est bien sûr la métaphore du bateau[25]. Qu'est-ce que c'est que gouverner un bateau ? Bien sûr, c'est prendre en charge les marins, mais c'est prendre en charge en même temps le navire, la cargaison ; gouverner un bateau, c'est aussi tenir compte des vents, des écueils, des tempêtes, des intempéries. Et c'est cette mise en relation des marins * avec le navire qu'il faut sauver, avec la cargaison qu'il faut porter au port, et leurs relations avec tous ces événements que sont les vents, les écueils, les tempêtes, c'est cette mise en relation qui caractérise le gouvernement d'un bateau. Même chose pour une maison : gouverner une famille, au fond, ce n'est pas essentiellement avoir pour fin de sauver les propriétés de la famille, c'est essentiellement avoir comme objectif, comme cible, les individus qui composent la famille, leur richesse, leur prospérité ; c'est tenir compte des événements qui peuvent arriver : les morts, les naissances ; c'est tenir compte des choses que l'on peut faire, qui sont par exemple les alliances avec d'autres familles. C'est toute cette gestion générale qui caractérise le gouvernement et par rapport à quoi le problème de la propriété terrienne pour la famille ou l'acquisition de la souveraineté sur un territoire pour le Prince ne sont finalement que des éléments relativement secondaires. L'essentiel, c'est donc ce complexe d'hommes et de choses, c'est cela qui est l'élément principal, le territoire, la propriété n'en étant, en quelque sorte, qu'une variable.

* M. Foucault ajoute : qu'il faut sauver

Là encore, ce thème que l'on voit apparaître dans cette curieuse définition du gouvernement comme gouvernement des choses chez La Perrière, vous allez le retrouver aux XVIIe et XVIIIe siècles. Frédéric II, dans
son *Anti-Machiavel,* a des pages tout à fait significatives là-dessus, quand
il dit par exemple : comparons la Hollande et la Russie. La Russie est un
pays qui peut bien avoir les frontières les plus étendues de tous les États
européens, de quoi est-elle faite ? Elle est faite de marécages, elle est faite
de forêts, elle est faite de déserts ; elle est à peine peuplée de quelques
bandes de gens qui sont pauvres, misérables, sans activités, sans indus-
tries. Comparez au contraire avec la Hollande : elle est toute petite, elle
est faite elle aussi d'ailleurs de marécages, mais il y a en Hollande une
population, une richesse, une activité commerciale, une flotte qui font
que la Hollande est un pays important en Europe, ce que la Russie est à
peine en train de commencer à être [26]. Donc, gouverner, c'est gouverner
les choses.

Je reviens encore à ce texte que je vous citais tout à l'heure, quand
La Perrière disait : « Gouvernement est droite disposition des choses,
desquelles on prend charge pour les conduire jusqu'à fin convenable. »
Le gouvernement a donc une finalité, il dispose des choses, au sens que
je viens de dire, et dispose des choses [pour une fin] *. Et, en cela encore,
je crois que le gouvernement s'oppose très clairement à la souveraineté.
Bien sûr, la souveraineté, dans les textes philosophiques, dans les textes
juridiques aussi, n'a jamais été présentée comme un droit pur et simple. Il
n'a jamais été dit, ni par les juristes ni, a fortiori, par les théologiens, que
le souverain légitime serait fondé à exercer son pouvoir, un point c'est
tout. Le souverain doit toujours, pour être un bon souverain, se proposer
une fin, c'est-à-dire, disent régulièrement les textes, le bien commun et
le salut de tous. Je prends, par exemple, un texte de la fin du XVIIe siècle,
où Pufendorf dit : « On ne leur a conféré [à ces souverains ; M. F.] l'autorité souveraine qu'afin qu'ils s'en servent pour procurer et maintenir
l'utilité publique [...]. Un souverain ne doit rien tenir pour avantageux à
lui-même, s'il ne l'est aussi à l'État [27]. » Or, ce bien commun, ou encore
ce salut de tous que l'on trouve régulièrement invoqué, posé comme la
fin même de la souveraineté, ce bien commun dont parlent les juristes,
en quoi consiste-t-il ? Si vous regardez le contenu réel que juristes et
théologiens donnent à ce bien commun, que disent-ils ? C'est qu'il y a
bien commun lorsque les sujets obéissent tous et sans défaillance aux
lois, exercent bien les charges qu'on leur a commises, pratiquent bien les

---

* Conjecture ; mots inaudibles.

métiers auxquels ils sont voués, respectent l'ordre établi dans la mesure, du moins, où cet ordre est conforme aux lois que Dieu a imposées à la nature et aux hommes. C'est-à-dire que le bien public, c'est essentiellement l'obéissance à la loi, à la loi du souverain sur cette terre ou à la loi du souverain absolu, Dieu. Mais, de toute façon, ce qui caractérise la fin de la souveraineté, ce bien commun, ce bien général, ce n'est finalement rien autre chose que la soumission à cette loi. Cela veut dire que la fin de la souveraineté est circulaire : elle renvoie à l'exercice même de la souveraineté ; le bien, c'est l'obéissance à la loi, donc le bien que se propose la souveraineté, c'est que les gens obéissent à la souveraineté. Circularité essentielle, qui, quels qu'en soient évidemment la structure théorique, la justification morale ou les effets pratiques, n'est pas tellement éloignée de ce que Machiavel disait quand il [déclarait]* que l'objectif principal du Prince devait être de maintenir sa principauté ; on est bien toujours dans ce cercle de la souveraineté par rapport à elle-même, de la principauté par rapport à elle-même.

Or, avec la nouvelle définition de La Perrière, avec cette recherche de définition du gouvernement, je crois qu'on voit apparaître un autre type de finalité. Le gouvernement est défini par La Perrière comme une manière droite de disposer des choses pour les conduire, non à la forme du « bien commun », comme disaient les textes des juristes, mais à une « fin convenable », fin convenable pour chacune de ces choses qui sont précisément à gouverner. Ce qui implique, d'abord, une pluralité de fins spécifiques. Par exemple, le gouvernement aura à faire en sorte que l'on produise le plus possible de richesses ; et il aura à faire en sorte que l'on fournisse aux gens assez de subsistances, ou même le plus de subsistances possible ; le gouvernement aura à faire, enfin, que la population puisse se multiplier. Donc, toute une série de finalités spécifiques, qui vont devenir l'objectif même du gouvernement. Et, pour atteindre ces différentes finalités, on va disposer des choses. Ce mot « disposer » est important, car, dans la souveraineté, ce qui permettait d'atteindre la fin de la souveraineté, c'est-à-dire l'obéissance aux lois, c'était la loi elle-même. Loi et souveraineté faisaient donc absolument corps l'une avec l'autre. Au contraire, là, il ne s'agit pas d'imposer une loi aux hommes, il s'agit de disposer des choses, c'est-à-dire d'utiliser plutôt des tactiques que des lois, ou d'utiliser au maximum des lois comme des tactiques ; faire en sorte, par un certain nombre de moyens, que telle ou telle fin puisse être atteinte.

* M. F. : disait

Je crois qu'on a là une rupture importante : alors que la fin de la souveraineté se trouve en elle-même et qu'elle tire ses instruments d'elle-même
sous la forme de la loi, la fin du gouvernement est dans les choses qu'il
dirige ; elle est à rechercher dans la perfection ou la maximalisation ou
l'intensification des processus qu'il dirige, et les instruments du gouvernement, au lieu d'être des lois, vont être des tactiques diverses. Régression,
par conséquent, de la loi, ou plutôt, dans la perspective de ce que doit
être le gouvernement, la loi n'est certainement pas l'instrument majeur.
Là encore, on retrouve le thème qui a couru pendant tout le XVIIᵉ siècle
et qui est manifestement explicite au XVIIIᵉ siècle dans tous les textes des
économistes et des physiocrates, quand ils expliquent que ce n'est certainement pas par la loi que l'on peut effectivement atteindre les fins du
gouvernement.

Enfin, quatrième remarque, quatrième repère pris toujours dans ce
texte de Guillaume de La Perrière, mais sur ce point simple, élémentaire
et très rapide : La Perrière dit que quelqu'un qui sait bien gouverner, un
bon gouverneur doit posséder « patience, sagesse et diligence [28] ». Par
« patience », qu'est-ce qu'il entend ? Eh bien, quand il veut expliquer
le mot de patience, il prend l'exemple de ce qu'il appelle « le roi des
mouches à miel », c'est-à-dire le bourdon, et il dit : le bourdon règne sur
la ruche – ce n'est pas vrai, peu importe – et il règne sans avoir besoin
d'aiguillon [29]. Dieu a voulu montrer par là, d'une façon « mystique », dit-il,
que le vrai gouverneur ne doit pas avoir besoin d'un aiguillon, c'est-
à-dire d'un instrument pour tuer, d'un glaive, pour exercer son gouvernement. Il doit avoir patience plutôt que colère, ou encore, ce n'est pas
le droit de tuer, ce n'est pas le droit de faire valoir sa force qui doit être
essentiel dans le personnage du gouverneur. Et cette absence d'aiguillon,
quel contenu positif lui donner ? Ça sera la sagesse et la diligence. La
sagesse, c'est-à-dire non pas exactement, comme c'était la tradition, la
connaissance des lois humaines et divines, la connaissance de la justice
et de l'équité, mais la sagesse qui va être requise de celui qui gouverne,
c'est précisément cette connaissance des choses, des objectifs que l'on
peut atteindre, que l'on doit faire en sorte d'atteindre, la « disposition »
que l'on doit utiliser pour les atteindre, c'est cette connaissance-là qui
va constituer la sagesse du souverain. Et quant à sa diligence, c'est précisément ce qui fait que le souverain, ou plutôt celui qui gouverne, ne
doit gouverner que dans la mesure où il va se considérer et agir comme
s'il était au service de ceux qui sont gouvernés. Et, là encore, La Perrière
se réfère à l'exemple du père de famille : le père de famille, c'est celui
qui se lève plus tôt que tous les gens de sa maison, qui se couche plus

tard que les autres, c'est celui qui veille à tout, car il se considère comme étant au service de sa maison[30].

Cette caractérisation du gouvernement, vous saisissez tout de suite combien elle est différente de la caractérisation du Prince telle qu'on la trouvait, ou telle qu'on pensait la trouver, chez Machiavel. Bien sûr, cette notion de gouvernement est encore très fruste, malgré quelques aspects de nouveauté. Je crois que cette toute petite esquisse de la notion et de la théorie de l'art de gouverner, cette toute petite première esquisse n'est certainement pas restée en l'air au XVIe siècle ; elle n'était pas simplement affaire de théoriciens politiques. On peut repérer ses corrélations dans le réel. D'une part, la théorie de l'art de gouverner a été liée, dès le XVIe siècle, à tous les développements de l'appareil administratif des monarchies territoriales (apparition des appareils du gouvernement, des relais du gouvernement, etc.) ; elle était liée aussi à tout un ensemble d'analyses et de savoirs qui se sont développés depuis la fin du XVIe siècle et qui ont pris toute leur ampleur au XVIIe, essentiellement cette connaissance de l'État dans ses différentes données, dans ses différentes dimensions, dans les différents facteurs de sa puissance, et c'est ce qu'on a appelé précisément la « statistique » comme science de l'État[31]. Enfin, troisièmement, cette recherche d'un art de gouverner ne peut pas ne pas être mise en corrélation avec le mercantilisme et le caméralisme qui sont, à la fois, des efforts pour rationaliser l'exercice du pouvoir, en fonction précisément des connaissances acquises par la statistique, et qui ont été aussi une doctrine, ou plutôt un ensemble de principes doctrinaux quant à la manière d'accroître la puissance et la richesse de l'État. Cet art de gouverner n'est donc pas seulement une idée de philosophes ou de conseillers du Prince ; il n'a été formulé que dans la mesure où, effectivement, était en train de se mettre en place le grand appareil de la monarchie administrative et les formes de savoir corrélatives à cet appareil.

Mais, à dire vrai, cet art de gouverner n'a pu prendre son ampleur et sa consistance avant le XVIIIe siècle. Il est resté, en quelque sorte, assez enfermé à l'intérieur des formes de la monarchie administrative. Que cet art de gouverner soit resté ainsi un petit peu enveloppé sur lui-même ou prisonnier, en tout cas, de structures [... *] il y a à cela, je crois, un certain nombre de raisons. D'abord, des raisons historiques, qui ont bloqué cet art de gouverner. Ces raisons historiques, au sens strict du mot « raison

---

* Un ou deux mots inintelligibles. Le passage qui précède, depuis « qui sont à la fois des efforts... » manque curieusement dans la transcription du cours publiée dans les *Dits et Écrits* (cf. *infra*, p. 114, note *), p. 648, et est remplacé par un paragraphe de 19 lignes dont on ne trouve trace ni dans l'enregistrement ni dans le manuscrit.

historique», on les trouverait facilement ; je crois que c'est tout simplement – là, je parle en très gros, bien sûr – la série des grandes crises
du XVIIe siècle : la guerre de Trente Ans, d'abord, avec ses ravages et
ses ruines ; deuxièmement, [au milieu]* du siècle, les grandes émeutes
paysannes et urbaines, et enfin, la crise financière, la crise des subsistances également, qui a obéré toute la politique des monarchies occidentales à la fin du XVIIe siècle. L'art de gouverner, au fond, ne pouvait se
déployer, se réfléchir, prendre et multiplier ses dimensions qu'en période
d'expansion, c'est-à-dire hors des grandes urgences militaires, économiques et politiques qui n'ont pas cessé de harceler le XVIIe siècle du début
à la fin.

Raisons historiques, si vous voulez, massives et grossières, qui ont
bloqué cet art de gouverner. Je pense aussi que cet art de gouverner,
formulé au XVIe siècle, s'est trouvé bloqué au XVIIe siècle [pour] d'autres
raisons qu'on pourrait appeler, par des mots que je n'aime pas beaucoup,
des structures institutionnelles et mentales. En tout cas, disons que la pré-
gnance du problème de l'exercice de la souveraineté, à la fois comme
question théorique et comme principe d'organisation politique, a été un
facteur fondamental dans ce blocage de l'art de gouverner. Tant que la
souveraineté était le problème majeur, tant que les institutions de souveraineté étaient les institutions fondamentales, tant que l'exercice du pouvoir
a été réfléchi comme exercice de la souveraineté, l'art de gouverner ne
pouvait pas se développer d'une manière spécifique et autonome, et je
crois qu'on en a un exemple, justement, dans le mercantilisme. Le mercantilisme a bien été le premier effort, j'allais dire la première sanction,
de cet art de gouverner au niveau à la fois des pratiques politiques et
des connaissances sur l'État, c'est vrai – en ce sens on peut dire que le
mercantilisme, c'est bien un premier seuil de rationalité dans cet art de
gouverner dont le texte de La Perrière indiquait simplement quelques
principes plus moraux que réalistes. Le mercantilisme, c'est bien la
première rationalisation de l'exercice du pouvoir comme pratique du
gouvernement ; c'est bien la première fois que l'on commence à constituer
un savoir de l'État qui puisse être utilisable pour les tactiques du gouvernement. C'est absolument vrai, mais le mercantilisme s'est trouvé
bloqué et arrêté, je crois, précisément parce qu'il s'est donné comme
objectif, quoi ? Eh bien, essentiellement la puissance du souverain :
comment faire en sorte non pas tellement que le pays soit riche, mais que
le souverain puisse disposer de richesses, qu'il puisse avoir des trésors,

---

* Mots difficilement audibles. Manuscrit : «qui occupent tout le milieu du siècle».

qu'il puisse constituer des armées avec lesquelles il pourra faire sa politique ? L'objectif du mercantilisme, c'est la puissance du souverain, et les instruments que se donne le mercantilisme, qu'est-ce que c'est ? C'est des lois, des ordonnances, des règlements, c'est-à-dire les armes mêmes traditionnelles de la souveraineté. Objectif : le souverain ; instruments : les outils mêmes de la souveraineté. Le mercantilisme essayait de faire rentrer les possibilités données par un art réfléchi du gouvernement à l'intérieur d'une structure institutionnelle et mentale de souveraineté qui le bloquait. De sorte que, pendant tout le xviie siècle et jusqu'à la grande liquidation des thèmes mercantilistes au début du xviiie siècle, l'art de gouverner est resté en quelque sorte à piétiner sur place, pris entre deux choses. D'une part, un cadre trop large, trop abstrait, trop rigide, qui était précisément la souveraineté comme problème et comme institution. Cet art de gouverner a essayé de composer avec la théorie de la souveraineté ; on a bien essayé de déduire d'une théorie renouvelée de la souveraineté les principes directeurs d'un art de gouverner. C'est là qu'interviennent les juristes du xviie siècle lorsqu'ils formulent ou lorsqu'ils réactualisent la théorie du contrat. La théorie du contrat – du contrat fondateur, de l'engagement réciproque des souverains et des sujets – va être cette espèce de matrice à partir de laquelle on essaiera de rejoindre les principes généraux d'un art de gouverner. Mais si la théorie du contrat, si cette réflexion sur les rapports du souverain et de ses sujets a eu un rôle fort important dans la théorie du droit public, [en réalité], – l'exemple de Hobbes [le] prouve à l'évidence –, malgré le fait que ce qu'[on] voulait arriver à trouver, c'étaient au bout du compte les principes directeurs d'un art de gouverner, [on] en est toujours resté à la formulation de principes généraux de droit public.

Donc, d'une part, un cadre trop large, trop abstrait, trop rigide de la souveraineté et, d'autre part, un modèle trop étroit, trop faible, trop inconsistant, qui était celui de la famille. L'art de gouverner, ou bien essayait de rejoindre la forme générale de la souveraineté, ou bien, ou plutôt en même temps, il se rabattait, il ne pouvait pas ne pas se rabattre sur cette espèce de modèle complet qui était le gouvernement de la famille[32]*. Comment faire pour que celui qui gouverne puisse gouverner l'État aussi bien, d'une façon aussi précise, méticuleuse qu'on peut gouverner une

---

* Le manuscrit ajoute, p. 17 : « Car c'est bien le gouvernement de la famille qui correspond le mieux à cet art de gouverner qu'on cherche : un pouvoir immanent à la société (le père fait partie de la famille), un pouvoir sur "les choses" et non sur le territoire, un pouvoir aux finalités multiples qui toutes concernent le bien-être, le bonheur, la richesse de la famille, un pouvoir pacifique, vigilant. »

famille ? Et par là même, on se trouvait bloqué par cette idée de l'économie qui, à cette époque-là encore, ne se référait jamais qu'à la gestion
d'un petit ensemble constitué par la famille et la maisonnée. La maisonnée et le père de famille d'une part, l'État et le souverain de l'autre : 
l'art de gouverner ne pouvait pas trouver sa dimension propre.

Comment s'est fait le déblocage de l'art de gouverner ? Ce déblocage,
tout comme le blocage, il faut le réinscrire dans un certain nombre de
processus généraux : ça a été l'expansion démographique du XVIIIᵉ siècle,
reliée elle-même à l'abondance monétaire, reliée elle-même à l'augmentation de la production agricole selon des processus circulaires que les
historiens connaissent bien et que par conséquent j'ignore. Tout ceci étant
le cadre général, on peut dire, d'une façon plus précise, que le déblocage
de cet art de gouverner a été lié, je crois, à l'émergence du problème de
la population. Ou disons encore qu'on a un processus assez subtil, qu'il
faudrait essayer de restituer en détail, dans lequel on verrait comment la
science du gouvernement, le recentrement de l'économie sur autre chose
que la famille et, enfin, le problème de la population sont liés les uns
aux autres. C'est à travers le développement de la science du gouvernement que l'économie a pu se recentrer sur un certain niveau de réalité
que nous caractérisons maintenant comme économique, et c'est toujours
à travers le développement de la science du gouvernement qu'on a pu
découper le problème spécifique de la population. Mais on pourrait dire
aussi bien que c'est grâce à la perception des problèmes spécifiques de la
population et grâce à l'isolement de ce niveau de réalité qu'on appelle
l'économie, que le problème du gouvernement a pu enfin être pensé,
réfléchi et calculé hors du cadre juridique de la souveraineté. Et cette
même statistique qui, dans le cadre du mercantilisme, n'avait jamais pu
fonctionner qu'à l'intérieur et, en quelque sorte, au bénéfice d'une administration monarchique fonctionnant elle-même dans la forme de la souveraineté, cette même statistique va devenir le facteur technique principal,
ou un des facteurs techniques principaux, de ce déblocage.

Comment, en effet, le problème de la population va-t-il permettre le
déblocage de l'art de gouverner ? La perspective de la population, la réalité
des phénomènes propres à la population vont permettre d'écarter définitivement le modèle de la famille et de recentrer cette notion d'économie
sur quelque chose d'autre. En effet, cette statistique qui avait fonctionné
jusque-là à l'intérieur des cadres administratifs et, donc, du fonctionnement de la souveraineté, cette même statistique découvre et montre peu
à peu que la population a ses régularités propres : son nombre de morts,
son nombre de malades, ses régularités d'accidents. La statistique montre

également que la population comporte des effets propres à son agré-
gation et que ces phénomènes sont irréductibles à ceux de la famille : 
ça va être les grandes épidémies, les expansions endémiques, la spirale 
du travail et de la richesse. La statistique montre [encore] que, par ses 
déplacements, par ses manières de faire, par son activité, la population a 
des effets économiques spécifiques. La statistique, permettant de quantifier les phénomènes propres à la population, en fait apparaître la spécificité irréductible [au] petit cadre de la famille. Sauf un certain nombre de 
thèmes résiduels, qui peuvent bien être des thèmes moraux et religieux, 
la famille comme modèle du gouvernement va disparaître.

En revanche, ce qui va apparaître à ce moment-là, c'est la famille comme 
élément à l'intérieur de la population et comme relais fondamental pour 
gouverner celle-ci. Autrement dit, l'art de gouverner, jusqu'à la problématique de la population, ne pouvait se penser qu'à partir du modèle de 
la famille, à partir de l'économie entendue comme gestion de la famille. 
À partir du moment où, au contraire, la population va apparaître comme 
étant absolument irréductible à la famille, du coup la famille passe au 
niveau inférieur par rapport à la population ; elle apparaît comme élément 
à l'intérieur de la population. Elle n'est donc plus un modèle ; elle est 
un segment, segment simplement privilégié parce que, lorsqu'on voudra 
obtenir quelque chose de la population quant au comportement sexuel, 
quant à la démographie, au nombre d'enfants, quant à la consommation, 
c'est bien par la famille qu'il faudra passer. Mais la famille, de modèle 
va devenir instrument, instrument privilégié pour le gouvernement des 
populations et non pas modèle chimérique pour le bon gouvernement. 
Ce déplacement de la famille du niveau de modèle au niveau de l'instrumentation est absolument fondamental. Et c'est bien, en effet, à partir du 
milieu du XVIIIe siècle que la famille apparaît dans cette instrumentalité 
par rapport à la population : ça va être les campagnes sur la mortalité, les 
campagnes concernant le mariage, les vaccinations, les inoculations, etc. 
Ce qui fait que la population permet le déblocage de l'art de gouverner, 
c'est donc qu'elle élimine le modèle de la famille.

Deuxièmement, la population va apparaître par excellence comme 
étant le but dernier du gouvernement, parce qu'au fond, quel peut-être le 
but de ce dernier ? Certainement pas de gouverner, mais d'améliorer le 
sort des populations, d'augmenter leurs richesses, leur durée de vie, leur 
santé. Et les instruments que le gouvernement va se donner pour obtenir 
ces fins qui sont, en quelque sorte, immanentes au champ de la population, ce sera essentiellement la population, en agissant sur elle directement par des campagnes ou encore, indirectement, par des techniques

qui vont permettre, par exemple, de stimuler, sans que les gens s'en aperçoivent trop, le taux de natalité, ou en dirigeant dans telle ou telle région, vers telle activité, les flux de population. La population apparaît donc, plutôt que la puissance du souverain, comme la fin et l'instrument du gouvernement: sujet de besoins, d'aspirations, mais aussi objet entre les mains du gouvernement. [Elle apparaît] comme consciente, en face du gouvernement, de ce qu'elle veut et inconsciente, aussi, de ce qu'on lui fait faire. L'intérêt comme conscience de chacun des individus constituant la population et l'intérêt comme intérêt de la population, quels que soient les intérêts et aspirations individuels de ceux qui la composent, c'est cela qui va être, dans son équivoque, la cible et l'instrument fondamental du gouvernement des populations. Naissance d'un art ou, en tout cas, de tactiques et de techniques absolument nouvelles.

Enfin, la population va être le point autour duquel va s'organiser ce qu'on appelait la «patience du souverain» dans les textes du XVIᵉ siècle. C'est-à-dire que la population va être l'objet dont le gouvernement devra tenir compte dans ses observations, dans son savoir, pour arriver effectivement à gouverner de façon rationnelle et réfléchie. La constitution d'un savoir de gouvernement est absolument indissociable de la constitution d'un savoir de tous les processus qui tournent autour de la population au sens large, ce qu'on appelle précisément l'«économie». Je vous disais la dernière fois que l'économie politique avait pu se constituer à partir du moment où, entre les différents éléments de la richesse, était apparu un nouveau sujet, qui était la population. Eh bien, c'est en saisissant ce réseau continu et multiple de rapports entre la population, le territoire, la richesse, que se constituera et une science que l'on appelle l'«économie politique» et, en même temps, un type d'intervention caractéristique du gouvernement, qui va être l'intervention sur le champ de l'économie et de la population. * Bref, le passage d'un art de gouverner à une science politique[33], le passage d'un régime dominé par les structures de souveraineté à un régime dominé par les techniques du gouvernement se fait au XVIIIᵉ siècle autour de la population et, par conséquent, autour de la naissance de l'économie politique.

En vous disant cela, je ne veux pas dire du tout que la souveraineté a cessé de jouer un rôle à partir du moment où l'art de gouverner a commencé à devenir science politique. Je dirai même au contraire que jamais le problème de la souveraineté ne s'est posé avec autant d'acuité qu'à

---

* Le manuscrit précise, p. 20: «Physiocrates: une science du gouvernement est une science des rapports entre les richesses et la population.»

ce moment-là, car il s'agissait précisément non plus, comme au XVIᵉ siècle ou au XVIIᵉ, d'essayer de déduire des théories de la souveraineté un art de gouverner, mais, étant donné qu'il y avait un art de gouverner, étant donné qu'il se déployait, de voir quelle forme juridique, quelle forme institutionnelle, quel fondement de droit on allait pouvoir donner à la souveraineté qui caractérise un État.

Lisez les deux textes de Rousseau, – le premier, chronologiquement, c'est-à-dire l'article «Économie politique» de l'*Encyclopédie*[34] –, et vous y voyez comment Rousseau pose le problème du gouvernement et de l'art de gouverner en enregistrant précisément ceci (le texte est très caractéristique de ce point de vue-là). Il dit : le mot «économie» désigne essentiellement la gestion par le père de famille des biens de la famille[35] ; mais ce modèle ne doit plus être accepté, même si l'on s'y est référé dans le passé. De nos jours, dit-il, nous savons bien que l'économie politique n'est plus l'économie familiale, et, sans se référer explicitement ni à la physiocratie, ni à la statistique, ni au problème général de la population, il enregistre bien cette coupure et le fait que «économie», «économie politique» a un sens tout à fait nouveau, qui ne doit plus être rabattu sur le vieux modèle de la famille[36]. Il se donne, en tout cas, dans cet article la tâche de définir un art du gouvernement. Puis il écrira le *Contrat social*[37] : ce sera précisément le problème de savoir comment, avec des notions comme celles de «nature», de «contrat», de «volonté générale», on peut donner un principe général de gouvernement qui fera place, à la fois, au principe juridique de la souveraineté et aux éléments par lesquels on peut définir et caractériser un art du gouvernement. Donc, la souveraineté n'est absolument pas éliminée par l'émergence d'un art nouveau de gouverner, un art de gouverner qui a maintenant franchi le seuil d'une science politique. Le problème de la souveraineté n'est pas éliminé ; au contraire, il est rendu plus aigu que jamais.

Quant à la discipline, elle non plus n'est pas éliminée. Bien sûr, son organisation, sa mise en place, toutes les institutions à l'intérieur desquelles elle avait fleuri au XVIIᵉ et au début du XVIIIᵉ siècle : les écoles, les ateliers, les armées, tout cela faisait corps [avec] et ne se comprend que par le développement des grandes monarchies administratives, mais jamais, non plus, la discipline n'a été plus importante et plus valorisée qu'à partir du moment où on essayait de gérer la population ; gérer la population ne voulant pas dire simplement gérer la masse collective des phénomènes ou les gérer au niveau, simplement, de leurs résultats globaux ; gérer la population, ça veut dire la gérer également en profondeur, la gérer en finesse et la gérer dans le détail.

Par conséquent, l'idée d'un gouvernement comme gouvernement de la population rend plus aigu encore le problème de la fondation de la souveraineté – et on a Rousseau – et plus aiguë encore la nécessité de développer les disciplines – et on a toute cette histoire des disciplines que j'ai essayé de raconter ailleurs [38]. De sorte qu'il faut bien comprendre les choses non pas du tout comme le remplacement d'une société de souveraineté par une société de discipline, puis d'une société de discipline par une société, disons, de gouvernement. On a, en fait, un triangle : souveraineté, discipline et gestion gouvernementale, une gestion gouvernementale dont la cible principale est la population et dont les mécanismes essentiels sont les dispositifs de sécurité. En tout cas, ce que je voulais vous montrer, c'était un lien historique profond entre le mouvement qui fait basculer les constantes de la souveraineté derrière le problème maintenant majeur des bons choix de gouvernement, le mouvement qui fait apparaître la population comme une donnée, comme un champ d'intervention, comme la fin des techniques de gouvernement, le mouvement [enfin] qui isole l'économie comme domaine spécifique de réalité et l'économie politique à la fois comme science et comme technique d'intervention du gouvernement dans ce champ de réalité\*. Ce sont ces trois mouvements, je crois : gouvernement, population, économie politique, dont il faut bien remarquer qu'ils constituent, à partir du XVIIIᵉ siècle, une série solide qui n'est certainement pas, encore aujourd'hui, dissociée.

J'ajouterai simplement encore un mot [… \*\*] Au fond, si j'avais voulu donner au cours que j'ai entrepris cette année un titre plus exact, ce n'est certainement pas « sécurité, territoire, population » que j'aurais choisi. Ce que je voudrais faire maintenant, si vraiment je voulais le faire, ce serait quelque chose que j'appellerais une histoire de la « gouvernementalité ». Par ce mot de « gouvernementalité », je veux dire trois choses. Par « gouvernementalité », j'entends l'ensemble constitué par les institutions, les procédures, analyses et réflexions, les calculs et les tactiques qui permettent d'exercer cette forme bien spécifique, quoique très complexe, de pouvoir qui a pour cible principale la population, pour forme majeure de savoir l'économie politique, pour instrument technique essentiel les dispositifs de sécurité. Deuxièmement, par « gouvernementalité », j'entends la tendance, la ligne de force qui, dans tout l'Occident, n'a pas cessé de conduire, et depuis fort longtemps, vers la prééminence de

---

\* Le manuscrit ajoute, p. 22 : « celui [le mouvement] qui va assurer la gestion des populations par un corps de fonctionnaires ».
\*\* Suivent quelques mots inintelligibles.

ce type de pouvoir qu'on peut appeler le «gouvernement» sur tous les autres: souveraineté, discipline, et qui a amené, d'une part, le développement de toute une série d'appareils spécifiques de gouvernement [et, d'autre part]\*, le développement de toute une série de savoirs. Enfin, par «gouvernementalité», je crois qu'il faudrait entendre le processus, ou plutôt le résultat du processus par lequel l'État de justice du Moyen Âge, devenu aux xvᵉ et xviᵉ siècles État administratif, s'est trouvé petit à petit «gouvernementalisé».

On sait quelle fascination exerce aujourd'hui l'amour ou l'horreur de l'État; on sait combien on s'attache à la naissance de l'État, à son histoire, à ses avancées, à son pouvoir, à ses abus. Cette survalorisation du problème de l'État, on la trouve essentiellement sous deux formes, je crois. Sous une forme immédiate, affective et tragique: c'est le lyrisme du monstre froid [39] en face de nous. Vous avez une seconde manière de survaloriser le problème de l'État – et sous une forme paradoxale, car elle est apparemment réductrice –, c'est l'analyse qui consiste à réduire l'État à un certain nombre de fonctions comme, par exemple, le développement des forces productives, la reproduction des rapports de production; et ce rôle réducteur de l'État par rapport à autre chose rend tout de même l'État absolument essentiel comme cible à attaquer et, vous le savez bien, comme position privilégiée à occuper. Or l'État, pas plus actuellement sans doute que dans le cours de son histoire, n'a eu cette unité, cette individualité, cette fonctionnalité rigoureuse et je dirais même cette importance. Après tout, l'État n'est peut-être qu'une réalité composite et une abstraction mythifiée dont l'importance est beaucoup plus réduite qu'on ne le croit. Peut-être. Ce qu'il y a d'important pour notre modernité, c'est-à-dire pour notre actualité, ce n'est donc pas l'étatisation de la société, c'est ce que j'appellerais plutôt la «gouvernementalisation» de l'État.

Nous vivons dans l'ère de la gouvernementalité, celle qui a été découverte au xviiiᵉ siècle. Gouvernementalisation de l'État qui est un phénomène particulièrement retors, puisque, si effectivement les problèmes de la gouvernementalité, les techniques de gouvernement sont devenus réellement le seul enjeu politique et le seul espace réel de la lutte et des joutes politiques, cette gouvernementalisation de l'État a tout de même été le phénomène qui a permis à l'État de survivre. Et il est vraisemblable que si l'État existe tel qu'il existe maintenant, c'est grâce, précisément, à cette gouvernementalité qui est à la fois extérieure et intérieure à l'État, puisque ce sont les tactiques de gouvernement qui, à chaque instant,

---

\* M. F.: le développement aussi

permettent de définir ce qui doit relever de l'État et ce qui ne doit pas en relever, ce qui est public et ce qui est privé, ce qui est étatique et ce qui est non étatique. Donc, si vous voulez, l'État dans sa survie et l'État dans ses limites ne doivent se comprendre qu'à partir des tactiques générales de la gouvernementalité.

Et peut-être pourrait-on, d'une façon tout à fait globale, grossière et, par conséquent, inexacte, reconstituer ainsi les grandes formes, les grandes économies de pouvoir en Occident de la manière suivante : d'abord, l'État de justice, né dans une territorialité de type féodal et qui correspondrait en gros à une société de la loi – lois coutumières et lois écrites –, avec tout un jeu d'engagements et de litiges ; deuxièmement, l'État administratif, né dans une territorialité de type frontalier et non plus féodal, aux xvᵉ et xvıᵉ siècles, cet État administratif qui correspond à une société de règlements et de disciplines ; et enfin, un État de gouvernement qui n'est plus essentiellement défini par sa territorialité, par la surface occupée, mais par une masse : la masse de la population, avec son volume, sa densité, avec, bien sûr, le territoire sur lequel elle est étendue, mais qui n'en est en quelque sorte qu'une composante. Et cet État de gouvernement, qui porte essentiellement sur la population et qui se réfère [à] et utilise l'instrumentation du savoir économique, correspondrait à une société contrôlée par les dispositifs de sécurité.

Voilà, si vous voulez, quelques propos sur la mise en place de ce phénomène, que je crois important, de la gouvernementalité. J'essaierai maintenant de vous montrer comment cette gouvernementalité est née, [premièrement], à partir d'un modèle archaïque qui a été celui de la pastorale chrétienne, deuxièmement, en prenant appui sur un modèle, ou plutôt sur une technique diplomatico-militaire, et enfin, troisièmement, comment cette gouvernementalité n'a pu prendre les dimensions qu'elle a que grâce à une série d'instruments bien particuliers, dont la formation est contemporaine précisément de l'art de gouverner, et que l'on appelle au sens ancien du terme, celui du xvııᵉ et du xvıııᵉ siècle, la police. La pastorale, la nouvelle technique diplomatico-militaire et, enfin, la police, je crois que ça a été les trois grands points d'appui à partir desquels a pu se produire ce phénomène fondamental dans l'histoire de l'Occident, qui a été la gouvernementalisation de l'État.

NOTES

\* Une première transcription de ce cours a été publiée dans la revue italienne *Aut-Aut*, n° 167-168, sept.-déc. 1978, reproduite dans *Actes*, n° spéc. 54: *Foucault hors les murs*, été 1986, p. 6-15, et reprise en l'état, selon la règle que s'étaient fixée les éditeurs, in *DE*, III, n° 239, p. 635-657, sous le titre «La "gouvernementalité"». Notre édition a été entièrement révisée à partir des enregistrements et du manuscrit.

1. Sur cette tradition des «miroirs des princes», cf. P. Hadot, «Fürstenspiegel», in *Reallexikon für Antike und Christentum*, t. 8, s. dir. Th. Klauser, Stuttgart, A. Heisemann, 1972, col. 555-632.

2. N. Machiavelli, *Il Principe* (1513), Rome, B. Di Giunta (impr.), 1532.

3. A. W. Rehberg, *Das Buch vom Fürsten von Niccolo Macchiavelli*, übersetzt und mit Einleitung und Anmerkungen begleitet, Hanovre, bei den Gebrüdern Hahn, 1810 (2ᵉ éd. Hanovre, in der Hahnschen Hofbuchhandlung, 1824). Cf. S. Bertelli & P. Innocenti, *Bibliografia machiavelliana*, Vérone, Edizioni Valdonega, 1979, p. 206 et 221-223.

4. Heinrich Leo publia en 1826 la première traduction allemande des lettre familières de Machiavel, précédée d'une introduction (*Die Briefe des Florentinischen Kanzlers und Geschichtsschreiber Niccolò di Bernardo dei Machiavelli an seine Freunde*, aus dem Italianischen übersetzt von Dr. H. Leo, 2ᵉ éd. Berlin, bei Ferdinand Dümmler, 1828). Cf. G. Procacci, *Machiavelli nella cultura europea dell'eta moderna*, Bari, Laterza, 1995, p. 385-386; S. Bertelli & P. Innocenti, *op. cit.*, p. 227-228.

5. Leopold von Ranke (1795-1886), *Zur Kritik neuerer Geschichtsschreiber*, Leipzig & Berlin, G. Reimer, 1824, p. 182-202. Ranke, dans cet ouvrage, ne consacre qu'un «bref, mais substantiel» appendice à Machiavel (Procacci). Sur son importance, cf. P. Villari, *Niccolò Machiavelli e i suoi tempi*, Milan, U. Hoepli, 1895, t. II, p. 463 *sq.*; G. Procacci, *op. cit.*, p. 383-384: «Ranke fut le premier, après Fichte, parmi les interprètes allemands (n'oublions pas que les pages hégéliennes de l'essai *Über Verfassung Deutschlands* étaient encore inédites) à poser de façon conséquente le problème de l'unité de l'œuvre machiavélienne et à chercher à le résoudre sur une base purement historique.» Cf. également Friedrich Meinecke (1795-1815), *Die Idee der Staatsräson in der neueren Geschichte*, Munich-Berlin, R. Oldenbourg, 1924 / *L'Idée de la raison d'État dans l'histoire des temps modernes*, trad. M. Chevallier, Genève, Droz, 1973, p. 343: «[...] ce fut l'un des jugements les plus riches de pensée et les plus féconds qui aient été écrits sur Machiavel. Il ouvrit ainsi la voie à tous ses successeurs. Il y ajouta cinquante ans plus tard des compléments qui mirent en lumière son attitude devant le machiavélisme, alors que la première édition s'en était tenue à un exposé purement historique où le jugement moral était à peine effleuré.» Cette seconde édition, parue en 1874, est reproduite dans les *Sämtliche Werke*, Leipzig, 1877, XXXIII-XXXIV, p. 151 *sq.*

6. Cet auteur n'est cité dans aucune bibliographie. On ne trouve pas trace de son nom dans l'article de A. Elkan, «Die Entdeckung Machiavellis in Deutschland zu Beginn des 19. Jahrhunderts», *Historische Zeitschrift*, 119, 1919, p. 427-458.

7. Angelo Ridolfi, *Pensieri intorno allo scopo di Niccolò Machiavelli nel libro Il Principe*, Milan, 1810. Cf. G. Procacci, *Machiavelli nella cultura europea...*, p. 374-377.

8. Et non pas « aux États-Unis »... comme dans l'édition *Aut-Aut* de ce texte (*DE*, III, p. 637).

9. Congrès réuni à Vienne, de novembre 1814 à juin 1815, afin d'établir une paix durable après les guerres napoléoniennes et de redessiner la carte politique de l'Europe. Ce fut le plus important congrès européen réuni depuis celui de Westphalie (1648). Cf. *infra*, p. 337, note 9.

10. Lancellotto Politi (entré dans l'ordre dominicain en 1517 sous le nom d'Ambrogio Catarino); *Enarrationes R. P. F. Ambrossi Catharini Politi Senensis Archiepiscopi campani in quinque priora capita libri Geneses. Adduntur plerique alii tractatus et quaestiones rerum variarum*, Romae, apud Antonium Bladum Camerae apostolicae typographum, 1552 (selon Luigi Firpo, « La prima condanna del Machiavelli », Università degli Studi di Torino, *Annuario dell'anno accademico 1966-67*, Turin, 1967, p. 28, l'ouvrage pourrait avoir été imprimé dès 1548). Le paragraphe intitulé « Quam execrandi Machiavelli discursus & institutio sui principis » (p. 340-344), dans ce livre, suit immédiatement celui dans lequel l'auteur traite « de libris a Christiano detestandis & a Christianismo penitus eliminandis » (p. 339) – non seulement les ouvrages païens, mais aussi ceux de leurs imitateurs, tels Pétrarque et Boccace (cf. G. Procacci, *Machiavelli nella cultura europea...*, p. 89-91).

11. I. Gentillet, *Discours sur les moyens de bien gouverner et maintenir en bonne paix un Royaume ou autre Principauté, divisez en trois parties à savoir du Conseil, de la Religion et Police, que doit tenir un Prince. Contre Nicolas Machiavel Florentin*, s.l. [Genève], 1576; rééd. sous le titre *Anti-Machiavel*, commentaires et notes de C. E. Rathé, Genève, Droz (« Les Classiques de la pensée politique »), 1968 (cf. C. E. Rathé, « Innocent Gentillet and the first "Antimachiavel" », *Bibliothèque d'Humanisme et Renaissance*, XXVII, 1965, p. 186-225). Gentillet (v. 1535-1588) était un jurisconsulte huguenot, réfugié à Genève après la Saint-Barthélemy. Son livre connut vingt-quatre éditions entre 1576 et 1655 (dix en français, huit en latin, deux en anglais, une en hollandais et trois en allemand). Le titre cité par Foucault (*Discours d'Estat...*) correspond à l'édition de Leyde, parue en 1609.

12. Frédéric II, *Anti-Machiavel*, La Haye, 1740 (il s'agit de la version remaniée par Voltaire de la *Réfutation du Prince* de Machiavel écrite en 1739 par le jeune prince-héritier et dont le texte ne sera publié qu'en 1848); rééd. Paris, Fayard (« Corpus des œuvres de philosophie en langue française »), 1985.

13. La première édition du livre de Thomas Elyot, *The Boke Named the Governour*, paru à Londres, date en fait de 1531; éd. critique par D. W. Rude, New York, Garland, 1992.

14. Paolo Paruta, *Della perfettione della vita politica*, Venise, D. Nicolini, 1579.

15. Guillaume de La Perrière (1499?-1553?), *Le Miroire politique, œuvre non moins utile que necessaire à tous monarches, roys, princes, seigneurs, magistrats, et autres surintendants et gouverneurs de Republicques*, Lyon, Macé Bonhomme, 1555; 2e et 3e éd. Paris, 1567 (la première chez V. Norment et J. Bruneau, la seconde chez chez Robert Le Mangnier; éd. anglaise, *The Mirror of Police*, Londres, Adam Islip, 1589 et 1599). Cf. G. Dexter, « Guillaume de La Perrière », *Bibliothèque d'Humanisme et Renaissance*, XVII (1), 1955, p. 56-73; E. Sciacca, « Forme di governo e forma della società nel *Miroire Politicque* di Guillaume de La Perrière », *Il Pensiero politico*, XXII, 1989, p. 174-197. L'ouvrage, posthume, pourrait avoir été rédigé en 1539, à l'instance des *Capitolz* de Toulouse, qui demandèrent à l'auteur de « rediger en un volume, mettre en ordre condecent, illustrer et enrichir

les ordonnances et statutz municipaux, concernans le fait du gouvernement politicque» (3ᵉ dédicace, p. 9).

16. Toute la fin de cette phrase, depuis «et quel que soit le goût», manque dans l'édition *Aut-Aut* du texte.

17. Titre de la première édition parisienne de 1567 : *Le Miroir politique, contenant diverses manières de gouverner & policer les Republiques qui sont, & ont esté par cy-devant*, à laquelle renvoient les citations de M. Foucault. Cf. *supra*, note 15.

18. G. de La Perrière, *op. cit., fol.* 23r.

19. François de La Mothe Le Vayer (1588-1672), *L'Œconomique du Prince*, Paris, A. Courbé, 1653 ; rééd. in *Œuvres*, t. I, partie II, Dresde, Michel Groell, 1756, p. 287-288 : «La morale, qui est la science des mœurs, se divise en trois parties. Dans la première, qui se nomme éthique ou morale par excellence, et sur laquelle votre Majesté s'est déjà entretenue, nous apprenons à nous gouverner nous-mêmes par les règles de la raison. Il y a deux autres parties qui suivent naturellement celle-là, dont l'une est l'œconomique et l'autre la politique. Cet ordre est fort naturel, puisque c'est une chose du tout nécessaire qu'un homme sache se gouverner soi-même devant que de commander aux autres, soit comme père de famille, ce qui est de l'œconomie, soit comme souverain, magistrat ou ministre d'État, ce qui regarde la politique.» Cf. également le prologue de *La Politique du Prince*, in *Œuvres*, p. 299 : «Après les deux premières parties de la morale, dont l'une enseigne à se régler soi-même et l'autre à être bon économe, c'est-à-dire à conduire une famille comme il faut, la troisième partie suit, qui est la politique, ou la science de bien gouverner.» Ces écrits, composés de 1651 à 1658, sont regoupés, dans l'édition des *Œuvres* de Le Vayer, sous le titre: *Sciences dont la connaissance peut devenir utile au Prince*. Ils forment la suite de l'Instruction de Monseigneur le Dauphin, qui date de 1640. Cf. N. Choublier-Myskowski, *L'Éducation du prince au XVIIᵉ siècle d'après Heroard et La Mothe Le Vayer*, Paris, Hachette, 1976.

20. F. de La Mothe Le Vayer, *La Géographie et la Morale du Prince*, Paris, A. Courbé, 1651 (*Œuvres*, t. I, partie II, p. 3-174, pour le premier traité, et p. 239-286 pour le second); *L'Œconomique du Prince. La Politique du Prince*, Paris, A. Courbé, 1653 (*Œuvres, ibid.*, p. 287-298, pour le premier traité, et p. 299-360 pour le second).

21. Jean-Jacques Rousseau, *Discours sur l'économie politique* (1755), in *Œuvres complètes*, t. 3, Paris, Gallimard («Bibliothèque de la Pléiade»), 1964, p. 241: «Économie ou œconomie, ce mot vient de οἶκος, maison, et de νόμος, loi, et ne signifie originairement que le sage et légitime gouvernement de la maison, pour le bien commun de toute la famille.»

22. *Ibid.*: «Le sens de ce terme a été dans la suite étendu au gouvernement de la grande famille, qui est l'État.» Rousseau précise, quelques lignes plus bas, que «les règles de conduite propres à l'une de ces sociétés» ne sauraient être «convenables à l'autre: elles diffèrent trop en grandeur pour pouvoir être administrées de la même manière, et il y aura toujours une extrême différence entre le gouvernement domestique, où le père peut tout voir par lui-même, et le gouvernement civil, où le chef ne voit presque rien que par les yeux d'autrui». Cf. *infra*, note 36.

23. Cf. François Quesnay (1694-1774), *Maximes générales du gouvernement économique d'un royaume agricole*, in Du Pont de Nemours, ed., *Physiocratie ou Constitution naturelle du Gouvernement le plus avantageux au genre humain*, Paris, Merlin, 1768, p. 99-122; rééd. in *F. Quesnay et la physiocratie*, t. 2, p. 949-976. Cf. *supra*, p. 88, note 40.

24. G. de La Perrière, *Le Miroir politique,* f. 23r : « Gouvernement est droicte disposition des choses, desquelles on prent charge pour les conduire jusques à fin convenable. »

25. Sur l'utilisation classique de cette métaphore, cf. Platon, *Eutyphron,* 14b, *Protagoras,* 325c, *République,* 389d, 488a-489d, 551c, 573d, *Politique,* 296e-297a, 297e, 301d, 302a, 304a, Lois, 737a, 942b, 945c, 961c, etc. (cf. P. Louis, *Les Métaphores de Platon,* Paris, Les Belles Lettres, 1945, p. 156) ; Aristote, *Politique,* III, 4, 1276b, 20-30 ; Cicéron, *Ad Atticum,* 10, 8, 6, *De republica,* 3, 47 ; Thomas d'Aquin, *De regno,* I, 2, II, 3. Foucault revient, dans la leçon suivante (*infra,* p. 127), sur cette métaphore navale à partir de l'*Œdipe roi* de Sophocle.

26. Frédéric II, *Anti-Machiavel,* commentaire du chapitre 5 du *Prince,* éd. Amsterdam, 1741, p. 37-39. M. Foucault utilise vraisemblablement l'édition Garnier du texte, publiée à la suite du *Prince* de Machiavel par R. Naves en 1941, p. 117-118 (cf. également l'édition critique de l'ouvrage par C. Fleischauer, in *Studies on Voltaire and the Eighteenth Century,* Genève, E. Droz, 1958, vol. V, p. 199-200). La paraphrase faite par Foucault, toutefois, comporte une inexactitude : Frédéric II ne dit pas que la Russie est faite de marécages, etc., mais de terres « fertiles en blés ».

27. Samuel von Pufendorf (1632-1694), *De officio hominis et civis iuxta Legem naturalem,* ad Junghans, Londini Scanorum, 1673, livre II, ch. II, § 3 / *Les Devoirs de l'homme et du citoyen tels qu'ils sont prescrits par la loi naturelle,* trad. J. Barbeyrac, 4e éd. Amsterdam, chez Pierre de Coup, 1718, t. 1, p. 361-362 : « Le bien du peuple est la souveraine loi : c'est aussi la maxime générale que les Puissances doivent avoir incessamment devant les yeux, puisqu'on ne leur a conféré l'autorité souveraine qu'afin qu'elles s'en servent pour procurer et maintenir l'utilité publique qui est le but naturel de l'établissement des sociétés civiles. Un souverain ne doit donc rien tenir pour avantageux à lui-même, s'il ne l'est aussi à l'État » ; cf. également *De jure naturae et gentium,* Lund, sumptibus A. Junghaus, 1672, VII, IX, § 3 / *Le Droit de la nature et des gens, ou Système général des principes les plus importants de la Morale, de la Jurisprudence et de la Politique,* trad. J. Barbeyrac, Amsterdam, H. Schelte & J. Kuyper, 1706.

28. G. de La Perrière, *Le Miroir politique,* f. 23r : « Tout gouverneur de Royaume ou Republique doit avoir en soy, necessairement sagesse, patience, & diligence. »

29. *Ibid.,* f. 23v : « Aussi tout gouverneur doit avoir patience, à l'exemple du Roy des mousches à miel, qui n'a point d'esguillon, en quoy nature a voulu montrer mystiquement, que les Rois & gouverneurs de Republique doivent envers leurs subjets user beaucoup plus de clemence que de severite, & d'équité que de rigueur. »

30. *Ibid.* : « Que doit avoir un bon gouverneur de Republique ? Il doit avoir extreme diligence au gouvernement de sa cité, & si le bon pere de famille (pour estre dict bon econome, c'est à dire mesnager) doit estre en sa privee maison le premier levé, & le dernier couché, que doit faire le gouverneur de la cité, en laquelle il y a plusieurs maisons ? & le Roy, au Royaume duquel il y a plusieurs citez ? »

31. Sur l'histoire de la statistique, cf. l'ouvrage classique de V. John, *Geschichte der Statistik,* Suttgart, F. Encke, 1884, dont la référence figure dans les notes de M. Foucault. Peut-être connaissait-il également le volume publié par l'INSEE, *Pour une histoire de la statistique,* t. 1, Paris, 1977 (rééd. Paris, Éd. Economica/INSEE, 1987).

32. Cf. par exemple Richelieu, *Testament politique,* Amsterdam, H. Desbordes, 1688 ; éd. L. André, Paris, R. Laffont, 1947, p. 279 : « Les familles particulières sont les vrais modèles des Républiques. »

33. Cf. le sous-titre du livre de P. Schiera sur le caméralisme (*Il Cameralismo e l'assolutismo tedesco*, Milan, A. Giuffrè, 1968): *Dall'Arte di Governo alle Scienze dello Stato*. Foucault ne cite jamais ce livre, qui a fait date dans l'histoire récente de la *Polizeiwissenschaft*, mais il est probable qu'il en avait une connaissance au moins indirecte, *via* P. Pasquino, alors très proche de lui. M. Foucault revient sur le mot « science », qu'il récuse alors, au début de la leçon suivante.

34. Cf. *supra*, note 21.

35. Cf. *ibid.*

36. *Discours sur l'économie politique*, éd. citée, p. 241 et 244 : « [...] comment le gouvernement de l'État pourrait-il être semblable à celui de la famille dont le fondement est si différent ? [...] De tout ce que je viens d'exposer, il s'ensuit que c'est avec raison qu'on a distingué l'économie publique de l'économie particulière, et que l'État n'ayant rien de commun avec la famille que l'obligation qu'ont les chefs de rendre heureux l'un et l'autre, les mêmes règles de conduite ne sauraient convenir à tous les deux. »

37. *Du Contract social, ou Principe du droit politique*, Amsterdam, M. Rey, 1762.

38. Cf. *Surveiller et Punir, op. cit.*

39. Cette expression de Nietzsche (*Ainsi parlait Zarathoustra*, Ire partie, « La nouvelle idole », trad. G. Bianqui, Paris, Aubier, 1946, p. 121 : « L'État, c'est le plus froid de tous les monstres froids *[das kälteste aller kalten Ungeheuer]*. Il est froid même quand il ment ; et voici le mensonge qui s'échappe de sa bouche : "Moi, l'État, je suis le peuple" ») est fréquemment reprise dans le discours anarchiste.

# LEÇON DU 8 FÉVRIER 1978

*Pourquoi étudier la gouvernementalité ? – Le problème de l'État et de la population. – Rappel du projet général : triple déplacement de l'analyse par rapport (a) à l'institution, (b) à la fonction, (c) à l'objet. – Enjeu du cours de cette année. – Éléments pour une histoire de la notion de « gouvernement ». Son champ sémantique du XIIIᵉ au XVᵉ siècle. – L'idée de gouvernement des hommes. Ses sources : (A) L'organisation d'un pouvoir pastoral en Orient pré-chrétien et chrétien. (B) La direction de conscience. – Première esquisse du pastorat. Ses traits spécifiques : (a) il s'exerce sur une multiplicité en mouvement ; (b) c'est un pouvoir fondamentalement bienfaisant qui a pour objectif le salut du troupeau ; (c) c'est un pouvoir qui individualise. Omnes et singulatim. Le paradoxe du berger. – L'institutionnalisation du pastorat par l'Église chrétienne.*

Je vais vous demander de me pardonner parce que je vais être aujourd'hui encore un peu plus vaseux que d'habitude. J'ai la grippe, ça ne va pas très bien. Ça m'embêtait tout de même, j'avais un peu scrupule à vous laisser venir comme ça pour vous dire au dernier moment que vous pouviez repartir. Alors, je vais parler autant que je pourrai, mais vous pardonnerez aussi bien la quantité que la qualité.

Je voudrais maintenant commencer à parcourir un peu la dimension de ce que j'avais appelé de ce vilain mot de « gouvernementalité » *. À supposer donc que « gouverner », ce ne soit pas la même chose que « régner », ce ne soit pas la même chose que « commander » ou « faire la loi » ** ; à supposer que gouverner ce ne soit pas la même chose qu'être souverain, être suzerain, être seigneur, être juge, être général, être propriétaire, être maître, être professeur ; à supposer donc qu'il y ait une spécificité de ce que c'est que gouverner, il faudrait maintenant savoir un petit peu quel est le type de pouvoir que recouvre cette notion. Analyser

---

\* Entre guillemets dans le manuscrit.
\*\* Ces trois verbes ou locution sont entre guillemets dans le manuscrit.

en somme ces relations de pouvoir qui sont visées au XVIᵉ siècle dans ces arts de gouverner dont je vous avais parlé, qui sont visées également dans la théorie et la pratique mercantilistes du XVIIᵉ siècle, qui sont visées enfin – et qui arrivent là peut-être à un certain seuil, j'avais dit la dernière fois, je crois : de science [1], je crois que le mot est tout à fait mauvais et catastrophique, disons à un certain niveau de compétence politique –. et donc qui sont visées dans la doctrine, en gros, physiocratique du « gouvernement économique [2] » *.

Première question : pourquoi vouloir étudier ce domaine finalement inconsistant, brumeux, recouvert par une notion aussi problématique et artificielle que celle de « gouvernementalité » ? Ma réponse sera, immédiatement et bien sûr, celle-ci : pour aborder le problème de l'État et de la population. Deuxième question aussitôt : tout ça, c'est très gentil, mais l'État et la population on sait ce que c'est, ou en tout cas on croit savoir ce que c'est. La notion d'État, la notion de population ont leur définition, leur histoire. Le domaine auquel se réfèrent ces notions est, en gros, à peu près connu, ou en tout cas s'il a une part immergée ou obscure, il en a une autre qui est visible. Dès lors, puisqu'il s'agit d'étudier ce domaine au mieux, ou au pire, semi-obscur de l'État et de la population, pourquoi vouloir l'aborder à travers une notion qui, elle, est totalement et entièrement obscure, celle de « gouvernementalité » ? Pourquoi attaquer le fort et le dense avec le faible, le diffus et le lacunaire ?

Eh bien, la raison, je vous la dirai en deux mots et en rappelant un projet un peu plus général. Quand les années précédentes on parlait des disciplines, à propos de l'armée, des hôpitaux, des écoles, des prisons, parler des disciplines c'était, au fond, vouloir opérer un triple déplacement, passer, si vous voulez, à l'extérieur, et de trois façons. Premièrement, passer à l'extérieur de l'institution, se décentrer par rapport à la problématique de l'institution, à ce qu'on pourrait appeler l'« institutionnalocentrisme ». Prenons l'exemple de l'hôpital psychiatrique. Bien sûr, on peut partir de ce qu'est l'hôpital psychiatrique, dans sa donnée, dans sa structure, dans sa densité institutionnelle, essayer d'en retrouver les structures internes, repérer la nécessité logique de chacune des pièces qui le constituent, montrer quel type de pouvoir médical s'y organise, comment s'y développe un certain savoir psychiatrique. Mais on peut – et là je me réfère très précisément à l'ouvrage évidemment fondamental, essentiel, à lire à tout prix, de Robert Castel sur *L'Ordre psychiatrique* [3] –, on peut procéder de l'extérieur, c'est-à-dire montrer comment l'hôpital comme

---

* Entre guillemets dans le manuscrit.

institution ne peut se comprendre qu'à partir de quelque chose d'extérieur et de général qui est l'ordre psychiatrique, dans la mesure même où celui-ci s'articule sur un projet absolument global, visant la société tout entière et qu'on peut appeler, en gros, l'hygiène publique[4]. On peut montrer, et c'est ce qu'a fait Castel, comment l'institution psychiatrique concrétise, intensifie, densifie un ordre psychiatrique qui a essentiellement pour enracinement la définition d'un régime non contractuel pour les individus minorisés[5]. Et enfin, on peut montrer comment cet ordre psychiatrique coordonne par lui-même tout un ensemble de techniques diverses qui concernent aussi bien l'éducation des enfants, l'assistance aux pauvres, l'institution du patronage ouvrier[6]. Une méthode comme celle-là consiste à passer derrière l'institution pour essayer de retrouver, derrière elle et plus globalement qu'elle, en gros ce qu'on peut appeler une technologie de pouvoir. Par là même, cette analyse permet de substituer à l'analyse génétique par filiation une analyse généalogique, – il ne faut pas confondre la genèse et la filiation avec la généalogie –, une analyse généalogique qui reconstitue tout un réseau d'alliances, de communications, de points d'appui. Donc, premier principe de méthode : passer hors de l'institution pour lui substituer le point de vue global de la technologie de pouvoir[7].

Deuxièmement, deuxième décalage, deuxième passage à l'extérieur, par rapport à la fonction. Soit, par exemple, le cas de la prison. On peut bien sûr faire l'analyse de la prison à partir des fonctions escomptées, des fonctions qui ont été définies comme les fonctions idéales de la prison, la manière optimale d'exercer ces fonctions – ce qu'avait fait en gros Bentham dans son *Panoptique*[8] –, et puis, à partir de là, voir quelles ont été les fonctions réellement assurées par la prison, et établir historiquement un bilan fonctionnel du plus et du moins, enfin en tout cas de ce qui était visé et de ce qui, de fait, a été atteint. Mais en étudiant la prison par le biais des disciplines, il s'agissait, là encore, de court-circuiter, ou plutôt de passer à l'extérieur par rapport à ce point de vue fonctionnel et de replacer la prison dans une économie générale de pouvoir. Et alors, du coup, on s'aperçoit que l'histoire réelle de la prison n'est sans doute pas commandée par les succès et échecs de sa fonctionnalité, mais qu'en fait elle s'inscrit dans des stratégies et des tactiques qui prennent appui jusque sur ses déficits fonctionnels eux-mêmes. Donc : substituer au point de vue intérieur de la fonction le point de vue extérieur des stratégies et tactiques.

Enfin, troisième décentrement, troisième passage à l'extérieur, c'est par rapport à l'objet. Prendre le point de vue des disciplines, c'était se refuser de se donner un objet tout fait, que ce soit la maladie mentale,

la délinquance, la sexualité. C'était refuser de vouloir mesurer les institutions, les pratiques et les savoirs à l'aune et à la norme de cet objet
tout donné. Il s'agissait au contraire de saisir le mouvement par lequel se
constituait, au travers de ces technologies mouvantes, un champ de vérité
avec des objets de savoir. On peut dire sans doute que la folie « n'existe
pas »[9]*, mais ça ne veut pas dire qu'elle ne soit rien. Il s'agissait en somme
de faire l'inverse de ce que la phénoménologie nous avait appris à dire
et à penser, la phénoménologie qui en gros disait : la folie existe, ce qui
ne veut pas dire que ce soit quelque chose[10].

En somme, le point de vue pris dans toutes ces études consistait à
essayer de dégager les relations de pouvoir par rapport à l'institution,
pour les analyser [sous l'angle]** des technologies, les dégager aussi par
rapport à la fonction, pour les reprendre dans une analyse stratégique,
et les déprendre par rapport au privilège de l'objet pour essayer de les
replacer du point de vue de la constitution des champs, domaines et objets
de savoir. Si ce triple mouvement de passage à l'extérieur a été tenté à
propos des disciplines, c'est un petit peu cela, au fond, c'est cette possibilité que je voudrais explorer maintenant par rapport à l'État. Est-ce que
l'on peut passer à l'extérieur de l'État comme on a pu – et, après tout,
comme il était assez facile de passer à l'extérieur par rapport à ces différentes institutions ? Est-ce qu'il y a, par rapport à l'État, un point de vue
englobant comme le point de vue des disciplines l'était par rapport aux
institutions locales et définies ? Je crois que cette question, ce type de
question ne peut pas ne pas être posé, ne serait-ce que comme résultat,
nécessité impliquée par cela même que je viens de dire à l'instant. Car
après tout, ces technologies générales de pouvoir qu'on a essayé de reconstituer en passant hors institution, est-ce que finalement elles ne relèvent
pas d'une institution globale, d'une institution totalisante qui est, précisément, l'État ? Est-ce que, à sortir de ces institutions locales, régionales,
ponctuelles que sont les hôpitaux, les prisons, les familles, on n'est pas
renvoyé, tout simplement, à une autre institution, de sorte qu'on ne sor-
tirait de l'analyse institutionnelle que pour être sommé d'entrer dans un
autre type d'analyse institutionnelle, ou un autre registre, ou un autre
niveau de l'analyse institutionnelle, celui où précisément il serait question
de l'État ? Parce que c'est très bien de faire valoir l'enfermement, par
exemple, comme procédure générale qui a enveloppé l'histoire de la
psychiatrie. Est-ce que, après tout, l'enfermement n'est pas typiquement

---

* Entre guillemets dans le manuscrit.
** M. Foucault répète : du point de vue

une opération étatique, ou relevant en gros de l'action de l'État ? On peut bien dégager les mécanismes disciplinaires des lieux où on essaie de les faire jouer, comme les prisons, les ateliers, l'armée. Est-ce que ce n'est pas l'État qui est finalement responsable en dernière instance de leur mise en œuvre générale et locale ? La généralité extra-institutionnelle, la généralité non fonctionnelle, la généralité non objective à laquelle atteignent les analyses dont je vous parlais tout à l'heure, eh bien, il se pourrait qu'elle nous mette en présence de l'institution totalisatrice de l'État. *

Alors l'enjeu de ce cours que je voudrais faire cette année, ça serait en somme celui-ci. Tout comme pour examiner les relations entre raison

---

* En raison, sans doute, de la fatigue invoquée plus haut, M. Foucault renonce ici à exposer tout un développement, p. 8 à 12 du manuscrit :

« De là la seconde raison de poser la question de l'État : Est-ce que la méthode qui consiste à analyser des pouvoirs localisés en termes de procédures, techniques, technologies, tactiques, stratégies, n'est pas simplement une manière de passer d'un niveau à l'autre, du micro au macro ? Et par conséquent, elle n'aurait de valeur que provisoire : le temps de ce passage ? Il est vrai qu'aucune méthode ne doit être en elle-même un enjeu. Une méthode doit être faite pour qu'on s'en débarrasse. Mais il s'agit moins d'une méthode que d'un point de vue, d'une accommodation du regard, une manière de faire tourner le [support (?)] des choses par le déplacement de celui qui les observe. Or il me semble qu'un tel déplacement produit un certain nombre d'effets qui méritent, sinon d'être conservés à tout prix, du moins maintenus aussi longtemps qu'on pourra.

Ces effets quels sont-ils ?

a. À désinstitutionnaliser et défonctionnaliser les relations de pouvoir, on peut saisir leur généalogie : i.e. la manière dont elles se forment, se branchent, se développent, se démultiplient, se transforment à partir de tout autre chose qu'elles-mêmes : à partir de processus qui sont tout autre chose que des relations de pouvoir. Exemple de l'armée : On peut dire que la disciplinarisation de l'armée tient à son étatisation. On explique la transformation d'une structure de pouvoir dans une institution par l'intervention d'une autre institution de pouvoir. Le cercle sans extériorité. Alors que cette disciplinarisation [mise (?)] en relation, [non] avec la concentration étatique, mais avec le problème des populations flottantes, l'importance des réseaux commerciaux, les inventions techniques, les modèles *[plusieurs mots illisibles]* gestion de communauté, c'est tout ce réseau d'alliance, d'appui et de communication qui constitue la "généalogie" de la discipline militaire. Non la genèse : filiation. Si on veut échapper à la circularité qui renvoie l'analyse des relations de pouvoir d'une institution à une autre, c'est bien en les saisissant là où elles constituent des techniques ayant valeur opératoire dans des processus multiples.

b. À désinstitutionnaliser et défonctionnaliser les relations de pouvoir, on peut [voir] en quoi et pourquoi elles sont instables.

– Perméabilité à toute une série de processus divers. Les technologies de pouvoir ne sont pas immobiles : ce ne sont pas des structures rigides visant à immobiliser par leur immobilité même des processus vivants. Les technologies de pouvoir ne cessent de se modifier sous l'action de très nombreux facteurs. Et quand une institution craque, ce n'est pas forcément parce que le pouvoir qui la sous-tendait a été mis hors circuit. Ce peut être parce qu'elle est devenue incompatible avec

et folie dans l'Occident moderne on a essayé d'interroger les procédures générales d'internement et de ségrégation, passant ainsi derrière l'asile, l'hôpital, les thérapeutiques, les classifications *, tout comme pour la prison on a essayé de passer derrière les institutions pénitentiaires proprement dites, pour essayer de retrouver l'économie générale de pouvoir, est-ce que, pour l'État, il est possible d'opérer le même retournement ? Est-ce qu'il est possible de passer à l'extérieur ? Est-ce qu'il est possible de replacer l'État moderne dans une technologie générale de pouvoir qui aurait assuré ses mutations, son développement, son fonctionnement ? Est-ce qu'on peut parler de quelque chose comme une « gouvernementalité », qui serait à l'État ce que les techniques de ségrégation étaient à la psychiatrie, ce que les techniques de discipline étaient au système pénal, ce que la biopolitique était aux institutions médicales ? Voilà un petit peu l'enjeu de [ce cours] **.

Bon, cette notion de gouvernement. D'abord, un tout petit repérage dans l'histoire même du mot, à une période où il n'avait pas encore pris le sens politique, le sens étatique qu'il commence à avoir de façon rigoureuse aux XVIᵉ-XVIIᵉ siècles. Simplement en se référant à des dictionnaires historiques de la langue française [11], qu'est-ce qu'on voit ? On voit que le mot « gouverner » couvre en réalité aux XIIIᵉ-XIVᵉ-XVᵉ siècles une masse considérable de significations diverses. Premièrement, on trouve le sens purement matériel, physique, spatial de diriger, de faire avancer, ou même d'avancer soi-même sur un chemin, sur une route. « Gouverner », c'est

---

quelques mutations fondamentales de ces technologies. Exemple de la réforme pénale (ni révolte populaire, ni même poussée extra-populaire).
– Mais aussi accessibilité à des luttes ou à des attaques qui trouvent forcément leur théâtre dans l'institution.
Ce qui veut dire qu'il est tout à fait possible d'atteindre des effets globaux, non pas par des affrontements concertés, mais aussi bien par des attaques locales ou latérales ou diagonales qui mettent en jeu l'économie générale de l'ensemble. Ainsi : les mouvements spirituels marginaux, des multiplicités de dissidence religieuse, et qui ne s'attaquaient nullement à l'Église catholique, ont fait basculer finalement non seulement tout un pan de l'institution ecclésiastique, mais la manière même dont s'exerçait en Occident le pouvoir religieux.
À cause de ces effets théoriques et pratiques, il vaut peut-être la peine de poursuivre l'expérience commencée. »

\* Le manuscrit ajoute ici (p. 13) : « tout comme pour examiner le statut de la maladie et les privilèges du savoir médical dans le monde moderne, il faut là aussi passer par derrière l'hôpital et les institutions médicales, pour essayer de rejoindre les procédures de prise en charge générale de la vie et de la maladie en Occident, la "biopolitique" ».
\*\* Mots inaudibles. M. Foucault ajoute : Alors, je voudrais maintenant, pour me faire pardonner le caractère *[un mot inaudible]* de ce que j'essaie de vous dire entre deux quintes de toux…

suivre une route, ou faire suivre une route. Vous trouvez par exemple, dans Froissart, un texte comme celui-ci : « Un [...] chemin si étroit que [...] deux hommes ne s'y pourraient gouverner [12] », c'est-à-dire ne pourraient y avancer de front. Ça a le sens également matériel, mais beaucoup plus large, d'entretenir en fournissant une subsistance. Vous trouvez par exemple [ceci], dans un texte qui date de 1421 : « assez de blé pour gouverner Paris pendant deux ans [13] », ou encore, exactement à la même époque : « un homme n'avait de quoi vivre ni gouverner sa femme qui était malade [14] ». Donc « gouverner », au sens d'entretenir, de nourrir, de donner sa subsistance. « Une dame de trop grand gouvernement [15] », c'est une dame qui consomme trop et qu'il est difficile d'entretenir. « Gouverner » a aussi le sens voisin, mais un peu différent, de tirer sa subsistance de quelque chose. Froissart parle d'une ville « qui se gouverne de sa draperie [16] », c'est-à-dire : qui tire sa subsistance de. Voilà pour l'ensemble des repérages, en tout cas pour quelques-unes des références proprement matérielles de ce mot « gouverner ».

Il y a maintenant les significations d'ordre moral. « Gouverner » peut vouloir dire « conduire quelqu'un », soit au sens, proprement spirituel, du gouvernement des âmes – sens alors tout à fait classique et qui, lui, va durer et subsister très, très longtemps –, soit d'une manière légèrement décalée par rapport à cela, « gouverner » peut vouloir dire « imposer un régime », imposer un régime à un malade : le médecin gouverne le malade, ou le malade qui s'impose un certain nombre de soins se gouverne. Ainsi un texte dit : « Un malade qui, après avoir quitté l'Hôtel-Dieu, par suite de son mauvais gouvernement, est allé de vie à trépas [17]. » Il a suivi un mauvais régime. « Gouverner », ou le « gouvernement », peut se référer alors à la conduite au sens proprement moral du terme : une fille qui a été de « mauvais gouvernement [18] », c'est-à-dire de mauvaise conduite. « Gouverner » peut se référer, encore, à une relation entre individus, relation qui peut prendre plusieurs formes, soit la relation de commandement et de maîtrise : diriger quelqu'un, le traiter. Ou encore, avoir une relation avec quelqu'un, relation verbale : « gouverner quelqu'un » peut vouloir dire « parler avec lui », « l'entretenir » au sens

---

*[**, suite]* Le manuscrit comporte cette note complémentaire : « N. B. Je ne dis pas que l'État est né de l'art de gouverner ni que les techniques de gouvernement des hommes naissent au XVIIe siècle. L'État comme ensemble des institutions de la souveraineté existait depuis des millénaires. Les techniques de gouvernement des hommes étaient elles aussi plus que millénaires. Mais c'est à partir d'une nouvelle technologie générale [de] gouvernement des hommes que l'État a pris la forme que nous lui connaissons. »

où l'on s'entretient dans une conversation. Ainsi un texte du xvᵉ siècle dit :
« Il fit bonne chère à tous ceux qui le gouvernaient pendant son souper [19]. »
Gouverner quelqu'un pendant son souper, c'est parler avec lui. Mais ça
peut se référer aussi à un commerce sexuel : « Un quidam qui gouvernait
la femme de son voisin et l'allait voir très souvent [20]. »

Tout ça, c'est un repérage à la fois très empirique, non scientifique,
fait à coups de dictionnaires et de références diverses. Je crois tout de
même que ça permet un peu de situer une des dimensions du problème.
On voit que ce mot « gouverner », avant donc qu'il prenne sa signification
proprement politique à partir du xvıᵉ siècle, couvre un très large domaine
sémantique qui se réfère au déplacement dans l'espace, au mouvement,
qui se réfère à la subsistance matérielle, à l'alimentation, qui se réfère au
soin que l'on peut donner à un individu et au salut qu'on peut lui assurer,
qui se réfère aussi à l'exercice d'un commandement, d'une activité prescriptive, à la fois incessante, zélée, active et toujours bienveillante. Ça se
réfère à la maîtrise que l'on peut exercer sur soi-même et sur les autres,
sur son corps, mais aussi sur son âme et sa manière d'agir. Et enfin ça
se réfère à un commerce, à un processus circulaire ou à un processus
d'échange qui passe d'un individu à un autre. De toute façon, à travers
tous ces sens, il y a une chose qui apparaît clairement, c'est qu'on n'y
gouverne jamais un État, on n'y gouverne jamais un territoire, on n'y
gouverne jamais une structure politique. Ceux qu'on gouverne, c'est de
toute façon des gens, ce sont des hommes, ce sont des individus ou des
collectivités. Quand on parle de la ville qui se gouverne, et qui se gouverne à partir de la draperie, ça veut dire que les gens tirent leur subsistance, leur alimentation, leurs ressources, leur richesse de la draperie. Ce
n'est donc pas la ville comme structure politique, mais c'est bien les gens,
individus ou collectivité. Ceux qu'on gouverne, ce sont les hommes. *

Je crois qu'on a là [un élément] ** qui peut nous mettre sur la piste
de quelque chose qui a sans doute une certaine importance. Ceux qu'on
gouverne donc, initialement, fondamentalement, du moins à travers ce
premier repérage, ce sont les hommes. Or l'idée que les hommes, ça se
gouverne, c'est une idée qui n'est certainement pas une idée grecque
et qui n'est, je ne pense pas non plus, une idée romaine. Sans doute on

---

* Le manuscrit ajoute : « Histoire de la gouvernementalité. Trois grands vecteurs de
la gouvernementalisation de l'État : la pastorale chrétienne = modèle ancien ; le nouveau
régime de relations diplomatico-militaires = structure d'appui ; le problème de la police
interne de l'État = support intérieur ». Cf. *supra*, les dernières lignes de la leçon précédente (1ᵉʳ février).
** M. F. : quelque chose

trouve assez régulièrement, au moins dans la littérature grecque, la métaphore du gouvernail, du timonier, du pilote, de celui qui tient la barre du navire, pour désigner l'activité de celui qui est à la tête de la cité et qui a, par rapport à elle, un certain nombre de charges et de responsabilités. Référez-vous tout simplement au texte de l'*Œdipe roi*[21]. Dans l'*Œdipe roi,* vous voyez très souvent, ou à plusieurs reprises, cette métaphore du roi qui a en charge la cité et qui, ayant en charge la cité, doit bien la conduire comme un bon pilote gouverne comme il faut son navire et doit éviter les écueils et le conduire au port[22]. Mais dans toute cette série de métaphores, où le roi est assimilé à un timonier et la cité à un navire, ce qu'il faut bien remarquer, c'est que ce qui y est gouverné, ce qui dans cette métaphore est désigné comme l'objet du gouvernement, c'est la cité elle-même qui est comme un navire entre les écueils, comme un navire parmi les tempêtes, un navire qui est obligé de louvoyer pour éviter les pirates, les ennemis, un navire qu'il faut mener à bon port. L'objet du gouvernement, ce sur quoi précisément porte l'acte de gouverner, ce ne sont pas les individus. Le capitaine ou le pilote du navire, il ne gouverne pas les marins, il gouverne le navire. C'est de la même façon que le roi gouverne la cité, mais non pas les hommes de la cité. C'est la cité dans sa réalité substantielle, dans son unité, avec sa survie possible ou sa disparition éventuelle, c'est cela qui est l'objet du gouvernement, la cible du gouvernement. Les hommes, eux, ne sont gouvernés qu'indirectement, dans la mesure où ils sont embarqués eux aussi sur le navire. Et c'est par l'intermédiaire, par le relais de cet embarquement sur le navire que les hommes se trouvent gouvernés. Mais ce ne sont pas les hommes eux-mêmes qui sont directement gouvernés par celui qui est à la tête de la cité.\*

L'idée qu'il peut y avoir un gouvernement des hommes et que les hommes, ça se gouverne, je ne crois pas, donc, que ce soit une idée grecque. Je reviendrai, soit à la fin de ce cours si j'en ai le temps et le courage, soit plutôt la prochaine fois, sur ce problème-là, essentiellement autour de Platon et du *Politique.* Mais, d'une façon générale, je crois qu'on peut dire que l'idée d'un gouvernement des hommes est une idée dont il faut chercher plutôt l'origine en Orient, dans un Orient pré-chrétien d'abord, et dans l'Orient chrétien ensuite. Et ceci sous deux formes : premièrement, sous la forme de l'idée et de l'organisation d'un pouvoir

---

\* Le manuscrit ajoute, p. 16 : «Ceci n'exclut pas qu'il y ait entre les riches, les puissants, ceux qui ont un statut qui leur permet de gérer les affaires de la cité, et les autres (non pas esclaves ou métèques, mais citoyens) des modes d'action multiples et serrés : clientélisme, évergétisme.»

de type pastoral, et deuxièmement, sous la forme de la direction de conscience, la direction des âmes.

Premièrement, l'idée et l'organisation d'un pouvoir pastoral. Que le roi, le dieu, le chef soit un berger par rapport à des hommes, qui sont comme son troupeau, c'est un thème qu'on trouve d'une façon très fréquente dans tout l'Orient méditerranéen. On le trouve en Égypte[23], on le trouve en Assyrie[24] et en Mésopotamie[25], on le trouve également et surtout, bien sûr, chez les Hébreux. En Égypte par exemple, mais également dans les monarchies assyriennes et babyloniennes, le roi est effectivement désigné, d'une façon tout à fait rituelle, comme étant le berger des hommes. Le pharaon, par exemple, au moment de son couronnement, dans la cérémonie de son couronnement, reçoit les insignes du berger. On lui met entre les mains la houlette du berger et on déclare qu'il est effectivement le berger des hommes. Le titre de pâtre, le titre de pasteur des hommes fait partie de la titulature royale pour les monarques babyloniens. C'était également un terme qui désignait le rapport des dieux ou du dieu avec les hommes. Le dieu est le pasteur des hommes. Dans un hymne égyptien, on lit une chose comme celle-ci : « Ô Rê, qui veilles quand tous les hommes dorment, toi qui cherches ce qui est bienfaisant pour ton troupeau[26] … » Le dieu est le berger des hommes. Enfin, cette métaphore du berger, cette référence au pastorat permet de désigner un certain type de rapport entre le souverain et le dieu, dans la mesure où, si Dieu est le berger des hommes, si le roi est également le berger des hommes, le roi est en quelque sorte ce berger subalterne à qui Dieu a confié le troupeau des hommes et qui doit, au soir de la journée et au soir de son règne, restituer au Dieu le troupeau qui lui a été confié. Le pastorat est un type de rapport fondamental entre Dieu et les hommes et le roi participe en quelque sorte à cette structure pastorale du rapport entre Dieu et les hommes. Un hymne assyrien dit en s'adressant au roi : « Compagnon éclatant qui participes au pastorat de Dieu, toi qui prends soin du pays et toi qui le nourris, Ô berger d'abondance[27]. »

Et c'est évidemment surtout chez les Hébreux que le thème du pastorat s'est développé et intensifié[28]. Avec ceci de particulier que, chez les Hébreux, le rapport pasteur-troupeau est essentiellement, fondamentalement et presque exclusivement un rapport religieux. Ce sont les relations de Dieu et de son peuple qui sont définies comme les relations d'un pasteur avec un troupeau. Aucun roi hébreu, à l'exception de David, fondateur de la monarchie, n'est nommément, explicitement désigné comme berger[29]. Le terme est réservé à Dieu[30]. Simplement, certains des prophètes sont considérés comme ayant reçu des mains de

Dieu le troupeau des hommes à qui ils doivent le rendre[31], et d'autre part les mauvais rois, ceux qui sont dénoncés comme ayant trahi leur tâche, sont désignés comme mauvais bergers, jamais individuellement d'ailleurs, mais toujours globalement, comme ayant été ceux qui ont dilapidé le troupeau, dispersé le troupeau, qui ont été incapables de lui assurer sa nourriture et de le reconduire jusque sur sa terre[32]. Le rapport pastoral, dans sa forme pleine et dans sa forme positive, est donc essentiellement le rapport de Dieu aux hommes. C'est un pouvoir de type religieux qui a son principe, son fondement, sa perfection dans le pouvoir que Dieu exerce sur son peuple.

On a là, je crois, quelque chose qui est à la fois fondamental et vraisemblablement très spécifique à cet Orient méditerranéen si différent de ce qu'on trouve chez les Grecs. Car jamais, chez les Grecs, vous ne trouverez cette idée que les dieux conduisent les hommes comme un pasteur, comme un berger peut conduire son troupeau. Quelle que soit l'intimité – et elle n'est pas forcément très grande – des dieux grecs avec leur cité, le rapport n'est jamais celui-là. Le dieu grec fonde la cité, il en indique l'emplacement, il aide à la construction des murs, il en garantit la solidité, il donne son nom à la ville, il délivre des oracles et par là donne des conseils. On consulte le dieu, il protège, il intervient, il arrive qu'il se fâche aussi et qu'il se réconcilie, mais jamais le dieu grec ne mène les hommes de la cité comme un berger mènerait ses moutons.

Ce pouvoir du berger qu'on voit donc si étranger à la pensée grecque et si présent, si intense dans l'Orient méditerranéen et surtout chez les Hébreux, comment se caractérise-t-il ? Quels sont ses traits spécifiques ? Je crois qu'on peut les résumer de la manière suivante. Le pouvoir du berger est un pouvoir qui ne s'exerce pas sur un territoire, c'est un pouvoir qui par définition s'exerce sur un troupeau, plus exactement sur le troupeau dans son déplacement, dans le mouvement qui le fait aller d'un point à un autre. Le pouvoir du berger s'exerce essentiellement sur une multiplicité en mouvement. Le dieu grec est un dieu territorial, un dieu *intra muros,* il a son lieu privilégié, que ce soit sa ville ou son temple. Le Dieu hébraïque, au contraire, bien sûr c'est le Dieu qui marche, le Dieu qui se déplace, le Dieu qui erre. Jamais la présence de ce Dieu hébraïque n'est plus intense, plus visible que, précisément, lorsque son peuple se déplace et lorsque dans l'errement de son peuple, dans son déplacement, dans ce mouvement qui le fait quitter la ville, les prairies et les pâturages, il prend la tête de son peuple et montre la direction qu'il faut suivre. Le dieu grec apparaît plutôt sur les murailles pour défendre sa ville. Le Dieu hébraïque apparaît quand, précisément, on quitte la ville, à la sortie des murailles, et quand on commence à suivre le chemin qui traverse les prairies. «Ô Dieu, quand tu sortais à la tête de ton peuple», disent les Psaumes[33]. C'est de la même façon d'ailleurs, enfin une façon qui rappelle un peu cela, que le dieu-pasteur égyptien Amon est défini comme étant celui qui conduit les gens sur tous les chemins. Et si, dans cette direction que le Dieu assure par rapport à une multiplicité en mouvement, s'il y a bien référence au territoire, c'est dans la mesure où le dieu-pasteur sait où sont les prairies fertiles, quels sont les bons chemins pour y conduire et quels seront les lieux de repos favorables. À propos de Yahvé, il est dit dans l'Exode: «Tu as conduit avec fidélité ce peuple que tu as racheté, tu l'as mené par ta puissance vers les pâturages de ta sainteté[34].» Par opposition donc au pouvoir qui s'exerce sur l'unité d'un territoire, le pouvoir pastoral s'exerce sur une multiplicité en mouvement.

Deuxièmement, le pouvoir pastoral est fondamentalement un pouvoir bienfaisant. Vous me direz que ceci fait partie de toutes les caractérisations religieuses, morales, politiques du pouvoir. Qu'est-ce que serait un pouvoir qui serait fondamentalement méchant? Qu'est-ce que serait un pouvoir qui n'aurait pas pour fonction, destination et pour justification de faire le bien? Trait universel, mais avec ceci, cependant, que ce devoir de faire le bien, en tout cas dans la pensée grecque et je crois aussi dans la pensée romaine, n'est après tout qu'une des composantes, parmi bien d'autres traits, qui caractérisent le pouvoir. Le pouvoir va se caractériser, tout autant que par sa bienfaisance, par sa toute-puissance, par la richesse et tout l'éclat des symboles dont il s'entoure. Le pouvoir va se définir par sa capacité à triompher des ennemis, à les vaincre, à les réduire en esclavage. Le pouvoir se définira aussi par la possibilité de conquérir et par tout l'ensemble des territoires, richesses, etc., qu'il aura accumulés. La bienfaisance n'est que l'un des traits dans tout ce faisceau par lequel le pouvoir se trouve défini.

Alors que le pouvoir pastoral est, je crois, tout entier défini par sa bienfaisance, il n'a de raison d'être que de faire le bien, et pour le faire. C'est qu'en effet l'essentiel de l'objectif, pour le pouvoir pastoral, c'est bien le salut du troupeau. Et en ce sens, on peut dire, bien sûr, qu'on n'est pas très éloigné de ce qui est fixé traditionnellement comme l'objectif du souverain, c'est-à-dire le salut de la patrie, qui doit être la *lex suprema* de l'exercice du pouvoir[35]. Mais ce salut qu'il faut assurer au troupeau a un sens très précis dans cette thématique du pouvoir pastoral. Le salut, c'est d'abord essentiellement la subsistance. La subsistance fournie, la nourriture assurée, c'est les bons pâturages. Le berger, c'est celui qui nourrit et qui nourrit de la main à la main, ou en tout cas qui nourrit d'une part en conduisant jusqu'aux bonnes prairies, ensuite en s'assurant effectivement que les animaux mangent et sont nourris comme il faut. Le pouvoir pastoral est un pouvoir de soin. Il soigne le troupeau, il soigne les individus du troupeau, il veille à ce que les brebis ne souffrent pas, il va chercher celles qui s'égarent bien sûr, il soigne celles qui sont blessées. Et dans un texte qui est un commentaire rabbinique un peu tardif, mais qui reflète absolument bien cela, on explique comment et pourquoi Moïse a été désigné par Dieu pour conduire le troupeau d'Israël. C'est que, quand il était berger en Égypte, Moïse savait parfaitement faire paître ses brebis et il savait par exemple que, quand il arrivait dans une prairie, il devait envoyer d'abord dans la prairie les brebis les plus jeunes qui pouvaient simplement manger l'herbe la plus tendre, puis il envoyait les brebis un peu plus âgées et il n'envoyait ensuite dans la prairie que les brebis les plus vieilles, les plus robustes aussi, celles qui pouvaient manger l'herbe la plus dure. Et c'est ainsi que chacune des catégories de brebis avait bien effectivement l'herbe qu'il lui fallait et suffisamment de nourriture. Il était celui qui présidait à cette distribution juste, calculée et réfléchie de nourriture, et c'est alors que Yahvé, voyant cela, lui a dit : « Puisque tu sais avoir pitié des brebis, tu auras pitié de mon peuple, et c'est à toi que je le confierai[36]. »

Le pouvoir du pasteur se manifeste, donc, dans un devoir, une tâche d'entretien, si bien que la forme – et c'est là aussi un caractère, je crois, important du pouvoir pastoral –, la forme que prend le pouvoir pastoral, ce n'est pas d'abord la manifestation éclatante de sa puissance et de sa supériorité. Le pouvoir pastoral se manifeste initialement par son zèle, son dévouement, son application indéfinie. Qu'est-ce que le berger ? Celui dont la puissance éclate aux yeux des hommes comme les souverains ou comme les dieux, enfin les dieux grecs, qui apparaissaient essentiellement par l'éclat ? Pas du tout. Le berger, c'est celui qui veille. « Veille » au sens bien sûr de surveillance de ce qui peut se faire de mal, mais surtout comme vigilance à propos de tout ce qui peut arriver de malheureux. Il va veiller sur le troupeau, écarter le malheur qui peut menacer la moindre des bêtes du troupeau. Il va veiller à ce que les choses soient le mieux pour chacune des bêtes du troupeau. C'est vrai pour le Dieu hébraïque, c'est vrai également pour le dieu égyptien dont il est dit : « Ô Rê, toi qui veilles quand les hommes dorment et cherches ce qui est bienfaisant pour le troupeau[37]... » Mais pourquoi ? Essentiellement parce qu'il a une charge, qui n'est pas définie d'abord par le côté honorifique, qui est définie d'abord par le côté fardeau et peine. Tout le souci du pasteur est un souci qui est tourné vers les autres et jamais vers lui-même.

C'est précisément la différence entre le mauvais et le bon berger. Le mauvais berger, c'est celui qui ne pense aux pâturages que pour son propre profit, qui ne pense aux pâturages que pour engraisser le troupeau qu'il pourra vendre et disperser, alors que le bon berger ne pense qu'à son troupeau et à rien au-delà. Il ne cherche pas même son propre profit dans le bien-être du troupeau. Je pense qu'on voit là apparaître, se dessiner, un pouvoir dont le caractère est essentiellement oblatif et en quelque sorte transitionnel. Le pasteur est au service du troupeau, il doit servir d'intermédiaire entre lui et les pâturages, la nourriture, le salut, ce qui implique que le pouvoir pastoral, en lui-même, est toujours un bien. Toutes les dimensions de terreur et de force ou de violence redoutable, tous ces pouvoirs inquiétants qui font trembler les hommes devant le pouvoir des rois et des dieux, eh bien tout cela s'efface quand il s'agit du pasteur, que ce soit le roi-pasteur ou le dieu-pasteur.

Enfin, dernier trait qui recoupe un certain nombre de choses que j'ai croisées jusque-là, c'est cette idée que le pouvoir pastoral est un pouvoir individualisant. C'est-à-dire qu'il est vrai que le pasteur dirige tout le troupeau, mais il ne peut bien le diriger que dans la mesure où il n'y a pas une seule des brebis qui puisse lui échapper. Le pasteur dénombre les brebis, il les dénombre le matin au moment de les conduire à la prairie, il les dénombre le soir pour savoir si effectivement elles sont bien là et il les soigne une par une. Il fait tout pour la totalité de son troupeau, mais il fait tout également pour chacune des brebis du troupeau. Et c'est là qu'on atteint ce fameux paradoxe du berger qui prend deux formes. D'une part, le berger doit avoir l'œil sur tout et l'œil sur chacun, *omnes et singulatim*, ce qui va être précisément le grand problème et des techniques de pouvoir dans le pastorat chrétien et des techniques de pouvoir, disons, modernes, telles qu'elles sont aménagées dans les technologies de la population dont je vous parlais[38]. *Omnes et singulatim.* Et puis, d'une façon plus intense encore dans le problème du sacrifice du berger par rapport à son troupeau, sacrifice de lui-même pour la totalité de son troupeau, sacrifice de la totalité du troupeau pour chacune des brebis. Je veux dire ceci : c'est que le berger, dans cette thématique hébraïque du troupeau, le berger doit donc tout à son troupeau, au point d'accepter de se sacrifier lui-même pour le salut du troupeau[39]. Mais d'un autre côté, comme il lui faut sauver chacune des brebis, est-ce qu'il ne va pas se trouver dans la situation où, pour sauver une seule des brebis, il va être obligé de négliger la totalité du troupeau ? Et c'est ce thème que vous voyez répété indéfiniment tout au long des différentes sédimentations du texte biblique depuis la Genèse jusque dans les commentaires rabbiniques, avec précisément, au centre de tout cela, Moïse. Moïse qui est celui qui a effectivement accepté, pour aller sauver une brebis qui s'était égarée, d'abandonner la totalité du troupeau. Il a enfin trouvé la brebis, il a ramené la brebis sur ses épaules et il s'est trouvé, à ce moment-là, que le troupeau qu'il avait accepté de sacrifier était tout de même sauvé, symboliquement sauvé par le fait que, justement, il avait accepté de le sacrifier[40]. On est là au centre du défi, du paradoxe moral et religieux du berger, enfin ce qu'on pourrait appeler le paradoxe du berger : sacrifice de l'un pour le tout, sacrifice du tout pour l'un, qui va être absolument au cœur de la problématique chrétienne du pastorat.

En somme, on peut dire ceci : c'est que l'idée d'un pouvoir pastoral, c'est l'idée d'un pouvoir qui s'exerce sur une multiplicité plus que sur un territoire. C'est un pouvoir qui guide vers un but et sert d'intermédiaire vers ce but. C'est un pouvoir donc finalisé, un pouvoir finalisé sur ceux-là même sur qui il s'exerce et non pas sur une unité de type en quelque sorte supérieur que ce soit la cité, le territoire, l'État, le souverain [... *] C'est un pouvoir, enfin, qui vise à la fois tous et chacun dans leur paradoxale équivalence, et non pas l'unité supérieure formée par le tout. Eh bien, je crois qu'à un pouvoir de ce type, les structures de la cité grecque et de l'Empire romain étaient tout à fait étrangères. Vous me direz, il existe pourtant un certain nombre de textes dans la littérature grecque où se fait, d'une façon très explicite, la comparaison entre le pouvoir politique et le pouvoir du berger. Et on a là le texte du *Politique* qui, vous le savez, s'engage très précisément dans cette recherche, dans ce type de recherche. Qu'est-ce que c'est que celui qui règne ? Qu'est-ce que régner ? Est-ce que ce n'est pas exercer son pouvoir sur un troupeau ?

Bon, écoutez, comme je suis vraiment tout à fait vaseux, je ne vais pas me lancer là-dedans, je vais vous demander qu'on s'interrompe maintenant. Je suis vraiment trop fatigué. Je reparlerai de ça, le problème du *Politique,* la prochaine fois chez Platon. Je voudrais simplement vous indiquer en gros – enfin si je vous ai fait ce petit schéma très maladroit, c'est parce qu'il me semble qu'on a là un phénomène tout de même très important qui est celui-ci : c'est que cette idée d'un pouvoir pastoral, complètement étranger, en tout cas très considérablement étranger à la pensée grecque et romaine, s'est trouvée introduite dans le monde occidental par le relais de l'Église chrétienne. L'Église chrétienne, c'est elle qui a coagulé tous ces thèmes de pouvoir pastoral en mécanismes précis et en institutions définies, c'est elle qui a réellement organisé un pouvoir

---

* Un mot inaudible.

pastoral à la fois spécifique et autonome, c'est elle qui en a implanté les dispositifs à l'intérieur de l'Empire romain et qui a organisé, au cœur de l'Empire romain, un type de pouvoir que, je crois, aucune autre civilisation n'avait connu. Parce que c'est bien cela, tout de même, le paradoxe, et celui sur lequel je voudrais m'arrêter alors dans les cours suivants : c'est que, de toutes les civilisations, celle de l'Occident chrétien a sans doute été, à la fois, la plus créative, la plus conquérante, la plus arrogante et sans doute une des plus sanglantes. C'est en tout cas une de celles qui [ont] certainement déployé les plus grandes violences. Mais en même temps, – et c'est ça ce paradoxe sur lequel je voudrais insister –, l'homme occidental a appris pendant des millénaires, ce que jamais aucun Grec sans doute n'aurait accepté d'admettre, [il] a appris pendant des millénaires à se considérer comme une brebis parmi les brebis. Il a, pendant des millénaires, appris à demander son salut à un pasteur qui se sacrifie pour lui. La forme de pouvoir la plus étrange et la plus caractéristique de l'Occident, celle qui devait être aussi appelée à la fortune la plus large et la plus durable, je crois qu'elle n'est pas née dans les steppes ni dans les villes. Elle n'est pas née du côté de l'homme de nature, elle n'est pas née du côté des premiers empires. Cette forme de pouvoir si caractéristique de l'Occident, si unique je crois dans toute l'histoire des civilisations, elle est née, ou du moins elle a pris modèle du côté de la bergerie, de la politique considérée comme une affaire de bergerie.

\*

NOTES

1. Cf. leçon précédente (1er février), p. 107 et 109 à propos de l'économie comme « science du gouvernement », et p. 110 : « un art de gouverner qui a maintenant franchi le seuil d'une science politique ».

2. Sur cette notion, cf. *supra*, leçon du 18 janvier, p. 35.

3. R. Castel, *L'Ordre psychiatrique. L'âge d'or de l'aliénisme,* Paris, Minuit (« Le sens commun »), 1976.

4. Cf. *ibid.,* ch. 3, p. 138-152 (« L'aliéniste, l'hygiéniste et la philanthrope »). Cf. p. 142-143, les citations du prospectus de présentation des *Annales d'hygiène publique et de médecine légale,* fondées en 1829 par Marc et Esquirol (« l'hygiène publique qui est l'art de conserver la santé aux hommes réunis en société, [...] est appelée à recevoir un grand développement et à fournir de nombreuses applications au perfectionnement de nos institutions »).

5. *Ibid.,* ch. 1, p. 39-50 (« Le criminel, l'enfant, le mendiant, le prolétaire et le fou »).

6. *Ibid.,* ch. 5, p. 208-215 (« Les opérateurs politiques »).

7. C'est dans le cours de 1973-1974, *Le Pouvoir psychiatrique, op. cit.*, que Foucault, revenant sur divers points selon lui contestables de l'*Histoire de la folie*, remet pour la première fois en question la critique du pouvoir psychiatrique en termes d'institution et lui oppose la critique fondée sur l'analyse des rapports de pouvoir, ou micro-physique du pouvoir. Cf. leçon du 7 novembre 1973, p. 16 : « [...] je ne crois pas que la notion d'institution soit bien satisfaisante. Il me semble qu'elle recèle un certain nombre de dangers, parce que, à partir du moment où l'on parle d'institution, on parle, au fond, à la fois d'individus et de collectivité, on se donne déjà l'individu, la collectivité, et les règles qui les régissent, et, par conséquent, on peut précipiter là-dedans tous les discours psychologiques ou sociologiques. [...] L'important, ce n'est [...] pas les régularités institutionnelles, mais beaucoup plus les dispositions de pouvoir, les réseaux, les courants, les relais, les points d'appui, les différences de potentiel qui caractérisent une forme de pouvoir et qui, je crois, sont constitutifs à la fois de l'individu et de la collectivité », et leçon du 14 novembre 1973, p. 34 : « Soyons très anti-institutionnaliste ». Cf. également *Surveiller et Punir, op. cit.*, p. 217 : « La "discipline" ne peut s'identifier ni avec une institution ni avec un appareil. »

8. Jeremy Bentham (1748-1832), *Panopticon, or the Inspection-House...*, in *Works*, éd. J. Bowring, Édimbourg, Tait, 1838-1843, t. IV, p. 37-66 / *Panoptique. Mémoire sur un nouveau principe pour construire des maisons d'inspection, et nommément des maisons de force*, trad. E. Dumont, Paris, Imprimerie nationale, 1791 ; rééd. in *Œuvres de Jérémy Bentham*, éd. par E. Dumont, Bruxelles, Louis Hauman et C^ie, t. 1, 1829, p. 245-262 (texte reproduit in J. Bentham, *Le Panoptique*, précédé de « L'œil du pouvoir », [cité *supra*, p. 26, note 11], et suivi de la traduction par M. Sissung de la première partie de la version originale du *Panopticon*, telle que Bentham la publia en Angleterre en 1791). Cf. *Surveiller et Punir*, p. 201-206.

9. Cf. « L'éthique du souci de soi comme pratique de la liberté » (janvier 1984), *DE*, IV, n° 356, p. 726 : « On m'a fait dire que la folie n'existait pas, alors que le problème était absolument inverse : il s'agissait de savoir comment la folie, sous les différentes définitions qu'on a pu lui donner, à un moment donné, a pu être intégrée dans un champ institutionnel qui la constituait comme maladie mentale ayant une certaine place à côté d'autres maladies. » C'est ainsi par exemple, selon Paul Veyne, que Raymond Aron comprenait l'*Histoire de la folie*.

10. Cf. P. Veyne, « Foucault révolutionne l'histoire » (1978), *in* Id., *Comment on écrit l'histoire*, Paris, Le Seuil (« Points Histoire »), 1979, p. 229 : « Quand j'ai fait voir à Foucault les présentes pages, il m'a dit à peu près : "Je n'ai personnellement jamais écrit *la folie n'existe pas*, mais cela peut s'écrire ; car, pour la phénoménologie, la folie existe mais n'est pas une chose, alors qu'il faut dire au contraire que la folie n'existe pas, mais qu'elle n'est pas rien pour autant." »

11. Le manuscrit (feuille non paginée insérée entre les pages 14 et 15) renvoie au *Dictionnaire de l'ancienne langue française et de tous ses dialectes du IX^e au XV^e siècle* de Frédéric Godefroy, Paris, F. Vieweg, 1885, t. IV.

12. « Un petit chemin si estroit, qu'un home a cheval seroit assez empesché de passer outre, ne deux hommes ne s'y pourroyent gouverner » (Froissart, *Chroniques*, 1559, livre I, p. 72 ; cité par F. Godefroy, *Dictionnaire*, p. 326).

13. « Si y avoit a Paris plus de blé que homme qui fust ne en ce temps y eust oncques voeu de son age, car on tesmoignoit qu'il y en avoit pour bien gouverner

Paris pour plus de 2 ans entiers» (*Journal de Paris sous Charles VI*, p. 77 ; cité par F. Godefroy, *Dictionnaire*, p. 325).

14. «Il n'avoit de quoy vivre ni gouverner sa femme qui estoit malade» (1425, Arch. JJ 173, pièce 186 ; cité par F. Godefroy, *ibid.*).

15. «Pour ces jours avait ung chevalier et une dame de trop grand gouvernement, et se nommoit li sires d'Aubrecicourt» (Froissart, *Chroniques*, t. II, p. 4 ; cité par F. Godefroy, *ibid.*).

16. «Une grosse ville non fermee qui s'appelle Senarpont et se gouverne toute de la draperie» (Froissart, *Chroniques*, livre V ; cité par F. Godefroy, *ibid.*, p. 326).

17. «De laquelle bateure icellui Philipot a esté malade par l'espace de trois semaines ou environ, tant a l'Ostel Dieu ou il fu porté comme en son hostel, et depuis, par son mauvais gouvernement, est alé de vie a trespassement» (1423, Archives JJ 172 ; pièce 186 ; cité par F. Godefroy, *ibid.*, p. 325).

18. «Une fille qui avoit esté de mauvais gouvernement» (H. Estienne, *Apol. P. Hérod.*, c. 15 ; cité par F. Godefroy, *ibid.*).

19. «Il fit bonne chere a tous, voire aux principaux des Seize, qui le gouvernerent pendant son souper» (Pasq., *Lett.*, XVII, 2 ; cité par F. Godefroy, *ibid.*).

20. «Un quidam qui gouvernait la femme de son voisin et l'alloit voir si souvent qu'a la fin le mary s'en aperçut» (G. Bouchet, *Serées*, l. III, p. 202 ; cité par F. Godefroy, *ibid.* ; cité également par Littré, *Dictionnaire de la langue française*, Paris, J.-J. Pauvert, 1957, t. 4, p. 185).

21. Sophocle, *Œdipe roi*, trad. P. Masqueray, Paris, Les Belles Lettres («Collection des universités de France»), 1940. Foucault s'est intéressé plusieurs fois à cette pièce dans les années 1970-1980. Cf. le cours de 1970-1971, «La Volonté de savoir», 12ᵉ leçon (reprise en conférence à Cornell en octobre 1972) ; «La vérité et les formes juridiques» (1974), *DE*, II, n° 139, p. 553-568 ; les premières leçons du cours de 1979-1980, «Du gouvernement des vivants» (16 janvier, 23 janvier et 1ᵉʳ février 1980) ; le séminaire de Louvain, mai 1981, «Mal faire, dire vrai. Fonctions de l'aveu» (inédit).

22. L'image, en réalité, n'apparaît qu'une fois dans le texte d'*Œdipe roi*. Cf. trad. franç. de R. Pignarre, Paris, Garnier, 1964 ; rééd. GF, 1995, p. 122 : (Chœur) «Mon roi, je te l'ai dit, je te le dis encore, // je ferai preuve de folie et de sottise, // si j'allais t'abandonner, toi // qui, lorsque mon pays peinait dans la tempête, // fus le bon vent qui l'a guidé. Ah! de nouveau, // si tu peux, conduis-nous à bon port aujourd'hui.» Elle est, cependant, récurrente dans l'œuvre de Sophocle : *Ajax*, 1082, *Antigone*, 162, 190 (cf. P. Louis, *Les Métaphores de Platon*, *op. cit.*, p. 156 n. 18).

23. C'est à partir de la XIIᵉ dynastie, sous le Moyen Empire au début du IIᵉ millénaire, que les pharaons furent désignés comme des bergers de leur peuple. Cf. D. Müller, «Der gute Hirt. Ein Beitrag zur Geschichte ägyptischer Bildrede», *Zeitschrift für Ägypt. Sprache*, 86, 1961, p. 126-144.

24. La qualification du roi comme pasteur *(re'û)* remonte à Hammurabi (vers 1728-1686). La plupart des rois assyriens, jusqu'à Assurbanipal (669-626) et aux monarques néobabyloniens, adoptèrent cette coutume. Cf. L. Dürr, *Ursprung und Ausbau der israelitisch-jüdischen Heilandserwartung. Ein Betrag zur Theologie des Alten Testaments*, Berlin, C. A. Schwetschke & Sohn, 1925, p. 116-120.

25. Cf. I. Seibert, *Hirt – Herde – König. Zur Herausbildung des Königtums in Mesopotamien*, Berlin (Deutsche Akademie der Wissenschaft zu Berlin. Schriften der Sektion für Altertumwissenschaft, 53), 1969.

26. «Hymne à Amon-Rê» (Le Caire, vers 1430 av. n.è.), *in* A. Barucq & F. Daumas, *Hymnes et Prières de l'Égypte ancienne,* n° 69, Paris, Le Cerf, 1980, p. 198.

27. Source non identifiée. Sur l'origine divine du pouvoir royal, qu'exprime l'image du pasteur, cf. I. Seibert, *Hirt – Herde – König,* p. 7-9.

28. Il existe, sur le sujet, une abondante littérature. Cf. W. Jost, *Poimen. Das Bild vom Hirten in der biblischen Überlieferung und seine christologische Bedeutung,* Gießen, Otto Kindt, 1939; G. E. Post, art. «Sheep», in *Dictionary of the Bible,* t. 4, Édinbourgh, 1902, p. 486-487; V. Hamp, «Das Hirtmotiv im Alten Testament», in *Festschrift Kard. Faulhaber,* Munich, J. Pfeiffer, 1949, p. 7-20; Id., art. «Hirt», in *Lexikon für Theologie und Kirche,* Fribourg-en-Br., 1960, col. 384-386. Sur le Nouveau Testament: Th. H. Kempf, *Christus der Hirt. Ursprung und Deutung einer altchristlichen Symbolgestalt,* Rome, Officium Libri Catholici, 1942; J. Jeremias, art. «Ποιμήν», in *Theologisches Wörterbuch zum Neuen Testament,* Bd. 6, 1959, p. 484-501. Signalons également, parmi les études plus récentes, l'article de P. Grelot, «Berger», in *Dictionnaire de spiritualité ascétique et mystique,* Paris, Bauchesne, t. 12, 1984, col. 361-372, et la bonne synthèse, accompagnée d'une très riche bibliographie, de D. Peil, *Untersuchungen zur Staats- und Herrschaftsmetaphorik in literarischen Zeugnissen von der Antike bis zur Gegenwart,* Munich, W. Fink, 1983, p. 29-164 («Hirt und Herde»).

29. Encore ce titre ne lui est-il pas directement appliqué dans les livres historiques et sapientiaux. Cf. 2e livre de Samuel 5, 2; 24, 17; Psaumes, 78, 70-72: Dieu lui confie le soin de «paître» le peuple d'Israël et David désigne ce dernier comme un «troupeau». Il est en revanche fréquent dans les livres prophétiques: cf. par exemple Ézéchiel, 34, 23; 37, 24 («Mon serviteur David régnera sur eux [= les enfants d'Israël]; il n'y aura qu'un seul pasteur pour eux tous», *La Bible de Jérusalem,* Paris, Cerf, 1977, p. 1284). Comme le suggère Foucault, l'image du pasteur est parfois employée pour désigner les rois païens: cf. Isaïe, 44, 28 (à propos de Cyrus); Jérémie, 25, 34.

30. Cf. Genèse, 48, 15; Psaumes, 23, 1-4; 80, 2; Isaïe, 40, 11; Jérémie, 31, 10; Ézéchiel, 34, 11-16; Zacharie, 11, 4-14. Cf. W. Jost, *Poimen,* p. 19 *sq.* Les occurrences de l'application du vocabulaire pastoral («guider», «mener», «parquer», «conduire au pacage», etc.) à Yahvé sont évidemment beaucoup plus nombreuses. Cf. J. Jeremias, «Ποιμήν», *in op. cit.,* 486.

31. Cf. Jérémie, 17, 16 (mais la traduction du passage est contestée); Amos, 1, 1; 7, 14-15 (W. Jost, *op. cit.,* p. 16).

32. Cf. Isaïe, 56, 11; Jérémie, 2, 8; 10, 21; 12, 10, 23, 1-3; Ézéchiel, 34, 2-10 («Malheur aux pasteurs d'Israël qui se paissent eux-mêmes. Les pasteurs ne doivent-ils pas paître le troupeau? Vous vous êtes nourris de lait, vous vous êtes vêtus de laine, vous avez sacrifié les brebis les plus grasses, mais vous n'avez pas fait paître le troupeau. Vous n'avez pas fortifié les brebis chétives, soigné celle qui était malade, pansé celle qui était blessée. Vous n'avez pas ramené celle qui s'égarait, cherché celle qui était perdue. Mais vous les avez régies avec violence et dureté» (*La Bible de Jérusalem,* éd. citée, p. 1280); Zacharie, 10, 3; 11, 4-17; 13, 7.

33. Psaumes, 68, 8.

34. Exode, 15, 13.

35. M. Foucault fait ici allusion à la maxime «Salus populi suprema lex esto», dont la première occurrence se trouve – avec un sens assez différent – chez Cicéron (*De legibus,* 3, 3, 8, à propos du devoir des magistrats d'appliquer avec zèle la loi) et

qui fut reprise à partir du xviᵉ siècle par la plupart des théoriciens absolutistes. Cf. *supra* (p. 117, note 27), la citation du *De officio hominis et civis* de Pufendorf.

36. Cf. J. Engemann, art. «Hirt», in *Reallexikon für Antike und Christentum*, Stuttgart, t. 15, 1991, col. 589: «Andererseits bleibt ihnen (= den Rabbinen) dennoch bewußt, daß Mose, gerade weil er ein guter Hirt war, von Gott erwählt wurde, das Volk Israël zu führen (Midr. Ex. 2, 2); vgl. L. Ginzberg, *The legends of the Jews* 7 [transl. from the German Ms. by Henrietta Szold] (Philadelphia [Jewish Publ. Soc. of America] 1938) Reg. s. v. shepherd.» Cf. également Philon d'Alexandrie, *De vita Mosis*, I, 60 (d'après D. Peil, *Untersuchungen…, op. cit.,* p. 43 n. 59); Justin, *Apol.* 62, 3 (d'après W. Jost, *Poimen,* p. 14 n. 1).

37. Phrase déjà citée plus haut, p. 128.

38. Cf. la conférence «"Omnes et singulatim": towards a criticism of political reason», prononcée par Foucault à l'université Stanford en octobre 1979 («"Omnes et singulatim": vers une critique de la raison politique», trad. P.-E. Dauzat, *DE, IV,* n° 291, p. 134-161).

39. Cf. Jean, 11, 50; 18, 14: «Il y a intérêt à ce qu'un seul homme meure pour tout le peuple» (*La Bible de Jérusalem*, p. 1558).

40. Cf. leçon suivante (15 février), p. 156.

# LEÇON DU 15 FÉVRIER 1978

*Analyse du pastorat (suite). – Le problème du rapport berger-troupeau dans la littérature et dans la pensée grecque : Homère, la tradition pythagoricienne. Rareté de la métaphore du berger dans la littérature politique classique (Isocrate, Démosthène). – Une exception majeure : Le Politique de Platon. L'usage de la métaphore dans les autres textes de Platon (Critias, Lois, République). La critique de l'idée d'un magistrat-berger dans Le Politique. La métaphore pastorale appliquée au médecin, à l'agriculteur, au gymnaste et au pédagogue. – L'histoire du pastorat, en Occident, comme modèle de gouvernement des hommes est indissociable du christianisme. Ses transformations et ses crises jusqu'au XVIIIᵉ siècle. Nécessité d'une histoire du pastorat. – Caractères du « gouvernement des âmes » : pouvoir englobant, coextensif à l'organisation de l'Église et distinct du pouvoir politique. – Le problème des rapports entre pouvoir politique et pouvoir pastoral en Occident. Comparaison avec la tradition russe.*

Dans cette exploration du thème de la gouvernementalité, j'avais commencé une très, très vague esquisse non pas de l'histoire, mais enfin de quelques repères permettant de fixer un peu ce qui a été je crois si important en Occident et qu'on peut appeler, qu'on appelle de fait le pastorat. Tout ceci, ces réflexions sur la gouvernementalité, cette très vague esquisse du pastorat, ne prenez pas ça pour argent comptant, bien entendu. Ce n'est pas du travail achevé, ce n'est même pas du travail fait, c'est du travail en train de se faire, avec tout ce que cela peut comporter bien sûr d'imprécisions, d'hypothèses – enfin c'est des pistes possibles, pour vous si vous le voulez, pour moi peut-être.

Donc, j'avais un petit peu insisté la dernière fois sur ce thème du pastorat et j'avais essayé de vous montrer que le rapport berger-troupeau, pour désigner la relation soit de Dieu aux hommes, de la divinité aux hommes, soit du souverain à ses sujets, ce rapport berger-troupeau avait été un thème présent, fréquent sans doute dans la littérature égyptienne pharaonique, dans la littérature assyrienne aussi, que ça avait été en tout cas un thème très insistant chez les Hébreux et qu'en revanche, il ne semblait pas que ce même rapport berger-troupeau ait eu chez les Grecs autant d'importance. Il me semble même que le rapport berger-troupeau n'est pas pour les Grecs un bon modèle politique. À cela je crois qu'on peut faire un certain nombre d'objections, et la dernière fois quelqu'un d'ailleurs est venu me dire qu'il n'était pas, sur ce thème et sur ce point, d'accord. Alors si vous voulez, pendant quelques dizaines de minutes, je voudrais essayer de repérer un petit peu ce problème du rapport berger-troupeau dans la littérature et dans la pensée grecques.

Il me semble en effet qu'on peut dire que le thème du rapport berger-troupeau, pour désigner le rapport du souverain ou du responsable politique à l'égard de ses sujets ou de ses concitoyens, est présent chez les Grecs, et appuyer cette affirmation sur trois groupes principaux de références. Premièrement, bien sûr, dans le vocabulaire homérique. Tout le monde sait que dans l'*Iliade,* essentiellement à propos d'Agamemnon, mais également dans l'*Odyssée,* on a toute une série de références qui désignent le roi comme le pasteur des peuples, le *poimen laôn,* appellation rituelle [1]*. C'est indéniable et je crois que ceci s'explique très facilement dans la mesure où c'est en effet, dans toute la littérature indo-européenne, une appellation rituelle du souverain, que l'on trouve justement dans la littérature assyrienne; c'est une appellation rituelle, que celle qui consiste à s'adresser au souverain en l'appelant « berger des peuples ». Vous avez là un grand nombre d'études. Je vous renvoie par exemple à celle de Rüdiger Schmitt, dans un livre allemand sur la poésie, les expressions poétiques à l'époque indo-européenne. C'est un livre de 1967 [2]. Et [aux] pages 283-284 vous trouverez toute une série de références à cette expression *poimen laôn,* berger des peuples qui est archaïque, qui est précoce, qui est également tardive puisque vous la trouvez, par exemple, dans les poèmes en vieil anglais de *Beowulf* [3], où le souverain est désigné comme pasteur des peuples ou pasteur du pays.

Deuxième série de textes: ce sont ceux qui se réfèrent explicitement à la tradition pythagoricienne, où là, depuis le début jusque dans le néo-pythagorisme, jusque dans les textes du pseudo-Archytas cités par Stobée [4], vous trouvez référence aussi au modèle du berger. Et ceci essentiellement autour de deux ou trois thèmes. D'abord l'étymologie traditionnellement admise par les pythagoriciens qui veut que *nomos,* la loi, vienne de *nomeus,* c'est-à-dire le berger. Le berger, c'est celui qui fait

---

* M. Foucault, dans le manuscrit, cite les références suivantes: *Iliade,* II, 253; *Odyssée,* III, 156; XIV, 497.

la loi dans la mesure où c'est lui qui distribue la nourriture, qui dirige le troupeau, qui indique la bonne direction, qui dit comment les brebis doivent être accouplées pour avoir une bonne progéniture. Tout cela, fonction du berger qui fait la loi à son troupeau. De là, l'appellation de Zeus comme *Nomios*. Zeus, c'est le dieu-berger, le dieu qui accorde aux brebis la nourriture dont elles ont besoin. Enfin, toujours dans cette même littérature de type pythagoricien, vous trouvez cette idée que ce qui caractérise le magistrat, ce n'est pas tellement son pouvoir, sa puissance, la capacité qu'il a de décider. Le magistrat, pour les pythagoriciens, c'est avant tout le *philanthropos,* celui qui aime ses administrés, celui qui aime les hommes qui lui sont soumis, celui qui n'est pas égoïste. Le magistrat, par définition, est plein de zèle et de sollicitude, comme le berger. «La loi n'est pas faite pour lui», le magistrat, elle est faite d'abord et avant tout «pour ses administrés[5]». On a donc là, à coup sûr, une tradition assez cohérente, une tradition durable qui, pendant toute l'Antiquité, a maintenu ce thème fondamental que le magistrat, celui qui décide dans la cité est avant tout, essentiellement, un berger. Mais bien sûr cette tradition pythagoricienne est une tradition sinon marginale, du moins limite.

Qu'en est-il – et c'est la troisième série de textes auxquels je faisais référence –, qu'en est-il dans le vocabulaire politique classique? Alors, si vous voulez, on trouve deux thèses. L'une de l'Allemand Gruppe, dans son édition des fragments d'Archytas[6], qui explique qu'en fait la métaphore du berger ne se trouve pratiquement pas chez les Grecs, sauf là où il a pu y avoir influence orientale, très précisément influence hébraïque, que ces textes où le berger est représenté comme modèle du bon magistrat, ce sont des textes significatifs, denses, qui se réfèrent à une idéologie ou à un type de représentation du politique typiquement oriental, mais que ce thème est absolument limité aux pythagoriciens. Là où vous trouvez référence au berger, il faudrait voir une influence pythagoricienne et donc une influence orientale.

À cette thèse-là s'oppose celle de Delatte dans *La Politique des pythagoriciens*[7], Delatte qui dit: mais non, pas du tout, le thème du berger comme modèle ou personnage politique, c'est un lieu commun. Il n'appartient pas du tout aux pythagoriciens en propre. Il ne traduit aucunement une influence orientale et c'est finalement un thème relativement sans importance, une sorte de lieu commun de la pensée ou plutôt tout simplement du vocabulaire, de la rhétorique politique de l'époque classique[8]. En fait, cette thèse de Delatte, cette affirmation de Delatte est donnée comme telle et il ne l'appuie, cette affirmation que le thème du berger est un lieu commun dans la pensée ou dans le vocabulaire politique de l'époque classique, sur aucune référence précise. Et alors, quand on regarde les différents index qui pourraient relever dans la littérature grecque les emplois de ces mots comme «pâtre», «pasteur», «père», ces mots comme *poimen, nomeus,* on est tout de même tout à fait surpris. Par exemple, l'*Index isokrateon* ne donne absolument aucune référence pour le mot *poimen,* pour le mot *nomeus.* C'est-à-dire qu'il ne semble pas que dans Isocrate on puisse jamais trouver l'expression même de pâtre ou de berger. Et dans un texte précis, l'*Aréopagitique,* où Isocrate décrit avec beaucoup de précision les devoirs du magistrat[9], on est surpris du fait suivant: c'est que du bon magistrat et de celui surtout qui doit veiller à la bonne éducation de la jeunesse, de ce magistrat Isocrate donne une description très précise, très prescriptive, très dense. Toute une série de devoirs et de tâches incombent à ce magistrat. Il doit prendre soin des jeunes gens, il doit les surveiller sans cesse, il doit veiller non seulement à leur éducation mais à leur nourriture, à la manière dont ils se comportent, à la manière dont ils se développent, à la manière même dont ils se marient. On est tout près là de la métaphore du berger. Or la métaphore du berger n'intervient pas. Vous ne trouvez pratiquement pas non plus chez Démosthène ce type-là de métaphore. Donc, dans ce qu'on appelle le vocabulaire politique classique de la Grèce, la métaphore du berger est une métaphore rare[10].

Rare, à une exception près évidemment, et celle-là est majeure, elle est capitale, c'est chez Platon. Là, vous avez toute une série de textes dans lesquels le bon magistrat, le magistrat idéal est considéré comme le berger. Être un bon pasteur, c'est cela être non seulement le bon, mais tout simplement le vrai, le magistrat idéal. Ceci dans le *Critias*[11], dans la *République*[12], dans les *Lois*[13] et dans *Le Politique*[14]. Et à ce texte du *Politique* je crois qu'il faut faire un sort à part. Laissons-le un instant de côté, et reprenons les autres textes de Platon où cette métaphore du berger-magistrat est utilisée. Et qu'est-ce qu'on voit? Je crois que la métaphore du berger dans les autres textes de Platon – c'est-à-dire tous, sauf *Le Politique* –, cette métaphore du berger est employée de trois façons.

D'abord pour désigner ce qu'a été la modalité spécifique, pleine et bienheureuse du pouvoir des dieux sur l'humanité aux premiers temps de son existence et avant que le malheur ou la dureté des temps n'en ait changé la condition. Les dieux sont bien originairement les pâtres de l'humanité, ils en sont les pasteurs. Ce sont les dieux qui ont nourri [les hommes]*, qui les ont guidés, qui leur ont fourni leur nourriture, leurs

* M. F.: qui les ont nourris

principes généraux de conduite, qui ont veillé à leur bonheur et à leur bien-être. C'est ce que vous trouvez dans le *Critias* [15], on le retrouvera dans *Le Politique,* et vous verrez ce que, à mon sens, cela veut dire.

Deuxièmement, vous trouvez aussi des textes dans lesquels le magistrat du temps actuel, du temps de dureté, du temps d'après le grand bonheur de l'humanité présidée par les dieux, est lui aussi considéré comme un berger. Mais il faut bien voir que ce magistrat-berger n'est jamais considéré ni comme le fondateur de la cité ni comme celui qui lui a donné ses lois essentielles, mais comme le magistrat principal. Le magistrat-berger – dans les *Lois* c'est tout à fait caractéristique, tout à fait clair –, le magistrat-berger est en fait un magistrat subordonné. Il est un petit peu intermédiaire entre le chien de garde proprement dit, disons brutalement le policier, et puis celui qui est le véritable maître ou législateur de la cité. Au livre X des *Lois,* vous voyez que le magistrat-berger est opposé d'une part aux bêtes de proie qu'il doit tenir à l'écart de son troupeau, mais qu'il est également distinct des maîtres qui, eux, sont au sommet de l'État [16]. Donc fonctionnaire-berger, bien sûr, mais fonctionnaire seulement. C'est-à-dire que ce n'est pas tellement l'essence même de la fonction politique, l'essence même de ce qu'est le pouvoir dans la cité qui va se trouver représentée par le berger, mais simplement une fonction latérale, une fonction que *Le Politique* appellera justement adjuvante [17], qui est ainsi désignée.

Enfin, troisième série de textes, toujours dans Platon et à l'exception du *Politique,* c'est les textes de la *République,* en particulier dans le livre I, la discussion avec Thrasymaque, où Thrasymaque dit, comme s'il s'agissait d'une évidence ou sinon d'un lieu commun, du moins d'un thème familier : oui, bien sûr, on va dire que le bon magistrat, c'est celui qui est un véritable berger. Mais enfin, regardons un peu ce que fait le berger. Est-ce que tu crois vraiment, dit Thrasymaque, que le berger, c'est l'homme qui a en vue essentiellement et même exclusivement le bien de son troupeau ? Le berger ne se donne du mal que dans la mesure où ça peut lui rapporter à lui, il ne se donne du mal pour ses bêtes qu'en vue du jour où il pourra sacrifier ses bêtes, les égorger ou en tout cas les vendre. C'est par égoïsme que le berger agit comme il agit et fait semblant de se dévouer pour ses bêtes. Donc, dit Thrasymaque, cette comparaison avec le berger n'est absolument pas topique pour caractériser la vertu nécessaire au magistrat [18]. Ce à quoi il est répondu à Thrasymaque : mais ce que tu définis là, ce n'est pas le bon berger, ce n'est pas le vrai berger, ce n'est pas le berger tout court, c'est la caricature du berger. Un berger égoïste, c'est quelque chose de contradictoire. Le vrai berger, c'est celui justement qui se dévoue entièrement pour son troupeau et ne pense pas à lui-même [19]. Il est certain que l'on a là... enfin, il est probable en tout cas que l'on a là une référence explicite, sinon à ce lieu commun qui n'a pas l'air tellement commun dans la pensée grecque, du moins à un thème familier, connu de Socrate, de Platon, des cercles [platoniciens], qui était le thème pythagoricien. C'est ce thème pythagoricien du magistrat-berger, de la politique comme bergerie, c'est ce thème-là qui affleure, je crois, clairement dans le texte de la *République,* au livre I.

C'est avec celui-là que va débattre justement le grand texte du *Politique,* car le grand texte du *Politique* a précisément, me semble-t-il, pour fonction de poser, alors directement et en quelque sorte de plein fouet, le problème de savoir si effectivement on peut caractériser non pas tel ou tel magistrat dans la cité, mais le magistrat par excellence, ou plutôt la nature même du pouvoir politique tel qu'il s'exerce dans la cité, si on peut effectivement l'analyser à partir de ce modèle de l'action et du pouvoir du berger sur son troupeau. Est-ce que la politique peut effectivement correspondre à cette forme du rapport berger-troupeau ? C'est la question fondamentale, ou en tout cas une des dimensions fondamentales du *Politique.* Et à cette question le texte tout entier répond « non », et un non qui me paraît assez circonstancié pour qu'on puisse y voir une récusation en bonne et due forme de ce que Delatte appelait, me semble-t-il à tort, un lieu commun, mais qu'il faut bien reconnaître comme un thème familier à la philosophie pythagoricienne : le chef dans la cité doit être le berger du troupeau.

Récusation donc de ce thème. Vous savez – là, je vais simplement reprendre schématiquement le déroulement du *Politique* –, vous savez en gros comment se fait cette récusation de la métaphore du berger. Qu'est-ce qu'un homme politique, qu'est-ce que l'homme politique ? On ne peut le définir, bien sûr, que par la connaissance spécifique et l'art particulier qui lui permettent d'exercer effectivement, comme il faut, comme il doit, son action d'homme politique. Cet art, cette connaissance qui caractérisent l'homme politique, c'est l'art de prescrire, l'art de commander. Or qui commande ? Bien sûr, un roi commande. Mais après tout, un devin qui transmet les ordres du dieu, un messager, un héraut qui apporte le résultat des délibérations d'une assemblée, mais après tout le chef des rameurs dans un bateau, ceux-là aussi commandent, ils donnent des ordres. Il faut donc, parmi tous ces gens qui effectivement donnent des ordres, reconnaître quel est celui qui est véritablement l'homme politique et quel est l'art proprement politique qui correspond à la fonction du magistrat. D'où, analyse de ce que c'est que prescrire, et cette analyse se fait, dans un premier temps, de la manière suivante. Il y a, dit Platon, deux manières de prescrire. On peut prescrire les ordres que l'on donne soi-même, on peut prescrire les ordres que donne un autre, c'est ce que fait le messager ou le héraut, c'est ce que fait le chef des rameurs, c'est ce que fait le devin également. En revanche, transmettre les ordres que l'on donne soi-même, il est évident que c'est cela que fait l'homme politique[20]. Ces ordres que l'on donne soi-même et qu'on transmet en son propre nom, à quoi peut-on les donner? Ces ordres peuvent concerner les choses inanimées. C'est ce que va faire, par exemple, l'architecte qui va imposer sa volonté et ses décisions à ces choses inanimées que sont le bois et la pierre. On peut également les imposer à des choses animées, essentiellement à des êtres vivants. C'est évidemment de ce côté-là que doit se placer l'homme politique, par opposition aux architectes. Il va donc prescrire à des êtres vivants[21]. On peut prescrire à des êtres vivants de deux manières. Ou bien en prescrivant à des individus singuliers, à son cheval ou à une paire de bœufs que l'on commande. On peut également donner des prescriptions à des animaux vivant en troupeau, formés en troupeau, à toute une collectivité d'animaux. Il est évident que l'homme politique est plutôt de ce dernier côté. Il va donc commander à des êtres vivant en troupeau[22]. On peut enfin donner des ordres ou bien à ces êtres vivants que sont les animaux, n'importe lesquels, tous les animaux, ou bien à cette espèce particulière d'êtres vivants que sont les humains. C'est évidemment de ce côté-là que se trouve l'homme politique. Or qu'est-ce que c'est que donner des ordres à un troupeau d'êtres vivants, animaux ou hommes? C'est évidemment être leur berger. On a donc cette définition: l'homme politique, c'est le berger des hommes, c'est le pasteur de ce troupeau d'êtres vivants que constitue une population dans une cité[23]. Dans sa maladresse évidente il est assez clair que ce résultat enregistre sinon un lieu commun, du moins une opinion familière, et que le problème du dialogue va être précisément de savoir comment on peut se dégager de ce thème familier.

Et le mouvement par lequel on se dégage de ce thème familier, l'homme politique comme berger du troupeau, ce mouvement, je crois, se déroule en quatre étapes. Premièrement, on va reprendre un petit peu cette méthode de division, si fruste et si simpliste dans ses premiers moments. En effet, une objection apparaît tout de suite. Qu'est-ce que cela signifie d'opposer ainsi tous les animaux quels qu'ils soient, d'une part, et puis les hommes? Mauvaise division, dit Platon en se référant au problème de méthode [...*][24]. On ne peut pas mettre tous les animaux

---

* Quelques mots inaudibles.

d'un côté et tous les hommes de l'autre. Il faut faire des divisions qui soient réellement des divisions pleines de part et d'autre, de bonnes divisions par moitiés équivalentes. À propos de ce thème que le magistrat est quelqu'un qui veille [sur] un troupeau, il va donc falloir distinguer les différents types d'animaux, il va falloir distinguer les animaux sauvages et les animaux paisibles et domestiques [25]. Les hommes appartiennent à cette seconde catégorie. Parmi les animaux domestiques ou paisibles, ceux qui vivent dans l'eau et ceux qui vivent sur terre. L'homme est à placer du côté de ceux qui vivent sur terre. Ceux qui vivent sur terre doivent se diviser en volatiles et pédestres, en ceux qui ont des cornes, ceux qui n'ont pas de cornes, ceux qui ont le pied fendu, ceux qui n'ont pas le pied fendu, ceux qui sont susceptibles de croisement, ceux qui ne sont pas susceptibles de croisement. Et la division se perd ainsi dans ses propres subdivisions, montrant par là que lorsque l'on procède ainsi, c'est-à-dire en partant de ce thème familier : le magistrat c'est un berger, mais c'est le berger de qui ? – on n'aboutit à rien. Autrement dit, quand, dans cette définition, on prend comme invariant « magistrat = berger » et que l'on fait varier l'objet sur lequel porte ce rapport, le pouvoir du berger, à ce moment-là, on peut bien avoir toutes les classifications que l'on voudra des animaux possibles, aquatiques, non aquatiques, pédestres, non pédestres, ayant le pied fendu, n'ayant pas le pied fendu, etc., on va avoir une typologie des animaux, on n'avancera en rien dans la question fondamentale qui est : qu'est-ce que c'est donc que cet art de prescrire ? Comme invariant, le thème du berger est totalement stérile et ne nous renvoie jamais qu'aux variations possibles dans les catégories animales [26].

D'où la nécessité de reprendre la démarche, et c'est là le second moment dans cette critique du thème, second moment qui consiste à dire : il faut maintenant regarder en quoi cela consiste d'être berger. C'est-à-dire faire varier ce qui avait été jusque-là admis comme l'invariant de l'analyse. Qu'est-ce que c'est qu'être berger, en quoi ça consiste ? Et donc on peut répondre ainsi : être berger, cela veut dire premièrement qu'on est seul à être berger dans un troupeau. Il n'y a jamais plusieurs bergers par troupeau. Un seul. Et d'autre part, à propos des formes d'activité, on s'aperçoit que le berger, c'est quelqu'un qui doit faire tout un tas de choses. Il doit assurer la nourriture du troupeau. Il doit soigner les plus jeunes brebis. Il doit guérir celles qui sont malades ou blessées. Il doit les entraîner par les chemins en leur donnant des ordres ou éventuellement en jouant de la musique. Il doit arranger les unions pour que ce soient les brebis les plus vigoureuses et les plus fécondes qui donnent les meilleurs agneaux. Donc, un seul berger et toute une série de fonctions différentes [27]. Maintenant, reprenons cela et appliquons-le au genre humain ou à la cité. Qu'est-ce que l'on va [dire]\* ? Le berger humain doit être seul, d'accord, il ne doit y avoir qu'un magistrat ou en tout cas qu'un roi. Mais toutes ces activités de nourriture, de soin, de thérapeutique, de régulation des unions, qui va en être chargé dans la cité, qui peut en être chargé, qui de fait s'en trouve chargé ? Et c'est là où le principe de l'unité du berger, de l'unicité du berger est immédiatement contesté, et qu'on voit naître ce que Platon appelle les rivaux du roi, les rivaux du roi en fait de bergerie. Si le roi en effet se définit comme un pasteur, pourquoi est-ce qu'on ne dira pas que le cultivateur qui précisément nourrit les hommes, ou encore le boulanger qui fait le pain et qui fournit de la nourriture aux hommes, est-ce qu'il n'est pas tout autant berger de l'humanité que le berger du troupeau quand il conduit les ouailles, les brebis dans les prairies ou quand il les fait boire ? Le cultivateur, le boulanger est un rival du roi, est berger de l'humanité. Mais le médecin qui soigne ceux qui sont malades est également un berger, il fait fonction de pâtre, le maître de gymnastique, le pédagogue qui veille à la bonne éducation des enfants, à leur santé, à la vigueur de leur corps, à leur aptitude, ceux-là aussi sont également des bergers par rapport au troupeau humain. Tous peuvent revendiquer d'être des pasteurs et constituent donc autant de rivaux de l'homme politique [28].

Donc, nous avions un invariant, admis d'entrée de jeu : le magistrat, c'est le berger. On fait varier la série des êtres sur lesquels porte le pouvoir du berger, on a une typologie d'animaux, on n'arrête pas dans la division. Reprenons donc l'analyse du berger, en quoi cela consiste – et à ce moment-là on voit proliférer toute une série de fonctions qui ne sont pas des fonctions politiques. On a donc d'une part la série de toutes les divisions possibles dans les espèces animales, d'un autre côté la typologie de toutes les activités possibles qui, dans la cité, peuvent être rapportées à l'activité du berger. Le politique a disparu. D'où la nécessité de reprendre le problème.

Troisième temps de l'analyse : comment est-ce que l'on va ressaisir l'essence même du politique ? Et c'est là qu'intervient le mythe. Le mythe du *Politique*, vous le connaissez. C'est cette idée que le monde tourne sur lui-même, d'abord dans un sens qui est le bon sens, qui est en tout cas le sens du bonheur, le sens naturel et qui est suivi, lorsqu'il est arrivé à son terme, d'un mouvement en sens inverse, qui est le mouvement des temps difficiles [29]. Tant que le monde tourne sur son axe dans

---

\* Mot inaudible.

le sens premier, l'humanité vit en effet dans le bonheur et dans la félicité. C'est l'âge de Chronos. C'est un âge, dit Platon, « c'est un temps qui n'appartient pas à l'actuelle constitution du monde, mais à sa constitution antérieure [30] ». À ce moment-là, comment les choses se passent-elles ? Il y a toute une série d'espèces animales, et chacune de ces espèces animales se présente comme un troupeau. Et à la tête de ce troupeau, il y a bien un berger. Ce berger, c'est le génie pasteur qui préside à chacune des espèces animales. Et parmi ces espèces animales, il y a un troupeau particulier, c'est le troupeau humain. Ce troupeau humain a lui aussi son génie pasteur. Ce pasteur, qu'est-ce que c'est ? C'est, dit Platon, « la divinité en personne [31] ». La divinité en personne est le pasteur du troupeau humain dans cette période-là de l'humanité qui n'appartient pas à l'actuelle constitution du monde. Que fait ce pasteur ? À dire vrai, c'est une tâche à la fois infinie, exhaustive et facile. Facile dans la mesure où la nature tout entière offre à l'homme tout ce dont il a besoin : la nourriture est fournie par les arbres, le climat est si doux que l'homme n'a pas besoin de se construire des maisons, il peut dormir à la belle étoile et il n'est pas plus tôt mort qu'il revient à la vie. Et c'est ce troupeau bienheureux, abondant en nourriture et perpétuellement à nouveau vivant, c'est ce troupeau sans menaces, sans difficultés auquel la divinité préside. La divinité est leur pasteur et « parce que, dit encore le texte de Platon, la divinité était leur pasteur, ils n'avaient pas besoin de constitution politique [32] ». La politique va donc commencer là où précisément se terminera ce premier temps heureux, quand le monde tourne dans le bon sens. La politique va commencer quand le monde tourne à l'envers. Quand le monde tourne à l'envers, en effet, la divinité se retire, la difficulté des temps commence. Les dieux, bien sûr, n'abandonnent pas totalement les hommes, mais ils ne les aident que d'une manière indirecte, en leur donnant le feu, les [arts] *[33], etc. Ils ne sont plus véritablement les bergers omniprésents, immédiatement présents qu'ils étaient dans la première phase de l'humanité. Les dieux se sont retirés et les hommes sont obligés de se diriger les uns les autres, c'est-à-dire qu'ils ont besoin de politique et d'hommes politiques. Mais, et là encore le texte de Platon est très clair, ces hommes qui sont maintenant en charge des autres hommes ne sont pas au-dessus du troupeau comme les dieux pouvaient être au-dessus de l'humanité. Ils font partie des hommes eux-mêmes et on ne peut donc pas les considérer comme des bergers [34].

---

* Mot inaudible.

Alors, quatrième temps de l'analyse : puisque la politique, le politique, les hommes de la politique n'interviennent que lorsque l'ancienne constitution de l'humanité a disparu, c'est-à-dire lorsque l'âge de la divinité-pasteur est terminé, alors comment est-ce que l'on va définir le rôle de l'homme politique, en quoi va consister cet art de donner des ordres aux autres ? Et c'est là que, pour [le] substituer au modèle du berger, on va proposer le modèle indéfiniment célèbre dans la littérature politique qui est le modèle du tissage[35]. C'est un tisserand que l'homme politique. Pourquoi est-ce que le modèle du tissage est le bon ? (Là, je passe très rapidement, ce sont des choses connues.) D'abord, un peu précisément, en utilisant ce modèle du tissage, on va pouvoir faire une analyse cohérente de ce que sont les différentes modalités de l'action politique à l'intérieur de la cité. Contre le thème en quelque sorte invariable et global du berger qui ne peut que ramener ou bien à l'état antérieur de l'humanité ou bien à la foule de gens qui peuvent revendiquer d'être des bergers de l'humanité, avec le modèle du tisserand on va avoir au contraire un schéma analytique des opérations mêmes qui se déroulent à l'intérieur de la cité pour ce qui concerne le fait de commander les hommes. On va pouvoir mettre à part, d'abord, tout ce qui constitue les arts adjuvants de la politique, c'est-à-dire les autres formes selon lesquelles on peut prescrire des choses aux hommes et qui ne sont pas proprement la politique. En effet, l'art de la politique est comme l'art du tisserand, non pas quelque chose qui globalement s'occupe de tout, comme le berger est censé s'occuper de tout le troupeau. La politique, comme l'art du tisserand, ne peut se développer qu'à partir et avec l'aide d'un certain nombre d'actions adjuvantes ou préparatoires. Il faut que la laine ait été tondue, il faut que le fil ait été tressé, il faut que le cardeur soit passé par là pour que le tisserand puisse opérer. De la même façon, il va falloir, pour aider l'homme politique, toute une série d'arts adjuvants. Faire la guerre, donner de bonnes sentences dans les tribunaux, persuader aussi les assemblées par l'art de la rhétorique, tout cela, ce n'est pas proprement de la politique, mais c'en est la condition d'exercice[36]. Quelle va être alors l'activité politique proprement dite, l'essence du politique, l'homme politique ou plutôt l'action de l'homme politique ? Cela va être de lier, comme le tisserand lie la chaîne et la trame. L'homme politique lie entre eux les éléments, les bons éléments qui ont été formés par l'éducation, il va lier les vertus, les différentes formes de vertus qui sont distinctes les unes des autres et même parfois opposées les unes aux autres, il va tisser et lier entre eux les tempéraments opposés, comme par exemple les hommes fougueux et les hommes modérés, et ceux-ci il va les tisser grâce à la navette d'une opinion commune que les hommes partagent entre eux. L'art royal n'est donc pas du tout l'art du berger, c'est l'art du tisserand, c'est un art qui consiste à assembler les existences «en une communauté [je cite; M. F.] qui repose sur la concorde et l'amitié[37]». Ainsi le tisserand politique, le politique tisserand forme-t-il avec son art spécifique, bien différent de tous les autres, le plus magnifique de tous les tissus, et «toute la population de l'État, esclaves et hommes libres, dit encore Platon, se trouve enveloppée dans les plis de ce tissu magnifique[38]». Et c'est ainsi que l'on est conduit à toute la félicité qui peut arriver à un État.

Je crois qu'on a là, dans ce texte, la récusation en bonne et due forme du thème du pastorat. Non pas du tout qu'il s'agisse pour Platon de dire que le thème du pastorat doit être entièrement éliminé ou aboli. Mais il s'agit de montrer justement que s'il y a pastorat, cela ne peut être pour lui que dans ces activités mineures, nécessaires sans doute à la cité, mais subordonnées par rapport à l'ordre du politique, que sont l'activité par exemple du médecin, de l'agriculteur, du gymnaste, du pédagogue. Tous ceux-là peuvent être en effet comparés à un berger, mais l'homme politique, avec ses activités particulières et spécifiques, celui-là n'est pas un berger. Il y a, dans *Le Politique*, un texte très clair là-dessus, c'est dans le paragraphe 295a, un texte qui dit: est-ce que vous imaginez par exemple que l'homme politique pourrait s'abaisser, pourrait tout simplement avoir le temps de venir faire comme le berger, comme le médecin aussi, comme le pédagogue ou comme le gymnaste, s'asseoir auprès de chacun des citoyens pour le conseiller, le nourrir et le soigner?[39] Ces activités de berger existent, elles sont nécessaires. Laissons-les là où elles sont, là où elles ont leur valeur et leur efficacité, du côté du médecin, du gymnaste, du pédagogue. Ne disons pas surtout que l'homme politique est un berger. L'art royal de prescrire ne peut pas se définir à partir du pastorat. Le pastorat est trop menu, dans ses exigences, pour pouvoir convenir à un roi. C'est trop peu aussi à cause de l'humilité même de sa tâche, et les pythagoriciens par conséquent se trompent à vouloir faire valoir la forme pastorale, qui peut effectivement fonctionner dans de petites communautés religieuses et pédagogiques, ils ont tort de vouloir la faire valoir à l'échelle de la cité tout entière. Le roi n'est pas un pasteur.

Je crois qu'il y a là, avec tous les signes négatifs qui nous ont été donnés par l'absence du thème du berger dans le vocabulaire politique classique de la Grèce et par la critique explicite qui en est faite par Platon, le signe assez manifeste que la pensée grecque, la réflexion grecque sur la politique est exclusive de cette valorisation du thème du berger. Vous la trouvez chez les Orientaux et chez les Hébreux. Sans doute il y a eu dans le monde antique, – mais cela, ce serait à chercher beaucoup plus loin, avec beaucoup plus de précision –, des formes d'appui qui ont permis que, à partir d'un certain moment, précisément avec le « christianisme » (je mets « christianisme » entre guillemets), se diffuse la forme du pastorat. Mais ces points d'appui à la diffusion ultérieure du pastorat, je crois qu'il ne faut pas les chercher du côté de la pensée politique ni du côté des grandes formes d'organisation de la cité. Il faudrait sans doute regarder du côté des petites communautés, des groupes restreints avec les formes spécifiques de socialité qui leur étaient liées, comme les communautés philosophiques ou religieuses, les pythagoriciens par exemple, les communautés pédagogiques, les écoles de gymnastique ; peut-être aussi (j'y reviendrai la prochaine fois) dans certaines formes de direction de conscience. On pourrait voir, sinon la mise en place explicite du thème du berger, du moins un certain nombre de configurations, un certain nombre de techniques, un certain nombre de réflexions aussi qui ont pu permettre, par la suite, que le thème du pastorat, d'importation orientale, se diffuse dans tout le monde hellénique. En tout cas ce n'est pas, je crois, du côté de la grande pensée politique que vous trouveriez véritablement l'analyse positive du pouvoir à partir de la forme de la bergerie et du rapport pasteur-troupeau.

Ceci étant, je crois que l'on peut dire ceci : c'est que la véritable histoire du pastorat, comme foyer d'un type spécifique de pouvoir sur les hommes, l'histoire du pastorat comme modèle, comme matrice de procédures de gouvernement des hommes, cette histoire du pastorat dans le monde occidental ne commence guère qu'avec le christianisme. Et sans doute ce mot « christianisme » – là, je me réfère à ce qu'a dit souvent Paul Veyne [40] –, le terme « christianisme » n'est pas exact, il recouvre en vérité toute une série de réalités différentes. Il faudrait sans doute dire avec, sinon plus de précision, du moins un peu plus d'exactitude, que le pastorat commence avec un certain processus qui, lui, est absolument unique dans l'histoire et dont on ne trouve aucun exemple sans doute dans aucune autre civilisation : processus par lequel une religion, une communauté religieuse s'est constituée comme Église, c'est-à-dire comme une institution qui prétend au gouvernement des hommes dans leur vie quotidienne sous prétexte de les mener à la vie éternelle dans l'autre monde, et ceci à l'échelle non seulement d'un groupe défini, non seulement d'une cité ou d'un État, mais de l'humanité tout entière. Une religion qui prétend ainsi au gouvernement quotidien des hommes dans leur vie réelle sous prétexte de leur salut et à l'échelle de l'humanité, c'est ça l'Église et on n'en a aucun autre exemple dans l'histoire des sociétés. Je crois qu'il se forme là, avec cette institutionnalisation d'une religion comme Église, il se forme là, et je dois dire assez rapidement, au moins dans ses grandes lignes, un dispositif de pouvoir comme on n'en trouve nulle part ailleurs, un dispositif de pouvoir qui n'a pas cessé de se développer et de s'affiner pendant quinze siècles, disons depuis le IIe, IIIe siècle après Jésus-Christ jusqu'au XVIIIe siècle de notre ère. Ce pouvoir pastoral, absolument lié à l'organisation d'une religion comme Église, la religion chrétienne comme Église chrétienne, ce pouvoir pastoral, sans doute s'est-il considérablement transformé au cours de ces quinze siècles d'histoire. Sans doute il a été déplacé, disloqué, transformé, intégré à des formes diverses, mais au fond il n'a jamais été véritablement aboli. Et quand je me place au XVIIIe siècle comme fin de l'âge pastoral, il est vraisemblable que je me trompe encore, car de fait le pouvoir pastoral dans sa typologie, dans son organisation, dans son mode de fonctionnement, le pouvoir pastoral qui s'est exercé en tant que pouvoir est sans doute quelque chose dont nous ne nous sommes toujours pas affranchis.

Ceci ne veut pas dire que le pouvoir pastoral soit resté une structure invariante et fixe tout au cours des quinze, dix-huit ou vingt siècles de l'histoire chrétienne. On peut même dire que ce pouvoir pastoral, son importance, sa vigueur, la profondeur même de son implantation se mesurent à l'intensité et à la multiplicité des agitations, révoltes, mécontentements, luttes, batailles, guerres sanglantes qui ont été menées autour de lui, pour lui et contre lui [41]. L'immense querelle de la gnose qui a partagé pendant des siècles le christianisme [42], c'est en grande partie une querelle sur le mode d'exercice du pouvoir pastoral. Qui sera pasteur ? Comment, sous quelle forme, avec quels droits, pour faire quoi ? Le grand débat, lié d'ailleurs à la gnose, entre l'ascétisme des anachorètes et la régulation de la vie monastique sous la forme de la cénobie [43], c'est encore dans les premiers siècles de notre ère une affaire [... *] de pastorat. Mais après tout, toutes les luttes qui ont traversé non seulement l'Église chrétienne mais le monde chrétien, c'est-à-dire le monde occidental tout entier depuis le XIIIe siècle jusqu'aux XVIIe-XVIIIe siècles, toutes ces luttes, enfin une grande partie de ces luttes, ont été des luttes autour et à propos du pouvoir pastoral. De Wyclif [44] à Wesley [45], du XIIIe au XVIIIe siècle, toutes ces luttes qui ont culminé dans les guerres de Religion étaient fondamentalement des luttes pour savoir qui aurait effectivement le droit de gouverner les hommes, gouverner les hommes dans leur vie quotidienne, dans le détail même et dans la matérialité qui fait leur existence, pour

---

* Suivent un ou deux mots inintelligibles.

savoir qui a ce pouvoir, de qui il le tient, comment il l'exerce, avec quelle marge d'autonomie pour chacun, quelle qualification pour ceux qui exercent ce pouvoir, quelle limite de leur juridiction, quel recours on peut avoir contre eux, quel contrôle se fait des uns sur les autres ; tout ceci, cette grande bataille de la pastoralité, a traversé l'Occident du XIIIᵉ au XVIIIᵉ siècle, et sans que jamais finalement le pastorat ait été effectivement liquidé. Car s'il est vrai que la Réforme est sans doute bien plus une grande bataille pastorale qu'une grande bataille doctrinale, s'il est vrai que ce qui était en jeu avec la Réforme, c'était bien la manière dont le pouvoir pastoral était exercé, ce qui est sorti de la Réforme, c'est-à-dire un monde protestant ou un monde d'églises protestantes et la Contre-Réforme, ces deux mondes, cette série de mondes, n'étaient pas des mondes sans pastorat. Au contraire, c'est un prodigieux renforcement du pouvoir pastoral qui est sorti de cette série d'agitations et de révoltes qui commence au XIIIᵉ siècle et qui se stabilise, en gros, aux XVIIᵉ et XVIIIᵉ siècles. Il en est sorti un formidable renforcement du pastorat sous deux types différents, le type disons protestant ou des différentes sectes protestantes avec un pastorat méticuleux, mais d'autant plus méticuleux qu'il était hiérarchiquement plus souple, et au contraire une Contre-Réforme avec un pastorat entièrement repris en main, une pyramide hiérarchisée, à l'intérieur d'une Église catholique très fortement centralisée. Mais de toute façon, de ces grandes révoltes – j'allais dire antipastorales, non, de ces grandes révoltes autour du pastorat, autour du droit à être gouverné et du droit à savoir comment on va l'être et par qui, toutes ces révoltes sont effectivement liées à une réorganisation en profondeur du pouvoir pastoral. Je dirai qu'après tout, le pouvoir politique de type féodal a sans doute connu des révolutions ou en tout cas s'est heurté à une série de processus qui l'ont bel et bien liquidé et chassé de l'histoire de l'Occident, à part quelques traces. Il y a eu des révolutions antiféodales, il n'y a jamais eu de révolution antipastorale. Le pastorat n'a pas encore connu le processus de révolution profonde qui l'aurait mis définitivement en congé de l'histoire.

Il n'est pas question ici, bien sûr, de faire l'histoire de ce pastorat. Je voudrais simplement remarquer que cette histoire du pastorat ne me semble pas, – là, sous toute réserve, il faudrait consulter des gens compétents, c'est-à-dire des historiens et pas moi –, il me semble que cette histoire n'a jamais été réellement faite. On a fait l'histoire des institutions ecclésiastiques. On a fait l'histoire des doctrines, des croyances, des représentations religieuses. On a fait l'histoire aussi, on a essayé de faire l'histoire des pratiques religieuses réelles, à savoir : comment, quand les gens se confessaient, communiaient, etc. Mais l'histoire des techniques employées, l'histoire des réflexions sur ces techniques pastorales, l'histoire de leur développement, de leur application, l'histoire de leur raffinement successif, l'histoire des différents types d'analyse et de savoir qui étaient liés à l'exercice du pastorat, il me semble que cela n'a jamais été très réellement fait. Et après tout pourtant, depuis le début du christianisme, le pastorat n'a pas été simplement perçu comme une institution nécessaire, il n'a pas été simplement réfléchi comme un ensemble de prescriptions imposées à certains, de privilèges accordés à d'autres. En fait, il y a eu sur le pastorat une gigantesque réflexion qui s'est tout de suite donnée comme réflexion, non seulement, encore une fois, sur les lois et les institutions [... *], mais une réflexion théorique, une réflexion qui valait philosophie. Il ne faut tout de même pas oublier que c'est saint Grégoire de Nazianze qui a défini le premier cet art de gouverner les hommes par le pastorat comme *technè technôn, epistemè epistemôn,* l'« art des arts », la « science des sciences »[46]. Ce qui sera répercuté ensuite jusqu'au XVIIIᵉ siècle sous la forme traditionnelle que vous connaissez, *ars artium, regimen animarum*[47] : le « régime des âmes », le « gouvernement des âmes », c'est cela qui est *ars artium.* Or cette phrase, il faut l'entendre non seulement comme un principe fondamental, mais dans son tranchant polémique, puisque qu'est-ce que c'était que l'*ars artium,* la *technè technôn,* l'*epistemè epistemôn* avant Grégoire de Nazianze ? C'était la philosophie. C'est-à-dire que bien avant les XVIIᵉ-XVIIIᵉ siècles, l'*ars artium,* ce qui prenait dans l'Occident chrétien la relève de la philosophie, ce n'était pas une autre philosophie, ce n'était même pas la théologie, c'était la pastorale. C'était cet art par lequel on apprend aux gens à gouverner les autres, ou on apprend aux autres à se laisser gouverner par certains. Ce jeu du gouvernement des uns par les autres, du gouvernement quotidien, du gouvernement pastoral, c'est cela qui a été réfléchi pendant quinze siècles comme étant la science par excellence, l'art de tous les arts, le savoir de tous les savoirs.

Ce savoir de tous les savoirs, cet art de gouverner les hommes, je crois que si on voulait en repérer quelques-uns des caractères, on pourrait tout de suite remarquer ceci ** : rappelez-vous ce qu'on disait la dernière fois à propos des Hébreux. Dieu sait si chez les Hébreux, beaucoup plus que chez les Égyptiens, beaucoup plus même que chez les Assyriens, le thème

---

    * Suit un mot inaudible.
    ** M. Foucault ajoute : c'est que ce qui caractérise l'institutionnalisation du pastorat dans l'Église chrétienne, c'est ceci :

du pasteur était important, lié à la vie religieuse, lié à la perception historique que le peuple hébreu avait de lui-même. Tout se déroulait dans la forme pastorale, puisque Dieu était pasteur et que les errances du peuple juif, c'étaient les errances du troupeau à la recherche de sa prairie. Tout en un sens était pastoral. Cependant, deux choses. Premièrement, le rapport berger-troupeau n'était finalement qu'un des aspects des rapports multiples, complexes, permanents entre Dieu et les hommes. Dieu était berger, mais il était aussi autre chose que berger. Il était législateur par exemple, ou encore Dieu se détournait de son troupeau dans un mouvement de colère et l'abandonnait à lui-même. À la fois dans l'histoire, dans l'organisation du peuple hébraïque, le rapport berger-troupeau n'était pas la seule des dimensions, la seule forme sous laquelle on pouvait percevoir les rapports de Dieu et de son peuple. Deuxièmement et surtout, il n'y avait pas chez les Hébreux d'institution pastorale proprement dite. Personne n'était, à l'intérieur de la société hébraïque, pasteur par rapport aux autres. Bien mieux, les rois hébraïques (je vous le rappelais la dernière fois) n'étaient pas spécifiquement désignés comme pasteurs des hommes, à l'exception de David, fondateur de la monarchie davidienne. Quant aux autres, ils n'ont été désignés comme pasteurs que précisément quand il s'agissait de dénoncer en eux leur négligence et de montrer combien ils avaient été mauvais bergers. Chez les Hébreux, le roi n'est jamais désigné comme étant le berger sous sa forme positive, directe, immédiate. En dehors de Dieu, il n'y a pas de berger.

En revanche, dans l'Église chrétienne, on va voir au contraire ce thème du berger en quelque sorte s'autonomiser par rapport aux autres, n'être pas simplement une des dimensions ou un des aspects du rapport de Dieu aux hommes. Cela va être le rapport fondamental, essentiel, non pas seulement un à côté des autres, mais un rapport qui enveloppe tous les autres, et deuxièmement, cela va être bien sûr un type de rapport qui va s'institutionnaliser dans un pastorat qui a ses lois, ses règles, ses techniques, ses procédés. Donc, le pastorat va devenir autonome, va devenir englobant et va devenir spécifique. Du haut en bas de l'Église, les rapports d'autorité sont fondés sur les privilèges, et sur les tâches en même temps, du berger par rapport à son troupeau. Le Christ, bien sûr, est pasteur et c'est un pasteur qui se sacrifie pour ramener à Dieu le troupeau qui a été perdu, qui se sacrifie même, non seulement pour le troupeau en général, mais pour chacune des brebis en particulier. On retrouve là le thème mosaïque, comme vous le savez, du bon berger qui accepte de sacrifier tout son troupeau pour aller sauver la seule brebis qui est en danger[48]. Mais ce qui n'était qu'un thème dans la littérature mosaïque va devenir maintenant la clé de voûte même de toute l'organisation de l'Église. Le premier pasteur, c'est évidemment le Christ. L'Épître aux Hébreux le disait déjà : « Dieu a ramené d'entre les morts le plus grand pasteur de brebis, notre Seigneur Jésus-Christ[49]. » Le Christ est le pasteur. Les apôtres sont également les bergers, les pasteurs qui vont visiter les uns après les autres les troupeaux qui leur ont été confiés et qui, au soir de leur journée et à la fin de leur vie, lorsque viendra le jour redoutable, auront à rendre compte de tout ce qui s'est passé dans le troupeau. Évangile de saint Jean, 21, 15-17 : Jésus-Christ commande à Pierre de paître ses agneaux et de paître ses brebis[50]. Les apôtres sont des pasteurs. Les évêques sont des pasteurs, ce sont les préposés, ceux qui sont placés en avant pour, et là je cite saint Cyprien dans la Lettre 8, *« custodire gregem »*, « garder le troupeau »[51], ou encore dans la Lettre 17, *« fovere oves »*, « entretenir les brebis »[52]. Dans le texte qui restera pendant tout le Moyen Âge le texte fondamental de la pastorale, la bible si vous voulez du pastorat chrétien, dans le livre de Grégoire le Grand, *Regula pastoralis (La Règle de la vie pastorale)** édité très souvent, qu'on appelle souvent le *Liber pastoralis (Le Livre pastoral)*[53], Grégoire le Grand appelle régulièrement l'évêque « pasteur ». Les abbés à la tête des communautés sont considérés comme des pasteurs. Reportez-vous aux *Règles* fondamentales de saint Benoît[54].

Enfin, reste le problème, ou plutôt s'ouvre le problème de savoir si, lorsque le christianisme aura mis en place l'organisation des paroisses d'une part et la territorialité précise des paroisses au cours du Moyen Âge[55], on peut considérer les curés comme des pasteurs. Et vous savez que c'était là un des problèmes qui ont donné lieu, sinon exactement à la Réforme, du moins à toute une série de crises, contestations, débats qui ont finalement abouti à la Réforme. À peine les paroisses étaient-elles composées, que déjà on a posé le problème de savoir si les curés seraient les pasteurs. Oui, a répondu Wyclif[56]. Oui, vont répondre, chacune à sa manière, toute une série d'églises protestantes. Oui, vont répondre encore les jansénistes au XVIIe et au XVIIIe siècle[57]. À quoi l'Église obstinément répondra : non, les curés ne sont pas des pasteurs[58]. En 1788** encore Marius Lupus publiait un *De parochiis* qui conteste fondamentalement la thèse qui de fait, dans une atmosphère pré- et post-conciliaire, sera finalement en gros admise, que les curés sont des pasteurs[59].

---

* M. Foucault cite le titre au pluriel : *Regulae pastoralis vitae,* Les Règles de la vie pastorale
** M. F. : 1798

En tout cas, – laissons ouvert ce problème des curés –, on peut dire que toute l'organisation de l'Église, du Christ jusqu'aux abbés et aux évêques, est une organisation qui se donne comme pastorale. Et les pouvoirs qui sont détenus dans l'Église, ces pouvoirs sont donnés, je veux dire à la fois organisés et justifiés comme pouvoir du berger à l'égard du troupeau. Qu'est-ce que le pouvoir sacramentel, celui du baptême ? C'est appeler les brebis dans le troupeau. Celui de la communion ? C'est donner la nourriture spirituelle. C'est pouvoir par la pénitence réintégrer les brebis qui ont quitté le troupeau. Le pouvoir de juridiction, c'est également un pouvoir de pasteur, un pouvoir de berger. C'est ce pouvoir de juridiction, en effet, qui permet à l'évêque, par exemple, en tant que pasteur, de chasser du troupeau la brebis qui, par sa maladie ou son scandale, sera susceptible de contaminer le troupeau tout entier. Le pouvoir religieux est donc le pouvoir pastoral.

Enfin, trait alors absolument essentiel et fondamental : c'est que ce pouvoir globalement pastoral est resté, tout au long du christianisme, distinct du pouvoir politique. Ceci ne veut pas dire que le pouvoir religieux ne se soit jamais donné pour tâche que de s'occuper des âmes des individus. Au contraire, le pouvoir pastoral – c'est là un de ses traits fondamentaux sur lequel je reviendrai la prochaine fois [60] et l'un de ses paradoxes – ne s'occupe des âmes des individus que dans la mesure où cette conduite des âmes implique aussi une intervention, et une intervention permanente dans la conduite quotidienne, dans la gestion des vies, mais aussi dans les biens, les richesses, dans les choses. Il concerne non seulement les individus, mais [aussi] la collectivité, et c'est un texte de saint Jean Chrysostome qui dit que l'évêque doit veiller sur toute chose, l'évêque doit avoir mille regards, car il ne doit pas simplement s'occuper des individus, mais de la ville tout entière et finalement, – c'est dans le *De sacerdotio* que cela se trouve [61] –, [de] l'*orbis terrarum,* [du] monde tout entier. C'est donc une forme de pouvoir qui est bien un pouvoir terrestre même s'il se finalise sur l'au-delà. Et pourtant, malgré cela, il est toujours resté dans l'Église occidentale – laissons de côté l'Église orientale – un pouvoir tout à fait distinct du pouvoir [politique] *. Il faut sans doute entendre cette séparation résonner déjà dans la fameuse apostrophe de Valentinien à saint Ambroise quand il a envoyé saint Ambroise gouverner Milan. Il l'a envoyé gouverner Milan, « non pas comme magistrat, mais comme pasteur [62] ». La formule, je crois, va rester comme une sorte de principe, de loi fondamentale à travers toute l'histoire du christianisme.

---

* M. F. : religieux

Je ferai ici deux remarques. Bien sûr, d'abord, il va y avoir, entre le pouvoir pastoral de l'Église et le pouvoir politique, une série d'interférences, d'appuis, de relais, toute une série de conflits bien sûr sur lesquels je ne reviens pas et que vous connaissez bien, de sorte que l'entrecroisement du pouvoir pastoral et du pouvoir politique sera effectivement une réalité historique à travers l'Occident. Mais je crois, et c'est là un point fondamental, que malgré toutes ces interférences, malgré tous ces entrecroisements, ces appuis, ces relais, dans sa forme, dans son type de fonctionnement, dans sa technologie interne, le pouvoir pastoral va rester absolument spécifique et différent du pouvoir politique, au moins jusqu'au XVIII<sup>e</sup> siècle. Il ne fonctionne pas de la même façon, et quand bien même ce seraient les mêmes personnages qui exerceraient le pouvoir pastoral et le pouvoir politique, et Dieu sait si ça s'est fait dans l'Occident chrétien, quand bien même l'Église et l'État, l'Église et le pouvoir politique auraient toutes les formes d'alliance que l'on pourrait imaginer, je crois que cette spécificité est restée comme un trait absolument caractéristique de l'Occident chrétien.

Deuxième remarque : c'est que la raison même de cette distinction est un grand problème d'histoire et, pour moi du moins, une énigme. En tout cas, je n'ai absolument pas la prétention de la résoudre ni même de poser les dimensions complexes du problème maintenant, ni d'ailleurs non plus la prochaine fois. Comment se fait-il donc que ces deux types de pouvoir, le pouvoir politique et le pouvoir pastoral, aient ainsi gardé leur spécificité et leur physionomie propre ? C'est un problème. J'ai l'impression que si on examinait le christianisme oriental, on aurait un processus, un développement assez différent, une intrication beaucoup plus forte, peut-être une certaine forme de perte de spécificité de l'un et de l'autre, je n'en sais rien. Une chose en tout cas me paraît assez évidente, c'est que, malgré donc toutes les interférences, la spécificité est restée la même. Le roi, celui-là même dont Platon cherchait quelle était la définition, quelle était la spécificité et l'essence, le roi est resté le roi, quand bien même d'ailleurs un certain nombre de mécanismes de rattrapage ou de mécanismes-passerelles ont été mis en place, par exemple le sacre des rois en France et en Angleterre, le fait que le roi a été pendant un temps considéré comme un évêque et sacré d'ailleurs comme évêque. Malgré tout cela, le roi est resté le roi et le pasteur est resté pasteur. Le pasteur est resté un personnage qui exerce son pouvoir sur le mode mystique, le roi est resté quelqu'un qui exerçait son pouvoir sur le mode impérial. La distinction, l'hétérogénéité du pastorat christique et de la souveraineté impériale, cette hétérogénéité me paraît [être] un des traits de l'Occident. Encore une fois, je ne pense pas que l'on trouverait exactement la même chose en Orient. Je pense, par exemple, au livre d'Alain Besançon qui a été consacré, il y a maintenant une bonne quinzaine d'années, au *Tsarévitch immolé,* dans lequel il développe un certain nombre des thèmes religieux propres à la monarchie, à l'Empire russe, et où il montre bien combien les thèmes christiques sont présents dans la souveraineté politique telle qu'elle a été, sinon effectivement organisée, du moins vécue, perçue, éprouvée en profondeur dans la société russe ancienne, et même encore dans la société moderne[63].

Et je voudrais simplement vous citer un texte de Gogol sur lequel je suis tombé l'autre jour, tout à fait par hasard, dans le livre de Siniavski sur Gogol qu'on vient de publier[64]. Pour définir ce qu'est le tsar, ce que doit être le tsar – c'est une lettre à Joukovski qui date de 1846 – Gogol évoque l'avenir de l'Empire russe, évoque le jour où l'Empire aura atteint et sa forme parfaite et l'intensité affective que requiert la relation politique, la relation de maîtrise entre le souverain et ses sujets, et voici ce qu'il dit sur cet Empire enfin réconcilié : « L'homme s'enflera d'[un] amour encore jamais ressenti envers l'humanité [tout] entière. Nous autres, pris individuellement, rien ne nous enflammera de [cet] amour. [Il] restera idéal, chimérique [et] non accompli. Seuls peuvent se pénétrer [de cet amour] ceux qui ont pour règle intangible d'aimer tous les hommes comme un seul homme. Parce qu'il aura aimé tout dans son royaume jusqu'au dernier sujet de la dernière classe, et parce qu'il aura converti tout son royaume en son corps, souffrant, pleurant, implorant nuit et jour pour son peuple malheureux, le souverain, [le tsar] acquiert cette voix toute-puissante de l'amour, seule capable de se faire entendre de l'humanité, seule capable de toucher aux blessures sans les irriter, seule capable d'apporter l'apaisement aux différentes classes sociales et l'harmonie à l'État. Le peuple ne guérira vraiment que là où le [César] [aura accompli] sa destinée suprême : être l'image sur terre de Celui qui est Amour[65]. » On a là, je crois, une admirable image, une admirable évocation d'un souverain christique. Ce souverain christique ne me paraît pas caractéristique de l'Occident. Le souverain occidental, c'est César et non pas le Christ. Le pasteur occidental n'est pas César, mais le Christ.

J'essaierai, la prochaine fois, d'entrer un petit peu dans cette comparaison entre pouvoir politique et pouvoir pastoral et de vous montrer quelle est la spécificité de ce pouvoir pastoral dans sa forme même, par rapport au pouvoir politique.

NOTES

1. Selon K. Stegmann von Pritzwald, *Zur Geschichte der Herrscherbezeich- nungen von Homer bis Platon*, Leipzig («Forschungen zur Völker-Psychologie u. Soziologie» 7), 1930, p. 16-24, l'appellation ποιμήν λαῶν se rencontre 44 fois dans l'*Iliade* et 12 fois dans l'*Odyssée* (d'après J. Engemann, «Hirt», art. cité [*Reallexikon für Antike und Christentum*, t. 15, 1991], col. 580). P. Louis, quant à lui (*Les Métaphores de Platon, op. cit.*, p. 162), recensait 41 références dans l'*Iliade* et 10 dans l'*Odyssée*. Cf. H. Ebeling, ed., *Lexikon Homericum*, Leipzig, 1885; rééd. Hildesheim, Olms, 1963, t. 2, p. 195. W. Jost, *Poimen, op. cit.*, p. 8, signale que l'expression est également employée comme titre royal dans *Le Bouclier d'Héraclès*, 41 (poème apocryphe dont le début fut longtemps attribué à Hésiode).

2. R. Schmitt, *Dichtung und Dichtersprache in indogermanischer Zeit*, Wiesbaden, O. Harrassowitz, 1967.

3. *Ibid.*, p. 284 : «Längst hat man auch auf die germanische Parallele hingewiesen, die uns das altenglische *Beowulf*-Epos in den Verbindungen *folces hyrde* "Hirte des Volkes" (v. 610, 1832, 1849, 2644, 2981) und ähnlichem *rīces hyrde* "Hirte des Reiches" (v. 2027, 3080) bietet.» R. Schmitt précise que cette expression n'était pas inconnue des peuples extérieurs à l'aire indo-germanique : «So bezeichnet etwa Hammurabi sich selbst als (akkad.) *re'ū nīšī* "Hirte des Volkes"» (sur ce dernier exemple, cf. *supra*, p. 136, note 24). *Beowulf*: poème anglo-saxon anonyme de l'époque pré-chrétienne, remanié entre le VIIIᵉ et le Xᵉ siècle, et dont le manuscrit fut publié pour la première fois en 1815 (première traduction française par L. Botkine, Le Havre, Lepelletier, 1877).

4. Il s'agit des fragments d'un Περὶ νομοῦ καὶ δικαιοσύνης attribué par l'Antiquité à Archytas de Tarente, mais certainement apocryphes; écrits en dialecte dorien, ils ont été conservés par Stobée, *Florilegium*, 43, 129 (= *Anthologion*, IV, 132, éd. Wachsmuth & Hense); 43, 132 (135 W-H); 43, 133 *a* et *b* (136 et 137 W-H); 43, 134 (138 W-H) et 46, 61 (IV, 5, 61 W-H), *in* A. E. Chaignet, *Pythagore et la Philosophie pythagoricienne, contenant les fragments de Philolaüs et d'Archytas*, Paris, Didier, 1874 (cf. "Omnes et singulatim"», art. cité, *DE*, IV, p. 140 n. **).

5. Sur les différents éléments de cette tradition, cf. *infra*, note 7.

6. O. F. Gruppe, *Ueber die Fragmente des Archytas und der älteren Pythagoreer*, Berlin, G. Eichler, 1840, p. 92 (cf. A. Delatte, *Essai sur la politique pythagoricienne* [voir note suivante], p. 73 : «le magistrat est identifié à un pâtre: cette conception [selon Gruppe] est spécifiquement juive», et p. 121 n. 1 : «Je ne sais pourquoi Gruppe (*Fragm. Des Arch.*, p. 92) veut voir dans cette simple comparaison [du magistrat avec un berger] une identification, et dans celle-ci, l'indice d'une influence hébraïque»).

7. A. Delatte, *Essai sur la politique pythagoricienne*, Liège, Vaillant-Carmanne («Bibliothèque de la Faculté de philosophie et lettres de l'Université de Liège»), 1922; rééd. Genève, Slatkine, 1979.

8. *Ibid.*, p. 121 (à propos du passage suivant: «Pour ce qui est de bien commander, le vrai magistrat doit être non seulement savant et puissant, mais encore humain (φιλάνθρωπον). Car il serait étrange qu'un berger haïsse son troupeau ou soit malveillant à son égard»): «La comparaison du magistrat avec un berger est classique, dans la littérature politique du IVᵉ siècle. Mais ici ce n'est pas une vaine formule ni un

lieu commun : elle se trouve justifiée par l'étymologie du mot νομεύς, présentée dans le fragment précédent [cf. p. 118 : « Il faut donc que la Loi pénètre les mœurs et les habitudes des citoyens : ce n'est qu'à cette condition qu'elle les rendra indépendants et qu'elle répartira à chacun ce qu'il mérite et ce qui lui revient. Tel le Soleil, avançant dans le cercle du Zodiaque, distribue à tous les êtres terrestres la part de naissance, de nourriture et de vie qui leur revient, produisant le beau mélange des saisons comme une eunomie. C'est pour cette raison aussi que Zeus est appelé Νόμιος et Νεμήϊος et que celui qui distribue la nourriture aux brebis s'appelle νομεύς. De même on donne le nom de nomes aux chants des citharèdes, car ils mettent, eux aussi, de l'ordre dans l'âme, parce qu'ils sont chantés selon une harmonie, des rythmes et des mètres »]. L'auteur retrouve dans ce mot la même racine et la même notion que dans διανέμειν, qui caractérise, pour lui, l'action de la Loi. »

9. Isocrate, *Aréopagitique, in Discours,* t. III, trad. G. Mathieu, Paris, Les Belles Lettres (« Collection des universités de France »), 1942, § 36, p. 72 ; § 55, p. 77 ; § 58, p. 78 (cf. « "Omnes et singulatim" », *loc. cit.,* p. 141 n. *).

10. Cf. Xénophon, *Cyropédie,* VIII, 2, 14 et I, 1, 1-3 où l'identification du roi avec un berger est clairement désignée comme étant d'origine perse (références indiquées par A. Diès, *in* Platon, *Le Politique (Œuvres complètes,* t. 9, Paris, Les Belles Lettres, « Collection des universités de France », 1935, p. 19).

11. Platon, *Critias,* 109b-c.

12. Platon, *République,* I, 343a-345e ; III, 416a-b ; IV, 440d.

13. Platon, *Lois,* V, 735b-e.

14. Platon, *Politique,* 267c-277d. M. Foucault utilise la traduction de Léon Robin, *in* Platon, *Œuvres complètes,* Paris, Gallimard (« Bibliothèque de la Pléiade »), 1950.

15. *Critias,* 109b-c (cf. trad. L. Robin, *O.C.,* t. 2, p. 529).

16. *Lois,* X, 906 b-c, trad. L. Robin, *O.C.,* t. 2, p. 1037 : « Il est d'ailleurs manifeste que sur la terre habitent des hommes qui ont des âmes de bêtes de proie et qui sont en possession d'injustes acquisitions, âmes qui, lorsque, d'aventure, elles viennent à se trouver en face des âmes des chiens de garde ou de celles des bergers, ou en face des âmes des Maîtres qui sont au sommet de l'échelle, cherchent à leur persuader par des paroles flatteuses et dans des enchantements mêlés de vœux, qu'il leur est permis à elles [...] de s'enrichir aux dépens de leurs semblables, sans en éprouver pour elles-mêmes aucun désagrément. »

17. *Politique,* 281d-e, p. 379 (distinction faite par l'Étranger entre « vraie cause » et « cause adjuvante »).

18. *République,* I, 343 b-344c, trad. L. Robin, *O.C.,* t. 1, p. 879-881.

19. *Ibid.,* 345c-e, p. 882-883.

20. *Politique,* 260e, p. 344-345.

21. *Ibid.,* 261a-d, p. 345-346.

22. *Ibid.,* 261d, p. 346.

23. *Ibid.,* 261e-262a, p. 346.

24. Cf. *ibid.,* 262a-263e, p. 347-349.

25. *Ibid.,* 264a, p. 350.

26. *Ibid.,* 264b-267c, p. 350-356.

27. *Ibid.,* 268a, p. 356-357.

28. *Ibid.,* 267e-268a, p. 356.

29. *Ibid.,* 268e-270d, p. 358-361.

30. *Ibid.*, 271c-d, p. 362 : « […] c'est un temps qui n'appartient pas à l'actuelle constitution de la marche du monde : lui aussi, il appartenait à la constitution antérieure. »

31. *Ibid.*, 271e, p. 363 : « […] C'était la Divinité en personne qui était leur pasteur et qui présidait à leur vie […] »

32. *Ibid.* : « […] or, puisque celle-ci [la Divinité] était leur pasteur, il n'y avait point besoin de constitution politique. »

33. *Ibid.*, 274c-d, p. 367 : « Telle est donc l'origine de ces bienfaits dont, selon d'antiques légendes, des Dieux nous ont fait bénéficier, en y joignant les enseignements et l'apprentissage exigés par leurs présents : le feu, don de Prométhée ; les arts, dons d'Hèphaïstos et de la Déesse qui est sa collaboratrice ; les semences, enfin, avec les plantes, présents d'autres Divinités. »

34. *Ibid.*, 275b-c, p. 369 : « […] à la mesure d'un Roi, elle est, je pense, trop grande encore la figure qui est celle du pasteur divin, alors que les politiques d'ici-bas et d'à présent sont, par leur naturel, beaucoup plus semblables à ceux dont ils sont les chefs, en même temps que la culture et l'éducation à laquelle ils ont part se rapproche bien davantage de celles de leurs subordonnés. »

35. *Ibid.*, 279a-283b, p. 375-381.

36. *Ibid.*, 303d-305e, p. 415-419.

37. *Ibid.*, 311b, p. 428.

38. *Ibid.*, 311c, p. 428-429 : « […] une fois achevé par celui-ci [l'art royal], en vue de la vie commune, le plus magnifique de tous les tissus et le plus excellent ; une fois toute la population de l'État, esclaves et hommes libres, enveloppée dans ses plis, ce terme [le terme d'un tissu résultant d'un droit entrecroisement] est alors, dis-je, pour l'activité politique, de maintenir unies, au moyen de ce tressage, les deux manières d'être en question […] »

39. *Ibid.*, 295a-b, p. 401 : « Comment en effet, Socrate, y aurait-il jamais quelqu'un pour être capable, à chaque moment du cours de la vie, de venir s'asseoir auprès d'un chacun, pour lui prescrire avec exactitude ce qui convient ? »

40. Foucault fait allusion à un article : « La famille et l'amour sous le Haut-Empire romain », *Annales ESC*, 1, 1978, repris *in* P. Veyne, *La Société romaine*, Paris, Le Seuil (« Des travaux »), 1991, p. 88-130, ainsi, sans doute, qu'à un exposé sur l'amour à Rome fait par Paul Veyne en sa présence, en 1977, au séminaire de Georges Duby au Collège de France, et dont il lui avait reparlé (je remercie P. Veyne pour ces précisions).

41. Sur les révoltes de conduite qui traduisirent, dès le Moyen Âge, une résistance au pastorat, cf. *infra*, leçon du 1er mars, p. 205.

42. Cf. *ibid.*

43. Cf. *ibid.*

44. John Wyclif (v. 1324-1384), théologien et réformateur anglais, auteur du *De dominio divino* (1376), du *De veritate Scripturae sanctae* (1378) et du *De ecclesia* (1378). Sa doctrine est à l'origine du mouvement des « lollards », qui s'attaquait aux coutumes ecclésiastiques et réclamait le retour à la pauvreté. Partisan de la séparation de l'Église et de l'État, il affirmait l'autonomie de l'Écriture, indépendamment du magistère de l'Église, et rejetait les sacrements, les prêtres, tous égaux, n'étant que les dispensateurs de la Parole. Cf. H. B. Workman, *John Wyclif*, Oxford, 1926, 2 vol. ; L. Cristiani, art. « Wyclif », in *Dictionnaire de théologie catholique*, 1950, t. 15/2,

col. 3585-3614; K. B. McFarlane, *John Wycliffe and the Beginnings of English Nonconformity,* Londres, 1952, rééd. Harmondsworth, 1972.

45. John Wesley (1703-1791), fondateur des méthodistes, l'un des principaux courants du mouvement *Revival of Religion* (le Réveil), qui préconisait, au xviiiᵉ siècle, la restauration de la foi originelle au sein du protestantisme. Cf. G. S. Wakefield, art. «Wesley», in *Dictionnaire de spiritualité ascétique et mystique,* t. 16, 1994, col. 1374-1392.

46. Grégoire de Nazianze, *Discours* 1, 3, trad. J. Laplace, Paris, Cerf («Sources chrétiennes»), 1978, p. 110-111 : «En vérité, il me semble que c'est l'art des arts *(technè technôn)* et la science des sciences *(epistemè epistemôn)* que de conduire l'être humain, qui est le plus divers et le plus complexe des êtres» (*Discours* 2, 16).

47. La formule apparaît dans les premières lignes du *Pastoral* de Grégoire le Grand (qui connaissait les *Discours* du Nazianzène à travers la traduction latine de Rufin, *Apologetica*): «ars est artium regimen animarum» («c'est l'art des arts que le gouvernement des âmes», *Règle pastorale,* trad. Ch. Morel, introd. et notes de B. Judic, Paris, Cerf, «Sources chrétiennes», 1992, p. 128-129).

48. Cf. Luc, 15, 4: «Lequel d'entre vous, s'il a cent brebis et vient à en perdre une, n'abandonne les quatre-vingt-dix-neuf autres dans le désert pour s'en aller après celle qui est perdue, jusqu'à ce qu'il l'ait retrouvée?» (*La Bible de Jérusalem,* éd. citée, p. 1505) (cf. Ézéchiel, 34, 4); même texte chez Matthieu, 18, 12; Jean, 10, 11: «Je suis le bon pasteur; le bon pasteur qui donne sa vie pour ses brebis» (*ibid.,* p. 1546). Cf. également 10, 15.

49. Saint Paul, *Épître aux Hébreux,* 13, 20.

50. Jean, 15, 17: «Quand ils eurent déjeuné, Jésus dit à Simon-Pierre: "Simon, fils de Jean, m'aimes-tu plus que ceux-ci?" Il lui répondit: "Oui, Seigneur, tu sais que je t'aime." Jésus lui dit: "Pais mes agneaux." Il lui dit à nouveau, une deuxième fois: "Simon, fils de Jean, m'aimes-tu?" – "Oui, Seigneur, lui dit-il, tu sais que je t'aime." Jésus lui dit: "Pais mes brebis." Il lui dit pour la troisième fois: "Simon, fils de Jean, m'aimes-tu?" Pierre fut peiné de ce qu'il lui eût dit pour la troisième fois: "M'aimes-tu?", et il lui dit: "Seigneur, tu sais tout, tu sais bien que je t'aime." Jésus lui dit: "Pais mes brebis."» (*La Bible de Jérusalem,* p. 1562-63.)

51. Saint Cyprien (v. 200-258), *Correspondance,* texte établi et traduit par le chanoine Bayard, 2ᵉ éd. Paris, les Belles Lettres (CUF), 1961, t. 1, Lettre 8, p. 19: «[...] incumbat nobis qui videmur praepositi esse et vice pastorum custodire gregem» («le soin du troupeau nous incombe à nous qui sommes à sa tête apparemment pour le conduire et remplir la fonction des pasteurs»).

52. *Ibid.,* Lettre 17, p. 49: «Quod quidem nostros presbyteri et diaconi monere debuerant, ut commendatas sibi oves foverent [...]» («Voilà ce que les prêtres et les diacres auraient dû rappeler à nos fidèles, afin de faire prospérer les brebis qui leur sont confiées [...]»).

53. Ou, plus simplement, le *Pastoral.* Grégoire le Grand, *Regula pastoralis,* composée entre septembre 590 et février 591; PL 77, col. 13-128.

54. Saint Benoît, *Regula sancti Benedicti | La Règle de Saint Benoît* (viᵉ siècle), introd., trad. et notes de A. de Vogüé, Paris, Cerf («Sources chrétiennes»), 1972. Cf. 2, 7-9, t. II, p 443: «Et l'abbé doit savoir que le pasteur portera la responsabilité de tout mécompte que le père de famille constaterait dans ses brebis. En revanche, si le pasteur a mis tout son zèle au service d'un troupeau turbulent et désobéissant, s'il a

donné tous ses soins à leurs actions malsaines, leur pasteur sera absous au jugement du Seigneur [...]»

55. Sur la définition canonique des paroisses, leur formation à partir du v<sup>e</sup> siècle et les conditions juridiques de leur érection, cf. R. Naz, art. «Paroisse», in *Diction-naire de droit canonique,* Paris, Librairie Letouzey et Ané, t. VI, 1957, col. 1234-1247. La source immédiate de M. Foucault, ici, est l'article de B. Dolhagaray, «Curés», in *Dictionnaire de théologie catholique,* Paris, Letouzey et Ané, t. III, 2, 1908, col. 2429-2453.

56. Cf. B. Dolhagaray, art. cité, col. 2430, § 1 (à propos de la question: «Les curés sont-ils d'institution divine?»): «Des hérétiques, dits presbytériens, puis Wyclif, Jean Hus, Luther, Calvin etc. ont voulu établir que de simples prêtres étaient du même rang que les évêques. Le concile de Trente a condamné cette erreur.»

57. *Ibid.,* col. 2430-31: «Les sorbonnistes du xiii<sup>e</sup> et du xiv<sup>e</sup> et les jansénistes du xvii<sup>e</sup> voulaient établir [...] que les curés étaient réellement d'institution divine, ayant reçu directement de Dieu autorité sur les fidèles; tellement que le curé étant insti-tué époux de son église, comme l'évêque de sa cathédrale, étant pasteur, chargé de la direction de son peuple, au for interne et au for externe, nul ne pouvait exercer les fonctions sacrées dans une paroisse, sans l'autorisation du curé. Ce sont là les droits exclusifs, divins, du parochiat, prétendaient-ils.»

58. *Ibid.,* col. 2432, § 3 (question: «Les curés sont-ils des pasteurs au sens strict du mot?»): «En toute rigueur, cette dénomination de pasteur ne convient qu'aux évêques. Dans les princes de l'Église se réalisent les prérogatives contenues dans cette expression. Aux évêques a été confié, dans la personne des apôtres, le pouvoir divin de paître le troupeau du Christ, d'instruire les fidèles et de les régir. Les textes évangéliques en font foi; les commentateurs n'hésitent pas sur ce point; l'enseigne-ment traditionnel est unanime. [...] Le peuple, en attribuant le titre de pasteur à ses curés, sait très bien qu'ils ne sont tels que grâce aux évêques et tant qu'ils restent en union avec eux, soumis à leur juridiction.»

59. Marius Lupus, *De Parochiis ante annum Christi millesium,* Bergomi, apud V. Antoine, 1788 : «Certum est pastoris titulum parochis non quadrare; unde et ipsum hodie nunquam impartit Ecclesia romana. Per pastores palam intelligun-tur soli episcopi. Parochiales presbyterii nequaquam a Christo Domino auctoritatem habent in plebem suam, sed ab episcopo [...] hic enim titulus solis episcopis debetur» (cité par B. Dolhagaray, art. «Curés», col. 2432, à partir de l'édition de Venise, 1789, t. II, p. 314). Les canons 515, § 1 et 519 du nouveau Code de droit canonique promulgué après le concile de Vatican II précisent clairement la fonction pastorale des curés («La paroisse est la communauté précise des fidèles qui est constituée d'une manière stable dans l'Église particulière, et dont la charge pastorale est confiée au curé, comme à son pasteur propre, sous l'autorité de l'Évêque diocésain»; «Le curé est le pasteur propre de la paroisse qui lui est remise [...]»)

60. M. Foucault ne revient pas, dans la leçon suivante, sur cet aspect matériel du *regimen animarum.*

61. Jean Chrysostome (v. 345-407), *ΠΕΡΙ ΙΕΡΩΣΝΗΣ, De sacerdotio,* composé vers 390 / *Sur le sacerdoce,* introd., trad. et notes par A.-M. Malingrey, Paris, Cerf, («Sources chrétiennes»), 1980, VI<sup>e</sup> partie, ch. 4, titre, p. 314-315: «Au prêtre est confiée la direction du monde entier [τῆς οἰκουμένης] et d'autres missions redou-tables»); *Patrologia Graeca,* éd. J.-P. Migne, t. XLVII, 1858, col. 677: «Sacerdotem terrarum orbi aliisque rebus tremendis praepositum esse.»

62. La phrase originale ne contient pas le mot «pasteur». Elle se trouve dans la vie de saint Ambroise par Paulin (*Vita sancti Ambrosii mediolanensis episcopi, a Paulino ejus notario ad beatum Augustinum conscripta*), 8, PL 14, col. 29D: «Qui inventus [Ambroise, jusqu'alors gouverneur *(judex)* des provinces d'Italie du Nord, avait tenté de fuir, pour se soustraire à son élection comme évêque], cum custodiretur a populo, missa relatio est ad clementissimum imperatorem tunc Valentinianum, qui summo gaudio accepit quod judex a se directus ad sacerdotium peteretur. Laetabatur etiam Probus praefectus, quod verbum ejus impleretur in Ambrosio; dixerat enim proficiscenti, cum mandata ab eodem darentur, ut moris est: *Vade, age non ut judex, sed ut episcopus*» (je souligne; M. S.). Sur cet épisode, cf. par exemple H.[F.] von Campenhausen, *Les Pères latins* (orig.: *Lateinische Kirchenväter*, Stuttgart, Kohlhammer, c. 1960), trad. C. A. Moreau, 1967; rééd. Paris, Le Seuil («Livre de vie»), 1969, p. 111-112.

63. A. Besançon, *Le Tsarévitch immolé. La symbolique de la loi dans la culture russe*, Paris, Plon, 1967, ch. 2: «La relation au souverain», p. 80-87; rééd. Paris, Payot, 1991.

64. A. Siniavski, *Dans l'ombre de Gogol*, trad. du russe par G. Nivat, Paris, Le Seuil («Pierres vives»), 1978. Cf. la traduction de cette lettre (fictive) de Gogol à Joukovski, «Sur le lyrisme de nos poètes» (*Passages choisis de ma correspondance avec mes amis* (1846), Lettre X) par J. Johannet, *in* Nicolas Gogol, *Œuvres complètes*, Paris, Gallimard («Bibliothèque de la Pléiade»), 1967, p. 1540-41 (sur le «grand dessein» mystique et politique de Gogol, auquel correspondait cet ouvrage, cf. la notice du traducteur, p. 1488). Dissident soviétique, condamné en 1966 à sept années de camp pour avoir publié, sous le pseudonyme d'Abram Tertz, une vive satire du régime (*Récits fantastiques*, Paris, 1964), André Siniavski (1925-1997) vivait à Paris depuis 1973. *Dans l'ombre de Gogol* fut écrit pour l'essentiel durant son internement, de même que *Une voix dans le chœur* (Paris, Le Seuil, 1974) et *Promenades avec Pouchkine* (1976). Foucault avait rencontré Siniavski, en juin 1977, lors de la soirée au théâtre Récamier organisée pour protester contre la visite en France de Leonid Brejnev (cf. la «Chronologie» établie par D. Defert, *DE*, I, p. 51). Sur la dissidence soviétique, cf. *infra*, p. 225-226, note 27.

65. *Ibid.*, trad. Nivat, p. 50. Le texte lu par Foucault présente quelques ajouts mineurs, signalés entre crochets, par rapport à l'original: «L'homme s'enfla d'une amour encore jamais ressentie envers l'humanité entière. Nous autres, pris individuellement, rien ne nous enflammera de cette amour, elle restera idéale, chimérique, non accomplie. Seuls peuvent s'en pénétrer ceux qui ont pour règle intangible d'aimer tous les hommes comme un seul homme. Parce qu'il aura aimé tout dans son royaume jusqu'au dernier sujet de la dernière classe, et parce qu'il aura converti tout son royaume en son propre corps, souffrant, pleurant, implorant nuit et jour pour son peuple malheureux, le souverain acquiert cette voix toute puissante de l'amour, seule capable de se faire entendre de l'humanité, seule capable de toucher aux blessures sans les irriter, seule capable d'apporter l'apaisement aux différentes classes sociales et l'harmonie à l'Etat. Le peuple ne guérira vraiment que là où le monarque accomplira sa destinée suprême – être l'image sur terre de Celui qui est Amour.»

# LEÇON DU 22 FÉVRIER 1978

*Analyse du pastorat (fin). – Spécificité du pastorat chrétien par rapport aux traditions orientale et hébraïque. – Un art de gouverner les hommes. Son rôle dans l'histoire de la gouvernementalité. – Principaux traits du pastorat chrétien du IIIe au VIe siècle (saint Jean Chrysostome, saint Cyprien, saint Ambroise, Grégoire le Grand, Cassien, saint Benoît) : (1) le rapport au salut. Une économie des mérites et des démérites : (a) le principe de la responsabilité analytique ; (b) le principe du transfert exhaustif et instantané ; (c) le principe de l'inversion sacrificielle ; (d) le principe de la correspondance alternée. (2) Le rapport à la loi : instauration d'un rapport de dépendance intégrale entre la brebis et celui qui la dirige. Un rapport individuel et non finalisé. Différence entre l'apatheia grecque et chrétienne. (3) Le rapport à la vérité : la production de vérités cachées. Enseignement pastoral et direction de conscience. – Conclusion : une forme de pouvoir absolument nouvelle qui marque l'apparition de modes spécifiques d'individualisation. Son importance décisive pour l'histoire du sujet.*

Je voudrais aujourd'hui en terminer avec ces histoires de berger, de pasteur et de pastorale qui doivent vous paraître un petit peu longuettes et, la prochaine fois, revenir au problème du gouvernement, de l'art de gouverner, de la gouvernementalité à partir du XVIIe-XVIIIe siècle. Finissons-en avec la pastorale.

La dernière fois, lorsque j'avais essayé d'opposer le berger de la Bible avec le tisserand de Platon, le pasteur hébraïque avec le magistrat grec, je n'avais pas voulu montrer qu'il y avait d'une part un monde grec ou un monde gréco-romain qui ignorait entièrement le thème du pasteur et la forme pastorale comme manière de diriger les hommes, et puis que d'un autre côté il y aurait eu, venant d'un Orient plus ou moins proche et spécialement de la culture hébraïque, le thème, l'idée, la forme d'un pouvoir pastoral que le christianisme aurait repris en charge et qui l'aurait imposé de gré ou de force, à partir de la théocratie juive, au monde gréco-romain. J'ai simplement voulu montrer que la pensée grecque n'avait guère eu recours au modèle du berger pour analyser le pouvoir politique et que, si ce thème du berger, qui est si souvent utilisé, si hautement valorisé en Orient, avait été utilisé en Grèce, c'était soit dans les textes archaïques à titre de désignation rituelle, soit encore dans les textes classiques pour caractériser certaines formes finalement locales et bien délimitées de pouvoir exercé, non pas par les magistrats au niveau de la cité tout entière, mais par certains individus sur des communautés religieuses, dans des relations pédagogiques, dans les soins du corps, etc.

Ce que je voudrais vous montrer maintenant, c'est que le pastorat chrétien tel qu'il s'est institutionnalisé, développé, réfléchi essentiellement à partir du III^e siècle, est en fait tout autre chose que la pure et simple reprise, transposition ou continuation de ce qu'on avait pu repérer comme thème surtout hébraïque ou surtout oriental. Je crois que le pastorat chrétien est absolument, profondément, je dirais presque essentiellement différent de ce thème pastoral qu'on avait déjà repéré.

C'est tout autre chose d'abord, bien sûr, parce que le thème a été enrichi, transformé, compliqué par la pensée chrétienne. C'est tout autre chose aussi, et c'est quelque chose de tout à fait nouveau, dans la mesure où le pastorat chrétien, le thème pastoral dans le christianisme, a donné lieu, – ce qui n'avait absolument pas été le cas dans la civilisation hébraïque –, à tout un immense réseau institutionnel qu'on ne trouve pas ailleurs. Le Dieu des Hébreux est bien un dieu-pasteur, mais il n'y avait pas de pasteurs à l'intérieur du régime politique et social des Hébreux. Le pastorat a donc donné lieu dans le christianisme à un réseau institutionnel dense, compliqué, serré, réseau institutionnel qui prétendait être, qui a été en effet coextensible à l'Église tout entière, donc à la chrétienté, à la communauté tout entière du christianisme. Donc, thème beaucoup plus compliqué, institutionnalisation du pastorat. Enfin et surtout, troisième différence, et c'est là-dessus que je voudrais insister, le pastorat dans le christianisme a donné lieu à tout un art de conduire, de diriger, de mener, de guider, de tenir en main, de manipuler les hommes, un art de les suivre et de les pousser pas à pas, un art qui a cette fonction de prendre en charge les hommes collectivement et individuellement tout au long de leur vie et à chaque pas de leur existence. C'est là, je crois, – en tout cas pour ce qui serait l'arrière-plan historique de cette gouvernementalité dont je voudrais parler –, il me semble que c'est là un phénomène important, décisif et sans doute unique dans l'histoire des sociétés et des civilisations. Nulle civilisation, nulle société n'a été plus pastorale que les sociétés chrétiennes depuis la fin du monde antique jusqu'à la naissance du monde moderne. Et je crois que ce pastorat, ce pouvoir pastoral ne peut être assimilé ou confondu avec les procédés qui sont utilisés pour soumettre les hommes à une loi ou à un souverain. Il ne peut pas être assimilé non plus aux méthodes qui sont employées pour former les enfants, les adolescents et les jeunes gens. Il ne peut pas être assimilé non plus aux recettes qui sont utilisées pour convaincre les hommes, les persuader, les entraîner plus ou moins malgré eux. Bref, le pastorat ne coïncide ni avec une politique, ni avec une pédagogie, ni avec une rhétorique. C'est quelque chose d'entièrement différent. C'est un art de gouverner les hommes* et c'est, je crois, de ce côté-là qu'il faut chercher l'origine, le point de formation, de cristallisation, le point embryonnaire de cette gouvernementalité dont l'entrée en politique marque, fin XVIᵉ, XVIIᵉ-XVIIIᵉ siècles, le seuil de l'État moderne. L'État moderne naît, je crois, lorsque la gouvernementalité est effectivement devenue une pratique politique calculée et réfléchie. La pastorale chrétienne me paraît être l'arrière-plan de ce processus, étant bien entendu qu'il y a, d'une part, un écart immense entre le thème hébraïque du berger et la pastorale chrétienne, et [qu']il y aura, bien sûr, un autre écart non moins important, non moins large entre le gouvernement, la direction pastorale des individus et des communautés et le développement des arts de gouverner, la spécification d'un champ d'intervention politique à partir du XVIᵉ-XVIIᵉ siècle.

Je voudrais aujourd'hui simplement, non pas, bien sûr, étudier comment cette pastorale chrétienne s'est formée, comment elle s'est institutionnalisée, comment, tout en se développant, elle ne s'est pas confondue, tout au contraire, avec un pouvoir politique, malgré toute une série d'interférences et d'enchevêtrements. Ce n'est donc pas l'histoire même de la pastorale, du pouvoir pastoral chrétien que je veux faire (ce serait ridicule de vouloir le faire, [étant donné] d'une part mon niveau de compétence et d'autre part le temps dont je dispose). Je voudrais simplement marquer quelques-uns des traits qui ont été dessinés, dès le début, dans la pratique et dans la réflexion qui a toujours accompagné la pratique pastorale et qui, je crois, ne se sont jamais effacés.

Je prendrai pour faire cette esquisse très vague, très rudimentaire, très élémentaire, quelques textes anciens, des textes qui datent en gros du IIIᵉ au VIᵉ siècle et qui redéfinissent le pastorat, soit dans les communautés de fidèles, les églises – puisque l'Église, au fond, n'a existé que relativement tard –, un certain nombre de textes essentiellement occidentaux, ou des textes orientaux qui ont eu une grande importance, une grande influence en Occident, comme par exemple le *De sacerdotio* de saint Jean

---

* « gouverner les hommes » : entre guillemets dans le manuscrit.

Chrysostome[1] : je prendrai les *Lettres* de saint Cyprien[2], le traité capital
de saint Ambroise qui s'appelle *De officiis ministrorum* (les charges, les
offices des ministres)[3], et puis le texte de Grégoire le Grand, *Liber pastoralis*[4]\*, qui sera utilisé ensuite jusqu'à la fin xviie siècle comme le texte,
le livre de base de la pastorale chrétienne. Je prendrai aussi quelques
textes qui se réfèrent précisément à une forme en quelque sorte plus
dense, plus intense de pastorale, celle qui est mise en œuvre à l'intérieur
non pas des églises ou des communautés de fidèles, mais des communautés monastiques, le texte de [Jean] Cassien qui a, au fond, transmis
à l'Occident les premières expériences de vie communautaire dans les
monastères orientaux, les *Conférences* donc de Cassien[5], les *Institutions
cénobitiques*[6], et puis les *Lettres* de saint Jérôme[7] et enfin, bien sûr, la
*Règle* de saint Benoît, ou les *Règles* de saint Benoît[8] qui sont le grand
texte fondateur du monachisme occidental.

   [À partir] de quelques éléments pris dans ces textes, comment se
présente le pastorat? Qu'est-ce qui spécifie, qu'est-ce qui distingue le
pastorat aussi bien de la magistrature grecque que du thème hébraïque du
pasteur, du berger, du bon berger? Si l'on prend le pastorat dans sa définition en quelque sorte abstraite, générale, tout à fait théorique, on voit
qu'il a rapport à trois choses. Le pastorat a rapport au salut, puisqu'il se
donne pour objectif essentiel, fondamental, de mener les individus ou
de permettre en tout cas que les individus avancent et progressent sur le
chemin du salut. Vrai pour les individus, vrai pour la communauté aussi.
Il guide donc individus et communauté sur la voie du salut. Deuxièmement, le pastorat a rapport à la loi, puisqu'il doit veiller, précisément
pour que les individus et les communautés puissent faire leur salut, à ce
qu'ils se soumettent effectivement à ce qui est ordre, commandement,
volonté de Dieu. Enfin troisièmement, le pastorat a rapport à la vérité,
puisque dans le christianisme, comme dans toutes les religions d'écriture,
on ne peut faire son salut et on ne se soumet à la loi qu'à la condition bien
sûr d'accepter, de croire à, de professer une certaine vérité. Rapport au
salut, rapport à la loi, rapport à la vérité. Le pasteur guide vers le salut, il
prescrit la loi, il enseigne la vérité.

   Il est certain que si le pastorat n'était que cela et si on pouvait le décrire
de façon suffisante à partir de cela et à ce seul niveau, le pastorat chrétien
n'aurait absolument aucune espèce de spécificité ni d'originalité, parce
que, après tout, guider, prescrire, enseigner, sauver, enjoindre, éduquer,
fixer le but commun, formuler la loi générale, marquer dans les esprits,

---

\* M. F. : *Regulae pastoralis vitae*. Même titre dans le manuscrit.

leur proposer ou leur imposer des opinions vraies et droites, c'est ce que fait n'importe quel pouvoir, et la définition qui serait ainsi donnée du pastorat ne serait absolument pas éloignée, elle serait exactement du même type, elle serait isomorphe à la définition des fonctions de la cité ou des magistrats de la cité chez Platon. Donc, je ne crois pas que ce soit le rapport au salut, le rapport à la loi, le rapport à la vérité, pris comme ça, sous cette forme globale, qui caractérisent précisément, qui marquent la spécificité du pastorat chrétien. En fait, je crois que ce n'est pas au niveau donc de ce rapport à ces trois éléments fondamentaux, salut, loi et vérité, que se définit le pastorat. Il se définit, enfin il se spécifie du moins à un autre niveau, et c'est ce que j'essaierai maintenant de vous montrer.

Prenons d'abord le salut. Comment est-ce que le pastorat chrétien prétend mener les individus sur la voie du salut ? Prenons la chose sous sa forme la plus générale, la plus banale. C'est un trait commun à la cité grecque et au thème hébraïque du troupeau, qu'une certaine communauté de destin enveloppe le peuple et celui qui en est le chef ou le guide. Si le chef égare son troupeau ou encore si le magistrat ne dirige pas bien la cité, il perd la cité, ou le berger perd son troupeau, mais ils se perdent avec elle. Ils se sauvent avec elle, ils se perdent avec elle. Cette communauté de destin – là encore, le thème se trouve chez les Grecs et les Hébreux – se justifie par une sorte de réciprocité morale, en ce sens que, quand les malheurs viennent s'abattre sur la cité, ou encore quand la famine disperse le troupeau, qui en est le responsable ? Où faut-il en tout cas en chercher la cause, où a été le point à partir duquel ce malheur s'est abattu ? Il faut bien sûr chercher du côté du berger, du côté du chef ou du souverain. Après tout, la peste de Thèbes, regardez, cherchez d'où elle vient et vous trouverez Œdipe : le roi, le chef, le berger au principe même du malheur de la cité. Et inversement, lorsqu'un mauvais roi, lorsqu'un berger malencontreux se trouve à la tête du troupeau ou de la cité, c'est pour quelle raison ? C'est que la fortune, ou la destinée, ou la divinité, ou Yahvé, ont voulu punir le peuple de son ingratitude ou la cité de son injustice. C'est-à-dire que le mauvais roi ou le mauvais berger a pour raison et justification, comme événements dans l'histoire, les péchés ou les fautes de la cité ou de la communauté. On a donc dans tout cela une sorte de rapport global, communauté de destin, responsabilité réciproque entre la communauté et celui qui en a la charge.

Je crois que dans le pastorat chrétien il y a aussi toute une série de relations de réciprocité entre le pasteur et les brebis, le pasteur et le troupeau, mais ce rapport est beaucoup plus complexe, beaucoup plus élaboré que cette espèce de réciprocité globale [dont] je viens de [parler]. Le pasteur chrétien et ses brebis sont liés entre eux par des rapports de responsabilité d'une extrême ténuité et complexité. Essayons de les repérer. Ces rapports non globaux, ils sont d'abord, c'est leur premier caractère, intégralement et paradoxalement distributifs. Là encore, vous verrez, on n'est pas très loin du thème hébraïque du berger ou même des connotations qu'on trouve chez Platon, mais il faut avancer progressivement. Donc, intégralement et paradoxalement distributifs, ça veut dire quoi ? Intégralement, ça veut dire ceci : que le pasteur doit assurer le salut de tous. Assurer le salut de tous veut dire deux choses qui doivent précisément être liées : d'une part, il doit assurer le salut de tous, c'est-à-dire de la communauté tout entière, de la communauté dans son ensemble, de la communauté comme unité. « Le pasteur, dit Chrysostome, doit s'occuper de la ville tout entière et même de l'*orbis terrarum*[9]. » C'est en un sens le salut de tous, mais c'est également le salut de chacun. Aucune brebis n'est indifférente. Pas une ne doit échapper à ce mouvement, à cette opération de direction et de guidage qui mène au salut. Le salut de chacun est absolument important, et pas seulement relativement. Saint Grégoire nous dit dans le *Livre pastoral,* livre II, chapitre V : « Que le pasteur ait compassion de chaque brebis en particulier[10]. » Et dans la *Règle* de saint Benoît, chapitre 27, c'est une extrême sollicitude que doit montrer l'abbé à l'égard de chacun des moines, chacun des membres de sa communauté : « Avec toute sa sagacité et son savoir-faire, il doit courir pour ne perdre aucune des brebis qui lui sont confiées[11]. » Tous, c'est-à-dire les sauver tous, c'est-à-dire sauver le tout et sauver chacun. Et c'est là où on rencontre, indéfiniment répétée et reprise, la métaphore de la grenade, cette grenade qui était justement attachée symboliquement à la robe du grand prêtre à Jérusalem[12]. L'unité de la grenade, sous son enveloppe solide, n'exclut pas, au contraire, elle n'est faite que de la singularité des grains, et chaque grain est aussi important que la grenade[13].

C'est là où l'on rencontre, alors, le côté paradoxalement distributif du pastorat chrétien, paradoxalement distributif puisque, bien sûr, la nécessité de sauver le tout implique qu'il faut accepter, le cas échéant, de sacrifier une brebis dès lors qu'elle pourrait compromettre le tout. La brebis qui fait scandale, la brebis dont la corruption risque de corrompre le troupeau tout entier, celle-là doit être abandonnée, elle doit être éventuellement exclue, chassée, etc.[14]. Mais d'un autre côté, et c'est là le paradoxe, le salut d'une seule brebis doit faire autant de souci au pasteur que celui du troupeau tout entier, il n'y a pas de brebis pour laquelle il ne faille, suspendant toutes ses autres charges et occupations, abandonner le troupeau et essayer de la ramener[15]. « Ramener les brebis errantes et bêlantes », c'est là le problème qui n'a pas été simplement un thème théorique, mais un problème pratique, fondamental, dès les premiers siècles du christianisme, lorsqu'il a fallu savoir ce qu'on faisait des *lapsi,* de ceux qui avaient renié l'Église[16]. Fallait-il les abandonner définitivement ou aller les rechercher là où ils étaient et là où ils étaient tombés ? Enfin, là, il y avait tout ce problème du paradoxe du berger dont je vous ai parlé[17], parce que, en fait, il était déjà présent, non seulement esquissé, mais même formulé dans la Bible et dans la littérature hébraïque.

Or, à ce principe de la distributivité intégrale et paradoxale du pouvoir pastoral, je crois que le christianisme a ajouté en plus, en supplément, quatre principes qui, eux, sont absolument spécifiques et qu'on ne trouvait absolument pas avant. Premièrement, ce que j'appellerai le principe de la responsabilité analytique. C'est-à-dire que le berger chrétien, le pasteur chrétien devra bien sûr au soir de la journée, de la vie du monde, rendre compte de toutes les brebis. Une distribution numérique et individuelle permettra de savoir si effectivement il s'est bien occupé de chaque brebis, et toute brebis qui manquera lui sera comptée négativement. Mais il devra aussi, – c'est là où intervient le principe de la responsabilité analytique –, rendre compte de tous les actes de chacune de ses brebis, de tout ce qui a pu leur arriver à chacune d'entre elles, de tout ce qu'elles ont pu faire à chaque moment de bien ou de mal. Ce n'est donc plus simplement une responsabilité qui se définit par une distribution numérique et individuelle, mais par une distribution qualitative et factuelle. Le pasteur aura à rendre compte, on l'interrogera, on l'examinera, dit un texte de saint Benoît, sur tout ce que chacune de ses brebis a pu faire[18]. Et saint Cyprien, dans la Lettre 8, dit qu'au jour redoutable, « si nous, les pasteurs, nous nous sommes trouvés négligents, on nous dira que nous n'avons pas cherché après les brebis perdues » – principe de la distribution numérique – « mais également que nous n'avons pas remis dans le droit chemin celles qui étaient égarées, ni bandé leurs pattes cassées et que, cependant, nous buvions leur lait et que nous courions après leur laine[19] ». Donc il faut aller au-dessous de cette responsabilité individuelle, considérer que le pasteur est responsable de chacun et de chacune.

Deuxième principe, lui aussi tout à fait spécifique du christianisme, celui que j'appellerai le principe du transfert exhaustif et instantané. C'est que non seulement, au jour redoutable, le pasteur devra rendre compte des brebis et de ce qu'elles ont fait, mais pour chacune, chacun des mérites ou des démérites, chacune des choses qu'a faites une brebis, tout cela le pasteur devra le considérer comme son acte propre. Tout ce qui arrive de bien, le pasteur devra l'éprouver au moment même où ce bien arrive à une brebis comme son propre bien. Le mal qui arrive à la brebis ou qui arrive par la brebis ou à cause d'elle, le pasteur devra le considérer également comme ce qui lui arrive à lui ou ce qu'il fait lui-même. Il faut qu'il se réjouisse par une joie propre et personnelle du bien de la brebis, qu'il se désole ou qu'il se repente lui-même du mal qui aura été dû à sa brebis. Saint Jérôme le dit dans la Lettre 58 : «Faire du salut des autres, *lucrum animae suae,* le bénéfice de sa propre âme[20].» Principe donc du transfert exhaustif et instantané des mérites et des démérites de la brebis au pasteur.

Troisièmement, là encore principe tout à fait spécifique du pastorat chrétien, c'est le principe de l'inversion du sacrifice. En effet, s'il est vrai que le pasteur se perd avec sa brebis – cela, c'est la forme générale de cette espèce de solidarité globale dont je vous parlais tout à l'heure –, il doit aussi se perdre pour ses brebis, et à leur place. C'est-à-dire que pour sauver ses brebis, il faut que le pasteur accepte de mourir. «Le pasteur, écrit saint Jean, défend les brebis contre les loups et les bêtes féroces. Il donne son existence pour elles[21].» Le commentaire de ce texte fondamental donne ceci : c'est que, bien sûr, au sens temporel de l'expression, il faut que le pasteur soit prêt à mourir de mort biologique si les brebis sont exposées, il doit les défendre contre leurs ennemis temporels, mais également au sens spirituel, c'est-à-dire que le pasteur doit exposer son âme pour l'âme des autres. Il doit accepter de reprendre sur ses épaules le péché des brebis pour que les brebis n'aient pas à payer et de manière à ce que ce soit lui qui paye. De sorte que le pasteur doit, à la limite, s'exposer à la tentation, reprendre sur lui tout ce qui pourrait perdre la brebis si, par cette espèce de transfert, la brebis se trouve libérée et de la tentation et du risque qu'il y avait de mourir de mort spirituelle. Concrètement, ce thème, qui a l'air sûrement théorique et moral, a pris toute son actualité lorsque se sont posés les problèmes de la direction de conscience dont je parlerai un peu plus tard. Dans la direction de conscience, de quoi s'agit-il, sinon au total, du moins en partie ? Il s'agit de ceci : c'est que celui qui dirige la conscience de l'autre, celui qui explore les replis de cette conscience, celui auquel on confie les péchés qui ont été commis, les tentations auxquelles on est exposé, celui qui donc est appelé à voir, à constater, à découvrir le mal, est-ce qu'il ne va pas, précisément, être exposé à la tentation et est-ce que ce mal qu'on lui manifeste, ce mal dont il va soulager la conscience de son dirigé par le fait même qu'il l'aura érogé, ne va pas [l']expos[er]* à la tentation ? Est-ce qu'apprendre de si horribles

* M. F. : est-ce que celui-là ne va pas être exposé

péchés, voir de si belles pécheresses ne va pas précisément l'exposer, lui, à la mort de son âme au moment où il sauvera l'âme de cette brebis?[22] Donc c'est là tout le problème, et c'est un problème qui a été discuté très largement dès le XIIIe siècle et qui est précisément la mise en œuvre de ce paradoxe de l'inversion des valeurs, l'inversion sacrificielle qui fait qu'il faut que le pasteur accepte ce danger de mourir pour sauver l'âme des autres. Et c'est précisément lorsqu'il aura accepté de mourir pour les autres que le pasteur sera sauvé.

Quatrième principe, quatrième mécanisme que l'on trouve dans la définition même du pastorat chrétien : c'est ce qu'on pourrait appeler, là encore d'une façon tout à fait schématique et arbitraire, le principe de la correspondance alternée. En effet, s'il est vrai que le mérite des brebis constitue le mérite du berger, est-ce qu'on ne peut pas dire aussi que le mérite du berger ne serait pas très grand si les brebis étaient toutes, tou-jours et parfaitement méritantes? Est-ce que le mérite du berger ne tient pas au moins en partie à ceci : c'est que les brebis sont rétives, qu'elles sont exposées au danger, qu'elles sont toujours prêtes à tomber? Et le mérite du berger, ce qui fera son salut, ça sera précisément qu'il aura sans cesse lutté contre ces dangers, ramené les brebis égarées, qu'il aura eu à lutter contre son propre troupeau. C'est ainsi que saint Benoît dit : « Si ses subordonnés sont indociles, c'est alors que le pasteur sera absous[23]. » Et inversement, on peut dire aussi et d'une façon tout aussi paradoxale que les faiblesses du pasteur peuvent contribuer au salut du troupeau, tout comme les faiblesses du troupeau peuvent contribuer au salut du pasteur. Les faiblesses du pasteur, en quoi peuvent-elles contribuer au salut du troupeau? Bien sûr, il faut que le pasteur, dans toute la mesure du pos-sible, soit parfait. L'exemple du pasteur est fondamental, essentiel pour la vertu, le mérite et le salut du troupeau. Comme le disait saint Grégoire dans le *Livre pastoral,* II, [2]* : « La main qui entreprend de nettoyer ce qui est sale chez les autres, cette main ne doit-elle pas être elle-même propre et nette?[24] » Donc, le pasteur doit être propre et net. Mais si le pasteur n'a pas de faiblesses, si le pasteur est trop propre ou trop net, est-ce que de cette perfection il ne va pas retirer quelque chose comme de l'orgueil, est-ce que l'élèvement qu'il concevra de sa propre perfection ne va pas constituer – et là je cite encore le *Liber pastoralis* de saint Gré-goire, « est-ce que l'élèvement qu'il en conçoit ne va pas constituer un précipice où il tombera aux yeux de Dieu?[25] ».** Donc, il est bon que

---

* M. F. : II, 1
** M. Foucault ajoute : La perfection du pasteur, c'est une école *[un ou deux mots inaudibles]*

le pasteur ait des imperfections, qu'il connaisse ses propres imperfections, qu'il ne les cache pas hypocritement aux yeux de ses fidèles. Il est bon qu'il s'en repente explicitement, qu'il s'en humilie, et ceci pour se maintenir lui-même dans un abaissement qui sera autant une édification pour les fidèles que le soin qu'il aurait mis à cacher ses propres faiblesses aurait pu produire un scandale[26]. Par conséquent, tout comme d'un côté les faiblesses des brebis font le mérite et assurent le salut du pasteur, inversement les fautes ou les faiblesses du pasteur sont un élément dans l'édification des brebis et dans le mouvement, le processus par lequel il les guide lui-même vers le salut.

On pourrait continuer indéfiniment ou en tout cas fort longtemps cette analyse des subtilités du lien entre le pasteur et ses brebis. Ce que je voulais vous montrer, dans un premier point, c'est que, au lieu de cette communauté, de cette réciprocité globale et massive du salut et de la paix entre les brebis et le pasteur, travaillant, élaborant ce rapport global qui n'est jamais tout à fait remis en question, mais l'élaborant, le travaillant de l'intérieur, il y a cette idée que le pasteur chrétien fait quoi ? Le pasteur chrétien agit dans une économie subtile du mérite et du démérite, une économie qui suppose une analyse en éléments ponctuels, des mécanismes de transfert, des procédures d'inversion, des jeux d'appui entre éléments contraires, bref toute une économie détaillée des mérites et des démérites entre lesquels, finalement, Dieu décidera. Car c'est là aussi un élément fondamental : c'est que finalement, cette économie des mérites et des démérites que le pasteur a à gérer sans arrêt, cette économie n'assure absolument pas de façon certaine et définitive le salut ni du pasteur ni des brebis. Après tout, la production même du salut échappe, elle est entièrement entre les mains de Dieu. Et quels que soient l'habileté ou le mérite ou la vertu ou la sainteté du pasteur, ce n'est pas lui qui opère ni le salut de ses brebis ni le sien propre. En revanche il a à gérer, sans certitude terminale, les trajectoires, les circuits, les retournements du mérite et du démérite. On est toujours sur l'horizon général du salut, mais avec un tout autre mode d'action, un tout autre type d'intervention, d'autres manières de faire, d'autres styles, de tout autres techniques pastorales que celles qui conduiraient à la terre promise l'ensemble du troupeau. On a donc, se dégageant par rapport au thème global du salut, quelque chose de spécifique dans le christianisme que j'appellerai l'économie des démérites et des mérites.

Prenez maintenant le problème de la loi. Je crois qu'on pourrait faire une analyse un peu semblable et montrer, au fond, que le pasteur n'est aucunement l'homme de la loi, ou en tout cas que ce qui caractérise, ce qui spécifie le pasteur, ce n'est pas du tout qu'il dit la loi. Très grossièrement, d'une façon schématique et caricaturale, on pourrait dire je crois ceci. : c'est que le citoyen grec – je parle ici évidemment du citoyen et non pas de l'esclave ni de tous ceux qui se trouvent pour une raison ou pour une autre minorisés par rapport au droit de la citoyenneté et aux effets de la loi –, le citoyen grec ne se laisse diriger, au fond, et n'accepte de se laisser diriger que par deux choses : par la loi et par la persuasion, c'est-à-dire par les injonctions de la cité ou par la rhétorique des hommes. Je dirais, là encore d'une façon très grossière, que la catégorie générale de l'obéissance n'existe pas chez les Grecs, ou en tout cas qu'il y a deux sphères qui sont distinctes et qui ne sont pas tout à fait de l'ordre de l'obéissance. Il y a donc la sphère du respect des lois, respect des décisions de l'assemblée, respect des sentences des magistrats, respect en somme des ordres qui s'adressent ou bien à tous de la même façon, ou bien à quelqu'un en particulier, mais au nom de tous. Vous avez donc cette zone du respect, et puis vous avez la zone, j'allais dire de la ruse, disons des actions et des effets insidieux : c'est l'ensemble des procédés par lesquels les hommes se laissent entraîner, persuader, séduire par quelqu'un d'autre. Ce sont les procédés par lesquels l'orateur par exemple convaincra son auditoire, le médecin persuadera son malade de suivre tel ou tel traitement, le philosophe persuadera celui qui le consulte de faire telle ou telle chose pour arriver à la vérité, à la maîtrise de soi, etc. Ce sont les procédés par lesquels le maître qui apprend quelque chose à son élève arrivera à le convaincre de l'importance d'arriver à ce résultat et des moyens qu'il faut employer pour y arriver. Donc, respecter les lois, se laisser persuader par quelqu'un : la loi ou la rhétorique.

Le pastorat chrétien, lui, a, je crois, organisé quelque chose de tout à fait différent et qui est étranger, me semble-t-il, à la pratique grecque, et ce qu'il a organisé, c'est ce qu'on pourrait appeler l'instance de l'obéissance pure\*, l'obéissance comme type de conduite unitaire, conduite hautement valorisée et qui a l'essentiel de sa raison d'être en elle-même. Voici ce que je veux dire : tout le monde sait, – et là encore, au départ, on ne se décale pas beaucoup par rapport à ce qu'était le thème hébraïque –, que le christianisme n'est pas une religion de la loi ; c'est une religion de la volonté de Dieu, une religion des volontés de Dieu pour chacun en particulier. De là, bien sûr, le fait que le pasteur ne va pas être l'homme de la loi ni même son représentant ; son action sera toujours conjoncturelle et individuelle. On le voit à propos de ces fameux *lapsi,* de ceux qui ont

---

\* « obéissance pure » : entre guillemets dans le manuscrit, p. 15.

renié Dieu. Il ne faut pas, dit saint Cyprien, les traiter tous de la même façon, en leur appliquant une seule mesure générale et en les condamnant comme pourrait les condamner un tribunal civil. Il faut traiter chacun de leurs cas en particulier [27]. Ce thème, que le pasteur n'est pas l'homme de la loi, on le voit aussi dans la comparaison très précoce et constante avec le médecin. Le pasteur n'est pas fondamentalement ni premièrement un juge, il est essentiellement un médecin qui a à prendre en charge chaque âme et la maladie de chaque âme. On le voit dans toute une série de textes comme celui de saint Grégoire, par exemple, qui dit : « Une même et unique méthode ne s'applique pas à tous les hommes parce qu'une égale nature de caractère ne les régit pas tous. Fréquemment sont nuisibles à certains les procédés qui profitent à d'autres [28]. » Donc, le pasteur peut bien avoir à faire connaître la loi, à faire connaître les volontés de Dieu qui s'appliquent à tous les hommes : il aura à faire connaître les décisions de l'Église ou de la communauté qui s'appliquent à tous les membres de cette communauté. Mais je crois que le mode d'action du pasteur chrétien s'est individualisé. Là encore, nous ne sommes pas très éloignés de ce qu'on trouve chez les Hébreux, bien que, pourtant, la religion juive soit essentiellement une religion de la loi. Mais il a toujours été dit dans les textes de la Bible que le pasteur, c'est celui qui s'occupe individuellement de chaque brebis et qui veille au salut de chacune en [accordant]* les soins nécessaires à chacune en particulier. Par rapport à ce thème, que le pasteur est donc celui qui soigne chaque cas en fonction de ce qui le caractérise beaucoup plus que l'homme de la loi, je crois qu'en plus de cela, ce qui est propre au pastorat chrétien, – et cela, ça ne se trouve je crois nulle part ailleurs –, c'est que le rapport de la brebis à celui qui la dirige est un rapport de dépendance intégrale.

Dépendance intégrale, cela veut dire, je crois, trois choses. Premièrement, c'est un rapport de soumission, non pas à une loi, non pas à un principe d'ordre, non pas même à une injonction raisonnable, ou à quelques principes ou quelques conclusions tirées par la raison. C'est un rapport de soumission d'un individu à un autre individu. C'est que le rapport strictement individuel, la mise en corrélation d'un individu qui dirige à un individu qui est dirigé, est non seulement une condition, mais c'est le principe même de l'obéissance chrétienne. Et celui qui est dirigé doit accepter, doit obéir, à l'intérieur même de ce rapport individuel et parce que c'est un rapport individuel. Le chrétien se remet entre les mains de son pasteur pour les choses spirituelles, mais également pour les choses matérielles et

---

* M. F. : prenant

pour la vie quotidienne. Là encore, on reprend sans cesse dans les textes chrétiens un texte des Psaumes sans doute qui dit : « Celui qui n'est pas dirigé tombe comme une feuille morte [29]. » C'est vrai pour les laïcs, mais c'est vrai bien sûr, d'une façon beaucoup plus intense, pour les moines, et on voit là, dans ce cas, la mise en œuvre du principe fondamental qu'obéir pour un chrétien, ce n'est pas obéir à une loi, ce n'est pas obéir à un principe, ce n'est pas obéir en fonction d'un élément rationnel quelconque, c'est se mettre entièrement sous la dépendance de quelqu'un parce que c'est quelqu'un.

Cette dépendance de quelqu'un par rapport à quelqu'un, elle est bien sûr, dans la vie monastique, institutionnalisée dans le rapport à l'abbé ou au supérieur ou au maître de novices. Ça a été un des points fondamentaux de l'organisation, de l'aménagement de la vie cénobitique à partir du IVe siècle, que tout individu qui entre dans une communauté monastique est placé entre les mains de quelqu'un, supérieur, maître de novices, qui le prend entièrement en charge et qui lui dit à chaque instant ce qu'il peut faire. Au point que la perfection, le mérite d'un novice consiste à considérer comme une faute toute chose qu'il pourrait faire sans en avoir explicitement reçu l'ordre. La vie tout entière doit être codée par le fait que chacun de ses épisodes, chacun de ses moments doit être commandé, ordonné par quelqu'un. Et c'est illustré par un certain nombre de ce qu'on pourrait appeler les épreuves de la bonne obéissance, épreuves de l'irréflexion et de l'immédiateté. Alors là, on a toute une série d'histoires qui ont été rapportées par Cassien dans l'*Institution cénobitique* et qu'on trouve également dans l'*Histoire lausiaque* [30], l'épreuve de l'irréflexion par exemple qui consiste en ceci : c'est que, dès qu'un ordre est donné à un moine, il doit cesser aussitôt toute occupation par laquelle il est actuellement retenu, l'interrompre aussitôt et exécuter l'ordre sans se demander pourquoi on lui a donné cet ordre et s'il ne vaudrait pas mieux continuer l'occupation à laquelle il est attaché. Et il cite comme exemple de cette vertu d'obéissance ce novice qui était en train de recopier un texte, et pourtant un texte de l'Écriture sainte, et qui a interrompu sa copie non pas même à la fin d'un paragraphe ou à la fin d'une phrase, non pas même au milieu d'un mot, mais au milieu d'une lettre, et qui a laissé la lettre en suspens pour obéir à l'ordre le plus stupide possible qu'on lui avait donné [31]. C'est l'épreuve aussi de l'absurdité. La perfection de l'obéissance consiste à obéir à un ordre, non pas parce qu'il est raisonnable ou parce qu'il vous confie une tâche importante, mais au contraire parce qu'il est absurde. C'est l'histoire indéfiniment répétée du moine Jean, à qui on a donné l'ordre d'aller arroser, fort loin de la cellule qui était la sienne, un bâton desséché qui avait été planté au milieu du désert, et deux fois par jour il allait l'arroser[32]. Grâce à quoi le bâton n'a pas fleuri, mais la sainteté en revanche de Jean a été assurée. C'est l'épreuve aussi du maître acariâtre. Plus le maître est acariâtre, moins il montre de reconnaissance, de gratitude, moins il félicite le disciple de son obéissance, plus l'obéissance est reconnue comme méritoire. Et enfin, c'est surtout la fameuse épreuve de la rupture de la loi, c'est-à-dire qu'il faut obéir, même lorsque l'ordre est contraire à tout ce qui peut être considéré comme la loi, et c'est l'épreuve de Lucius qui est racontée dans l'*Histoire lausiaque*. Lucius arrive dans un monastère après avoir perdu sa femme, mais avec un fils qui lui était resté, un enfant d'une dizaine d'années. On fait subir à Lucius toute une série d'épreuves, et au terme de ces épreuves il y a celle-ci : tu vas aller noyer ton fils dans le fleuve[33]. Et Lucius, parce que c'est un ordre qu'il doit effectuer, va effectivement noyer son fils dans le fleuve. L'obéissance chrétienne, l'obéissance de la brebis à son pasteur est donc une obéissance intégrale d'[un] individu à un individu. D'ailleurs celui qui obéit, celui qui est soumis à l'ordre, on l'appelle le *subditus,* celui qui, littéralement, est voué, donné à quelqu'un d'autre et qui se trouve entièrement à sa disposition et sous sa volonté. C'est un rapport de servitude intégrale.

Deuxièmement, c'est un rapport qui n'est pas finalisé, en ce sens que, quand le Grec se confie à un médecin ou à un maître de gymnastique ou à un professeur de rhétorique ou même à un philosophe, c'est pour arriver à un certain résultat. Ce résultat, ça va être la connaissance d'un métier, ou une perfection quelconque, ou la guérison, et l'obéissance n'est, par rapport à ce résultat, que le passage nécessaire et pas toujours agréable. Il y a donc toujours dans l'obéissance grecque, ou en tout cas dans le fait que le Grec se soumet, à un moment donné, à la volonté ou aux ordres de quelqu'un, il y a un objet, la santé, la vertu, la vérité, et une fin, c'est-à-dire que viendra le moment où ce rapport d'obéissance sera suspendu et même renversé. Après tout, quand on se soumet à un professeur de philosophie, en Grèce, c'est pour pouvoir arriver à un moment donné à être maître de soi, c'est-à-dire à renverser ce rapport d'obéissance et à devenir son propre maître[34]. Or dans l'obéissance chrétienne, il n'y a pas de fin, car ce à quoi conduit l'obéissance chrétienne, qu'est-ce que c'est ? C'est tout simplement l'obéissance. On obéit pour pouvoir être obéissant, pour arriver à un état* d'obéissance. Cela, je crois que cette notion d'état d'obéissance c'est quelque chose là aussi de tout à fait nouveau, de tout à

---

* Mot entouré dans le manuscrit, p. 18. Note en marge : « notion importante ».

fait spécifique, qu'on ne trouverait absolument pas auparavant. Disons encore que le terme vers lequel tend la pratique d'obéissance, c'est ce qu'on appelle l'humilité, laquelle humilité consiste à se sentir le dernier des hommes, à recevoir les ordres de quiconque, à reconduire ainsi indéfiniment le rapport d'obéissance et surtout à renoncer à sa volonté propre. Être humble, ce n'est pas savoir que l'on a beaucoup péché, être humble, ce n'est pas simplement accepter que n'importe qui vous donne des ordres et s'y plier. Être humble, c'est au fond et surtout savoir que toute volonté propre est une volonté mauvaise. Si donc il y a une fin à l'obéissance, c'est un état d'obéissance défini par la renonciation, la renonciation définitive à toute volonté propre. La fin de l'obéissance, c'est de mortifier sa volonté, c'est de faire que sa volonté comme volonté propre soit morte, c'est-à-dire qu'il n'y ait pas d'autre volonté que de n'avoir pas de volonté. Et c'est ainsi que saint Benoît, dans le chapitre v de sa *Règle,* pour définir ce que sont les bons moines, dit : « Ils ne vivent plus de leur libre arbitre, *ambulantes alieno judicio et imperio,* en marchant sous le jugement et l'*imperium* d'un autre, ils désirent toujours que quelqu'un leur commande [35]. »

Alors là, il y aurait évidemment à explorer tout cela, parce que c'est très important finalement aussi bien pour la morale chrétienne, dans l'histoire des idées, que pour la pratique même, l'institutionnalisation du pastorat chrétien, pour tous les problèmes aussi de ce qu'on appelle la « chair » dans le christianisme. C'est, vous voyez, la différence qu'il y a dans le sens que l'on a donné successivement au même mot d'*apatheia,* l'*apatheia* à laquelle tend précisément l'obéissance. Quand un disciple grec vient voir un maître de philosophie et se met sous sa direction et sous sa gouverne, c'est bien pour arriver à quelque chose que l'on appelle l'*apatheia,* l'absence de *pathè,* l'absence de passions. Mais cette absence de passions, qu'est-ce qu'elle signifie et en quoi est-ce qu'elle consiste ? N'avoir pas de passions, c'est n'avoir plus de passivité. Je veux dire, c'est éliminer de soi-même tous ces mouvements, toutes ces forces, tous ces orages dont on n'est pas maître et qui vous exposent ainsi à être l'esclave soit de ce qui se passe en vous, soit de ce qui se passe dans votre corps, soit éventuellement de ce qui se passe dans le monde. L'*apatheia* grecque garantit la maîtrise de soi. Et ce n'est en quelque sorte que l'envers de la maîtrise de soi. On obéit donc et on renonce à un certain nombre de choses, on renonce même, dans la philosophie stoïcienne et dans le dernier épicurisme, aux plaisirs de la chair et aux plaisirs du corps pour assurer l'*apatheia,* laquelle *apatheia* n'est que l'envers, le creux, si vous voulez, de cette chose positive à laquelle on tend et qui est la maîtrise de soi. On va donc devenir maître en renonçant. Le mot d'*apatheia*, transmis des moralistes grecs, gréco-romains [36], au christianisme, [va prendre] un tout autre sens, et le renoncement aux plaisirs du corps, aux plaisirs sexuels, aux désirs de la chair va avoir un tout autre effet dans le christianisme. Pas de *pathè*, pas de passions, cela veut dire quoi pour le christianisme ? Cela veut dire essentiellement renoncer à cet égoïsme, à cette volonté singulière qui est la mienne. Et ce qu'on va reprocher aux plaisirs de la chair, ce n'est pas qu'ils rendent passif – c'était le thème stoïcien et même épicurien –, ce qu'on reproche aux plaisirs de la chair, c'est que s'y déploie au contraire une activité qui est une activité individuelle, personnelle, égoïste. C'est que le moi, c'est que moi-même, j'y suis directement intéressé et j'y maintiens, d'une façon forcenée, cette affirmation du moi comme étant ce qui est essentiel, fondamental et ce qui a le plus de valeur. Le *pathos,* par conséquent, qu'il faut conjurer par les pratiques d'obéissance, ce n'est pas la passion, c'est plutôt la volonté, une volonté orientée sur soi-même, et l'absence de passion, l'*apatheia,* cela va être la volonté qui a renoncé à soi-même et qui ne cesse pas de renoncer à elle-même [37].

Je crois qu'on pourrait ajouter aussi (mais là je passe rapidement) que dans cette théorie et dans cette pratique de l'obéissance chrétienne, celui-là même qui commande, en l'occurrence le pasteur, qu'il soit abbé ou qu'il soit évêque, ne doit pas commander, bien sûr, pour commander, mais doit commander uniquement parce qu'on lui a donné l'ordre de commander. L'épreuve qualificatrice du pasteur, c'est qu'il refuse le pastorat dont on le charge. Il refuse parce qu'il ne veut pas commander, mais dans la mesure où son refus serait l'affirmation d'une volonté singulière, il faut bien qu'il renonce à son refus, qu'il obéisse et qu'il commande. De sorte que l'on a une sorte de champ généralisé de l'obéissance qui est caractéristique de l'espace dans lequel vont se déployer les rapports pastoraux.

Donc, tout comme, je crois, l'analyse, la définition du pastorat l'avait dégagé du thème du rapport commun et avait fait apparaître l'économie complexe des mérites et des démérites qui circulent, se transfèrent et s'échangent, je crois que de la même façon, par rapport au principe général de la loi, le pastorat fait apparaître toute une pratique de la soumission d'individu à individu, sous le signe de la loi bien sûr, mais hors de son champ, dans une dépendance qui n'a jamais aucune généralité, qui ne garantit aucune liberté, qui ne conduit à aucune maîtrise, ni de soi ni des autres. C'est un champ d'obéissance généralisé, fortement individualisé dans chacune de ses manifestations, toujours instantané et limité et tel que même les points de maîtrise y sont encore des effets d'obéissance.

Il faudrait noter, bien sûr – parce que c'est un problème (enfin, je l'indique simplement) –, qu'on voit là s'organiser la série, ou plutôt le couple servitude-service. La brebis, celui qui est dirigé doit vivre son rapport au pasteur comme un rapport de servitude intégrale. Mais inversement le pasteur doit éprouver sa charge de pasteur comme étant un service, et un service qui fait de lui le serviteur de ses brebis. Alors il faudrait comparer, opposer tout ceci, ce rapport de servitude-service, à ce qui était la conception grecque ou la conception romaine, par exemple, de la charge, de l'*officium*. Et vous voyez aussi, autre problème fondamental : c'est le problème du moi, c'est-à-dire qu'on a là, dans le pouvoir pastoral (j'y reviendrai tout à l'heure), un mode d'individualisation qui non seulement ne passe pas par l'affirmation du moi, mais au contraire implique sa destruction.

Enfin, troisièmement, là je serai rapide puisqu'on a déjà parlé de cela d'une autre manière, c'est le problème de la vérité. Là encore, formulé de la manière la plus schématique, le rapport du pastorat à la vérité peut s'inscrire, si on ne prend pas les choses en détail, dans une espèce de courbe et de profil qui ne l'éloigne pas beaucoup de ce que pouvait être l'enseignement grec. Je veux dire ceci : c'est que le pasteur a, vis-à-vis de sa communauté, une tâche d'enseignement. On peut même dire que c'est sa tâche première et principale. Dans le *De officiis ministrorum*, une des premières phrases du texte, qui est de saint Ambroise, dit : *« Episcopi proprium munus docere »*, « la charge propre de l'évêque, c'est d'enseigner [38] ». Bien sûr, cette tâche d'enseignement n'est pas une tâche unidimensionnelle, il ne s'agit pas simplement d'une certaine leçon à donner aux autres, mais de quelque chose de plus compliqué. Le pasteur doit enseigner par son exemple, par sa propre vie, et d'ailleurs la valeur de cet exemple est si forte que s'il ne donne pas une bonne leçon par sa propre vie, l'enseignement théorique, verbal qu'il pourra donner sera effacé par là même. Dans le *Livre pastoral,* saint Grégoire dit que les pasteurs qui enseignent la bonne doctrine, mais donnent le mauvais exemple, sont un petit peu comme des bergers qui boiraient eux-mêmes l'eau claire, mais qui, ayant les pieds sales, corrompraient l'eau dans laquelle ils font boire les brebis dont ils ont la charge [39]. Le pasteur aussi enseigne d'une façon non globale, non générale. Il n'enseigne pas de la même façon à tout le monde, car les esprits des auditeurs sont comme les cordes d'une cithare, ils sont tendus différemment et on ne peut pas les toucher de la même façon. Saint Grégoire, dans le *Liber pastoralis,* donne trente-six manières bien distinctes d'enseigner, selon qu'on s'adresse à des gens mariés ou non, à des gens riches ou non, à des gens malades ou pas, à des gens gais ou tristes [40]. Tout ceci ne nous éloigne pas beaucoup de ce qui était la conception traditionnelle de l'enseignement. Mais il y a par rapport à cela, je crois, deux nouveautés fondamentales qui caractérisent encore le pastorat chrétien.

Premièrement, le fait que cet enseignement doit être une direction de la conduite quotidienne. Il s'agit non seulement d'enseigner ce qu'il faut savoir et ce qu'il faut faire. Il s'agit non seulement de l'enseigner par des principes généraux, mais par une modulation quotidienne, mais il faut aussi que cet enseignement passe par une observation, une surveillance, une direction exercée à chaque instant et de la manière la moins discontinue possible, sur la conduite intégrale, totale, des brebis. La vie quotidienne ne doit pas être simplement, dans sa perfection ou dans son mérite ou dans sa qualité, le résultat d'un enseignement général ni même le résultat d'un exemple. La vie quotidienne doit être effectivement prise en charge et observée, de sorte que le pasteur doit former, à partir de cette vie quotidienne de ses ouailles qu'il surveille, un savoir perpétuel qui sera le savoir du comportement des gens et de leur conduite. Saint Grégoire dit, à propos du pasteur en général : « En poursuivant les choses célestes, que le pasteur ne fasse point abandon des nécessités du prochain. Qu'il ne perde pas non plus le goût des hauteurs en condescendant aux besoins matériels de ses proches [41]. » Et il se réfère à saint Paul qui, dit-il, « tout extatique qu'il ait été dans la contemplation de l'invisible, rabaisse son esprit jusqu'au lit conjugal. Il enseigne aux époux la conduite qu'ils ont le devoir de garder dans leurs rapports intimes ». Saint Paul par la contemplation a bien pénétré les cieux, mais il n'a pas exclu de sa sollicitude la couche de ceux qui demeurent charnels [42]. On a donc un enseignement intégral qui implique en même temps un regard exhaustif du pasteur sur la vie de ses brebis.

Et deuxième aspect, très important aussi, c'est la direction de conscience [43]. C'est-à-dire que le pasteur ne doit pas simplement enseigner la vérité. Il doit diriger la conscience, et diriger la conscience, ça veut dire quoi ? Là encore il faudrait faire un petit retour en arrière. La pratique de la direction de conscience n'est pas, au sens strict du terme, une invention chrétienne. Il y a eu des directions de conscience dans l'Antiquité [44], mais enfin, pour dire les choses très schématiquement, je crois qu'on peut les caractériser de la manière suivante. [Premièrement,] dans l'Antiquité, la direction de conscience est volontaire, c'est-à-dire que c'est celui qui veut être dirigé qui va trouver quelqu'un et qui lui dit : dirige-moi. Au point même d'ailleurs que dans ses formes toutes primitives, même dans des formes tardives, la direction de conscience était payante. On allait voir quelqu'un et le quelqu'un disait : je veux bien te diriger, mais tu me donneras telle somme d'argent. Les sophistes avaient des boutiques de direction de conscience sur les places publiques. On devait payer la consultation.

Deuxièmement, la direction de conscience dans l'Antiquité était circonstancielle, c'est-à-dire qu'on ne se laissait pas diriger toute sa vie et pour toute sa vie, mais quand on passait par un mauvais moment, par un épisode dur et difficile, on allait trouver un directeur de conscience. On avait un deuil, on avait perdu ses enfants ou sa femme, on était ruiné, on était exilé par le prince, eh bien on allait trouver quelqu'un qui intervenait, et qui intervenait essentiellement comme consolateur. La direction de conscience était donc volontaire, épisodique, consolatrice et elle passait bien à certains moments par l'examen de conscience. C'est-à-dire que cette direction impliquait souvent que le directeur dise, invite, contraigne même, si contrainte il pouvait y avoir, le dirigé à examiner sa propre conscience, à faire chaque jour, le soir venu, un examen de ce qu'il avait fait, des choses bien ou mal qu'il avait pu commettre, de ce qui lui était arrivé, bref à repasser l'existence de la journée, ou un fragment d'existence, repasser cela au filtre d'un discours de manière à fixer en vérité ce qui s'était passé et les mérites, la vertu, les progrès de celui qui s'examinait ainsi. Mais cet examen de conscience, qui s'inscrivait donc à l'intérieur de la pratique de la direction de conscience, avait essentiellement un but. C'était précisément que celui qui s'examinait puisse prendre le contrôle de lui-même, devenir maître de soi en sachant exactement ce qu'il avait fait et où il en était de son progrès. C'était donc une condition de la maîtrise de soi.

Dans la pratique chrétienne, on va avoir une direction de conscience et des formes d'examen qui vont être tout à fait différentes. Premièrement, parce que la direction de conscience n'est pas exactement volontaire. Elle ne l'est pas en tout cas toujours, et dans le cas des moines par exemple la direction de conscience est absolument obligatoire, on ne peut pas ne pas avoir un directeur de conscience. Deuxièmement, la direction de conscience n'y est pas circonstancielle. Il ne s'agit pas de répondre à un malheur ou à une crise ou à une difficulté. La direction de conscience est absolument permanente, et c'est à propos de tout et pendant toute sa vie que l'on doit être dirigé. Enfin troisièmement, l'examen de conscience qui fait effectivement partie* de ces instruments de la direction de conscience, l'examen n'y a pas pour fonction d'assurer à l'individu la maîtrise sur

---

* M. Foucault ajoute : de cet arsenal, enfin

lui-même, de compenser en quelque sorte par cet examen la dépendance où il se trouve par rapport au directeur. Ça va être tout au contraire la chose inverse. On n'examine sa conscience que pour pouvoir aller dire au directeur ce qu'on a fait, ce qu'on est, ce qu'on a éprouvé, les tentations auxquelles on a été soumis, les mauvaises pensées que l'on a laissées en soi, c'est-à-dire que c'est pour mieux marquer, mieux ancrer encore le rapport de dépendance à l'autre que l'on fait son examen de conscience. L'examen de conscience dans l'antiquité classique était un instrument de maîtrise, il va être ici au contraire un instrument de dépendance. Et on va donc former sur soi, à chaque instant, par l'examen de conscience un certain discours de vérité. On va extraire et produire à partir de soi-même une certaine vérité qui va être ce par quoi on va être lié à celui qui dirige [n]otre conscience. Vous voyez que là encore le rapport à la vérité dans le pastorat chrétien n'est absolument pas du même type que ce qu'on pouvait trouver dans l'antiquité gréco-romaine, [et qu'il est] très différent également de ce qui avait été esquissé dans la thématique hébraïque du pastorat.

Ce n'est donc pas le rapport au salut, ce n'est pas le rapport à la loi, ce n'est pas le rapport à la vérité qui caractérise fondamentalement, essentiellement le pastorat chrétien. Le pastorat chrétien, c'est au contraire une forme de pouvoir qui, prenant le problème du salut dans sa thématique générale, va glisser à l'intérieur de ce rapport global toute une économie, toute une technique de circulation, de transfert, d'inversion des mérites, et c'est cela qui est son point fondamental. De même que par rapport à la loi, le christianisme, le pastorat chrétien ne va pas simplement être l'instrument de l'acceptation ou de la généralisation de la loi, le pastorat chrétien va, prenant en biais en quelque sorte le rapport à la loi, instaurer un type de relation d'obéissance, de relation d'obéissance individuelle, exhaustive, totale et permanente. C'est tout autre chose que le rapport à la loi. Et enfin par rapport à la vérité, s'il est vrai que le christianisme, le pasteur chrétien enseigne la vérité, s'il oblige les hommes, les brebis, à accepter une certaine vérité, le pastorat chrétien innove absolument en mettant en place une structure, une technique, à la fois de pouvoir, d'investigation, d'examen de soi et des autres par laquelle une certaine vérité, vérité secrète, vérité de l'intériorité, vérité de l'âme cachée, va être l'élément par lequel s'exercera le pouvoir du pasteur, par lequel s'exercera l'obéissance, sera assuré le rapport d'obéissance intégrale, et à travers quoi passera justement l'économie des mérites et des démérites. Ces rapports nouveaux des mérites et des démérites, de l'obéissance absolue, de la production des vérités cachées, c'est cela qui, je crois, constitue l'essentiel et l'originalité et la spécificité du christianisme, [et] non pas le salut, non pas la loi, non pas la vérité.

Alors je terminerai en disant que, d'une part, on voit donc naître avec le pastorat chrétien une forme de pouvoir absolument nouvelle. On y voit aussi, et ce sera ma seconde et dernière conclusion, on y voit aussi se dessiner, je crois, ce qu'on pourrait appeler des modes absolument spécifiques d'individualisation. L'individualisation dans le pastorat chrétien va s'effectuer sur un mode qui est tout à fait particulier et qu'on a pu saisir à travers justement ce qui concernait le salut, la loi et la vérité. C'est qu'en effet cette individualisation qui est ainsi assurée par l'exercice du pouvoir pastoral, elle ne va plus du tout être définie par le statut d'un individu ou par sa naissance ou par l'éclat de ses actions. Elle va être définie de trois manières. Premièrement par un jeu de décomposition qui définit à chaque instant la balance, le jeu et la circulation des mérites et des démérites. Disons que c'est une individualisation non pas de statut, mais d'identification analytique. Deuxièmement, c'est une individualisation qui va s'opérer non pas par la désignation, le marquage d'une place hiérarchique de l'individu. Elle ne va pas s'opérer non plus par l'affirmation d'une maîtrise de soi sur soi, mais par tout un réseau de servitudes, qui implique la servitude générale de tout le monde à l'égard de tout le monde et en même temps l'exclusion du moi, l'exclusion de l'ego, l'exclusion de l'égoïsme comme forme centrale, nucléaire de l'individu. C'est donc une individualisation par assujettissement. Enfin troisièmement, c'est une individualisation qui ne va pas s'acquérir par le rapport à une vérité reconnue, [mais] qui, au contraire, va s'acquérir par la production d'une vérité intérieure, secrète et cachée. Identification analytique, assujettissement, subjectivation, c'est cela qui caractérise les procédures d'individualisation qui vont être effectivement mises en œuvre par le pastorat chrétien et par les institutions du pastorat chrétien. C'est donc toute l'histoire des procédures de l'individualisation humaine en Occident qui se trouve engagée par l'histoire du pastorat. Disons encore que c'est l'histoire du sujet.

Il me semble que le pastorat esquisse, constitue le prélude de ce que j'ai appelé la gouvernementalité, telle qu'elle va se déployer à partir du XVIᵉ siècle. Il prélude à cette gouvernementalité de deux façons. Par les procédures propres au pastorat, par cette manière, au fond, de ne pas faire jouer purement et simplement le principe du salut, le principe de la loi et le principe de la vérité, par toutes ces espèces de diagonales qui instaurent sous la loi, sous le salut, sous la vérité, d'autres types de rapports. Donc, le pastorat prélude à la gouvernementalité par là. Et il prélude aussi à la gouvernementalité par la constitution si spécifique d'un sujet, d'un sujet dont les mérites sont identifiés de manière analytique, d'un sujet qui est assujetti dans des réseaux continus d'obéissance, d'un sujet qui est subjectivé par l'extraction de vérité qu'on lui impose. Eh bien, c'est cela, je crois, cette constitution typique du sujet occidental moderne, qui fait que le pastorat est sans doute un des moments décisifs dans l'histoire du pouvoir dans les sociétés occidentales. Voilà. On en aura terminé avec le pastorat maintenant, et je reprendrai le thème de la gouvernementalité la prochaine fois.

\*

### NOTES

1. Cf. leçon précédente (15 février), p. 164, note 61.

2. Saint Cyprien, *Correspondance, op. cit.*

3. Ambroise de Milan (évêque de Milan de 374 à 397), *De officiis ministrorum,* composé en 389. Le titre exact de l'ouvrage est *De officiis* (cf. saint Ambroise, *Des devoirs,* trad. et notes de M. Testard, Paris, Les Belles Lettres, CUF, 1984, t. 1, introduction, p. 49-52). M. Foucault utilise le texte de l'édition Migne (*De officiis ministrorum*: *Epist. 63 ad Vercellensem Ecclesiam,* PL 16, col. 23-184).

4. Cf. *supra,* p. 163, note 53.

5. Cassien, Jean (v. 360-v. 435), *Collationes…/Conférences,* éd. critique, traduction et notes de Dom E. Pichery, Paris, Cerf («Sources chrétiennes»), t. I, 1966; t. II, 1967; t. III, 1971. Sur Cassien, qui passa plusieurs années auprès des moines d'Égypte puis, ordonné prêtre à Rome vers 415, fonda et dirigea deux couvents, l'un d'hommes, l'autre de femmes, dans la région de Marseille, cf. le résumé du cours de 1979-1980, «Du gouvernement des vivants», *DE,* IV, n° 289, p. 127-128, à propos de la pratique de l'aveu *(exagoreusis)*; «"Omnes et singulatim"», art. cité, *ibid.,* p. 144-145, à propos de l'obéissance (la relation entre le pasteur et ses brebis conçue, dans le christianisme, comme une relation de dépendance individuelle et complète); «Sexualité et solitude» (1981), *ibid.,* n° 295, p. 177; «Le combat de la chasteté» (1982), *ibid.,* n° 312, p. 295-308 (sur l'esprit de fornication et l'ascèse de la chasteté); le résumé du cours de 1981-1982, «L'herméneutique du sujet», *ibid.,* n° 323, p. 364 (même référence qu'à la page 177); «L'écriture de soi» (1983), *ibid.,* n° 329, p. 416; «Les techniques de soi» (1988), *ibid.,* n° 363, p. 802-803 (toujours à propos de la métaphore du changeur d'argent appliquée à l'examen des pensées: cf. *DE,* IV, p. 177 et 364).

6. *De institutis coenobiorum et de octo principalium vitiorum remediis* (écrit vers 420-424) / *Institutions cénobitiques,* éd. critique, traduction et notes de J.-Cl. Guy, Paris, Cerf («Sources chrétiennes»), 1965.

7. Saint Jérôme (Hieronymus Stridonensis), *Epistolae,* PL 22, col. 325-1224/*Lettres,* trad. J. Labourt, Paris, Les Belles Lettres (CUF), t. I-VII, 1949-1961.

8. *Regula sancti Benedicti / La Règle de saint Benoît, op. cit.*

9. Cf. leçon précédente (15 février), p. 164, note 61.

10. Grégoire le Grand, *Regula pastoralis,* I, 5, trad. B. Judic, Paris, Cerf («Sources chrétiennes»), 1992, p. 196/197: «Sit rector singulis compassione proximus» («Que le pasteur ait une compassion proche de chacun»).

11. *La Règle de saint Benoît,* t. 2, ch. 27: «Combien l'abbé doit avoir de sollicitude pour les excommuniés», p. 548/549: «Debet abbas [...] omni sagacitate et industria currere, ne aliquam de ovibus sibi creditis perdat» («L'abbé doit [...] s'empresser avec tout son savoir-faire et son industrie pour ne perdre aucune des brebis qui lui sont confiées»).

12. Exode, 28, 34.

13. Cf. par exemple Grégoire le Grand, *Regula pastoralis,* II, 4, trad. citée, p. 193: «C'est pourquoi, selon l'ordre divin, des grenades sont jointes aux clochettes sur le vêtement du prêtre. Que signifient-elles, ces grenades, selon l'unité de la foi? Dans la grenade, en effet, des grains nombreux à l'intérieur sont défendus à l'extérieur par une seule écorce; de même l'unité de la foi protège les innombrables peuples de la sainte Église, qu'une diversité de mérites maintient ensemble à l'intérieur.»

14. Cf. *La Règle de saint Benoît,* t. 2, ch. 28: «"Si l'infidèle s'en va, qu'il s'en aille", de peur qu'une brebis malade ne contamine tout le troupeau.» Ce thème de la brebis galeuse, déjà présent chez Origène, est un lieu commun de la littérature patristique.

15. *Ibid.,* t. 2, ch. 27: «Et qu'il imite l'exemple de tendresse du bon pasteur, qui, abandonnant ses quatre-vingt-dix-neuf brebis sur les montagnes, partit à la recherche d'une seule brebis qui s'était perdue» (cf. Luc, 15, 4, et Matthieu, 8, 12, cités *supra,* p. 163, note 48).

16. Le problème se posa notamment, avec une ampleur particulière, suite aux mesures persécutrices prises par l'empereur Dèce en 250, qui voulait obliger les citoyens de l'Empire à participer en sa faveur à un acte de culte envers les dieux. De nombreux chrétiens, n'ayant pu se soustraire à la loi, se soumirent à la volonté impériale, de façon plus ou moins complète (certains, plutôt que d'accomplir l'acte idolâtrique, se contentèrent d'un geste vague ou se procurèrent des certificats de complaisance). La plupart souhaitant être réintégrés dans l'Église, deux tendances s'affrontèrent dans le clergé, l'une favorable à l'indulgence, l'autre au rigorisme (de là le schisme rigoriste de Novatien à Rome, dénoncé par saint Cyprien dans sa Lettre 69). Aux yeux de l'épiscopat, la réconciliation des *lapsi* devait être précédée d'une pénitence appropriée. Cf. saint Cyprien, *Liber de lapsis,* PL 4, col. 463-494/ *De ceux qui ont failli,* trad. D. Gorce, in *Textes,* Namur, Éd. du Soleil levant, 1958, p. 88-92) – texte auquel se réfère Foucault, dans «Les techniques de soi» (1982), *loc. cit.,* p. 806, à propos de l'*exomologêsis* (confession publique). Cf. également, sur ce sujet, le cours de 1979-1980, «Du gouvernement des vivants», et le séminaire tenu à Louvain en mai 1981 (inédit).

17. Cf. *supra,* leçon du 8 février, p. 132-134.

18. *La Règle de saint Benoît,* t. 1, ch. 2: «Ce que doit être l'abbé», p. 451: «[...] qu'il songe sans cesse qu'il est chargé de diriger des âmes, dont il devra aussi rendre compte. [...] Et qu'il sache que, quand on se charge de diriger les âmes, on doit se préparer à en rendre compte. Et d'autant il sait avoir de frères confiés à ses soins, qu'il soit bien certain qu'il devra rendre compte au Seigneur de toutes ces âmes au jour

du jugement, sans parler de sa propre âme bien sûr.» C'est pourquoi le pasteur doit craindre «l'examen qu'[il] subira un jour au sujet des brebis qui lui sont confiées».

19. Saint Cyprien, *Correspondance*, Lettre 8, p. 19: «Et cum incumbat nobis qui videmur praepositi esse et vice pastorum custodire gregem, si neglegentes inveniamur, dicetur nobis quod et antecessoribus nostris dictum est, qui tam neglegentes praepositi erant, quoniam "perditum non requisivimus et errantem non correximus et claudum non colligavimus et lactem eorum edebamus et lanis eorum operiebamur" [cf. Ézéchiel, 34, 3]» («D'ailleurs le soin du troupeau nous incombe à nous qui sommes à sa tête apparemment pour le conduire et remplir la fonction des pasteurs. On nous dira donc, si nous sommes trouvés négligents, ce qu'on a dit à nos prédécesseurs, qui étaient des chefs très négligents, que nous n'avons pas cherché après les brebis perdues, ni remis dans le droit chemin celles qui s'étaient égarées, ni bandé leurs pattes cassées, et que cependant nous buvions leur lait et nous couvrions de leur laine»).

20. Saint Jérôme, *Epistolae*, PL 22, Ep. 58, col. 582: «Si officium vis exercere Presbyteri, si Episcopatus, te vel opus, vel forte honor delectat, vive in urbibus et castellis; et aliorum salutem, fac lucrum animae tuae» (trad. citée, t. 3, p. 78-79: «Si tu veux exercer la fonction de prêtre, si peut-être l'épiscopat – travail ou honneur – t'est agréable, vis dans des villes et des châteaux; fais du salut des autres le profit de ton âme»).

21. Jean, 10, 11-12: «Je suis le bon pasteur; le bon pasteur donne sa vie pour ses brebis. Le mercenaire, qui n'est pas le pasteur et à qui n'appartiennent pas les brebis, voit-il venir le loup, il laisse les brebis et s'enfuit, et le loup s'en empare et les disperse» (*La Bible de Jérusalem,* éd. citée, p. 1546).

22. Cf. Grégoire le Grand, *Regula pastoralis,* II, 5, trad. citée, p. 203: «[...] souvent le cœur du pasteur, quand il apprend les tentations d'autrui, tout à l'écoute, en subit lui-même la poussée; l'eau du bassin qui lave les foules se souille elle-même. En se chargeant des souillures de ceux qui s'y lavent, elle perd sa pure transparence.» Cf. *Les Anormaux, op. cit.,* leçon du 19 février 1975, p. 166, à propos du problème de la «sainteté du prêtre» dans l'exercice de la confession, tel que l'analysent les théoriciens de la pastorale tridentine.

23. *La Règle de saint Benoît,* t. 1, ch. 2: «Ce que doit être l'abbé», p. 443: «[...] si le pasteur a mis tout son zèle au service d'un troupeau turbulent et désobéissant, s'il a donné tous ses soins à leurs actions malsaines, leur pasteur sera absous au jugement du Seigneur [...]»

24. Grégoire le Grand, *Regula pastoralis,* II, 2: «[...] necesse est ut esse munda studeat manus, quae diluere sordes curat» (trad. citée, I, p. 176: «Elle aura soin d'être pure, la main qui s'emploie à laver les malpropretés»)

25. Cf. Grégoire le Grand, *Regula pastoralis,* II, 6, trad. citée, p. 207: «L'octroi du pouvoir l'a placé hors du rang, et il croit aussi qu'il a surpassé tout le monde par les mérites de sa vie. [...] Par un admirable jugement, il trouve au-dedans la fosse de l'humiliation, en s'élevant au-dehors au sommet de la puissance. Il devient semblable à l'ange apostat, dédaignant d'être un homme semblable aux hommes.»

26. Cf. *ibid.,* p. 215: «[...] qu'à la lueur discrète de certains signes leurs inférieurs puissent aussi se rendre compte que leurs pasteurs sont humbles à leurs propres yeux: ainsi verront-ils dans leur autorité une raison de craindre et dans leur humilité découvriront-ils un exemple.»

27. Cf. saint Cyprien, *Correspondance,* Lettre 17 (III, 1), p. 50: «[...] vos itaque singulos regite et consilio ac moderatione vestra secundum divina praecepta lapsorum animos temperate» («[...] donnez une direction à chacun des *lapsi* en particulier, et

que la sagesse de vos conseils et de votre action conduise leurs âmes selon les préceptes divins»). Sur la question des *lapsi*, cf. l'introduction du chanoine Bayard, *ibid.*, p. XVIII-XIX; cf. également *supra*, note 16.

28. Grégoire le Grand, *Regula pastoralis*, III, prologue: «Ut enim longe ante nos reverendae memoriae Gregorius Nazanzinus edocuit, nonuna eademque cunctis exhortatio congruit, quia nec cunctos par morum qualitas astringit. Saepe namque aliis officiunt, quae aliis prosunt» (trad. citée, II, p. 259: «Comme l'a exposé avant nous Grégoire de Naziance, de vénérée mémoire [cf. *Discours*, 2, 28-33], une seule et même exhortation ne convient pas à tous, car tous ne sont pas soumis aux mêmes habitudes de la vie. Ce qui est utile aux uns nuit souvent aux autres.»)

29. Dans le séminaire de Louvain, «Mal dire, mal faire» (inédit), Foucault indique les Proverbes comme source de cette phrase, mais elle ne s'y trouve pas davantage que dans les Psaumes. La formule citée résulte vraisemblablement de la réunion de deux passages, selon le texte de la Vulgate: (1) Proverbes, 11, 14: «Ubi non est gubernator, populus corruet» (*La Bible de Jérusalem*, p. 896: «Faute de direction, un peuple succombe»), et (2): Isaïe, 64, 6: «Et cecidimus quasi folium universi» (*ibid.*, p. 1156: «Tous, nous nous flétrissons comme des feuilles mortes» – littéralement, d'après le texte latin: «nous tombâmes»). M. Foucault cite à nouveau cette phrase, sans référence précise, dans *L'Herméneutique du sujet. Cours au Collège de France, 1981-1982*, éd. par F. Gros, Paris, Gallimard-Le Seuil («Hautes Études»), 2001, p. 381.

30. τό Λαυσιαχον / *Histoire lausiaque*, ouvrage composé par Palladios (v. 363-v. 425), évêque d'Hélénopolis de Bithynie (Asie Mineure), réputé de tendance origéniste. Après avoir séjourné plusieurs années chez les moines d'Égypte et de Palestine, il publia en 420 ce recueil de biographies de moines dédié à Lausios ou Lausus, grand-chambellan de Théodose II (408-450), qui constitue une source importante pour la connaissance du monachisme antique. Éditions: Palladius, *Histoire lausiaque (Vies d'ascètes et de Pères du désert)*, texte grec, introd. et trad. par A. Lucot, Paris, A. Picard et fils («Textes et Documents pour l'histoire du christianisme»), 1912 (d'après l'édition critique de Dom Butler, *Historia Lausiaca*, Cambridge, Cambridge University Press, «Texts and Studies» 6, 1904); Pallade d'Hélénopolis, *Les Moines du désert. Histoire lausiaque*, trad. du Carmel de la Paix, Paris, Desclée de Brouwer («Les Pères dans la foi»), 1981. Cf. R. Draguet, «L'*Histoire lausiaque*, une œuvre écrite dans l'esprit d'Evagre», *Revue d'histoire ecclésiastique*, 41, 1946, p. 321-364, et 42, 1947, p. 5-49.

31. *Institutions cénobitiques*, trad. citée, IV, 12, p. 134-136/135-137. Le texte ne précise pas quel texte le scribe est en train de copier. L'obéissance, ici, répond à l'appel de «celui qui frappe à la porte et donne le signal [...] appelant à la prière ou à quelque travail».

32. *Ibid.*, IV, 24, p. 154-156/155-157. Jean le Voyant – abba Jean – (mort vers 395, après quarante années de réclusion à Lycopolis) est l'une des figures les plus célèbres du monachisme égyptien au IVe siècle. L'histoire (mettant en scène Jean Colobos au lieu de Jean de Lycopolis) est reprise notamment dans les *Apophtegmata Patrum* (PG 65, col. 204C), avec cette modification importante: le bâton, ici, finit par prendre racines et porter des fruits (cf. J.-Cl. Guy, *Paroles des Anciens. Apophtegmes des Pères du désert*, Paris, Le Seuil, «Points Sagesses», 1976, p. 69).

33. L'épisode ne se trouve pas dans l'*Histoire lausiaque*; il est relaté par Cassien, *Institutions cénobitiques*, IV, 27, trad. citée, p. 162/163, à propos de l'abbé Patermutus

et de son fils agé de huit ans (des frères, envoyés exprès, sortent l'enfant du fleuve, empêchant ainsi «que ne soit complètement mis à exécution l'ordre de l'ancien, auquel le père avait déjà satisfait par sa dévotion») et se retrouve dans diverses collections d'apophtegmes. Dans le séminaire de Louvain déjà cité, c'est bien à Cassien que renvoie Foucault, en relatant l'exemple de Patermutus.

34. Sur la fonction du maître dans la culture gréco-romaine, cf. *L'Herméneutique du sujet, op. cit.,* leçon du 27 janvier 1982, p. 149-158.

35. *La Règle de saint Benoît,* ch. 5, «De l'obéissance des disciples», p. 466/467: «Ceux qui sont pressés du désir d'avancer vers la vie éternelle, ceux-là adoptent la voie étroite, dont le Seigneur dit: "Étroite est la voie qui conduit à la vie": ne vivant pas à leur guise et n'obéissant pas à leurs désirs et à leurs plaisirs, mais marchant au jugement et au commandement d'autrui *(ut non suo arbitrio viventes vel desideriis suis et voluptatibus oboedientes, sed ambulantes alieno iudicio et imperio),* demeurant dans les *coenobia,* ils désirent avoir un abbé pour supérieur *(abbatem sibi praeesse desiderant).*» Cf. «"Omnes et singulatim"», *loc. cit.,* p. 145-146.

36. Sur la difficulté de trouver un équivalent latin d'*apatheia* et l'équivoque que crée la traduction par *impatientia,* cf. Sénèque, *Lettres à Lucilius,* 9, 2; les Pères latins traduisirent le mot par *imperturbatio* (saint Jérôme, *in Jer.* 4, proem.) ou, plus fréquemment, *impassibilitas* (saint Jérôme, *Epistolae,* 133, 3; saint Augustin, *Civitas Dei,* 14, 9, 4: «ce que les Grecs appellent *apathie,* ἀπάθεια dont le synonyme latin ne pourrait être qu'*impassibilitas*»).

37. Ce bref développement sur l'*apatheia* constitue-t-il une critique implicite des pages consacrées à cette notion par P. Hadot dans son article: «Exercices spirituels antiques et "philosophie chrétienne"» (repris dans *Exercices spirituels et Philosophie antique,* Paris, Études augustiniennes, 1981, p. 59-74), où ce dernier, soulignant le rôle capital que joue l'*apatheia* dans la spiritualité monastique, trace une ligne de continuité entre le stoïcisme, le néoplatonisme et la doctrine d'Evagre le Pontique et de Dorothée de Gaza *(ibid.,* p. 70-72)? Sur l'*apatheia* des ascètes chrétiens, cf. prochaine leçon (1er mars), p. 209-210.

38. Ces premiers mots du sous-titre du chapitre 1er, dans l'édition Migne (PL 16, col. 23A) ne sont pas repris dans les éditions plus récentes et sont donc vraisemblablement dus à l'éditeur. La même idée, toutefois, est exprimée plus loin par saint Ambroise, *De officiis,* I, 2, éd. J. Testard, p. 96: «[...] cum iam effugere non possimus officium docendi quod nobis refugientibus imposuit sacerdotii necessitudo» («[...] aussi bien ne pouvons-nous désormais esquiver le devoir d'enseigner, qu'à notre corps défendant nous a imposé la charge du sacerdoce»).

39. Grégoire le Grand, *Regula pastoralis,* I, 2, trad. citée, p. 135: «Les pasteurs boivent une eau toute limpide quand ils puisent à la source jaillissante de la vérité bien comprise. La troubler avec leurs pieds, c'est gâcher en vivant mal les efforts de leur sainte étude. Oui, les brebis boivent une eau que des pieds ont foulée, quand les ouailles, au lieu de s'attacher aux paroles entendues, imitent seulement les exemples mauvais offerts à leurs yeux» (commentaire de la citation de l'Écriture tirée d'Ézéchiel, 34, 18-19).

40. Cf. la 3e partie de la *Regula pastoralis,* ch. 24-59 (donc «trente-six manières» au sens strict).

41. *Ibid.,* II, 5, trad. citée, p. 197: «Qu'il se garde en s'élevant d'être inattentif aux misères du prochain, et en se faisant tout proche des misères du prochain d'abandonner les hautes aspirations.»

42. *Ibid.* : « Voyez : Paul est conduit au paradis, il pénètre les secrets du troisième ciel, et cependant, tout ravi qu'il soit par cette contemplation des réalités invisibles, il reporte la regard de son âme vers la chambre où reposent d'humbles êtres de chair, et leur indique comment se comporter dans leur vie intime. »

43. La pratique chrétienne de la direction de conscience avait déjà fait l'objet de l'attention de M. Foucault dans *Les Anormaux, op. cit.,* leçons du 19 février 1975, p. 170 *sq.,* et du 26 février, p. 187 *sq.*), mais dans un autre cadre chronologique – les XVIe-XVIIe siècles – et une autre perspective d'analyse – l'apparition du « corps de désir et de plaisir » au cœur des pratiques pénitentielles. Comme le précise D. Defert, dans sa « Chronologie », il travaillait, en janvier 1978, au deuxième tome de *l'Histoire de la sexualité,* qui devait retracer « une généalogie de la concupiscence à travers la pratique de la confession dans le christianisme occidental et de la direction de conscience, telle qu'elle se développe à partir du concile de Trente » (*DE,* I, p. 53). Ce manuscrit fut détruit par la suite.

44. Sur la direction de conscience dans l'Antiquité, cf. P. Rabbow, *Seelenführung. Methodik der Exerzitien in der Antike,* Munich, Kösel, 1954. M. Foucault avait sans doute déjà lu, également, l'ouvrage de I. Hadot, *Seneca und die grieschisch-römische Tradition der Seelenleitung,* Berlin, Walter De Gruyter & Co., 1969, qu'il cite en 1984 dans *Le Souci de soi* (*Histoire de la sexualité,* t. III, Paris, Gallimard, « Bibliothèque des histoires », 1984). Il reviendra sur cette comparaison des pratiques antique et chrétienne de la direction de conscience dans le cours : « Du gouvernement des vivants », leçons des 12, 19 et 26 mars 1980, et dans *L'Herméneutique du sujet,* leçons du 3 mars 1982, p. 345-348, et du 10 mars, p. 390.

# LEÇON DU 1er MARS 1978

*La notion de « conduite ». – La crise du pastorat. – Les révoltes de conduite dans le champ du pastorat. – Le déplacement des formes de résistance, à l'époque moderne, aux confins des institutions politiques : exemples de l'armée, des sociétés secrètes, de la médecine. – Problème de vocabulaire : «Révoltes de conduite», «insoumission», «dissidence», «contre-conduites». Les contre-conduites pastorales. Rappel historique : (a) l'ascétisme ; (b) les communautés ; (c) la mystique ; (d) l'Écriture ; (e) la croyance eschatologique. – Conclusion : enjeux de la référence à la notion de «pouvoir pastoral» pour une analyse des modes d'exercice du pouvoir en général.*

Donc la dernière fois, j'ai parlé un peu du pastorat et de la spécificité du pastorat. Pourquoi vous avoir parlé de cela et si longuement ? Disons, pour deux raisons. La première, c'est pour essayer de vous montrer, – ce qui ne vous a pas échappé, bien sûr –, qu'il n'existe pas de morale judéo-chrétienne\* ; [la morale judéo-chrétienne], c'est une unité factice. Deuxièmement, que s'il y a bien, dans les sociétés occidentales modernes, un rapport entre religion et politique, ce rapport ne passe peut-être pas pour l'essentiel dans le jeu entre l'Église et l'État, mais plutôt entre le pastorat et le gouvernement. Autrement dit le problème fondamental, du moins dans l'Europe moderne, ce n'est sans doute pas le pape et l'empereur, ce serait plutôt ce personnage mixte ou ces deux personnages qui bénéficient dans notre langue, comme dans d'autres d'ailleurs, d'un seul et même nom, à savoir le ministre. C'est le ministre, dans l'équivoque même du terme, qui est peut-être le vrai problème, là où se situe réellement le rapport de la religion et de la politique, du gouvernement et du pastorat. Voilà donc pourquoi j'avais un petit peu insisté sur ce thème du pastorat.

---

\* Suit une phrase presque entièrement inaudible : notion [...] antisémite.
M. Foucault ajoute : il n'y a donc pas de morale judéo-chrétienne

J'avais essayé de vous montrer que le pastorat constituait un ensemble de techniques et de procédures dont j'avais indiqué simplement quelques éléments fondamentaux. Bien entendu, ces techniques vont bien au-delà de ce que j'avais pu vous indiquer. Or, ce que je voudrais signaler tout de suite en passant, de manière à pouvoir le reprendre ensuite, c'est que cet ensemble de techniques et de procédures qui caractérisent le pastorat, les Grecs, les pères grecs et très précisément saint Grégoire de Nazianze, leur avaient donné un nom, un nom très remarquable, puisque [Grégoire] appelait cela, le pastorat, *oikonomia psuchôn,* c'est-à-dire l'économie des âmes [1]. Autrement dit cette notion grecque d'économie qu'on trouvait chez Aristote [2] et qui désignait, à ce moment-là, la gestion particulière de la famille, des biens de la famille, des richesses de la famille, la gestion, la direction des esclaves, de la femme, des enfants, éventuellement la gestion, le *management,* si vous voulez, de la clientèle, cette notion d'économie, voilà qu'elle prend avec le pastorat une tout autre dimension et un tout autre champ de références. Autre dimension, puisque par rapport à cette économie fondamentalement familiale – *oikos,* c'est l'habitat – chez les Grecs, [l'économie des âmes] va maintenant prendre les dimensions sinon de l'humanité tout entière, du moins de la chrétienté tout entière. L'économie des âmes doit porter sur la communauté de tous les chrétiens et sur chaque chrétien en particulier. Changement de dimension, changement de références aussi, puisqu'il va s'agir non pas seulement de la prospérité et de la richesse de la famille ou de la maison, mais du salut des âmes. Tous ces changements, je crois, sont très importants, et j'essaierai la prochaine fois de vous montrer quelle a été la seconde mutation, aux XVIe-XVII[e] siècles, de cette notion d'économie.

« Économie », évidemment, n'est sans doute pas le mot qui, en français, convient le mieux pour traduire cette *oikonomia psuchôn.* Les Latins traduisaient par r*egimen animarum,* « régime des âmes », ce qui n'est pas mauvais, mais il est évident qu'en français on bénéficie ou on est victime, comme vous voudrez, on a l'avantage ou le désavantage de posséder un mot dont l'équivoque est tout de même assez intéressante pour traduire cette économie des âmes. Ce mot, il est d'ailleurs, dans son sens ambigu, d'introduction relativement récente, on ne le trouve guère, dans les deux sens dont je vais vous parler maintenant, qu'à partir de la fin du XVIIe- [début] XVIIe siècle – on trouverait des citations chez Montaigne [3] –, c'est évidemment le mot « conduite ». Puisque, finalement, ce mot « conduite » se réfère à deux choses. La conduite, c'est bien l'activité qui consiste à conduire, la conduction si vous voulez, mais c'est également la manière dont on se conduit, la manière dont on se laisse conduire, la manière dont on est conduit et dont, finalement, on se trouve se comporter sous l'effet d'une conduite qui serait acte de conduite ou de conduction. Conduite des âmes, je crois que c'est par là qu'on pourrait traduire le moins mal peut-être cette *oikonomia psuchôn* dont parlait saint Grégoire de Nazianze, et je pense que cette notion de conduite, avec le champ qu'elle recouvre, est sans doute un des éléments fondamentaux introduits par le pastorat chrétien dans la société occidentale.

Ceci étant dit, je voudrais maintenant essayer de repérer un petit peu comment s'est ouverte la crise du pastorat et comment le pastorat a pu en quelque sorte exploser, se disperser et prendre la dimension de la gouvernementalité, ou encore comment le problème du gouvernement, de la gouvernementalité a pu se poser à partir du pastorat. Bien entendu, ce ne seront là que quelques repères, quelques sondages très discontinus. Il ne s'agit absolument pas de faire l'histoire du pastorat, et en particulier je laisserai de côté tout ce qu'on pourrait appeler les grandes butées externes du pastorat catholique et chrétien, ces grandes butées auxquelles il s'est heurté tout au long du Moyen Âge et finalement au XVIᵉ siècle. Par butées externes, il faut entendre toute une série de choses que je négligerai, non pas parce qu'elles n'existent pas ou qu'elles n'ont pas eu d'effet, mais parce que ce n'est pas ce point-là que je voudrais retenir, qui m'intéresse surtout. Par butées externes, il faut entendre bien sûr les résistances passives des populations qui étaient en voie de christianisation et le sont restées tard au Moyen Âge ; ces populations qui, même christianisées, sont restées longtemps également rétives à un certain nombre d'obligations qui leur étaient imposées par le pastorat. Résistance, par exemple, séculaire à la pratique, à l'obligation de la confession imposée par le concile de Latran en 1215. Résistances actives aussi auxquelles le pastorat s'est heurté de front, que ce soient des pratiques qu'on peut dire extra-chrétiennes, – jusqu'à quel point l'étaient-elles, c'est une autre question –, enfin, disons comme la sorcellerie, ou encore heurts frontaux avec les grandes hérésies, à vrai dire la grande hérésie qui a parcouru le Moyen Âge et qui est en gros l'hérésie dualiste, cathare [4]. On pourrait aussi parler, comme autre butée externe, [des] rapports [du pastorat] * avec le pouvoir politique, du problème qu'[il] a rencontré avec le développement des structures économiques dans la seconde moitié du Moyen Âge, etc.

Ce n'est pas de ça, bien sûr, que je voudrais vous parler. Je voudrais essayer de rechercher quelques-uns des points de résistance, des formes

* M. F. : de ses rapports

d'attaque et de contre-attaque qui ont pu se produire dans le champ même du pastorat. De quoi s'agit-il ? S'il est vrai que le pastorat est un type de pouvoir bien spécifique qui se donne pour objet la conduite des hommes – je veux dire pour instrument les méthodes qui permettent de les conduire et pour cible la manière dont ils se conduisent, dont ils se comportent –, si [donc] le pastorat est un pouvoir qui a bien pour objectif la conduite des hommes, je crois que, corrélativement à cela, sont apparus des mouvements tout aussi spécifiques que ce pouvoir pastoral, des mouvements spécifiques qui sont des résistances, des insoumissions, quelque chose qu'on pourrait appeler des révoltes spécifiques de conduite, là encore en laissant au mot « conduite » toute son ambiguïté[5]. Ce sont des mouvements qui ont pour objectif une autre conduite, c'est-à-dire : vouloir être conduit autrement, par d'autres conducteurs et par d'autres bergers, vers d'autres objectifs et vers d'autres formes de salut, à travers d'autres procédures et d'autres méthodes. Ce sont des mouvements qui cherchent aussi, éventuellement en tout cas, à échapper à la conduite des autres, qui cherchent à définir pour chacun la manière de se conduire. Autrement dit, je voudrais savoir si à la singularité historique du pastorat n'a pas correspondu la spécificité de refus, de révoltes, de résistances de conduite. Et tout comme il y a eu des formes de résistance au pouvoir en tant qu'il exerce une souveraineté politique, de même qu'il y a eu d'autres formes de résistance, également voulues, ou de refus qui s'adressent au pouvoir en tant qu'il exploite économiquement, est-ce qu'il n'y a pas eu des formes de résistance au pouvoir en tant que conduite ?

Je ferai aussitôt trois remarques. Premièrement, présenter les choses comme ça, est-ce que ce n'est pas supposer qu'il y a eu d'abord le pastorat et puis ensuite des mouvements de retour, ce que j'ai appelé d'ailleurs des contre-attaques, des sortes de réaction ? Est-ce qu'on ne va pas ressaisir là simplement les phénomènes en creux, si vous voulez, négatifs ou réactifs ? Bien sûr, il faudrait étudier ça de bien plus près et remarquer tout de suite qu'au fond le pastorat lui-même s'est formé déjà, dès le départ, en réaction ou en tout cas dans un rapport d'affrontement, d'hostilité, de guerre avec quelque chose qu'il est difficile d'appeler révolte de conduite, dans la mesure où la conduite, cette forme-là de conduite en tout cas, n'existait pas encore de façon claire, mais enfin il s'est constitué contre une sorte d'ivresse des comportements religieux dont tout le Moyen-Orient a donné des exemples aux IIe, IIIe, IVe siècles et dont en particulier certaines sectes gnostiques portent un témoignage absolument éclatant et irrécusable[6]. Dans certaines au moins de ces sectes gnostiques, en effet, l'identification de la matière et du mal, le fait que la matière était perçue, reconnue, qualifiée comme mal et comme mal absolu, entraînait évidemment un certain nombre de conséquences, que ce soit par exemple de l'ordre du vertige, de l'enchantement provoqué par une sorte d'ascétisme indéfini qui pouvait conduire au suicide : s'affranchir de la matière et au plus vite. L'idée aussi, le thème : détruire la matière par l'épuisement du mal qui est en elle, commettre tous les péchés possibles, aller au bout de tout ce domaine du mal qui m'est ouvert par la matière, et c'est ainsi que je détruirai la matière. Pêchons donc et pêchons à l'infini. Thème également de l'annulation d'un monde qui est celui de la loi et, par conséquent, pour détruire un monde qui est le monde de la loi, il faut d'abord détruire la loi, c'est-à-dire contrevenir à toutes les lois. À toute loi que le monde ou que les puissances du monde présentent, il faut répondre par l'infraction, l'infraction systématisée. Renversement en fait du règne de celui qui a créé le monde. À celui qui a créé le monde, ce Yahvé créateur d'un monde matériel qui a accepté les sacrifices d'Abel et refusé ceux de Caïn, qui a aimé Jacob et haï Esaü, qui a puni Sodome, à ce Dieu il faut répondre en préférant les sacrifices de Caïn, en aimant Esaü et en détestant Jacob et en glorifiant Sodome. Tout ce qu'on peut rétrospectivement appeler désordre, c'est bien contre cela que le pastorat chrétien, en Orient et en Occident, s'est développé. On peut donc dire que vous avez eu une corrélation immédiate et fondatrice entre la conduite et la contre-conduite.

Deuxième remarque, c'est que ces révoltes de conduite ont leur spécificité. Elles sont sans doute – enfin, c'est ce que je voudrais essayer de vous montrer –, elles sont distinctes des révoltes politiques contre le pouvoir en tant qu'il exerce une souveraineté, distinctes aussi [des révoltes économiques contre le pouvoir]* en tant qu'il assure, garantit une exploitation. Elles sont distinctes dans leur forme, elles sont distinctes dans leur objectif[7]. Il y a des révoltes de conduite. Et, après tout, la plus grande des révoltes de conduite que l'Occident chrétien ait connue, c'est celle de Luther, et on sait bien qu'au départ elle n'était ni économique ni politique, quel que soit bien sûr le relais qui a aussitôt été pris par les problèmes économiques et politiques. Mais que ces luttes soient spécifiques, que ces résistances de conduite soient spécifiques, ne veut pas dire qu'elles sont restées séparées ou isolées les unes des autres, avec leurs propres partenaires, avec leurs propres formes, leur propre dramaturgie et

---

* M. F. : du pouvoir
Cf. manuscrit, p. 5 : «Ces "révoltes de conduite" ont leur spécificité : elles sont distinctes des révoltes politiques ou économiques dans leur objectif et leur forme.»

leur but bien distinct. En fait, elles sont toujours liées, presque toujours en tout cas, liées à d'autres conflits ou à d'autres problèmes. Vous trouverez ces résistances de conduite liées par exemple, dans tout le Moyen Âge, aux luttes entre la bourgeoisie et la féodalité, que ce soit dans les villes flamandes[8], par exemple, ou à Lyon au moment des vaudois[9]. Vous les trouverez aussi liées à ce décrochage qui s'est produit surtout, qui a surtout été sensible à partir du XIIe siècle entre l'économie urbaine et l'économie rurale. Vous en avez un exemple chez les hussites, calixtins[10] d'une part, taborites de l'autre[11]. Vous trouvez également ces révoltes de conduite, ces résistances de conduite, liées à un problème tout différent mais capital qui a été celui du statut des femmes. Et ces révoltes de conduite, on les voit souvent accrochées à ce problème des femmes, de leur statut dans la société, dans la société civile ou dans la société religieuse. Ces révoltes de conduite, vous les voyez fleurir dans les couvents féminins, dans tout ce mouvement qu'on appelle celui de la *Nonnenmystik* rhénane au XIIe siècle[12]. Vous voyez aussi tous ces groupes qui se constituent autour des femmes prophétesses au Moyen Âge, que ce soit Jeanne Dabenton[13], Marguerite Porete[14], etc. Vous les verrez ensuite dans ces cercles curieux, mi-mondains mi-populaires, de conduite, plutôt de direction de conscience au XVIIe siècle, enfin en Espagne au XVIe siècle avec Isabelle de la Cruz[15] ou en France avec Armelle Nicolas[16], Marie des Vallées[17], enfin tous ces personnages, Madame Acarie aussi[18]. On peut les voir aussi s'accrocher à des phénomènes de dénivellation culturelle. Par exemple l'opposition, le conflit entre les docteurs et les pasteurs, conflit qui éclate évidemment chez Wyclif[19], chez les amauriciens à Paris[20], chez Jean Hus à Prague[21]. Donc, ces révoltes de conduite peuvent bien être spécifiques dans leur forme et leur objectif, elles ne sont jamais autonomes, elles ne le restent jamais, quel que soit le caractère déchiffrable de leur spécificité. Et après tout, la Révolution anglaise du XVIIe siècle, avec toute la complexité de ses conflits institutionnels, de ses affrontements de classes, de ses problèmes économiques, la Révolution anglaise laisse voir de bout en bout toute une dimension bien spéciale qui est celle de la résistance de conduite, des conflits autour du problème de la conduite. Par qui acceptons-nous d'être conduits ? Comment voulons-nous être conduits ? Vers quoi voulons-nous être conduits ? C'est cela ma seconde remarque sur la spécificité non autonome de ces résistances, de ces révoltes de conduite[22].

Enfin, la troisième remarque serait celle-ci. C'est qu'il est certain que ces révoltes de conduite, dans leur forme religieuse, sont liées au pastorat, au grand âge du pastorat, c'est-à-dire celui que l'on connaît depuis le Xᵉ-XIᵉ siècle jusqu'au XVIᵉ et même jusqu'à la fin du XVIIᵉ siècle. À partir de ce moment-là, les révoltes de conduite, les résistances de conduite vont prendre une tout autre forme. Jusqu'à un certain point on peut dire qu'elles vont diminuer d'intensité et de nombre, quoique, après tout, quelque chose comme le mouvement méthodiste de la seconde moitié du XVIIIᵉ siècle soit un magnifique exemple d'une révolte, résistance de conduite tout à fait importante, économiquement et politiquement[23]. Mais enfin, je crois que, d'une façon générale, on peut dire que dans la mesure où beaucoup des fonctions pastorales, à partir de la fin du XVIIᵉ - début du XVIIIᵉ siècle, ont été reprises dans l'exercice de la gouvernementalité, dans la mesure où le gouvernement s'est mis à vouloir lui aussi prendre en charge la conduite des hommes, les conduire, à partir de ce moment-là on va voir que les conflits de conduite vont se produire, non plus tellement du côté de l'institution religieuse, mais beaucoup plutôt du côté des institutions politiques. Et on va avoir des conflits de conduite aux confins, dans les marges de l'institution politique. Je vais simplement vous en citer quelques exemples comme types d'analyses possibles ou de recherches possibles.

Premièrement, faire la guerre. Pendant longtemps, faire la guerre, enfin disons aux XVIIᵉ-XVIIIᵉ siècles, faire la guerre, en dehors de ceux pour qui être homme de guerre c'était un statut, en gros la noblesse, en dehors de ceux-là, faire la guerre c'était un métier plus ou moins volontaire, souvent moins volontaire que plus, mais enfin peu importe, et dans cette mesure-là le recrutement militaire laissait place à toute une série de résistances, de refus, de désertions. Les désertions étaient pratique absolument courante dans toutes les armées du XVIIᵉ et du XVIIIᵉ siècle. Mais à partir du moment où faire la guerre est devenu, pour tout citoyen d'un pays, non pas simplement une profession, pas même une loi générale, mais une éthique, un comportement de bon citoyen, à partir du moment où être soldat, cela a été une conduite, une conduite politique, une conduite morale, un sacrifice, un dévouement à la cause commune et au salut commun, sous la direction d'une conscience publique, sous la direction d'une autorité publique, dans le cadre d'une discipline bien précise, à partir du moment où être soldat n'a plus été donc simplement un destin ou une profession, mais une conduite, alors vous voyez s'ajouter à la vieille désertion-infraction dont je vous parlais tout à l'heure, une autre forme de désertion que j'appellerais désertion-insoumission, dans laquelle refuser de faire le métier de la guerre ou de passer pendant un temps par cette profession et cette activité, ce refus de porter les armes apparaît comme une conduite ou une contre-conduite morale, comme un refus de l'éducation civique, comme un refus des valeurs présentées par la société, comme un refus également d'un certain rapport considéré comme obligatoire à la nation et au salut de la nation, comme un certain refus du système politique effectif dans cette nation, comme un refus du rapport à la mort des autres ou du rapport à la sienne propre. Vous voyez donc que nous avons là l'apparition d'un phénomène de résistance de conduite qui n'a plus du tout la forme de la vieille désertion et qui n'est pas sans analogie avec certains des phénomènes de résistance de conduite religieuse [qu'on a vus au]* Moyen Âge.

Prenons un autre exemple. Dans le monde moderne, à partir du XVIIIe siècle, vous voyez se développer des sociétés secrètes. Au XVIIIe siècle, elles sont encore proches, au fond, des formes de la dissidence religieuse. Elles ont, vous le savez, leurs dogmes, leurs rites, leur hiérarchie, leurs postures, cérémonies, leur forme de communauté. La franc-maçonnerie, bien sûr, en est un exemple privilégié. Et puis elles vont devenir au XIXe siècle de plus en plus composées d'éléments politiques, elles vont se donner des objectifs politiques plus nets, que ce soient complots, révolutions, révolutions politiques, révolutions sociales, mais avec toujours un aspect de recherche d'une autre conduite : être conduit autrement, par d'autres hommes, vers d'autres objectifs que ce qui est proposé par la gouvernementalité officielle, apparente et visible de la société. Et la clandestinité est sans doute une des dimensions nécessaires de cette action politique, mais en même temps elle comporte précisément, elle offre cette possibilité d'alternative à la conduite gouvernementale sous la forme d'une autre conduite, avec des chefs inconnus, des formes d'obéissance spécifiques, etc. On pourrait dire au fond qu'il existe encore, dans les sociétés contemporaines, dans les nôtres, dans les partis politiques, deux types de partis politiques. Ceux qui ne sont rien d'autre que les échelons vers l'exercice du pouvoir ou l'accès à des fonctions et à des responsabilités, et puis des partis politiques, plutôt un parti politique, qui pourtant a depuis bien longtemps cessé d'être clandestin, mais qui continue à porter l'aura d'un vieux projet qu'il a évidemment abandonné mais auquel son destin et son nom restent liés et qui est le projet, après tout, de faire naître un nouvel ordre social, de susciter un homme nouveau. Et dès lors, il ne peut pas ne pas fonctionner jusqu'à un certain point comme une contre-société, une autre société, même s'il ne fait que reproduire celle qui existe, et dès lors, il se présente, il fonctionne intérieurement comme une sorte d'autre pastorat, une autre

---

* Suite de mots difficilement audibles.

gouvernementalité avec ses chefs, ses règles, sa morale, ses principes d'obéissance, et dans cette mesure-là il détient, vous le savez, une très grande force pour se présenter à la fois comme une autre société, une autre forme de conduite, et pour canaliser les révoltes de conduite, pour en tenir lieu et pour les tenir[24].

Je prendrai encore un troisième exemple. Le pastorat, dans ses formes modernes, s'est déployé en grande partie à travers le savoir, les institutions et les pratiques médicales. On peut dire que la médecine a été une des grandes puissances héritières du pastorat. Et dans cette mesure-là elle a suscité, elle aussi, toute une série de révoltes de conduite, ce qu'on pourrait appeler un *dissent* médical fort, depuis la fin du XVIIIe siècle jusqu'à nos jours compris, qui va [du] refus de certaines médications, de certaines préventions comme la vaccination, au refus d'un certain type de rationalité médicale : l'effort pour constituer des sortes d'hérésies médicales autour de pratiques de médication qui utilisent l'électricité, le magnétisme, les herbes, la médecine traditionnelle ; [le] refus de la médecine tout court, qui est si fréquent dans un certain nombre de groupes religieux. C'est là où on voit bien comment les mouvements de dissidence religieux ont pu se lier à la résistance à la conduite médicale.

Je n'insiste pas davantage. Je voudrais simplement poser maintenant un problème de pur et simple vocabulaire. Ce que j'ai appelé tantôt résistances, refus, révoltes, au fond est-ce qu'on ne pourrait pas essayer de trouver un mot pour [le] désigner ? Comment désigner ce type de révoltes ou plutôt cette sorte de trame spécifique de résistance à des formes de pouvoir qui n'exercent pas la souveraineté et qui n'exploitent pas, mais qui conduisent* ? J'ai employé souvent l'expression « révolte de conduite », mais je dois dire qu'elle ne me satisfait pas beaucoup, parce que le mot « révolte » est à la fois trop précis et trop fort pour désigner certaines formes de résistance beaucoup plus diffuses et beaucoup plus douces. Les sociétés secrètes du XVIIIe siècle ne constituent pas des révoltes de conduite, la mystique du Moyen Âge dont je vous parlais tout à l'heure n'est pas non plus exactement une révolte. Deuxièmement, le mot « désobéissance » est en revanche un mot sans doute trop faible, même si c'est bien le problème de l'obéissance qui est au centre de tout cela. Un mouvement comme l'anabaptisme[25], par exemple, a été bien plus qu'une désobéissance. Et, de plus, ces mouvements que j'essaie de repérer là ont à coup sûr une productivité, des formes d'existence, d'organisation, une consistance et une solidité que le mot purement

---

\* Mot entre guillemets dans le manuscrit.

négatif de désobéissance ne recouvrirait pas. « Insoumission », oui peut-être, quoique, là, on a affaire à un mot qui est en quelque sorte localisé et épinglé à l'insoumission militaire.

Bien sûr, il y a un mot qui vient à l'esprit, mais j'aimerais mieux me faire arracher la langue plutôt que de l'employer. Je le mentionnerai donc simplement, c'est évidemment, vous l'avez deviné, le mot « dissidence »[26]. Ce mot « dissidence » pourrait peut-être, en effet, convenir très exactement à cela, c'est-à-dire à ces formes de résistance qui concernent, qui visent, qui ont pour objectif et pour adversaire un pouvoir qui se donne pour charge de conduire, de conduire les hommes dans leur vie, dans leur existence quotidienne. Le mot, évidemment, se justifierait pour deux raisons, l'une et l'autre historiques. Premièrement, c'est que ce mot « dissidence » a, de fait, été employé souvent pour désigner les mouvements religieux de résistance à l'organisation pastorale. Deuxièmement, son application actuelle pourrait effectivement justifier son usage puisque, après tout, ce qu'on [appelle]* « la dissidence » dans les pays de l'Est et en Union soviétique[27], désigne bien une forme de résistance et de refus qui est complexe, puisqu'il s'agit d'un refus politique, bien sûr, mais dans une société où l'autorité politique, le parti politique qui est chargé de définir et l'économie et les structures de souveraineté caractéristiques du pays, ce parti politique est en même temps chargé de conduire les individus, de les conduire dans leur vie quotidienne par tout un jeu d'obéissance généralisée qui prend précisément la forme de la terreur, puisque la terreur, ce n'est pas lorsque certains commandent aux autres et les font trembler. Il y a terreur lorsque ceux-là même qui commandent tremblent, car ils savent que de toute façon le système général de l'obéissance les enveloppe tout autant que ceux sur lesquels ils exercent leur pouvoir[28]. On pourrait parler, d'ailleurs, de la pastoralisation du pouvoir en Union soviétique. Bureaucratisation du parti, c'est certain. Pastoralisation aussi du parti, et la dissidence, les luttes politiques que l'on recoupe sous le nom de dissidence ont une dimension essentielle, fondamentale, qui est certainement ce refus de la conduite. « Nous ne voulons pas de ce salut, nous ne voulons pas être sauvés par ces gens-là et par ces moyens-là. » C'est toute la pastorale du salut qui est mise en question. C'est Soljenitsyne[29]. « Nous ne voulons pas obéir à ces gens-là. Nous ne voulons pas de ce système où même ceux qui commandent sont obligés d'obéir par la terreur. Nous ne voulons pas de cette pastorale de l'obéissance. Nous ne voulons pas de cette vérité. Nous ne voulons pas être pris

* M. F. : désigne par

dans ce système de vérité. Nous ne voulons pas être pris dans ce système d'observation, d'examen perpétuel qui nous juge en permanence, nous dit ce que nous sommes dans le fond de nous-même, sain ou malade, fou ou pas fou, etc. » On peut donc dire [que] ce mot de dissidence recouvre bien une lutte contre ces effets pastoraux dont je vous avais parlé la dernière fois. Et justement, le mot de dissidence est trop localisé actuellement à ce genre-là de phénomènes pour pouvoir être utilisé sans inconvénient. Et après tout, qui aujourd'hui ne fait pas sa théorie de la dissidence ?

Abandonnons donc ce mot et ce que je vous proposerai, c'est le mot, mal construit sans doute, de « contre-conduite » – ce dernier mot n'ayant pour avantage que de permettre de se référer au sens actif du mot « conduite » –, contre-conduite au sens de lutte contre les procédés mis en œuvre pour conduire les autres ; ce qui fait que je préfère ce mot à celui d'« inconduite » qui ne se réfère qu'au sens passif du mot, du comportement : ne pas se conduire comme il faut. Et puis peut-être aussi ce mot de « contre-conduite » permet-il d'éviter une certaine substantification que le mot « dissidence », lui, permet. Parce que de « dissidence » vient « dissident », ou l'inverse peu importe, en tout cas fait de la dissidence celui qui est dissident. Or, je ne suis pas sûr que cette substantification soit tout à fait utile. Je crains même qu'elle soit dangereuse, car il n'y a sans doute pas beaucoup de sens à dire, par exemple, qu'un fou ou un délinquant sont des dissidents. Il y a là un procédé de sanctification ou d'héroïsation qui ne me paraît pas très valable. En revanche, en employant le mot de contre-conduite, il est sans doute possible, sans avoir à sacraliser comme dissident un tel ou un tel, d'analyser les composantes dans la manière dont quelqu'un agit effectivement dans le champ très général de la politique ou dans le champ très général des rapports de pouvoir ; cela permet de repérer la dimension, la composante de contre-conduite, dimension de contre-conduite qu'on peut parfaitement trouver en effet chez les délinquants, chez les fous, chez les malades. Donc, analyse de cette immense famille de ce qu'on pourrait appeler les contre-conduites.

Je voudrais maintenant, après ce survol rapide de ce thème général de la contre-conduite dans le pastorat et dans la gouvernementalité, essayer de repérer comment les choses se sont passées au Moyen Âge, dans quelle mesure ces contre-conduites ont pu, jusqu'à un certain point, mettre en question, travailler, élaborer, éroder le pouvoir pastoral dont je vous avais parlé la dernière fois, c'est-à-dire comment une crise interne du pastorat a été, depuis très longtemps, ouverte au Moyen Âge par le développement de contre-conduites. Je voudrais qu'on garde à l'esprit un certain nombre de faits très connus, et donc vous m'excuserez de les résumer de cette manière purement livresque. Premièrement, bien sûr, par rapport à l'esquisse que je vous avais faite la semaine dernière du pastorat, on assiste depuis les premiers siècles du christianisme à tout un développement, une extrême complication des techniques, des procédés pastoraux, une institutionnalisation très rigoureuse et très dense du pastorat. Deuxièmement, et si vous voulez caractérisant, mais d'une façon très spécifique, très particulière, très importante, cette institutionnalisation du pastorat, il faut remarquer la formation d'un dimorphisme, enfin d'une structure binaire à l'intérieur même du champ pastoral, et qui oppose les clercs d'une part et les laïcs de l'autre[30]. Tout le christianisme médiéval, et le catholicisme à partir du XVIe siècle, va être caractérisé par l'existence de deux catégories d'individus bien partagées qui n'ont ni les mêmes droits ni les mêmes obligations, ni les mêmes privilèges civils bien sûr, mais qui n'ont même pas non plus les mêmes privilèges spirituels, d'une part les clercs, d'autre part les laïcs[31]. Ce dimorphisme, le problème posé par ce dimorphisme, le malaise introduit dans la communauté chrétienne par l'existence de clercs qui ont non seulement des privilèges économiques et civils, mais des privilèges spirituels, qui sont en gros plus près du paradis, du ciel et du salut que les autres, tout ceci va être un des grands problèmes, un des points d'accrochage de la contre-conduite pastorale[32]. Autre fait, aussi, dont il faut se souvenir, toujours à l'intérieur de cette institutionnalisation du pastorat, c'est la définition d'une théorie et d'une pratique du pouvoir sacramentaire des prêtres. Là encore, phénomène relativement tardif, tout comme l'apparition du dimorphisme entre clercs et laïcs, à savoir que le *presbyteros* ou l'évêque ou le pasteur[33] des premières communautés chrétiennes n'avait aucunement un pouvoir sacramentaire. C'est à la suite de toute une série d'évolutions qu'il a reçu le pouvoir d'opérer des sacrements, c'est-à-dire d'avoir une efficace directe par son geste même, par ses paroles, une efficace directe dans le salut des brebis[34]. Voilà pour les grandes transformations purement religieuses du pastorat.

Du point de vue politique, du point de vue extérieur, il faudrait parler de l'intrication de ce pastorat avec le gouvernement civil et le pouvoir politique. Il faudrait parler de la féodalisation de l'Église, du clergé séculier mais aussi du clergé régulier. Et puis enfin, troisièmement, aux confins de cette évolution proprement interne et religieuse et de cette évolution externe, politique et économique, il faudrait marquer, je crois, avec insistance l'apparition de quelque chose d'important, essentiellement autour du XIe-XIIe siècle. C'est l'introduction, dans la pratique pastorale connue, d'un modèle qui était essentiellement et fondamentalement un modèle laïc, à savoir le modèle judiciaire. À vrai dire, quand je dis que ceci remonte au xiᵉ-xiiᵉ siècle, c'est sans doute tout à fait faux puisque, de fait, l'Église avait déjà acquis et exerçait déjà des fonctions judiciaires dès le viiᵉ-viiiᵉ siècle, les pénitentiels de cette époque en font foi. Mais ce qui est important, c'est qu'à partir du xiᵉ-xiiᵉ siècle, on voit se développer et devenir obligatoire la pratique de la confession, à partir de 1215 [35] – en fait, elle était déjà considérablement généralisée –, c'est-à-dire l'existence d'un tribunal permanent devant lequel chaque fidèle doit se présenter régulièrement. On voit apparaître et se développer la croyance au purgatoire [36], c'est-à-dire un système de peine modulé, provisoire, par rapport auquel la justice, enfin, le pastorat peut jouer un certain rôle. Et ce rôle, cela va être précisément dans l'apparition du système des indulgences, c'est-à-dire la possibilité pour le pasteur, la possibilité pour l'Église d'atténuer dans une certaine mesure et moyennant un certain nombre de conditions, essentiellement des conditions financières, les peines qui ont été prévues. On a donc là une pénétration du modèle judiciaire dans l'Église qui va être sans doute, qui a été à coup sûr, à partir du xiiᵉ siècle, une des grandes raisons des luttes antipastorales.

Je n'insiste pas davantage là-dessus. Un mot encore pour dire que ces luttes antipastorales ont pris des formes très différentes. Là encore, je ne les énumérerai pas. C'est de choses plus précises que je voudrais vous parler. Simplement, il faut se rappeler que vous trouvez ces luttes [anti]-pastorales à un niveau proprement doctrinal, comme par exemple dans les théories de l'Église, dans l'ecclésiologie de Wyclif ou celle de Jean Hus [37]. Vous trouvez aussi ces luttes antipastorales sous la forme de comportements individuels – soit strictement individuels, soit individuels mais en série, des comportements individuels à contagion, comme par exemple ce qui s'est passé pour la mystique, avec constitution à peine esquissée de quelques groupes qui se défont aussitôt. Vous trouvez ces luttes antipastorales dans des groupes au contraire qui sont très fortement constitués, les uns en appendice, en marge même de l'Église, sans qu'il y ait de conflits très violents, comme par exemple les tiers ordres ou les sociétés de dévotion. D'autres sont des groupes en franche rupture, comme le seront les vaudois [38], les hussites [39], les anabaptistes [40], les uns oscillant de l'obédience au refus et à la révolte, comme les bégards [41] et les béguines surtout [42]. Et puis vous les trouvez aussi, ces luttes antipastorales, ces contre-conduites pastorales dans toute une nouvelle attitude, tout un nouveau comportement religieux, toute une nouvelle manière de faire et d'être, toute une nouvelle manière d'avoir rapport à Dieu, aux obligations, à la morale, à la vie civile également. C'est tout cela, ce phénomène diffus et capital que l'on a appelé la *devotio moderna*[43].

Or, dans tous ces phénomènes si divers, quels sont les points que l'on peut retenir, dans la mesure où je crois que l'histoire même des rapports conduite pastorale/contre-conduites s'y trouve engagé ? Il me semble que le Moyen Âge a développé cinq formes principales de contre-conduite qui toutes tendent à redistribuer, à inverser, à annuler, à disqualifier partiellement ou totalement le pouvoir pastoral dans l'économie du salut, dans l'économie de l'obéissance, dans l'économie de la vérité, c'est-à-dire dans ces trois domaines dont on avait parlé la dernière fois et qui caractérisent, je crois, l'objectif, le domaine d'intervention du pouvoir pastoral. Ces cinq formes de contre-conduite développées par le Moyen Âge, là encore pardonnez le caractère scolaire et schématique de l'analyse, [quelles sont-elles ?] *

Premièrement, l'ascétisme. Vous me direz que c'est sans doute un peu paradoxal de présenter l'ascétisme comme contre-conduite, alors qu'on a l'habitude plutôt de lier l'ascétisme à l'essence même du christianisme et à faire du christianisme une religion de l'ascèse par opposition aux religions antiques. Je crois qu'il faut tout de même se rappeler que le pastorat, j'y faisais allusion tout à l'heure, le pastorat, dans l'Église orientale et dans l'Église occidentale, s'est développé au IIIe-IVe siècle essentiellement, enfin pour une partie non négligeable au moins, contre les pratiques ascétiques, contre en tout cas ce qu'on appelait, rétrospectivement, les excès du monachisme, de l'anachorèse égyptienne ou syrienne[44]. L'organisation de monastères avec vie commune et vie obligatoirement commune, l'organisation dans ces monastères de toute une hiérarchie autour de l'abbé et de ses subordonnés qui sont le relais de son pouvoir, l'apparition dans ces monastères de vie commune et hiérarchisée d'une règle, d'une règle qui s'impose de la même façon à tout le monde ou en tout cas à chaque catégorie de moines d'une façon spécifique, mais à tous les membres de cette catégorie, selon qu'ils sont novices ou anciens, l'existence d'une autorité absolue, incontestée du supérieur, la règle justement d'une obéissance qui ne doit jamais se discuter à l'égard des ordres du supérieur, l'affirmation que la vraie renonciation, c'est essentiellement la renonciation non pas à son corps ou à sa chair, mais à sa volonté, le fait, autrement dit, que le sacrifice suprême qui soit demandé au moine dans cette forme-là de spiritualité, ce qui lui est demandé essentiellement c'est l'obéissance, tout cela montre bien que ce

_____

* Phrase inachevée.

qui était en jeu, c'était de limiter par cette organisation tout ce qu'il pouvait y avoir d'infini ou tout ce qu'il y avait en tout cas d'incompatible dans l'ascétisme avec l'organisation d'un pouvoir[45].

Qu'est-ce qu'il y avait en effet dans l'ascétisme qui était incompatible avec l'obéissance, ou qu'est-ce qu'il y avait dans l'obéissance qui était essentiellement anti-ascétique ? Je crois que l'ascèse, premièrement, c'est un exercice de soi sur soi, c'est une sorte de corps-à-corps que l'individu joue avec lui-même et dans lequel l'autorité d'un autre, la présence d'un autre, le regard d'un autre est, sinon impossible, du moins non nécessaire. Deuxièmement, l'ascétisme c'est un cheminement qui suit une échelle de difficulté croissante. C'est au sens strict du terme un exercice[46], un exercice qui va du plus facile au plus difficile, et du plus difficile à ce qui est encore plus difficile et dans lequel le critère de cette difficulté, qu'est-ce que c'est ? C'est la souffrance de l'ascète lui-même. Ce qui est le critère de la difficulté, c'est la difficulté que l'ascète éprouve effectivement à passer au stade suivant et à faire l'exercice qui vient ensuite, si bien que c'est l'ascète avec sa souffrance, l'ascète avec ses propres refus, avec ses propres dégoûts, avec ses propres impossibilités, c'est l'ascète au moment même où il reconnaît ses limites qui devient le guide de son propre ascétisme et qui est poussé, par cette expérience immédiate et directe de la butée et de la limite, à la franchir. Troisièmement, l'ascétisme est également une forme de défi, ou plutôt c'est une forme de défi intérieur si l'on peut dire, c'est aussi le défi à l'autre. Et alors là, les histoires qui donnent des descriptions de la vie des ascètes, des anachorètes orientaux, égyptiens ou syriens, sont remplies de ces histoires où d'ascète à ascète, d'anachorète à anachorète, on apprend que l'un fait un exercice d'une extrême difficulté, à quoi l'autre va répondre en faisant un exercice d'une encore plus grande difficulté : jeûner pendant un mois, jeûner pendant un an, jeûner pendant sept ans, jeûner pendant quatorze ans[47]. Donc, l'ascétisme a une forme de défi, de défi interne et de défi externe. Quatrièmement, l'ascétisme tend à un état qui n'est pas bien sûr un état de perfection, mais qui est tout de même un état de tranquillité, un état d'apaisement, un état d'*apatheia* dont je vous parlais la dernière fois[48], et qui est au fond une autre manière de l'ascétisme. Ce sera différent justement dans la pastorale de l'obéissance, mais l'*apatheia* de l'ascète, c'est bien la maîtrise qu'il exerce sur lui-même, sur son corps, sur ses propres souffrances. Il en arrive à un stade tel qu'il ne souffre plus de ce qu'il souffre et que, effectivement, tout ce qu'il peut infliger à son propre corps ne provoquera en lui aucun trouble, aucune perturbation, aucune passion, aucune sensation forte. Et on a là encore toute une série d'exemples, comme l'abbé Jean dont je vous parlais la dernière fois[49] et qui était arrivé à un point d'ascétisme tel qu'on pouvait lui enfoncer l'index dans l'œil, il ne bougeait pas[50]. On retrouve là quelque chose qui est évidemment très proche de l'ascétisme et du monachisme bouddhistes[51]. En somme, il s'agit tout de même de se vaincre, de vaincre le monde, de vaincre le corps, de vaincre la matière ou de vaincre encore le diable et ses tentations. D'où l'importance de la tentation qui n'est pas tellement ce que l'ascète doit supprimer, que ce qu'il doit sans cesse maîtriser. L'idéal de l'ascète ce n'est pas de ne pas avoir de tentations, c'est d'arriver à un point de maîtrise tel, que toute tentation lui sera indifférente. Enfin, cinquième trait de l'ascétisme, c'est qu'il se réfère soit à un refus du corps, donc de la matière, donc à cette espèce d'acosmisme qui est une des dimensions de la gnose et du dualisme, soit à l'identification du corps avec le Christ. Être ascète, accepter les souffrances, refuser de manger, s'imposer à soi-même le fouet, porter le fer sur son propre corps, sur sa propre chair, c'est faire que son corps devienne comme le corps du Christ. Et c'est cette identification que l'on va retrouver dans toutes les formes d'ascétisme, dans l'Antiquité bien sûr, mais également au Moyen Âge. Souvenez-vous du fameux texte de Suso[52], où il raconte comment un matin d'hiver, par un froid glacial, il s'est lui-même imposé un fouet, un fouet avec des crochets de fer qui venaient lui ôter des morceaux de son corps jusqu'au moment où il s'est mis à pleurer sur son propre corps comme si c'était le corps du Christ[53].

Vous voyez qu'on a là toute une série d'éléments caractéristiques de l'ascétisme qui se réfèrent soit à la joute de l'athlète, soit à la maîtrise de soi et du monde, soit au refus de la matière et à l'acosmisme gnostique, soit à l'identification glorificatrice du corps. Ceci est évidemment complètement incompatible avec une structure de pastorat qui implique (je le disais la dernière fois) une obéissance permanente, une renonciation à la volonté et à la volonté seulement, et un déploiement de la conduite de l'individu* dans le monde. Il n'y a aucun refus du monde dans le principe pastoral de l'obéissance ; il n'y a jamais d'accès à un état de béatitude ou à un état d'identification au Christ, une sorte d'état terminal de maîtrise parfaite, mais au contraire un état définitif, acquis dès le départ, d'obéissance aux ordres des autres ; et enfin, dans l'obéissance il n'y a jamais rien de cette joute avec les autres ou avec soi-même, mais au contraire une humilité permanente. Je crois que les deux structures, celle de l'obéissance et celle de l'ascétisme, sont profondément différentes. Et

---

* M. Foucault ajoute : premièrement

c'est pourquoi, lorsque et là où se sont développées des contre-conduites pastorales au Moyen Âge, l'ascétisme a été un des points d'appui, un des instruments que l'on a utilisés pour cela et contre le pastorat. Cet ascétisme qui a été très développé dans toute une série de cercles religieux – soit orthodoxes comme chez les bénédictins et les bénédictines rhénanes, soit au contraire dans des milieux franchement hétérodoxes comme chez les taborites[54], chez les vaudois aussi, soit encore tout simplement dans des milieux intermédiaires comme chez les flagellants[55] –, cet ascétisme est, je crois, un élément, on ne peut pas dire littéralement étranger au christianisme, mais à coup sûr étranger à la structure de pouvoir pastoral autour duquel s'organisait, s'était organisé le christianisme. Et c'est comme élément de lutte qu'il a été activé tout au long de l'histoire du christianisme, réactivé à coup sûr avec une intensité particulière à partir du XIe ou du XIIe siècle. Donc, conclusion : le christianisme n'est pas une religion ascétique. Le christianisme, dans la mesure où ce qui le caractérise, quant à ses structures de pouvoir, c'est le pastorat, le christianisme est fondamentalement anti-ascétique, et l'ascétisme est au contraire une sorte d'élément tactique, de pièce de retournement par laquelle un certain nombre de thèmes de la théologie chrétienne ou de l'expérience religieuse vont être utilisés contre ces structures de pouvoir. L'ascétisme, c'est une sorte d'obéissance exaspérée et retournée, devenue maîtrise de soi égoïste. Disons qu'il y a un excès propre à l'ascétisme, un trop qui assure précisément son inaccessibilité pour un pouvoir extérieur.

Et si vous voulez encore, on peut dire ceci. Au principe juif ou au principe gréco-romain de la loi, le pastorat chrétien avait ajouté cet élément excessif et complètement exorbitant qui était l'obéissance, l'obéissance continue et indéfinie d'un homme à un autre. Par rapport à cette règle pastorale de l'obéissance, disons que l'ascétisme ajoute encore un élément lui-même exagéré et exorbitant. L'ascétisme étouffe l'obéissance par l'excès des prescriptions et des défis que l'individu se lance à lui-même. Vous voyez qu'il y a un niveau qui est le niveau du respect de la loi. Le pastorat y a ajouté le principe d'une soumission et d'une obéissance à l'autre. L'ascétisme retourne à nouveau, encore, ce rapport en en faisant un défi de l'exercice de soi sur soi. Donc, premier élément de l'anti-pastorale ou de la contre-conduite pastorale, l'ascétisme.

Deuxième élément, les communautés. Il y a en effet une autre manière, jusqu'à un certain point inverse, de s'insoumettre au pouvoir pastoral, c'est la formation de communautés. L'ascétisme a plutôt une tendance individualisante. La communauté, c'est tout autre chose. Sur quoi repose-t-elle ? Premièrement, il y a une sorte de fond théorique que l'on retrouve dans la plupart des communautés qui se sont formées dans le courant du Moyen Âge. Ce fond théorique, c'est le refus de l'autorité du pasteur et des justifications théologiques ou ecclésiologiques qu'on en a proposées. En particulier, les communautés partent, enfin certaines d'entre elles, les plus violentes, les plus virulentes, celles qui sont le plus franchement en rupture avec l'Église, partent de ce principe que l'Église elle-même et en particulier ce qui constitue son organisme fondamental ou central, à savoir Rome, est une nouvelle Babylone et représente l'Antéchrist. Thème moral et thème apocalyptique. Chez les groupes les plus savants, d'une manière plus subtile, cette activité incessante, toujours recommencée, de formation de communauté s'est appuyée sur des problèmes doctrinaux importants. Le premier, c'était le problème du pasteur en état de péché. Est-ce que le pasteur doit le privilège de son pouvoir ou de son autorité à une marque qu'il aurait reçue une fois pour toutes et qui serait ineffaçable ? Autrement dit, est-ce parce qu'il est prêtre et qu'il a reçu l'ordination, qu'il détient un pouvoir, un pouvoir qui finalement ne peut pas lui être retiré, sauf éventuellement suspendu par une autorité supérieure ? Est-ce que le pouvoir du pasteur est indépendant de ce qu'il est moralement, de ce qu'il est intérieurement, de sa manière de vivre, de sa conduite ? Problème qui, vous le voyez, touche à toute cette économie des mérites et des démérites dont je vous parlais la dernière fois. Et à cela ont répondu en termes proprement théoriques, théologiques ou ecclésiologiques, un certain nombre de gens, essentiellement Wyclif et puis Jean Hus, Wyclif qui posait le principe : « *Nullus dominus civilis, nullus episcopus dum est in peccato mortali* », ce qui veut dire : « Aucun maître civil, mais également aucun évêque, aucune autorité religieuse, *dum est in peccato mortali*, s'il est en état de péché mortel[56]. » Autrement dit, le seul fait pour un pasteur d'être en état de péché mortel suspend tout le pouvoir qu'il peut avoir sur les fidèles. Et c'est ce principe qui est repris par Jean Hus dans un texte qui s'appelle, lui aussi, *De ecclesia* et dans lequel il dit... non, ce n'est pas dans le *De ecclesia* justement. Il avait fait écrire, graver ou peindre sur les murs de l'église de Bethléem à Prague[57] ce principe : « Il est bon parfois de ne pas obéir aux prélats et aux supérieurs. » Jean Hus parlait même de « l'hérésie d'obéissance[58] ». Dès lors que l'on obéit à quelqu'un qui est en état de péché mortel, dès lors que l'on obéit à un pasteur qui est lui-même infidèle à la loi, qui est lui-même infidèle au principe d'obéissance, à ce moment-là on devient soi-même hérétique. Hérésie de l'obéissance, dit Jean Hus.

L'autre aspect doctrinal, c'est le problème du pouvoir sacramentaire du prêtre. Au fond, en quoi consiste le pouvoir du prêtre de distribuer des sacrements ? La doctrine de l'Église depuis les origines n'avait pas cessé de creuser, d'appuyer, d'alourdir et, de plus en plus, d'intensifier ce pouvoir sacramentaire du prêtre [59]. Le prêtre est capable, premièrement, de faire entrer dans la communauté en baptisant, il est capable de délier au ciel ce qu'il délie dans la confession sur terre, il est capable enfin de donner le corps du Christ par l'eucharistie. C'est tout ce pouvoir sacramentaire petit à petit défini par l'Église pour ses prêtres qui va être, qui est sans cesse remis en question dans les différentes communautés religieuses qui se développent [60]. Refus par exemple de ce baptême obligatoire imposé aux enfants et qui est entièrement l'effet de l'acte du prêtre sur quelqu'un qui n'a pas de volonté [61]. Refus donc du baptême des enfants et tendance à développer le baptême des adultes, c'est-à-dire un baptême volontaire, volontaire de la part des individus, volontaire aussi de la part de la communauté qui accepte l'individu. C'est toutes ces tendances qui vont aboutir bien sûr à l'anabaptisme [62], mais que l'on trouve déjà chez les vaudois, chez les hussites, etc. Méfiance [également] pour la confession, cette confession qui, jusqu'au xᵉ-xıᵉ siècle, avait encore été une activité, une pratique qui pouvait se faire de laïc à laïc, et puis qui, à partir du xıᵉ-xııᵉ, avait été réservée essentiellement, exclusivement aux prêtres. Alors on voit se développer dans ces communautés la pratique de la confession des laïcs, la méfiance même pour la confession faite au prêtre. Par exemple, dans les récits qu'ont donnés les Amis de Dieu d'Oberland il y a le fameux récit d'une femme qui s'était adressée à un prêtre pour lui raconter de quelles tentations elle était l'objet, des tentations charnelles, et le prêtre lui répond en disant que, ma foi, ces tentations ce n'est pas bien grave et qu'elle n'a pas à s'en faire souci, que c'est en somme naturel. Et dans la nuit qui suit, Dieu, le Christ lui apparaît et lui dit : pourquoi as-tu confié tes secrets à un prêtre ? Tes secrets, tu dois les garder pour toi [63]. Refus de la confession, enfin tendance à un refus de la confession.

Et enfin l'eucharistie : vous avez tout le problème de la présence réelle et toutes ces pratiques qui se sont développées dans ces communautés de contre-conduites dans lequelles l'eucharistie reprend la forme du repas communautaire avec consommation du pain et du vin, mais en général sans dogme de la présence réelle.

Voilà l'espèce de fond théorique sur lequel se sont développées ces communautés. Positivement, la formation de ces communautés se caractérise par le fait que justement elles suppriment ou tendent à supprimer le dimorphisme prêtres et laïcs qui caractérisait l'organisation de la pastorale chrétienne. Ce dimorphisme clercs-laïcs est remplacé par quoi ?

Par un certain nombre de choses, qui peuvent être : la désignation du pasteur par voie élective et d'une manière provisoire, comme cela se trouve chez les taborites par exemple. Et dans ce cas-là, il est évident que le pasteur ou le responsable, le *praepositus* étant élu de façon provisoire, n'a aucun caractère qui le marque définitivement. Ce n'est pas un sacrement qu'il reçoit, c'est la volonté même de la communauté qui le porte pour un temps à un certain nombre de tâches, de responsabilités, et qui lui confie une autorité provisoire, mais qu'il ne détiendra jamais parce qu'il aura reçu lui-même un certain sacrement. À ce dimorphisme clercs et laïcs on substitue assez souvent un autre dimorphisme, mais qui est très différent, qui est celui de l'opposition, de la distinction entre ceux qui sont élus et ceux qui ne sont pas élus. On trouve cela bien sûr chez tous les cathares, on le trouve également chez les vaudois. Et cette distinction est tout de même très différente, puisque, à partir du moment où quelqu'un est déjà élu, à partir de ce moment-là, l'efficace du prêtre pour son salut devient nulle. Et il n'a plus besoin de l'intervention d'un pasteur pour le guider sur le chemin du salut, puisque il l'a déjà fait. Et inversement ceux qui ne sont pas élus et qui ne seront jamais élus, ceux-là non plus n'ont plus besoin de l'efficacité du pasteur. Et dans cette mesure-là, ce dimorphisme élus - non élus exclut toute cette organisation du pouvoir pastoral, cette efficacité du pouvoir pastoral que l'on trouve dans l'Église disons officielle, l'Église générale.

Soit encore le principe de l'égalité absolue entre tous les membres de la communauté : sous une forme religieuse, c'est-à-dire que chacun est pasteur, chacun est prêtre, chacun est berger, c'est-à-dire que personne ne l'est, [ou sous la forme]* économique stricte que vous trouvez chez les taborites, où il n'y avait pas de possession personnelle des biens, et tout ce qui pouvait être acquis ne l'était que par la communauté, avec un partage égalitaire ou une utilisation communautaire des richesses.

Ceci ne veut pas dire d'ailleurs que, dans ces communautés, le principe de l'obéissance était totalement méconnu ou supprimé. Au contraire, il y avait un certain nombre de communautés dans lesquelles aucune forme d'obéissance n'était reconnue. Il y avait des communautés, par exemple certains groupes des frères du Libre Esprit [64] qui étaient d'inspiration panthéiste, plus ou moins inspirés d'Amaury de Bène [65], d'Ulrich de Strasbourg [66], et pour qui Dieu était la matière même. Par conséquent, tout ce qui pouvait être individualité n'était qu'illusion. Le partage entre le bien et le mal ne pouvait pas exister et n'était que l'effet d'une chimère,

* M. F. : et encore, égalité

et par conséquent tous les appétits étaient légitimes. Dans cette mesure-là, on a là un système qui, au moins en principe, exclut toute obéissance ou affirme en tout cas la légitimité de toute conduite. Mais on trouve alors, dans ces communautés, bien d'autres manières de faire valoir les schémas d'obéissance, mais sur un tout autre mode que le schéma pastoral. C'est par exemple des rapports d'obéissance réciproque. Chez les Amis de Dieu de l'Oberland il y avait des règles, des serments plutôt, des engagements d'obéissance réciproque d'un individu à un autre. C'est ainsi que Rulman Merswin [67] et l'anonyme qu'on appelle l'Ami de Dieu de l'Oberland [68] avaient fait un pacte d'obéissance réciproque pour vingt-huit ans. Il était entendu entre eux que, pendant vingt-huit ans, chacun obéirait aux ordres de l'autre, comme si l'autre était Dieu même [69]. On trouve aussi des phénomènes d'inversion des hiérarchies. C'est-à-dire que, alors que le pastorat chrétien dit bien que, bien sûr, le pasteur doit être le dernier des serviteurs de sa communauté, on sait parfaitement – et on avait l'expérience – que jamais le dernier des serviteurs de la communauté ne devenait le pasteur. Là au contraire, dans ces groupes, vous avez des inversions systématiques de hiérarchie. C'est-à-dire que l'on choisit précisément le plus ignorant ou le plus pauvre, ou éventuellement le plus perdu de réputation ou d'honneur, le plus débauché, on choisit la prostituée pour devenir responsable du groupe [70]. C'est ce qui s'était passé par exemple avec la Société des Pauvres et Jeanne Dabenton qui passait pour avoir mené la vie la plus déréglée et qui était devenue, à cause de cela même, le responsable, le pasteur du groupe. Un petit peu comme l'ascèse a ce côté d'exagération quasi ironique par rapport à la règle pure et simple d'obéissance, on pourrait dire, par conséquent, qu'il y avait dans ces communautés, et il y a eu en effet dans certaines communautés, un côté de contre-société, de renversement des rapports et de hiérarchie sociale, tout un côté de carnaval. Alors là, il faudrait (… enfin bon, c'est tout un problème) étudier la pratique carnavalesque du renversement de la société et la constitution de ces groupes religieux sur un mode exactement inverse [de celui de] la hiérarchie pastorale existante. Les premiers seront effectivement les derniers, mais les derniers seront aussi les premiers.

Troisième élément de constitution, une troisième forme de contre-conduite, ce serait la mystique\*, c'est-à-dire le privilège d'une expérience

---

\* M. F. ajoute : Seulement alors, je m'aperçois que je suis embarqué loin. J'ai envie de m'arrêter là… Vous devez être fatigués. Je ne sais pas. Je ne sais pas quoi faire. D'un autre côté, il faudrait s'en sortir. On va aller vite, parce que c'est des choses connues, au fond. On va aller vite, et puis comme ça on en sera débarrassé, on passera à autre chose la prochaine fois… Bon. Troisième élément de contre-conduite, la mystique qui par définition échappe au pouvoir pastoral. Ce pouvoir pastoral, au fond, avait développé une économie de la vérité qui, vous le savez, allait de l'enseignement d'une part, de l'enseignement d'une vérité, à l'examen de l'individu. Une vérité transmise comme dogme à tous les fidèles, et une vérité extraite à chacun d'eux comme secret découvert au fond de son âme. Avec la mystique, on a une économie qui est tout à fait différente, puisque d'abord on aura un tout autre jeu de visibilité. L'âme ne se donne pas à voir à l'autre dans un examen, par tout un système d'aveux. L'âme, dans la mystique, se voit elle-même. Elle se voit elle-même en Dieu et elle voit Dieu en elle-même. Dans cette mesure-là, la mystique échappe fondamentalement, essentiellement à l'examen. Deuxièmement, la mystique, en tant qu'elle est révélation immédiate de Dieu à l'âme, échappe aussi à la structure de l'enseignement et à cette répercussion de la vérité depuis celui qui la sait à celui qui est enseigné, qui la transmet. Toute cette hiérarchie et cette lente circulation des vérités d'enseignement, tout cela est court-circuité par l'expérience mystique. Troisièmement, la mystique admet bien et fonctionne bien selon un principe de progrès comme l'enseignement, mais selon un principe de progrès qui est tout à fait différent, puisque le chemin de l'enseignement va régulièrement de l'ignorance à la connaissance par l'acquisition successive d'un certain nombre d'éléments qui se cumulent, alors que le chemin de la mystique est tout autre, puisqu'il passe par un jeu d'alternances, la nuit/le jour, l'ombre/la lumière, la perte/les retrouvailles, l'absence/la présence, jeu qui s'inverse sans cesse. Mieux encore, la mystique se développe à partir d'expériences et dans la forme d'expériences absolument ambiguës, dans une sorte d'équivoque, puisque le secret de la nuit, c'est qu'elle est une illumination. Le secret, la force de l'illumination, c'est précisément qu'elle aveugle. Et dans la mystique, l'ignorance est un savoir et le savoir a la forme même de l'ignorance. Dans cette mesure-là, vous voyez combien on est loin de cette forme d'enseignement qui caractérisait la pastorale. Dans la pastorale encore, il était nécessaire qu'il y ait direction de l'âme individuelle par le pasteur, et au fond aucune communication de l'âme à Dieu ne pouvait se faire qui ne soit ou reléguée, ou en tout cas contrôlée par le pasteur. Le pastorat était le canal qui allait du fidèle à Dieu. Bien sûr, dans la mystique, vous avez une communication immédiate qui peut être dans la forme du dialogue entre Dieu et l'âme, dans la forme de l'appel et de la réponse, dans la forme de la déclaration d'amour de Dieu pour l'âme, de l'âme pour Dieu. Vous avez le mécanisme de l'inspiration sensible et immédiate qui fait reconnaître à l'âme que Dieu est là. Vous avez aussi la communication par le silence. Vous avez la communication par le corps-à-corps, quand le corps du mystique éprouve effectivement la présence, la présence pressante du corps du Christ lui-même. Donc là encore, vous voyez combien la mystique est éloignée de la pastorale.

[Quatrième élément], ce sera mon avant-dernier point, là alors je peux aller très vite, c'est le problème de l'Écriture. C'est-à-dire que les privilèges de l'Écriture, ce n'est pas qu'ils n'existaient pas dans une économie du pouvoir pastoral. Mais il est très évident que la présence de l'Écriture était comme reléguée en arrière-plan par rapport à ce qui était essentiel dans la pastorale, c'est-à-dire la présence, l'enseignement, l'intervention, la parole du pasteur lui-même. Dans les mouvements de contre-conduite qui vont se développer tout au long du Moyen Âge, on va avoir en quelque sorte pour court-circuiter le pastorat, et à utiliser contre le pastorat, eh bien précisément le retour aux textes, le retour à l'Écriture[71]. Car l'Écriture, c'est un texte qui parle tout seul et qui n'a pas besoin du relais pastoral, ou si un pasteur doit venir, cela ne peut être en quelque sorte qu'à l'intérieur de l'Écriture, pour l'éclairer et pour mieux mettre en rapport le fidèle à l'Écriture. Le pasteur peut commenter, il peut expliquer ce qui est obscur, il peut désigner ce qui est important, mais ça sera, de toute façon, pour que le lecteur puisse lire l'Écriture lui-même. Et l'acte de lecture est un acte spirituel qui met le fidèle en présence de la parole de Dieu et qui trouve, par conséquent, dans cette illumination intérieure, sa loi et sa garantie. En lisant le texte qui a été donné par Dieu aux hommes, ce que perçoit le lecteur, c'est la parole même de Dieu, et la compréhension qu'il en a, quand bien même elle est trouble, ce n'est rien d'autre que ce que Dieu a voulu révéler de lui-même à l'homme. Donc, là encore, on peut dire que le retour à l'Écriture, qui a été un des grands thèmes de toutes ces contre-conduites pastorales au Moyen Âge, est une pièce essentielle.

Enfin, [cinquième élément] et je m'arrêterai là, c'est la croyance eschatologique. Après tout, l'autre manière de disqualifier le rôle du pasteur, c'est d'affirmer que les temps sont accomplis ou qu'ils sont en train de s'accomplir, que Dieu va revenir ou est en train de revenir pour rassembler son troupeau. Il sera le vrai berger. Par conséquent, puisqu'il est le vrai berger venant pour rassembler son troupeau, il peut donner leur congé aux pasteurs, aux pasteurs de l'histoire et du temps, et c'est à lui de faire maintenant le partage, c'est à lui de donner la nourriture au troupeau, c'est à lui de le guider. Congé donné aux pasteurs, puisque le Christ revient, ou encore, autre forme d'eschatologie, celle qui s'est développée alors dans toute la ligne qui dérive plus ou moins directement de Joachim de Flore[72], c'est l'affirmation de l'apparition d'un troisième temps, d'une troisième époque dans l'histoire. Le premier temps étant celui de l'incarnation de la première personne de la Trinité dans un prophète, Abraham, et à ce moment-là le peuple juif avait besoin de pasteurs qui étaient les autres prophètes. Deuxième temps, deuxième période, deuxième âge, c'est l'âge de l'incarnation de la seconde personne. Mais la seconde personne de la Trinité ne fait pas comme la première, elle fait mieux. La première envoyait un pasteur, la seconde s'incarne elle-même, et c'est le Christ. Mais le Christ une fois reparti au ciel, il a confié son troupeau à des pasteurs qui sont censés le représenter. Mais va venir, dit Joachim de Flore, le troisième temps, la troisième période, la troisième phase dans l'histoire du monde, et à ce moment-là c'est l'Esprit-Saint qui va descendre sur la terre. Or l'Esprit-Saint ne s'incarne pas dans un prophète, il ne s'incarne pas lui-même dans une personne. Il se répand sur tout le monde, c'est-à-dire que chacun des fidèles aura en lui-même une parcelle, un fragment, une étincelle de l'Esprit-Saint, et dans cette mesure-là il n'aura plus besoin de berger.

Tout cela pour vous dire que je crois qu'on peut trouver, dans tout ce développement des mouvements de contre-conduites au Moyen Âge, cinq thèmes fondamentaux, donc, qui sont le thème de l'eschatologie, le thème de l'Écriture, le thème de la mystique, le thème de la communauté et celui de l'ascèse. C'est-à-dire que le christianisme, dans son organisation pastorale réelle, n'est pas une religion ascétique, ce n'est pas une religion de la communauté, ce n'est pas une religion de la mystique, ce n'est pas une religion de l'Écriture et, bien sûr, ce n'est pas une religion de l'eschatologie. C'est la première raison pour laquelle j'ai voulu vous parler de tout ça.

La seconde, c'est que je voulais vous montrer aussi que ces thèmes qui ont été des éléments fondamentaux dans ces contre-conduites, ces éléments ne sont évidemment pas extérieurs, absolument extérieurs, d'une façon générale au christianisme, que ce sont bien des éléments-frontière, si vous voulez, qui n'ont pas cessé d'être réutilisés, réimplantés, repris dans un sens et dans un autre, et ces éléments par exemple comme la mystique, l'eschatologie, [ou] la recherche de la communauté ont été sans cesse repris par l'Église elle-même. Cela apparaîtra alors très clairement aux xv$^e$-xvi$^e$ siècles, quand l'Église, menacée par tous ces mouvements de contre-conduite, essaiera de les reprendre à son compte et de les acclimater, jusqu'à ce que l'on ait la grande séparation, le grand clivage entre les Églises protestantes qui, au fond, auront choisi un certain mode de réimplantation de ces contre-conduites et l'Église catholique qui, elle, essaiera par la Contre-Réforme de les réutiliser et de les réinsérer dans son système propre. C'est le second point. Donc, si vous voulez, la lutte ne se fait pas dans la forme de l'extériorité absolue, mais bien dans la forme de l'utilisation permanente d'éléments tactiques qui sont pertinents dans la lutte antipastorale, dans la mesure même où ils font partie, d'une manière même marginale, de l'horizon général du christianisme.

Enfin troisièmement, je voulais insister là-dessus pour essayer de vous montrer que, si j'ai pris ce point de vue du pouvoir pastoral, c'était bien sûr pour essayer de retrouver les arrière-fonds et les arrière-plans de cette gouvernementalité qui va se développer à partir du xvɪᵉ siècle. C'était pour vous montrer aussi que le problème, ce n'est pas du tout de faire quelque chose comme l'histoire endogène du pouvoir qui se développerait à partir de lui-même dans une sorte de folie paranoïaque et narcissique, mais [pour] vous montrer comment le point de vue du pouvoir est une manière de repérer des relations intelligibles entre des éléments qui sont extérieurs les uns aux autres. Au fond le problème, c'est de savoir pourquoi par exemple des problèmes politiques ou économiques comme ceux qui se sont posés au Moyen Âge, par exemple les mouvements de révolte urbaine, les mouvements de révolte paysanne, les conflits entre féodalité et bourgeoisie marchande, comment et pourquoi ils se sont traduits dans un certain nombre de thèmes, de formes religieuses, de préoccupations religieuses qui finalement vont aboutir à l'explosion de la Réforme, de la grande crise religieuse du xvɪᵉ siècle. Je crois que si on ne prend pas le problème du pastorat, du pouvoir pastoral, de ses structures comme étant la charnière de ces différents éléments extérieurs les uns aux autres – les crises économiques d'une part et les thèmes religieux de l'autre –, si on ne prend pas ça comme champ d'intelligibilité, comme principe de mise en relation, comme échangeur entre les uns et les autres, je crois qu'on est obligé, à ce moment-là, de revenir aux vieilles conceptions de l'idéologie, [et]* de dire que les aspirations d'un groupe, d'une classe, etc., viennent se traduire, se refléter, s'exprimer dans quelque chose comme une croyance religieuse. Le point de vue du pouvoir pastoral, le point de vue de toute cette analyse des structures de pouvoir permet, je pense, de reprendre les choses et de les analyser, non plus en forme de reflet et de transcription, mais en forme de stratégies et de tactiques. **
Voilà. Alors pardonnez-moi d'avoir été trop long, et la prochaine fois, c'est promis, on ne parlera plus des pasteurs.

---

* M. F. : c'est-à-dire
** Par crainte d'être « trop long », M. Foucault résume en quelques phrases la conclusion plus amplement développée du manuscrit, dans laquelle, récusant

NOTES

1. Cette expression ne semble pas se trouver dans les *Discours*. Dans le passage du 2ᵉ *Discours* relatif à l'application différenciée de la médecine des âmes (τήν τῶν ψυχῶν ἰατρείαν, 2, 16, 5) selon les catégories de fidèles, toutefois, Grégoire écrit : «Il y a entre ces catégories d'êtres parfois plus de différence, en ce qui concerne les désirs et les appétits, qu'en ce qui concerne l'aspect physique ou, si l'on préfère, le mélange et la combinaison des éléments dont nous sommes faits. Il n'est donc pas très facile de les gouverner», ce dernier verbe traduisant «τήν οἰκονομίαν» (2, 29, trad. citée, p. 127-129). C'est donc vraisemblablement à partir de cet usage du mot οἰκονομία, pour désigner le gouvernement pastoral des brebis, en tant qu'êtres de désirs et d'appétits, que Foucault forge l'expression citée.

2. Cf. Aristote, *Politique*, I, 3, 1253b : «Puisque les parties dont est constituée la cité sont maintenant manifestes, il est nécessaire de parler en premier lieu de l'administration familiale (οἰκονομία) ; toute cité, en effet, est composée de familles. Or aux parties de l'administration familiale οἰκονομία) correspondent celles dont, de son côté, une famille est composée. Mais une famille achevée se compose d'esclaves et de gens libres. Et puisqu'il faut commencer la recherche sur chaque chose par ses composantes élémentaires, et que les parties premières et élémentaires d'une famille sont un maître et un esclave, un époux et une épouse, un père et ses enfants, il faut examiner ce qu'est et comment devrait être chacune de ces trois relations» (*Les Politiques*, trad. P. Pellegrin, Paris, Flammarion, GF, 1990, p. 94).

3. Cf. par exemple *Essais*, I, 26, éd. A. Tournon, Paris, Imprimerie nationale, 1998, t. I, p. 261 : «Ceux qui, comme porte nostre usage, entreprennent d'une même

---

l'interprétation des phénomènes religieux en termes d'idéologie, il lui oppose le repérage des «entrées tactiques» :

«[Si j'ai insisté] sur ces éléments tactiques qui ont donné des formes précises et récurrentes aux insoumissions pastorales, ce n'est pas du tout pour suggérer qu'il s'agit de luttes internes, de contradictions endogènes, le pouvoir pastoral se dévorant lui-même ou rencontrant dans son fonctionnement ses limites et ses barrières. C'est pour repérer "les entrées" : par où des processus, des conflits, des transformations qui peuvent concerner le statut des femmes, le développement d'une économie marchande, le décrochage entre le développement de l'économie urbaine et celui des campagnes, l'élévation ou l'extinction de [la] rente féodale, le statut du salariat urbain, l'étendue de l'alphabétisation, par où des phénomènes comme ceux-là peuvent entrer dans le champ d'exercice du pastorat, non pas pour s'y transcrire, s'y traduire, s'y refléter, mais pour y opérer des partages, des valorisations, des disqualifications, des réhabilitations, des redistributions de toute sorte. [...] Plutôt que de dire : chaque classe ou groupe ou force sociale a son idéologie qui permet de traduire dans la théorie ses aspirations, aspirations et idéologie d'où se déduisent des réaménagements institutionnels, qui correspondent aux idéologies et satisfont les aspirations, il faudrait dire : toute transformation qui modifie les rapports de force entre communautés ou groupes, tout conflit qui les affronte ou les fait rivaliser appelle l'utilisation de tactiques qui permettent de modifier les rapports de pouvoir, et la mise en jeu d'éléments théoriques qui justifient moralement ou fondent en rationalité ces tactiques. »

leçon, et pareille mesure de conduite, régenter plusieurs esprits de si diverses mesures et formes, ce n'est pas merveille si, en tout un peuple d'enfants, ils en rencontrent à peine deux ou trois, qui rapportent quelque juste fruit de leur discipline.»

4. Le dualisme manichéen (de Manès, ou Mani, 216-277) connut une grande diffusion, dès le IIIᵉ siècle, en Asie et en Afrique du Nord. La répression dont il fit l'objet dans l'Empire conduisit à son éclatement en une multitude de petites communautés clandestines. Après une éclipse de plusieurs siècles, des sectes «manichéennes» – bogomiles, cathares – réapparurent dans l'Europe médiévale, mais leur lien avec le manichéisme demeure problématique. L'«hérésie» cathare se répandit du XIᵉ au XIIIᵉ siècle en Lombardie, en Italie centrale, en Rhénanie, en Catalogne, en Champagne, en Bourgogne et surtout dans le Midi de la France («albigeois»). La lutte contre ces derniers s'effectua d'abord par la prédication et la procédure inquisitoriale, puis par une croisade, appelée par Innocent III en 1208, qui dégénéra en une véritable guerre de conquête.

5. Cette analyse des révoltes de conduite corrélatives du pastorat s'inscrit dans le prolongement de la thèse énoncée par Foucault dans *La Volonté de savoir, op. cit.*, p. 125-127, selon laquelle «là où il y a pouvoir, il y a résistance», celle-ci n'étant «jamais en position d'extériorité par rapport au pouvoir», mais constituant «l'autre terme, dans les relations de pouvoir», leur «irréductible vis-à-vis». La notion de résistance, en 1978, reste au cœur de la conception foucaldienne de la politique. Dans une série de feuillets manuscrits sur la gouvernementalité, insérés entre deux leçons du cours, il écrit en effet: «L'analyse de la gouvernementalité [...] implique que "tout est politique". [...] La politique n'est rien de plus, rien de moins que ce qui naît avec la résistance à la gouvernementalité, le premier soulèvement, le premier affrontement.» L'idée de «contre-conduite», selon l'expression proposée plus bas, représente une étape essentielle, dans la pensée de Foucault, entre l'analyse des techniques d'assujettissement et celle, développée à partir de 1980, des pratiques de subjectivation.

6. C'est au nom d'une connaissance supérieure, ou gnose (γνῶσις), que les représentants des mouvements gnostiques, dès les premiers siècles du christianisme, s'opposèrent à l'enseignement ecclésiastique officiel. Cette tendance s'affirma surtout au IIᵉ siècle et s'épanouit en une multitude de sectes. Alors que les auteurs ecclésiastiques de l'Antiquité voyaient dans le gnosticisme une hérésie chrétienne – thèse longtemps acceptée par la recherche moderne: cf. A. von Harnack, pour qui le mouvement gnostique constituait une hellénisation radicale du christianisme –, les travaux issus, depuis le début du siècle, de l'école comparatiste *(religionsgeschichtliche Schule)*, ont mis en évidence l'extrême complexité du phénomène gnostique et montré que celui-ci n'était pas un produit du christianisme, mais le résultat d'une multitude d'influences (philosophie religieuse hellénistique, dualisme iranien, doctrines des cultes à mystères, judaïsme, christianisme). Bonne synthèse *in* M. Simon, *La Civilisation de l'Antiquité et le Christianisme*, Paris, Arthaud, 1972, p. 175-186. Cf. également F. Gros, in *L'Herméneutique du sujet, op. cit.*, p. 25-26 n. 49, qui renvoie aux travaux de H.-Ch. Puech *(Sur le manichéisme et Autres Essais*, Paris, Flammarion, 1979). Peut-être Foucault a-t-il également consulté le livre de H. Jones, *The Gnostic Religion*, Boston, Mass., Beacon Press, 1972.

7. Rapprocher cette analyse de celle développée par Foucault dans *Le Pouvoir psychiatrique, op. cit.*, leçon du 28 novembre 1973, p. 67 *sq.*: la formation de groupes communautaires relativement égalitaires, au Moyen Âge et à la veille de la Réforme, y est alors décrite en termes de «dispositifs de discipline» s'opposant au

« système de différenciation des dispositifs de souveraineté ». Prenant l'exemple des moines mendiants, des frères de la Vie Commune et des communautés populaires ou bourgeoises qui ont précédé immédiatement la Réforme, Foucault déchiffre donc, dans leur mode d'organisation, une critique du rapport de souveraineté plutôt qu'une forme de résistance au pastorat.

8. Les Pays-Bas, au xiv<sup>e</sup> siècle, furent l'une des régions où l'hérésie du Libre Esprit (cf. *infra,* notes 41-42) trouva le plus fort enracinement.

9. Proche de l'attitude des ordres mendiants à l'origine, le mouvement vaudois est issu de la fraternité des Pauvres de Lyon, fondée en 1170 par Pierre Valdès, ou Valdo (1140-apr. 1206), qui prêchait la pauvreté et le retour à l'Évangile, refusant les sacrements et la hiérarchie ecclésiastique. Associé tout d'abord à la prédication anti-cathare organisée par l'Église (concile de Latran, 1179), il ne tarda pas à entrer en conflit avec celle-ci et le valdéisme se trouva associé au manichéisme cathare, auquel il s'opposait pourtant fermement, dans l'anathème prononcé par le pape, lors du synode de Vérone en 1184. Sa doctrine se répandit en Provence, Dauphiné, Piémont, et jusqu'en Espagne et en Allemagne. Certains vaudois gagnèrent la Bohème où ils se joignirent aux hussites. Cf. L. Cristiani, art. « Vaudois », in *Dictionnaire de théologie catholique,* t. XV, 1950, col. 2586-2601.

10. Les calixtins représentaient l'une des composantes de la tendance modérée des hussites, à côté des utraquistes. Alors que ces derniers réclamaient la communion sous les deux espèces, les premiers revendiquaient le calice. Cf. N. Cohn, *The Pursuit of the Millenium,* Secker & Warburg, 1957 / *Les Fanatiques de l'Apocalypse,* trad. S. Clémendot, Paris, Julliard (Dossiers des « Lettres Nouvelles »), 1962, p. 215. Cf. *infra,* note 39.

11. C'est à Tábor (fondée en 1420, en Bohême du Sud, du nom de la montagne où le Nouveau Testament place la résurrection du Christ) que les hussites radicaux, défenseurs intransigeants des *Quatre Articles* de Prague (cf. *infra,* note 39), avaient établi leur camp. Issu de l'insurrection de juillet 1419 contre l'administration catholique du quartier de Ville Nouvelle à Prague, imposée par le roi Venceslas, ce mouvement, composé d'artisans à l'origine, recruta rapidement dans les couches inférieures de la population. « Alors que les Utraquistes s'en tenaient, sur la plupart des points, à la doctrine catholique traditionnelle, les Taborites soutenaient le droit de chaque individu, laïque aussi bien que prêtre, d'interpréter les Écritures selon ses propres lumières » (N. Cohn, trad. citée, p. 217). Appelant au massacre de tous les pécheurs afin de purifier la Terre, les plus extrémistes annonçaient l'avènement prochain du Millenium, qui se caractériserait « par un retour à l'ordre communiste et anarchiste perdu. Impôts, redevances et fermages allaient être abolis, ainsi que la propriété privée sous toutes ses formes. Plus d'autorité humaine d'aucune sorte : "Tous les hommes vivront ensemble comme des frères, aucun ne sera assujetti à autrui". "Le Seigneur régnera, et le Royaume sera rendu au menu peuple" » (*ibid.,* p. 222). Cette bataille impliquait une lutte sans merci contre Dives [le Riche], « ce vieil allié de l'Antéchrist », assimilé au seigneur féodal, mais surtout au riche citadin, marchand ou propriétaire forain *(loc. cit.).* L'armée taborite fut battue à Lipan, en 1434, par des troupes utraquistes. « Par la suite, la puissance de l'aile taborite du mouvement hussite déclina rapidement. Après la prise de la ville de Tabor par les Utraquistes en 1452, une tradition taborite cohérente ne survécut guère que dans la secte connue sous le nom des Frères Moraves » (*ibid.,* p. 231). Cf. *infra,* note 39.

12. *Nonnenmystik,* mystique de nonnes : expression dépréciative utilisée par certains érudits allemands à propos de la spiritualité des béguines rhéno-flamandes. Sur

ce mouvement extatique féminin, cf. l'introduction du Frère J.-B. P., *in* Hadewijch d'Anvers, ed., *Écrits mystiques des Béguines,* Paris, Le Seuil, 1954 ; rééd. « Points Sagesses », p. 9-34.

13. Cf. N. Cohn, *Les Fanatiques de l'Apocalypse,* trad. citée, p. 172 : « En 1372, certains hérétiques des deux sexes qui se donnaient le nom de Société des Pauvres, mais que désignait le sobriquet obscène de *Turlupins,* furent arrêtés à Paris. Ils étaient, eux aussi, dirigés par une femme [comme les disciples de Marguerite Porete : voir note suivante] : Jeanne Dabenton. On la brûla, ainsi que le corps de son adjoint, mort en prison, et les écrits et costumes étranges de ses disciples. On ne sait rien de leur doctrine, mais le nom de Turlupins n'était normalement donné qu'aux Frères du Libre Esprit. »

14. Marguerite Porete (morte en 1310), béguine du Hainaut, auteur du *Mirouer des Simples Ames Anienties et qui seulement demourent en Vouloir et Désir d'Amour* (éd. bilingue par R. Guarnieri, Turnhout, Brepols, « Corpus christianorum. Continuatio Mediaevalis » 69, 1986). Le texte, redécouvert en 1876, fut longtemps attribué à Marguerite de Hongrie. Ce n'est qu'en 1946 que fut établie l'identité de son véritable auteur (cf. R. Guarnieri, *Il Movimento del Libero Spirito. Testi e Documenti,* Rome, Ed. di storia e letteratura, 1965). Le *Mirouer,* qui enseigne la doctrine du pur amour, fut brûlé sur la place publique de Valenciennes au début du xivᵉ siècle. Déclarée hérétique et relapse par le tribunal de l'Inquisition, Marguerite Porete mourut sur le bûcher, place de Grève à Paris, le 1ᵉʳ juin 1310. Sur les deux propositions qui lui valurent cette condamnation, cf. Fr. J.-B. P., *in* Hadewijch d'Anvers, ed., *Écrits mystiques des Béguines,* p. 16 n. 5. L'ouvrage a fait l'objet de plusieurs traductions en français moderne, outre celle déjà citée de R. Guarnieri (Albin Michel, 1984 ; Jérôme Millon, 1991). Cf. *Dictionnaire de spiritualité...,* t. 5, 1964 (art. « Frères du Libre Esprit »), col. 1252-1253 et 1257-1268, et t. 10, 1978, col. 343 ; N. Cohn, trad. citée, p. 171-172.

15. Principale inspiratrice des illuminés de la Nouvelle Castille dans les années 1520, Isabel de la Cruz était sœur du tiers ordre franciscain. De Guadalajara, où elle prêchait les principes de l'abandon mystique – le *dejamiento,* distinct du simple *recogimiento* (recueillement) –, source d'impeccabilité par l'amour que Dieu infuse en l'homme, son enseignement rayonna bientôt dans toute la Nouvelle Castille. Arrêtée en 1524 par l'Inquisition, elle fut condamnée au fouet puis à la prison à vie. Cf. M. Bataillon, *Érasme et l'Espagne,* Paris, E. Droz, 1937, rééd. Genève, Droz, 1998, p. 182-183, 192-193 et 469 ; Cl. Guilhem, « L'Inquisition et la dévaluation des discours féminins », *in* B. Bennassar, dir., *L'Inquisition espagnole, xvᵉ-xixᵉ siècle,* Paris, Hachette, 1979, p. 212. Sur les détails de sa biographie et de son procès, cf. J. E. Longhurst, *Luther's Ghost in Spain (1517-1546),* Lawrence, Mass., Coronado Press, 1964, p. 93-99 ; Id., « La beata Isabel de la Cruz ante la Inquisición, 1524-1529 », in *Cuadernos de historia de España* (Buenos Aires), vol. XXV-XXVI, 1957.

16. Armelle Nicolas (dite la Bonne Armelle, 1606-1671) : laïque d'origine paysanne qui, après des années de luttes intérieures, de pénitences et d'extases mystiques, prononça le vœu de pauvreté et distribua tous ses biens aux pauvres. Sa vie fut écrite par une religieuse du monastère de Sainte-Ursule de Vannes (Jeanne de la Nativité), *Le Triomphe de l'amour divin dans la vie d'une grande servante de Dieu, nommée Armelle Nicolas* (1683), Paris, impr. A. Warin, 1697. Cf. *Dictionnaire de spiritualité...,* t. I, 1937, col. 860-861 ; H. Bremond, *Histoire littéraire du sentiment religieux en France depuis la fin de guerres de Religion jusqu'à nos jours,* Paris, Bloud & Gay, 1916-1936 ; rééd. A. Colin, 1967, t. 5, p. 120-138.

17. Marie des Vallées (1590-1656) : laïque, elle aussi, d'origine paysanne, qui la proie, dès sa dix-neuvième année, de tourments, convulsions, souffrances physiques et morales qui durèrent jusqu'à sa mort. Dénoncée comme sorcière, elle fut relaxée, déclarée innocente et véritablement possédée en 1614. Jean Eudes, qui tenta à son tour de l'exorciser en 1641, la reconnut possédée, mais également sainte. Il écrivit, en 1655, un ouvrage en trois volumes, « La Vie admirable de Marie des Vallées et des choses prodigieuses qui se sont passées en elle », qui ne fut pas publié, mais circula de main en main. Cf. H. Bremond, *op. cit.,* t. 3, p. 583-628 ; P. Milcent, art. « Vallées (Marie des) », in *Dictionnaire de spiritualité...,* t. 16, 1992, col. 207-212.

18. Madame Acarie, née Barbe Avrillot (1565-1618) : appartenant à la haute bourgeoisie d'office parisienne, elle fut l'une des figures les plus remarquables de la mystique féminine en France, à l'époque de la Contre-Réforme. Elle introduisit en France, en 1604, avec l'appui de son cousin Pierre de Bérulle (1575-1629), le Carmel espagnol. Cf. H. Bremond, *op. cit.,* t. 2, p. 192-262 ; P. Chaunu, *La Civilisation de l'Europe classique,* Paris, Arthaud, 1966, p. 486-487.

19. Sur Wyclif, cf. *supra,* p. 162-163, note 44.

20. Disciples d'Amaury de Bène (v. 1150-1206) : celui-ci, qui enseignait la dialectique à Paris, avait été condamné par le pape Innocent III pour sa conception de l'incorporation du chrétien au Christ, comprise dans un sens panthéiste. Il ne laissa aucun écrit. Le groupe de prêtres, de clercs et de laïcs des deux sexes se réclamant de lui ne se réunit, semble-t-il, qu'après sa mort. Dix d'entre eux furent brûlés en 1210, à la suite du concile de Paris qui condamna huit de leurs propositions. La source principale concernant l'amauricianisme est Guillaume le Breton (mort en 1227), *Gesta Philippi Augusti / Vie de Philippe Auguste,* Paris, J.-L. Brière, 1825.

Outre le panthéisme *(Omnia sunt Deus, Deus est omnia),* les amauriciens, professant l'avènement du Saint-Esprit, après l'âge du Père et du Fils, récusaient tous les sacrements et affirmaient que chacun peut être sauvé par la seule grâce intérieure de l'Esprit, que le paradis et l'enfer ne sont que des lieux imaginaires et que l'unique résurrection consiste en la connaissance de la vérité. Ils niaient de ce fait l'existence même du péché (« Si quelqu'un, disaient-ils, possédant le Saint-Esprit, commet quelque acte impudique, il ne pèche pas, car le Saint-Esprit qui est Dieu ne peut pécher, et l'homme ne peut pécher tant que le Saint-Esprit, qui est Dieu, habite en lui », Césaire de Heisterbach (mort en 1240), *Dialogus miraculorum).* Cf. G.-C. Capelle, *Amaury de Bène. Étude sur son panthéisme formel,* Paris, J. Vrin, 1932 ; A. Chollet, art. « Amaury de Bène », in *Dictionnaire de théologie catholique,* t. I, 1900, col. 936-940 ; F. Vernet, art. « Amaury de Bène et les Amauriciens », in *Dictionnaire de spiritualité...,* t. 1, 1937, col. 422-425 ; Dom F. Vandenbroucke, *in* Dom J. Leclercq, Dom F. Vandenbroucke, L. Bouyer, *La Spiritualité du Moyen Âge,* Paris, Aubier, 1961, p. 324 ; N. Cohn, *Les Fanatiques de l'Apocalypse,* p. 152-156.

21. Jean Hus (Jan Hus) (v. 1370-1415). Ordonné prêtre en 1400, doyen de la Faculté de théologie de Prague l'année suivante, il est le représentant le plus illustre du courant réformateur né de la crise de l'Église tchèque au milieu du XIVᵉ siècle. Il traduit en tchèque l'Évangile qui constitue, selon lui, la seule règle infaillible de la foi et prêche la pauvreté évangélique. Admirateur de Wyclif, dont il refuse d'accepter la condamnation, il perd le soutien du roi Venceslas IV et, frappé d'excommunication (1411, puis 1412), se retire en Bohême méridionale où il rédige, entre autres écrits, le

*De ecclesia* (1413). Ayant refusé de se rétracter lors du concile de Constance, il meurt sur le bûcher en 1415. Cf. N. Cohn, trad. citée, p. 213-214 ; J. Boulier, *Jean Hus,* Paris, Club français du Livre, 1958 ; P. De Vooght, *L'Hérésie de Jean Huss,* Louvain, Bureau de la *Revue d'histoire ecclésiastique,* 1960 (suivi d'un volume annexe, *Hussiana*) ; M. Spinka, *John Hus'Concept of the Church,* Princeton, NJ, Princeton University Press, 1966.

22. Sur ces révoltes de conduite fondées dans l'interprétation de l'Écriture, cf. la conférence de M. Foucault, «Qu'est-ce que la critique? [Critique et *Aufklärung*]», prononcée le 27 mai 1978, *Bulletin de la Société française de philosophie,* 84 (2), avr.-juin 1990, p. 38-39.

23. Cf. *supra,* p. 163, note 45.

24. Cette critique, parfaitement transparente, du Parti communiste est à rattacher au projet, évoqué par Foucault dans le cours de 1978-1979, d'étudier la «gouverne-mentalité de parti, [...] à l'origine historique de quelque chose comme les régimes totalitaires» (*Naissance de la biopolitique, op. cit.,* leçon du 7 mars 1979, p. 197). S'il ne fut pas mis en œuvre dans le cadre du cours, ce projet ne fut pas abandonné pour autant. Lors de son dernier séjour à Berkeley, en 1983, Foucault constitua un groupe de travail interdisciplinaire sur les nouvelles rationalités politiques de l'entre-deux-guerres, qui aurait étudié, entre autres sujets, le militantisme politique dans les partis de gauche, notamment les partis communistes, en termes de «styles de vie» (l'éthique de l'ascétisme chez les révolutionnaires, etc.). Cf. *History of the Present,* 1, février 1985, p. 6.

25. Sur le mouvement anabaptiste (du grec ἀνά, de nouveau, et βαπτίξειν, plonger dans l'eau), issu de la guerre des Paysans (cf. *infra,* p. 254, note 1), pour lequel les fidèles, baptisés enfants, devaient recevoir un second baptême à l'âge adulte, et qui se décomposait en de multiples sectes, cf. N. Cohn, *Les Fanatiques de l'Apocalypse,* p. 261-291 ; E. G. Léonard, *Histoire générale du protestantisme,* Paris, PUF, 1961 ; rééd. «Quadrige», 1988, t. 1, p. 88-91.

26. Mot déjà employé un peu plus haut, à propos des formes religieuses de refus de la médecine.

27. C'est au début des années soixante-dix que le mot «dissidence» s'imposa pour désigner le mouvement d'opposition intellectuelle au système communiste, en URSS et dans les pays du bloc soviétique. «Dissidents» correspond au mot russe *inakomysliachtchie,* «ceux qui pensent autrement». Ce mouvement se forma à la suite de la condamnation de Siniavski et de Iouli Daniel en 1966 (cf. *supra,* p. 165, note 54). Ses principaux représentants en URSS, outre Soljenitsyne (cf. *infra,* note 29), étaient le physicien Andreï Sakharov, le mathématicien Leonid Plioutch (que Foucault rencontra à son arrivée à Paris, en 1976), l'historien Andreï Amalrik, les écrivains Vladimir Boukovski (auteur de *Une nouvelle maladie mentale en URSS : l'opposi-tion,* trad. F. Simon & J.-J. Marie, Paris, Le Seuil, 1971), Alexandre Guinzbourg, Victor Nekrassov, Alexandre Zinoviev. Voir le *Magazine littéraire,* 125 (juin 1977) : *URSS : les écrivains de la dissidence.* En Tchécoslovaquie, la dissidence s'organisa autour de la Charte 77, publiée à Prague, dont les porte-parole étaient Jiri Hajek, Václav Havel et Jan Patočka.

28. Cf. l'entretien de M. Foucault avec K. S. Karol, «Crimes et châtiments en URSS et ailleurs…» (*Le Nouvel Observateur,* 585, 26 janv.-1ᵉʳ fév. 1976), *DE,* III, n° 172, p. 69 : «[…] la terreur, au fond, ce n'est pas le comble de la discipline, c'est son échec. Dans le régime stalinien, le chef de la police lui-même pouvait être

exécuté un beau jour en sortant du Conseil des ministres. Aucun chef du NKVD n'est mort dans son lit.»

29. Sur Alexandre Issaïevitch Soljenitsyne (né en 1918), figure emblématique de la dissidence anti-soviétique, cf. *Naissance de la biopolitique,* leçon du 14 février 1979, p. 156 n. 1.

30. Sur l'origine de cette distinction, cf. J. Zeiller, «L'organisation ecclésiastique aux deux premiers siècles», *in* A. Fliche & V. Martin, dir., *Histoire de l'Église depuis les origines jusqu'à nos jours,* t. I: *L'Église primitive,* Paris, Bloud & Gay, 1934, p. 380-381.

31. Sur les différences de statut entre ces deux genres de chrétiens (auxquels s'ajoute un troisième «état», celui des religieux) au Moyen Âge, cf. G. Le Bras, *in* J.-B. Duroselle & E. Jarry, dir., *Histoire de l'Église depuis les origines jusqu'à nos jours,* t. XII: *Institutions ecclésiastiques de la Chrétienté médiévale,* Bloud & Gay, 1959, p. 149-177.

32. Allusion à la thèse du «sacerdoce universel», soutenue par Wyclif et Hus, puis reprise par Luther.

33. Sur la synonymie de ces termes («ancien», πρεσβύτερος, et «surveillant», ἐπίσκοπος) au Iᵉʳ siècle et leur différenciation progressive, cf. F. Prat, art. «Évêque. I: Origine de l'épiscopat», *in Dictionnaire de théologie catholique,* t. V, 1913, col. 1658-1672. Voir par exemple Actes, XX, 17, 28; I Pierre, V, 1-2, etc. Cette synonymie dans les écrits apostoliques est invoquée par les protestants en faveur de la thèse selon laquelle le ministre est un simple membre de la communauté laïque, député par elle pour la prédication et l'administration des sacrements.

34. Cf. A. Michel, art. «Sacrements», *in Dictionnaire de théologie catholique,* t. XIV, 1939, col. 594.

35. Le IVᵉ concile de Latran (1215) institua l'obligation de se confesser régulièrement, au moins une fois par an, à Pâques, pour les laïcs, chaque mois, voire chaque semaine pour les clercs. Sur l'importance de cet événement dans le développement de la pénitence «tarifée», selon un modèle judiciaire et pénal, cf. *Les Anormaux, op. cit.,* leçon du 19 février 1975, p. 161-163.

36. À la date de ce cours, le livre fondamental de J. Le Goff, *La Naissance du purgatoire,* Paris, Gallimard («Bibliothèque des histoires»), 1981, n'était pas encore paru. Mais Foucault avait pu lire, entre autres études, l'article de A. Michel, «Purgatoire», *in Dictionnaire de théologie catholique,* t. 13, 1936, col. 1163-1326 (cf. la bibliographie des travaux sur le purgatoire *in* J. Le Goff, *op. cit.,* p. 487-488).

37. Cf. le *De ecclesia* composé par chacun des deux auteurs, l'un en 1378, l'autre en 1413: Iohannis Wyclif, *Tractatus de ecclesia,* éd. par I. Loserth, Londres, Trübner & Co., 1886 (repr.: Johnson Reprint Corporation, New York & Londres / Francfort, Minerva, 1966); Magistri Johannis Hus, *Tractatus de ecclesia,* éd. par S. H. Thomson, Cambridge, University of Colorado Press, W. Heffer & Sons, 1956.

38. Cf. *supra,* note 9.

39. Après la mort de Jean Hus (cf. *supra,* note 21), la Diète des seigneurs de Bohême protesta avec véhémence contre sa condamnation. La «défenestration» de Prague, en juillet 1419, donna le signal de l'insurrection hussite, définitivement réprimée en 1437. Au cours de ces dix-huit années, l'Europe organisa cinq croisades, à l'appel du pape et de l'empereur Sigismond, pour venir à bout de l'«hérésie». Le programme des hussites était résumé dans les *Quatre Articles* de Prague (1420): libre prédication de l'Écriture, communion sous les deux espèces, confiscation des biens

du clergé, répression des péchés mortels (cf. N. Cohn, *Les Fanatiques de l'Apocalypse*, p. 214-215). Leur mouvement, toutefois, était divisé en deux partis ennemis : le parti modéré, utraquiste ou calixtin (cf. *supra*, note 10), ouvert à un compromis avec Rome, qui obtint satisfaction sur les deux premiers articles en 1433 (*Compactata* de Bâle), et celui des radicaux, ou taborites (cf. *supra*, note 10). Les utraquistes s'allièrent avec Rome, en 1434, pour écraser les taborites. Cf. E. Denis, *Huss et la guerre des hussites*, Paris, E. Leroux, 1878, rééd. 1930 ; J. Macek, *Le Mouvement hussite en Bohême*, Prague, Orbis, 1965.

40. Cf. *supra*, note 25.

41. Cf. N. Cohn, trad. citée, p. 159 : «L'hérésie du Libre Esprit, tenue en échec pendant plus de cinquante ans, connut une recrudescence rapide à la fin du XIIIᵉ siècle. Dès cet instant et jusqu'à la fin du Moyen Âge, elle fut répandue par des hommes qu'on appelait communément des Bégards et qui constituaient le pendant officieux et laïque des ordres mendiants. [...] Ces saints mendiants qui ne tiraient leur autorité que d'eux-mêmes, affichaient le plus grand mépris pour les moines et les prêtres à la vie facile ; ils se faisaient un plaisir d'interrompre les services religieux et se refusaient à toute discipline religieuse. Ils prêchaient sans cesse, sans autorisation, mais avec un succès considérable auprès du peuple.» Sur la condamnation des bégards et béguines *in regno Alemania* par le concile de Vienne en 1311, cf. Dom F. Vandenbroucke, *in* Dom J. Leclercq *et al., La Spiritualité du Moyen Âge, op. cit.*, p. 427-428.

42. Cf. N. Cohn, trad. citée, p. 161-162 : «[...] le mouvement [du Libre Esprit] dut beaucoup aux femmes connues sous le nom de Béguines ; c'étaient des citadines, issues le plus souvent de familles aisées, qui se consacraient à la vie religieuse tout en demeurant dans le monde. Au cours du XIIIᵉ siècle, les Béguines se multiplièrent dans la région de l'actuelle Belgique, dans le nord de la France, dans la vallée du Rhin – Cologne en comptait deux mille – ainsi qu'en Bavière et dans certaines villes d'Allemagne centrale telles que Magdebourg. Afin de se distinguer, ces femmes adoptèrent un habit de type religieux, pèlerine de lainage gris ou noir et voile. Mais elles étaient loin de pratiquer toutes le même genre de vie. Certaines [...] vivaient en famille, de leurs biens ou de leur travail personnel. D'autres qui avaient rompu toute attache, erraient de ville en ville en quête d'aumônes à l'instar des Bégards. Mais la plupart des Béguines constituèrent bientôt des communautés religieuses officieuses groupées dans certaines maisons ou quartiers. [...] Les Béguines n'affichaient pas d'intentions formellement hérétiques, mais elles aspiraient farouchement à l'expérience mystique sous ses formes les plus intenses. La discipline d'un ordre régulier faisait défaut aux Béguines : elles n'étaient pas non plus guidées par le clergé séculier qui voyait d'un œil peu amène ces accès d'ardeur religieuse insensés et téméraires». Cf. Fr. J.-B. P., *in* Hadewijch d'Anvers, ed., *Écrits mystiques des Béguines*.

43. Spiritualité élaborée par les frères de la Vie Commune, regroupés dans le monastère de Windesheim, et baptisée par Jean Busch, chroniqueur de Windesheim. Elle trouva son expression la plus accomplie dans l'*Imitation de Jésus-Christ*, attribuée à Thomas a Kempis. Cf. P. Debongnie, art. «"Dévotion moderne"», in *Dictionnaire de spiritualité...*, t. 3, 1957, col. 727-747 ; P. Chaunu, *Le Temps des réformes. La crise de la chrétienté, l'éclatement*, Paris, Fayard, 1975, p. 257 et 259-260, qui renvoie à E. Delaruelle, E. R. Labande & P. Ourliac, *Histoire de l'Église*, t. XIV, éd. Fliche & Martin, notamment p. 926 : «Le premier trait qui frappe, dans la *devotio moderna*, quand on la compare à la dévotion monastique traditionnelle, est qu'elle insiste plus sur la vie intérieure personnelle que sur la liturgie» (p. 259).

Cf. A. Hyma, *The Christian Renaissance : A History of the «Devotio moderna»*, Grand Rapids, Mich., 1924, 2 vol.

44. La restriction de l'isolement anachorétique fit l'objet, en Occident, de plusieurs canons conciliaires dès 465 (concile de Vannes; dispositions réitérées au concile d'Agde (506) et au concile d'Orléans (511)). Cf. N. Gradowicz-Pancer, «Enfermement monastique et privation d'autonomie dans les règles monastiques (v^e-vi^e siècles)», *Revue historique*, CCLXXXVIII/1, 1992, p. 5. Sur l'anachorèse égyptienne, cf. P. Brown, *Genèse de l'Antiquité tardive*, Paris, Gallimard («Bibliothèque des histoires»), 1983, ch. 4 : «Des cieux au désert : Antoine et Pacôme» (texte publié aux États-Unis en 1978, à partir de conférences prononcées à Harvard en 1976). Foucault connaissait sans doute, à cette date, les premiers articles de P. Brown sur la question (par exemple : «The rise and function of the Holy Man in late Antiquity», *Journal of Roman Studies*, 61, 1971, p. 80-101), ainsi que le livre de A. Voöbus, *A History of Asceticism in the Syrian Orient*, Louvain, CSCO, 1958-1960. Cf. également E. A. Judge, «The earliest use of "Monachos"», *Jahrbuch für Antike und Christentum*, 20, 1977, p. 72-89.

45. Cf. Cassien, *Conférences*, 18, ch. 4 et 8. Sur la question du choix entre vie anachorétique et vie monastique chez Cassien, cf. notamment l'introduction d'E. Pichery, p. 52-54, qui évoque la position de saint Basile, favorable à la forme cénobitique. (N. Gradowicz-Pancer, art. cité, p. 5 n. 13, renvoie également à 18, 8, p. 21-22, à propos des solitaires considérés comme de faux ermites); *La Règle de saint Benoît*, ch. 1 : «Des espèces de moines» (l'auteur distingue les cénobites, vivant en monastère sous une règle et un abbé, les anachorètes, désormais préparés au «combat singulier du désert» par la discipline acquise au sein du monastère, les sarabaïtes, qui «ont pour loi la volonté de leurs désirs», et les gyrovagues, «toujours errants et jamais stables»). Sur le passage du «désert», comme lieu de la vie parfaite, à l'éloge de la vie cénobitique dans la pensée de Cassien, cf. R. A. Markus, *The End of Ancient Christianity*, Cambridge, Cambridge University Press, 1990, ch. 11 : «City or Desert? Two models of community».

46. Sur l'ascèse, au sens strict d'*askêsis*, ou exercice, cf. *L'Herméneutique du sujet*, leçon du 24 février 1982, p. 301-302.

47. Ces exemples ne se trouvent pas dans les *Apophtegmata Patrum*, PG 65, trad. anglaise de B. Ward, *The Sayings of the Desert Fathers*, Oxford, Oxford University Press, 1975; trad. franç. incomplète de J.-Cl. Guy, *Paroles des Anciens, op. cit.*; trad. franç. intégrale de L. Regnault, *Les Sentences des Pères du Désert*, Solesmes, 1981.

48. Cf. *supra*, leçon du 22 février, p. 181-182.

49. Cf. *ibid.*, p. 179-180.

50. L'anecdote ne se trouve ni dans les *Institutions* de Cassien, ni dans les *Apophtegmata Patrum*, ni dans l'*Histoire lausiaque*.

51. On se souviendra, à la lecture de cette phrase, que Foucault effectua, quelques semaines après cette séance, un séjour au Japon au cours duquel il eut l'occasion de débattre, à Kyoto, «avec des spécialistes sur la mystique bouddhiste zen comparée aux techniques de la mystique chrétienne» (D. Defert, «Chronologie», *DE*, I, p. 53). Cf. «Michel Foucault et le zen : un séjour dans un temple zen» (1978), *DE*, III, n° 236, p. 618-624; cf. notamment p. 621, sur la différence entre le zen et le mysticisme chrétien, qui «vise l'individualisation» : «Le zen et la mysticisme chrétien sont deux choses qu'on ne peut pas comparer, tandis que la technique de la spiritualité chrétienne et celle du zen sont comparables.»

52. Henri Suso (1295?-1366), dominicain, béatifié en 1831; auteur de l'*Horologium sapientiae* et de plusieurs ouvrages écrits en allemand, la *Vie*, le *Livre de la Sagesse éternelle*, le *Livre de la Vérité* et le *Petit Livre des lettres*. Entré au couvent de Constance, à l'âge de treize ans, il suivit l'enseignement d'Eckhart à Cologne, et consacra sa vie à prêcher et diriger des moniales. Cf. J.-A. Bizet, *Le Mystique allemand Henri Suso et le déclin de la scolastique*, Paris, F. Aubier, 1946; Id., *Mystiques allemands du XIVᵉ siècle: Eckhart, Suso, Tauler*, s.l. [Paris], Aubier, s.d. [c. 1957], p. 241-289 (rééd. Aubier-Montaigne, «Bibliothèque de philologie germanique», 1971); Id., art. «Henri Suso», in *Dictionnaire de spiritualité...*, t. 7, 1968, col. 234-257; Dom F. Vandenbroucke, *in* Dom J. Leclercq *et al.*, *La Spiritualité du Moyen Âge*, p. 468-469.

53. *Vie*, XVI, in Bienheureux Henri Suso, *Œuvres complètes*, trad. et notes de J. Ancelet-Hustache, Paris, Le Seuil, 1977, p. 185: «Le jour de la Saint-Clément, quand commence l'hiver, il fit une fois une confession générale, et comme c'était en secret, il s'enferma dans sa cellule, se déshabilla jusqu'au sous-vêtement de crin, il prit sa discipline avec les piquants et se frappa sur le corps, les bras et les jambes, en sorte que le sang coula de haut en bas comme lorsqu'on scarifie. La discipline comportant en particulier une pointe recourbée comme un hameçon, elle mordait dans la chair et le déchirait. Il se frappa si fort que la discipline se brisa en trois morceaux, l'un lui resta dans la main et les pointes furent projetées contre les murs. Quand debout, tout sanglant, il se regarda, cette vue était si pitoyable qu'il ressemblait en quelque manière au Christ bien-aimé lorsqu'on le flagella cruellement. Il en eut une telle pitié de lui-même qu'il pleura de tout son cœur, il s'agenouilla dans le froid, ainsi nu et sanglant, et pria Dieu pour que, d'un regard de douceur, il efface ses péchés.»

54. Cf. *supra*, note 11.

55. Apparu en Italie, au milieu du XIIIᵉ siècle, le mouvement des flagellants – dont les membres pratiquaient l'autoflagellation, par esprit de pénitence – s'étendit en Allemagne, où il connut un essor important lors de la Peste Noire de 1348-49. Décrivant avec minutie le rituel de leurs processions, N. Cohn souligne l'attitude bienveillante de la population à leur égard. «Les flagellants étaient considérés et se considéraient eux-mêmes non pas comme de simples pécheurs qui expiaient leurs propres péchés, mais comme des martyrs qui assumaient les péchés du monde, détournant par là même la peste, voire l'anéantissement total de l'humanité» (*Les Fanatiques de l'Apocalypse*, p. 129). La flagellation, ainsi, était vécue comme une *imitatio Christi* collective. À partir de 1349, le mouvement évolua vers un millénarisme révolutionnaire, violemment opposé à l'Église, et prit une part active aux massacres de Juifs. La bulle du pape Clément VI (octobre 1349), condamnant ses erreurs et ses excès, entraîna son rapide déclin. Cf. P. Bailly, art. «Flagellants», in *Dictionnaire de spiritualité...*, t. 5, 1962, col. 392-408; N. Cohn, trad. citée, p. 121-143.

56. J. Wyclif, *De ecclesia*. La thèse est reprise par Jean Hus, qui affirme qu'un prêtre en état de péché mortel n'est plus un prêtre authentique (affirmation valant pour les évêques et le pape): «Les prêtres qui vivent dans le vice de quelque façon que ce soit souillent le pouvoir sacerdotal [...]. Personne n'est le représentant du Christ ou de Pierre, s'il n'imite pas également leurs mœurs» (propositions extraites des écrits de Hus, d'après la bulle de Martin V du 22 juillet 1418, citées par J. Delumeau, *Naissance et Affirmation de la Réforme*, Paris, PUF, «Nouvelle Clio», 2ᵉ éd. 1968, p. 63).

57. La chapelle des Saints Innocents de Bethléem, communément appelée Église de Bethléem, dans laquelle Jean Hus, à partir de mars 1402, entreprit sa prédication en langue tchèque.

58. Nous n'avons pu retrouver la source de ces deux citations.

59. Cf. *supra*, p. 206.

60. Cf. A. Michel, « Sacrements », *loc. cit.*, col. 593-614.

61. *Ibid.*, col. 594 : « La lettre d'Innocent III à Ymbert d'Arles (1201), insérée aux *Décrétales*, l. III, tit. III, 42, *Majores*, jette le blâme sur ceux qui prétendent que le baptême est conféré inutilement aux enfants, disant que la foi ou charité et les autres vertus ne peuvent leur être infusées, même en tant qu'*habitus*, parce qu'ils sont incapables de consentir. »

62. Cf. *supra*, note 25.

63. Cf. A. Jundt, *Les Amis de Dieu au quatorzième siècle*, Paris, Sandoz & Fischbacher, 1879, p. 188. Il s'agit de l'histoire d'Ursule, jeune fille du Brabant qui, sur les conseils d'une béguine, avait fait le choix en 1288 de la vie recluse et solitaire. Après s'être livrée pendant dix ans « aux pratiques les plus douloureuses de l'ascétisme, [...] elle fut avertie par Dieu de suspendre les "exercices extérieurs qu'elle s'imposait dans sa volonté propre", et de laisser son céleste époux diriger seul sa vie spirituelle par le moyen d'"exercices intérieurs". Elle obéit et ne tarda pas à être assaillie "par les tentations les plus affreuses et les plus impures". Après avoir vainement imploré l'assistance de Dieu, elle fit part de ses tourments à son confesseur, qui essaya d'abuser de sa naïve confiance en lui conseillant "par des discours subtils, pleins de mystère et d'obscurité", de satisfaire ses désirs charnels, afin de se débarrasser des tentations qui empêchaient l'action de Dieu en elle et mettaient son âme en péril. Indignée, elle chassa le prêtre de sa présence. La nuit suivante, Dieu lui reprocha vivement la faute qu'elle avait commise en révélant à un homme les secrets de sa vie intérieure que son époux seul devait connaître ; il l'accusa d'avoir par son imprudent "bavardage" fait tomber un honnête homme dans le péché. Rappelé par elle le lendemain, le confesseur s'amenda et redevint un homme d'une piété et d'une conduite exemplaires ».

64. Cf. N. Cohn, *Les Fanatiques de l'Apocalypse*, p. 157-163 ; G. Leff, *Heresy in the Later Middle Ages : The Relation of Heterodoxy to Dissent, c. 1250 - c. 1450*, Manchester, Manchester University Press, 1967, p. 308-407 (qui conteste, p. 309-310, la filiation suggérée ici par Foucault) ; R. E. Lerner, *The Heresy of the Free Spirit in the Later Middle Ages*, Berkeley, University of California Press, 1972.

65. Cf. *supra*, note 20, à propos des amauriciens.

66. Ulrich Engelbert de Strasbourg (1220/25-1277) fut un fervent disciple d'Albertle Grand, dont il suivit les cours à Paris, puis à Cologne. Il est l'auteur d'une œuvre gigantesque, la *Summa de summo bono* (cf. J. Daguillon, *Ulrich de Strasbourg, O. P. La Summa de Bono. Livre I. Introd. et édition critique*, Paris, « Bibliothèque thomiste » XII, 1930), qui constitue l'un des grands textes fondateurs de la théologie rhénane. Cf. E. Gilson, *La Philosophie au Moyen Âge*, Paris, Payot, 1922, rééd. « Petite Bibliothèque Payot », p. 516-519 ; A. de Libera, *La Mystique rhénane. D'Albert le Grand à Maître Eckhart*, Paris, ŒIL (« Sagesse chrétienne »), 1984 ; rééd. Paris, Le Seuil (« Points Sagesses »), 1994, p. 99-161.

67. Cf. J. Ancelet-Hustache, introd. à Suso, *O.C.*, p. 32 : « [...] Rulman Merswin (1307-82), un laïque, un banquier, un homme d'affaires, à qui sans doute est due la littérature apocryphe longtemps attribuée à l'Ami de Dieu de l'Oberland : il est donc,

si l'on veut, un pieux faussaire, mais enfin, il consacra sa fortune à la fondation des johannites de l'Île verte, à Strasbourg, et se retira du monde à quarante ans pour se consacrer entièrement à la vie spirituelle.» Cf. A. Jundt, *Rulman Merswin et l'Ami de Dieu de l'Oberland. Un problème de psychologie religieuse*, Paris, Fischbacher, 1890; Ph. Strauch, art. «Rulman Merswin und die Gottesfreunde», in *Realenzyklopädie für protestantische Theologie und Kirche*, t. 17, Leipzig, 1906, p. 203 *sq.*; J. M. Clark, *The Great German Mystics: Eckhart, Tauler and Suso*, Oxford, Blackwell, 1949, ch. V; F. Rapp, art. «Merswin (Rulman)», in *Dictionnaire de spiritualité...*, t. 10, 1979, col. 1056-1058.

68. Ce personnage légendaire de la littérature mystique du XIVe siècle n'a sans doute jamais existé. Depuis que le P. Denifle a démontré son caractère fictif («Der Gottesfreund im Oberland und Nikolaus von Basel. Eine kritische Studie», in *Histor.-polit. Blätter,* t. LXXV, Munich, 1875, contre Ch. Schmidt qui l'identifiait avec le bégard Nicolas de Bâle et a publié sous ce nom plusieurs œuvres attribuées à l'anonyme), les historiens se demandent qui se dissimule derrière sa figure et ses écrits. Selon A. Chiquot, art. «Ami de Dieu de l'Oberland», in *Dictionnaire de spiritualité...*, t. I, 1937, col. 492, tout porterait à croire que ce fut Rulman Merswin lui-même. Sur ce débat, cf. Dom F. Vandenbroucke, *in* Dom J. Leclercq *et al.*, *La Spiritualité du Moyen Âge*, p. 475. Voir également, outre les travaux cités dans la note précédente, l'ouvrage de W. Rath, *Der Gottesfreund vom Oberland, ein Menscheitsführer an der Schwelle der Neuzeit : sein Leben geschildert auf Grundlage der Urkundenbücher der Johanniterhauses «Zum Grünen Wörth» in Strassburg,* Zurich, Heitz, 1930, rééd. Stuttgart, 1955, auquel rend hommage H. Corbin dans le 4e tome de *En islam iranien*, Paris, Gallimard («Bibliothèque des idées»), 1978, p. 395 n. 72, pour avoir «sauvegardé la nature propre du fait spirituel», sans recourir à l'hypothèse de la supercherie littéraire. Foucault, qui emprunte l'anecdote du pacte d'obéissance au livre de A. Jundt (cf. note suivante), paru en 1879, ne distingue pas clairement les deux personnages. C'est en 1890, dans *Rulman Merswin et l'Ami de Dieu de l'Oberland* que Jundt répondit aux critiques de Denifle, acceptant la thèse selon laquelle l'Ami de Dieu de l'Oberland n'avait jamais existé (p. 45-50), mais réfutant les arguments tendant à établir que l'histoire de ce dernier n'avait été qu'une imposture de Merswin (p. 69-93).

69. Cf. A. Jundt, *Les Amis de Dieu au quatorzième siècle, op. cit.,* p. 175: «Au printemps de l'année 1352 fut conclu entre les deux hommes le pacte solennel d'amitié qui devait être si fertile en conséquences pour leur histoire ultérieure. L'engagement qu'ils contractèrent alors n'était cependant pas aussi unilatéral que le récit de Rulman Merswin semble l'indiquer [cf. p. 174, le récit de sa première entrevue avec l'Ami de Dieu de l'Oberland]. La vérité est qu'ils se soumirent l'un à l'autre "en place de Dieu", c'est-à-dire qu'ils promirent de s'élever mutuellement en toutes choses comme ils eussent obéi à Dieu lui-même. Ce rapport de soumission réciproque dura vingt-huit ans, jusqu'au printemps de l'année 1380.»

70. Cf. *supra,* note 13 (N. Cohn, toutefois, ne fait pas mention de la vie déréglée de Jeanne Dabenton).

71. Cf. «Qu'est-ce que la critique?», art. cité, p. 38-39.

72. Joachim de Flore (v. 1132-1202): moine cistercien, né à Célico, en Calabre. Il fonda en 1191 un ordre nouveau, la congrégation érémitique de Flore, approuvé par le pape en 1196. Fondée sur une exégèse allégorique de l'Écriture, sa doctrine des «trois âges» ou «trois états» de l'humanité – l'âge du Père (temps de la loi et de

l'obéissance servile, Ancien Testament), l'âge du Fils (temps de la grâce et de l'obéissance filiale, Nouveau Testament), l'âge de l'Esprit (temps d'une grâce plus abondante et de la liberté) – est exposée notamment dans sa *Concorde des deux Testaments / Concordia Novi ac Veteris Testamenti*. L'avènement du troisième âge, fruit de l'intelligence spirituelle des deux Testaments, devait être l'œuvre d'hommes spirituels *(viri spirituales)* dont les moines actuels n'étaient que les prédécesseurs. À l'Église sacerdotale et hiérarchisée se substituerait alors le règne monastique de la pure charité. Cf. N. Cohn, *Les Fanatiques de l'Apocalypse*, p. 101-104; Dom F. Vandenbroucke, *in* Dom J. Leclercq *et al., La Spiritualité du Moyen Âge*, p. 324-327.

# LEÇON DU 8 MARS 1978

*De la pastorale des âmes au gouvernement politique des hommes.*
*– Contexte général de cette transformation : la crise du pastorat et les insur-*
*rections de conduite au XVIe siècle. La Réforme protestante et la Contre-*
*Réforme. Autres facteurs. – Deux phénomènes remarquables : l'intensification*
*du pastorat religieux et la démultiplication de la question de la conduite,*
*sur les plans privé et public. – La raison gouvernementale propre à l'exer-*
*cice de la souveraineté. – Comparaison avec saint Thomas. – La rupture*
*du continuum cosmologico-théologique. – La question de l'art de gouver-*
*ner. – Remarque sur le problème de l'intelligibilité en histoire. – La raison*
*d'État (I) : nouveauté et objet de scandale. – Trois points de focalisation du débat*
*polémique autour de la raison d'État : Machiavel, la «politique», l'«État».*

Aujourd'hui, je voudrais enfin passer de la pastorale des âmes au
gouvernement politique des hommes. Il est bien entendu que je ne vais pas
essayer même d'esquisser la série des transformations par lesquelles on
a pu passer effectivement de cette économie des âmes au gouvernement
des hommes et des populations. Je voudrais, dans les journées qui vont
suivre, vous parler de quelques-unes des redistributions globales qui ont
sanctionné ce passage. Comme il faut tout de même rendre à la causalité
et au principe de causalité traditionnel un minimum d'hommage, j'ajouterai simplement que ce passage de la pastorale des âmes au gouvernement politique des hommes doit être restitué dans un certain contexte
que vous connaissez bien. Ça a d'abord été, bien sûr, la grande révolte
ou plutôt la grande série de ce qu'on pourrait appeler les révoltes pastorales du XVe et évidemment surtout du XVIe siècle, ce que j'appellerai, si
vous voulez, ces insurrections de conduite * dont la Réforme protestante
a été finalement à la fois la forme la plus radicale et la reprise en main,
donc ces insurrections de conduite dont il serait d'ailleurs fort intéressant

---

\* « Insurrections de conduite » : entre guillemets dans le manuscrit.

de retracer un peu l'histoire\*. Si on peut dire que fin XVᵉ - début XVIᵉ, les grands processus de bouleversement politiques et sociaux ont eu pour dimension principale les insurrections de conduite, en revanche je crois qu'il ne faudrait pas oublier que même dans les processus de bouleversement, même dans les processus révolutionnaires qui avaient de tout autres objectifs et de tout autres enjeux, la dimension de l'insurrection de conduite, la dimension de la révolte de conduite a toujours été présente. Encore très manifeste, bien sûr, dans la Révolution anglaise du XVIIᵉ siècle où toute l'explosion des différentes formes de communautés religieuses, d'organisation religieuse a été un des grands axes, un des grands enjeux de toutes les luttes. Mais, après tout, vous avez eu dans la Révolution française tout un axe, toute une dimension de la révolte, de l'insurrection de conduite, dans lesquelles, bien sûr, on peut dire que les clubs ont joué un rôle important, mais qui ont eu à coup sûr d'autres dimensions. Dans la Révolution russe de 1917 aussi, tout un côté insurrections de conduite, [dont]\*\* les soviets, les conseils ouvriers ont été une manifestation, mais une manifestation seulement. Et il serait assez intéressant de voir comment ces séries d'insurrections, de révoltes de conduite se sont propagées, de quels effets elles ont été sur les processus révolutionnaires eux-mêmes, comment ces révoltes de conduite ont été contrôlées, reprises en main, et quelle était leur spécificité, leur forme, leur loi interne de développement. Enfin bon, ça ce serait tout un champ d'études possibles. En tout cas, je voulais remarquer simplement que ce passage de la pastorale des âmes au gouvernement politique des hommes doit être replacé dans ce grand climat général de résistances, révoltes, insurrections de conduite\*\*\*.

Deuxièmement, il faut bien entendu rappeler les deux grands types de réorganisation de la pastorale religieuse, soit sous la forme des différentes communautés protestantes, soit sous la forme, bien sûr, de la grande Contre-Réforme catholique. Églises protestantes, Contre-Réforme catholique qui, les unes et les autres, ont réintégré beaucoup des éléments qui avaient été caractéristiques de ces contre-conduites dont je vous parlais tout à l'heure. La spiritualité, les formes intenses de dévotion, le recours à l'Écriture, la requalification au moins partielle de l'ascétisme et de la mystique, tout cela a fait partie de cette espèce de réintégration de la contre-conduite à l'intérieur d'un pastorat religieux organisé soit dans les

---

\* M. Foucault ajoute : car après tout il n'y a pas eu de ... *[phrase inachevée]*
\*\* M. F. : dans lesquelles
\*\*\* M. F. : au principe de conduite

Églises protestantes, soit dans la Contre-Réforme. Il faudrait aussi parler, bien sûr, des grandes luttes sociales qui ont animé, soutenu, prolongé ces insurrections pastorales. La guerre des paysans en est un exemple[1]. Il faudrait également parler de l'incapacité où étaient les structures féodales, et les formes de pouvoir liées aux structures féodales, à faire face à ces luttes et à les conclure ; et bien entendu, c'est archi-connu, reparler des nouvelles relations économiques et par conséquent politiques pour lesquelles les structures féodales ne pouvaient plus servir de cadre suffisant et efficace ; enfin, de la disparition des deux grands pôles de souveraineté historico-religieuse qui commandaient l'Occident et qui promettaient le salut, l'unité, l'achèvement du temps, ces deux grands pôles qui, au-dessus des princes et des rois, figuraient une sorte de grand pastorat à la fois spirituel et temporel, à savoir l'Empire et l'Église. C'est la dislocation de ces deux grands ensembles qui a été un des facteurs de la transformation dont je vous parlais.

En tout cas – et c'est à cela que j'arrêterai cette brève introduction –, je crois qu'il faut bien remarquer ceci : c'est que, au cours du XVIe siècle, on n'assiste pas à une disparition du pastorat. On n'assiste même pas au transfert massif et global des fonctions pastorales de l'Église vers l'État. On assiste en vérité à un phénomène beaucoup plus complexe et qui est celui-ci. D'une part, on peut dire qu'il y a une intensification du pastorat religieux, intensification de ce pastorat dans ses formes spirituelles, mais également dans son extension et dans son efficience temporelle. Aussi bien la Réforme que la Contre-Réforme ont donné au pastorat religieux un contrôle, une prise sur la vie spirituelle des individus beaucoup plus grande que par le passé : majoration des conduites de dévotion, majoration des contrôles spirituels, intensification du rapport entre les individus et leurs guides. Jamais le pastorat n'avait été aussi intervenant, n'avait eu tant de prise sur la vie matérielle, sur la vie quotidienne, sur la vie temporelle des individus : c'est la prise en charge par le pastorat de toute une série de questions, de problèmes concernant la vie matérielle, la propreté, l'éducation des enfants. Donc, intensification du pastorat religieux dans ses dimensions spirituelles et dans ses extensions temporelles.

D'autre part, on assiste aussi, au XVIe siècle, à un développement de la conduction des hommes en dehors même de l'autorité ecclésiastique, et là encore sous deux aspects, ou plus exactement sous toute une série d'aspects qui constituent comme un large éventail, depuis des formes proprement privées du développement du problème de la conduction – c'est la question : comment se conduire ? Comment se conduire soi-même ? Comment conduire ses enfants ? Comment conduire sa famille ? Il ne faut pas oublier qu'à ce moment-là apparaît, ou plutôt réapparaît une fonction fondamentale qui était la fonction de la philosophie, disons, à l'époque hellénistique et qui avait en somme disparu pendant tout le Moyen Âge, la philosophie comme réponse à la question fondamentale : comment se conduire ? Quelles règles se donner à soi-même pour se conduire comme il faut ; pour se conduire dans la vie quotidienne ; pour se conduire par rapport aux autres ; pour se conduire par rapport aux autorités, au souverain, au seigneur ; * pour conduire également son esprit, et le conduire là où il doit aller, à savoir à son salut bien sûr, mais aussi à la vérité ? [2] Et il faut bien voir que la philosophie de Descartes, si elle peut passer en effet pour le fondement de la philosophie, est aussi le point d'aboutissement de toute cette grande transformation de la philosophie qui la fait réapparaître à partir de la question : « Comment se conduire ? [3] » *Regulae ad directionem ingenii* [4], *meditationes* [5], tout cela ce sont des catégories, ce sont des formes de pratique philosophique qui étaient réapparues au XVIe siècle en fonction de cette intensification du problème de la conduite, le problème de conduire / se conduire comme problème fondamental réapparu à ce moment-là, ou prenant en tout cas à ce moment-là une forme non spécifiquement religieuse et ecclésiastique.

Également, apparition de cette conduction dans ce domaine que j'appellerai public. Cette opposition du privé et du public n'est pas encore bien pertinente, quoique ce soit sans doute dans la problématisation de la conduite et dans la spécification des différentes formes de conduite que l'opposition du privé et du public commence à se constituer à cette époque-là. En tout cas dans le domaine public, dans le domaine qu'on appellera plus tard politique, se pose aussi le problème : comment, dans quelle mesure l'exercice du pouvoir du souverain peut-il et doit-il se lester d'un certain nombre de tâches qui ne lui étaient pas jusqu'à présent reconnues et qui sont justement des tâches de conduction ? Le souverain qui règne, le souverain qui exerce sa souveraineté se voit, à partir de ce moment-là, chargé, confié, assigné à de nouvelles tâches, et ces nouvelles tâches, c'est celles précisément de la conduction des âmes. Il n'y a donc pas eu passage du pastorat religieux à d'autres formes de conduite, de conduction, de direction. Il y a eu en fait intensification, démultiplication, prolifération générale de cette question et de ces techniques de la conduite. Avec le XVIe siècle on entre dans l'âge des conduites, dans l'âge des directions, dans l'âge des gouvernements.

---

\* M. Foucault ajoute : pour se conduire aussi de façon convenable et décente, comme il faut

Et vous comprenez pourquoi il y a un problème qui, à cette époque-là, a pris une intensité plus grande encore que les autres, vraisemblablement parce qu'il était très exactement au point de croisement de ces différentes formes de conduction : conduction de soi-même et de sa famille, conduction religieuse, conduction publique par les soins ou sous le contrôle du gouvernement. Et c'est le problème de l'institution des enfants. Le problème pédagogique : comment conduire les enfants, comment les conduire jusqu'au point où ils sont utiles à la cité, les conduire jusqu'au point où ils pourront faire leur salut, les conduire jusqu'au point où ils sauront se conduire eux-mêmes – c'est ce problème-là qui a été vraisemblablement surchargé et surdéterminé par toute cette explosion du problème des conduites au xvie siècle. L'utopie fondamentale, le cristal, le prisme à travers lequel les problèmes de conduction se perçoivent, c'est celui de l'institution des enfants[6]. *

Ce dont je voudrais vous parler, ce n'est pas évidemment de tout ça, mais de ce point particulier que j'ai évoqué, à savoir : dans quelle mesure celui qui exerce le pouvoir souverain doit-il maintenant se charger de tâches nouvelles et spécifiques qui sont celles du gouvernement des hommes ? Deux problèmes aussitôt : premièrement, selon quelle rationalité, quel calcul, quel type de pensée pourra-t-on gouverner les hommes

---

* M. Foucault laisse ici de côté un long développement du manuscrit (p. 4-6) :
« Insister sur le fait que ces contre-conduites n'avaient pas pour objectif : comment se débarrasser du pastorat en général, de tout pastorat, mais plutôt : comment bénéficier d'un meilleur pastorat, comment être mieux guidé, plus sûrement sauvé, mieux maintenir l'obéissance, mieux approcher de la vérité. Plusieurs raisons. Celle-ci : c'est que le pastorat avait des effets individualisants : il promettait le salut à chacun et dans une forme individuelle ; il impliquait l'obéissance, mais comme un rapport d'individu à individu et garantissait par l'obéissance même l'individualité ; il permettait à chacun de connaître la vérité, mieux : sa vérité. L'homme occidental est individualisé à travers le pastorat dans la mesure où le pastorat le mène à son salut qui fixe pour l'éternité son identité, où le pastorat l'assujettit à un réseau d'obéissances inconditionnel [les], où il lui inculque la vérité d'un dogme au moment même où il lui extorque le secret de sa vérité intérieure. Identité, assujettissement, intériorité : l'individualisation de l'homme occidental pendant le long millénaire du pastorat chrétien s'est opérée au prix de la subjectivité. Par subjectivation. Il faut devenir sujet pour devenir individu (tous les sens du mot "sujet"). Or, dans la mesure même où il était facteur et agent d'individualisation, le pastorat créait un formidable appel, un appétit de pastorat : *[quelques mots illisibles]* comment devenir sujet sans être assujetti ? Énorme désir d'individualité, bien antérieur à la conscience bourgeoise et qui oppose radicalement le christianisme au bouddhisme (absence de pastorat / mystique *[un mot illisible]*, désindividualisation). La grande crise du pastorat et les assauts des contre-conduites qui ont pressé cette crise ne menaient pas à un rejet global de toute conduite, mais à une recherche démultipliée pour être conduit, mais comme il faut et où il faut. D'où la démultiplication des "besoins de conduite" au xvie siècle. »

dans le cadre de la souveraineté ? Problème donc du type de rationalité. Deuxièmement, problème du domaine et des objets : sur quoi spécifiquement doit porter ce gouvernement des hommes, qui n'est pas celui de l'Église, qui n'est pas celui du pastorat religieux, qui n'est pas d'ordre privé, mais qui est de la tâche et du ressort du souverain et du souverain politique ? Eh bien aujourd'hui, je voudrais vous parler de la première question, c'est-à-dire du problème de la rationalité. C'est-à-dire : selon quelle rationalité le souverain doit-il gouverner ? Et pour parler latin, parce que vous savez que j'aime bien parler latin, je dirai : par différence avec la *ratio pastoralis,* quelle doit être la *ratio gubernatoria* ? *

Bon, alors la raison gouvernementale. Je voudrais, pour essayer d'expliquer un petit peu ça, revenir un instant à la pensée scolastique, très exactement à saint Thomas et au texte dans lequel il explique ce que c'est que le pouvoir royal[7]. Il faut bien se rappeler une chose, c'est que saint Thomas n'a jamais dit que le souverain n'était qu'un souverain, qu'il n'avait qu'à régner et qu'il n'était pas dans ses tâches de gouverner. Au contraire, il a toujours dit que le roi devait gouverner. Il donne même une définition du roi : le roi, c'est « celui qui gouverne le peuple d'une seule cité et d'une seule province, et cela en vue du bien commun[8] ». C'est celui qui gouverne le peuple. Mais je crois que [l']important, c'est que ce gouvernement du monarque, selon saint Thomas, n'a pas de spécificité par rapport à l'exercice de la souveraineté. Entre être souverain et gouverner, aucune discontinuité, aucune spécificité, aucun partage entre les deux fonctions. Et d'autre part, pour définir ce en quoi consiste ce gouvernement que doit assurer le monarque, le souverain, saint Thomas s'appuie sur toute une série de modèles externes, ce que j'appellerai, si vous voulez, des analogies du gouvernement.

Des analogies du gouvernement, c'est-à-dire ? Le souverain, dans la mesure où il gouverne, ne fait pas autre chose que reproduire un certain modèle, [qui] est tout simplement le gouvernement de Dieu sur la terre. Saint Thomas explique : en quoi consiste l'excellence d'un art ? Dans quelle mesure un art est-il excellent ? Ça sera dans la mesure où il imite la nature[9]. Or la nature est régie par Dieu, car Dieu a créé la nature et il ne cesse de la gouverner tous les jours[10]. L'art du roi sera excellent dans la mesure où il imitera la nature, c'est-à-dire où il fera comme Dieu. Et tout comme Dieu a créé la nature, le roi sera celui qui fondera l'État ou la cité, et puis tout comme Dieu gouverne la nature, le roi gouvernera son État, sa cité, sa province. Donc, première analogie avec Dieu.

---

* M. Foucault ajoute : Ceux qui savent le latin … *[fin de phrase inaudible]*

Deuxième analogie, deuxième continuité : avec la nature elle-même. Il n'y a rien, dit saint Thomas, dans le monde, ou en tout cas aucun animal vivant dont le corps ne serait aussitôt exposé à la perte, à la dissociation, à la décomposition, s'il n'y avait en lui une certaine force directrice, une certaine force vitale qui fait tenir ensemble ces différents éléments dont sont composés les corps vivants et qui les ordonne tous au bien commun. S'il n'y avait pas une force vivante, l'estomac partirait de son côté, les jambes de l'autre, etc. [11]. Il en est de même dans un royaume. Chaque individu dans un royaume tendrait à son bien propre, car précisément tendre à son bien propre est une des caractéristiques, un des traits essentiels de l'homme. Chacun tendrait à son bien propre et négligerait par conséquent le bien commun. Il faut donc qu'il y ait dans le royaume quelque chose qui corresponde à ce qu'est la force vitale, la force directrice dans l'organisme, et ce quelque chose qui va rabattre les tendances de chacun à son bien propre vers le bien commun, ça va être le roi. « Comme dans n'importe quelle multitude, dit saint Thomas, il faut une direction chargée de régler et de gouverner [12]. » C'est la seconde analogie, analogie donc du roi avec la force vitale d'un organisme.

Enfin, troisième analogie, troisième continuité avec le pasteur et avec le père de famille, car, dit saint Thomas, la fin dernière de l'homme, ce n'est pas évidemment d'être riche, ce n'est même pas d'être heureux sur la terre, ce n'est pas d'être en bonne santé. Ce vers quoi tend l'homme finalement, c'est la félicité éternelle, c'est la jouissance de Dieu. La fonction royale doit être quoi ? Elle doit être de procurer le bien commun de la multitude suivant une méthode qui soit capable de lui faire obtenir la béatitude céleste [13]. Et dans cette mesure-là, on voit que fondamentalement, substantiellement, la fonction du roi n'est pas différente de celle du pasteur à l'égard de ses ouailles, ni même du père de famille à l'égard de sa famille. Il faut qu'il fasse en sorte, dans les décisions terrestres et temporelles qu'il prend, que le salut éternel de l'individu non seulement ne soit pas compromis, mais soit possible. Vous voyez donc : analogie avec Dieu, analogie avec la nature vivante, analogie avec le pasteur et le père de famille, vous avez toute une sorte de continuum, de continuum théologico-cosmologique qui est ce au nom de quoi le souverain est autorisé à gouverner et qui offre des modèles selon lesquels le souverain doit gouverner. Si dans le prolongement même, dans la continuité ininterrompue de l'exercice de sa souveraineté, le souverain peut et doit gouverner, c'est dans la mesure où il fait partie de ce grand continuum qui va de Dieu au père de famille en passant par la nature et les pasteurs. Donc, aucune rupture. Ce grand continuum de la souveraineté au gouvernement n'est pas autre chose que la traduction, dans l'ordre entre guillemets « politique », de ce continuum de Dieu aux hommes.

Je crois que c'est ce grand continuum, présent dans la pensée de saint Thomas et justifiant le gouvernement des hommes par le roi, qui va être brisé au XVIe siècle. Continuum brisé, je ne veux pas dire du tout par cela que le rapport du souverain ou de celui qui gouverne à Dieu, à la nature, au père de famille, au pasteur religieux se soit rompu. Au contraire, sans cesse on voit [... *]. Et on les trouvera d'autant plus posés, justement, qu'il s'agira de les réévaluer, de les établir à partir d'autre chose et selon une tout autre économie, parce que je crois que ce qui caractérise la pensée politique à la fin du XVIe siècle et au début du XVIIe siècle, c'est justement la recherche et la définition d'une forme de gouvernement qui soit spécifique par rapport à l'exercice de la souveraineté. Disons d'un mot, pour prendre un petit peu de recul et faire des grandes fictions, qu'il y a eu une sorte de chiasme, une sorte de croisement fondamental qui serait celui-ci. Au fond, l'astronomie de Copernic et de Kepler, la physique de Galilée, l'histoire naturelle de John Ray [14], la grammaire de Port-Royal [15]... eh bien un des grands effets de toutes ces pratiques discursives, de toutes ces pratiques scientifiques – je ne vous parle là que d'un des innombrables effets de ces sciences –, ** cela a été de montrer qu'au fond Dieu ne régit le monde que par des lois générales, des lois immuables, des lois universelles, des lois simples et intelligibles et qui étaient accessibles soit sous la forme de la mesure et de l'analyse mathématique, soit sous la forme de l'analyse classificatoire dans le cas de l'histoire naturelle, ou de l'analyse logique dans le cas de la grammaire générale. Dieu ne régit le monde que par des lois générales, immuables, universelles, simples, intelligibles – c'est-à-dire quoi ? C'est-à-dire que Dieu ne le gouverne *** pas. Il ne le gouverne pas sur le mode pastoral. Il règne souverainement sur le monde à travers des principes.

Parce que : qu'est-ce que c'est au fond que gouverner le monde pastoralement ? Si on réfère à ce que je disais il y a quinze jours à propos de l'économie spécifique du pouvoir pastoral [16], économie spécifique portant sur le salut, économie spécifique portant sur l'obéissance, économie spécifique portant sur la vérité, si on applique ce schéma à Dieu, si Dieu gouvern[ait] pastoralement le monde, et tant que Dieu [l']a gouverné pastoralement, cela voulait dire que le monde était soumis à une économie

---

  * Suivent quelques mots inaudibles.
 ** M. Foucault ajoute : un des effets de ces nouvelles configurations de savoir
*** Mot entre guillemets dans le manuscrit, p. 10.

du salut, c'est-à-dire qu'il était fait pour que l'homme fasse son salut. C'est-à-dire, plus précisément encore, que les choses du monde étaient faites pour l'homme et que l'homme n'était pas fait pour vivre dans ce monde, en tout cas n'était pas fait pour vivre définitivement dans ce monde, mais pour passer dans un autre monde. Le monde gouverné pastoralement selon l'économie du salut était [donc] un monde de causes finales qui culminaient vers un homme qui lui-même devait y faire son salut. Causes finales et anthropocentrisme, c'était bien ça qui était une des formes, une des manifestations, un des signes du gouvernement pastoral de Dieu sur le monde.

Gouverner le monde pastoralement, cela voulait dire, [deuxièmement,] que le monde était soumis à toute une économie de l'obéissance : chaque fois que Dieu, pour une raison particulière – car vous savez bien que l'obéissance pastorale prend fondamentalement la forme du rapport individuel –, chaque fois que Dieu voulait intervenir pour une raison quelconque, quand il s'agissait du salut ou de la perte de quelqu'un ou dans une circonstance ou une conjoncture particulière, il intervenait dans ce monde selon l'économie de l'obéissance. C'est-à-dire qu'il obligeait les êtres à manifester sa volonté par des signes, prodiges, merveilles, monstruosités qui étaient autant de menaces de châtiment, de promesses de salut, de marques d'élection. Une nature pastoralement gouvernée, c'était donc une nature peuplée de prodiges, de merveilles et de signes.

Enfin troisièmement, un monde pastoralement gouverné était un monde dans lequel il y avait toute une économie de vérité, comme ça se trouve dans le pastorat : de vérité enseignée d'une part, de vérité cachée et extraite de l'autre. C'est-à-dire que dans un monde pastoralement gouverné, il y avait des formes en quelque sorte d'enseignement. Le monde était un livre, un livre ouvert dans lequel on pouvait découvrir la vérité, ou plutôt dans lequel la vérité, les vérités s'enseignaient elles-mêmes, et elles s'enseignaient essentiellement sous la forme du renvoi réciproque de l'une à l'autre, c'est-à-dire de la ressemblance et de l'analogie. Et c'était en même temps un monde à l'intérieur duquel il fallait déchiffrer des vérités qui étaient cachées, et qui se donnaient en se cachant et se cachaient en se donnant, c'est-à-dire que c'était un monde qui était rempli de chiffres, de chiffres qu'il s'agissait de décoder.

Un monde entièrement finaliste, un monde anthropocentré, un monde de prodiges, de merveilles et de signes, un monde enfin d'analogies et de chiffres [17], c'est cela qui constitue la forme manifeste d'un gouvernement pastoral de Dieu sur ce monde. Or c'est cela qui disparaît – à quelle époque ? Très exactement entre les années 1580 et 1650, au moment de la fondation même de l'*épistémè* classique [18]. C'est cela qui disparaît, ou si vous voulez, en un mot, on peut dire que le déploiement d'une nature intelligible dans laquelle les causes finales petit à petit vont s'effacer, l'anthropocentrisme va être mis en question, un monde qui sera purgé de ses prodiges, de ses merveilles et de ses signes, un monde qui se déploiera selon des formes d'intelligibilité mathématiques ou classificatoires qui ne passeront plus par l'analogie et le chiffre, tout cela correspond à ce que j'appellerai, pardonnez le mot, une dégouvernementalisation du cosmos.

Or à la même époque, exactement, 1580-1660, va se développer un tout autre thème qui est celui-ci : ce qui fait le propre du souverain, dans l'exercice de sa souveraineté, par rapport à ses sujets, ce n'est pas qu'il a seulement à prolonger sur terre une souveraineté divine qui se répercuterait en quelque sorte dans le continuum de la nature. Il a une tâche spécifique et que personne d'autre n'a [à remplir]*. Ni Dieu par rapport à la nature, ni l'âme par rapport au corps, ni le pasteur ou le père de famille par rapport à ses ouailles ou à ses enfants. Quelque chose d'absolument spécifique : cette action, c'est celle qui consiste à gouverner et pour laquelle il n'a pas à trouver de modèle, ni du côté de Dieu ni du côté de la nature. Cette émergence de la spécificité du niveau et de la forme du gouvernement, c'est cela qui se traduit par la problématisation nouvelle, à la fin du xvie, de ce qu'on appelait la *res publica,* la chose publique. Disons, là encore d'un mot, que vous avez un phénomène, tout un processus de gouvernementalisation de la *res publica.* On demande au souverain de faire plus qu'exercer la souveraineté et on lui demande, en faisant plus qu'exercer sa pure et simple souveraineté, de faire autre chose que Dieu par rapport à la nature, que le pasteur par rapport à ses ouailles, que le père de famille par rapport à ses enfants ou le berger par rapport à son troupeau. En somme, on lui demande un supplément par rapport à la souveraineté et on lui demande une différence, une altérité par rapport au pastorat. Et le gouvernement, c'est ça. C'est plus que la souveraineté, c'est un supplément par rapport à la souveraineté, c'est autre chose que le pastorat, et ce quelque chose qui n'a pas de modèle, qui doit se chercher son modèle, c'est l'art de gouverner. Quand on aura trouvé l'art de gouverner, on saura selon quel type de rationalité on pourra faire cette opération qui n'est ni la souveraineté ni le pastorat. D'où l'enjeu, d'où la question fondamentale de cette fin du xvie siècle : qu'est-ce que c'est que l'art de gouverner ?

---

* Conjecture ; un ou deux mots inaudibles.

Résumons tout cela. On a donc, d'un côté, un niveau par lequel* on peut dire que la nature se coupe du thème gouvernemental. On aura maintenant une nature qui ne tolère plus aucun gouvernement, qui ne tolère plus que le règne d'une raison qui est finalement en commun la raison et de Dieu et des hommes. C'est une nature qui ne tolère que le règne d'une raison qui lui a fixé une fois pour toutes – quoi? On ne dit pas des «lois», – enfin bon, on peut voir l'apparition du mot «loi» là-dedans, lorsqu'on se place encore du point de vue juridico-épistémologique –, c'est ce qu'on n'appelle pas encore «lois», [mais] «principes», *principia naturae*. Et d'un autre côté, on a une souveraineté sur les hommes qui est appelée à se charger, à se lester de quelque chose de spécifique qui n'est pas contenu directement en elle, qui obéit à un autre modèle et à un autre type de rationalité, et ce quelque chose de plus, c'est le gouvernement, le gouvernement qui doit se chercher sa raison. *Principia naturae* d'une part, de l'autre la raison de ce gouvernement, *ratio*, – là vous connaissez l'expression –, *ratio status*. C'est la raison d'État. Principes de la nature et raison d'État. Et comme les Italiens sont toujours d'un pas en avance sur nous et sur tout le monde, c'est eux qui ont défini les premiers la raison d'État. Botero, dans un texte de la fin du XVIᵉ siècle [19], écrit ceci: «L'État est une ferme domination sur les peuples» – vous voyez, aucune définition territoriale de l'État, ce n'est pas un territoire, ce n'est pas une province, ou un royaume, c'est seulement des peuples et une ferme domination – «l'État est une ferme domination sur les peuples». La raison d'État, – et il définit la raison d'État pas du tout au sens étroit que nous lui donnons maintenant –, «c'est la connaissance des moyens propres à fonder, à conserver et à agrandir une telle domination». Mais, ajoute Botero (on y reviendra plus tard), «elle embrasse, cette raison d'État, beaucoup plus encore la conservation de l'État que sa fondation ou son extension et plus encore son extension que sa fondation proprement dite [20]». C'est-à-dire qu'il fait de la raison d'État le type de rationalité qui va permettre de maintenir et de conserver l'État à partir du moment où il est fondé, dans son fonctionnement quotidien, dans sa gestion de tous les jours. *Principia naturae* et *ratio status,* principes de la nature et raison d'État, nature et État, nous avons là, enfin constitués ou enfin séparés, les deux grands référentiels des savoirs et des techniques qui sont donnés à l'homme occidental moderne.

Remarque de pure méthode. Vous me direz: c'est très gentil d'avoir comme ça indiqué l'apparition de ces deux éléments, leur corrélation,

---

* Ces trois derniers mots sont difficilement audibles.

le jeu de croisement, le chiasme qui s'est produit, mais vous ne l'expliquez pas. Bien sûr, je ne l'explique pas, pour tout un tas de raisons. Seulement, je voudrais poser tout de même une question. Par explication, si on me demande d'exhiber la source unique d'où seraient censés dériver et la nature et l'État et la séparation de la nature et de l'État, et la séparation des *principiae naturae* et de la *ratio status,* si on me demande en somme de trouver ce un qui va se diviser en deux, je mettrai aussitôt les pouces. Mais est-ce que l'intelligibilité, l'intelligibilité qu'il faudrait établir ou qu'il faut peut-être établir en histoire, est-ce qu'il n'y a pas d'autres moyens pour la constituer ? Est-ce que l'intelligibilité ne devrait pas procéder autrement que par la recherche de ce un qui se diviserait en deux ou qui produirait le deux ? Est-ce qu'on ne pourrait pas, par exemple, partir justement non pas de l'unité, non pas même de cette dualité nature-État, mais de la multiplicité de processus extraordinairement divers où on trouverait justement ces résistances au pastorat, ces insurrections de conduite, où on trouverait le développement urbain, où on trouverait le développement de l'algèbre, les expériences sur la chute des corps [... *] ? Et il s'agirait d'établir l'intelligibilité des processus dont je vous parle, en montrant quels ont été les phénomènes de coagulation, d'appui, de renforcement réciproque, de mise en cohésion, d'intégration ; bref, tout le faisceau des processus, tout le réseau des relations qui ont finalement induit comme effet de masse la grande dualité, à la fois coupe et césure, d'une nature, d'une part, qui ne peut être comprise si on lui suppose un gouvernement, qui ne peut donc être comprise que si on l'allège d'un gouvernement pastoral et si on ne lui reconnaît, pour la régir, que la souveraineté de quelques principes fondamentaux, et puis d'autre part une république qui, elle, ne peut être maintenue que si, justement, on la dote d'un gouvernement et d'un gouvernement qui va bien au-delà de la souveraineté. Au fond, l'intelligibilité en histoire ne réside peut-être pas dans l'assignation d'une cause toujours plus ou moins métaphorisée dans la source. L'intelligibilité en histoire résiderait peut-être dans quelque chose qu'on pourrait appeler la constitution ou la composition des effets. Comment se composent des effets globaux, comment se composent des effets de masse ? Comment s'est constitué cet effet global qu'est la nature ? Comment s'est constitué l'effet État à partir de mille processus divers dont j'ai essayé simplement de vous indiquer quelques-uns ? Le problème, c'est de savoir comment se sont constitués ces deux effets, comment ils se sont constitués dans leur dualité et selon l'opposition, je crois,

---

* Deux ou trois mots inaudibles.

essentielle entre l'agouvernementalité («1» apostrophe) de la nature et la gouvernementalité de l'État. Là est le chiasme, là est le croisement, là est l'effet global, mais cette globalité n'est justement qu'un effet, et c'est dans ce sens de la composition de ces effets massifs qu'il faudrait faire jouer l'analyse historique. Je n'ai pas besoin de vous dire que dans tout ceci, aussi bien ces quelques réflexions de méthode à peine esquissées que dans le problème général du pastorat et de la gouvernementalité dont je vous ai parlé jusqu'à présent, je me suis inspiré et je dois un certain nombre de choses aux travaux de Paul Veyne – dont vous connaissez, en tout cas dont il faut absolument que vous connaissiez le livre sur *Le Pain et le Cirque*[21] –, qui a fait sur le phénomène de l'évergétisme dans le monde antique une étude qui est pour moi, actuellement, le modèle dont je m'inspire pour essayer de parler de ces problèmes : pastorat et gouvernementalité[22].

Alors maintenant, parlons de cette raison d'État, de cette *ratio status*. Quelques remarques préliminaires. Cette raison d'État, au sens plein, au sens large qu'on a vu apparaître dans le texte de Botero, cette raison d'État, elle a immédiatement été perçue à l'époque même comme une invention, comme une innovation en tout cas, et qui avait le même caractère tranchant et abrupt que la découverte, cinquante ans auparavant, de l'héliocentrisme, que la découverte de la loi de la chute des corps un peu après, etc. Autrement dit, cela a bien été perçu comme une nouveauté. Ce n'est pas un regard rétrospectif, comme celui qui serait apte simplement à dire : tiens, il s'est passé finalement là quelque chose qui est sans doute important. Non. Les contemporains eux-mêmes, c'est-à-dire pendant toute cette période fin XVIe-début XVIIe, tout le monde a perçu qu'on avait affaire là à une réalité ou à quelque chose en tout cas, à un problème qui était absolument nouveau. Et dans un texte absolument fondamental de Chemnitz – Chemnitz est un personnage qui a publié, sous le pseudonyme de Hippolite a Lapide, un texte destiné en fait aux négociateurs du traité de Westphalie[23], et [qui] concerna[it] les rapports entre l'Empire allemand et les différents États (le background historique de tout cela, un des backgrounds historiques essentiels, c'est le problème de l'Empire et de l'administration de l'Empire)[24] –, dans ce texte qui a paru en latin sous le titre *Ratio status* et qui a été traduit en français bien plus tard, en 1711 ou [17]12, alors dans un autre contexte historique et toujours à propos de l'Empire finalement, sous le titre *Les Intérêts des princes allemands* (la traduction a l'air d'une trahison, mais en fait elle ne l'est pas : la *ratio status*, c'est bien l'intérêt des princes allemands), Chemnitz écrit ceci, donc pendant la paix de Westphalie, 1647-48 : « On entend tous les jours une infinité de gens qui parlent de la raison d'État. Tout le monde s'en mêle, aussi bien ceux qui sont ensevelis dans la poussière des écoles que ceux qui remplissent les charges de la magistrature[25]. » C'était donc encore une nouveauté, une nouveauté à la mode en 1647. Fausse nouveauté, diront les uns ; fausse nouveauté car, disent-ils, en fait la raison d'État, elle a toujours fonctionné. Il suffit de lire les historiens de l'Antiquité pour bien voir qu'il n'était question à ce moment-là que de la raison d'État. Tacite, de quoi parle-t-il ? De la raison d'État[26]. De quoi montre-t-il le fonctionnement ? De la raison d'État. D'où, cet extraordinaire réinvestissement de la pensée politique dans le matériau historique – [chez] les historiens latins et surtout chez Tacite – pour savoir si effectivement on n'avait pas là un modèle de la raison d'État et la possibilité d'extraire de ces textes un secret au fond mal connu, un secret enfoui, oublié pendant tout le Moyen Âge et qui serait restitué par une bonne lecture de Tacite. Tacite comme bible de la raison d'État. D'où, le formidable retour à l'histoire pendant ces années-là.

D'autres, au contraire, disent : pas du tout, il y a une nouveauté, une nouveauté radicale, et ce n'est pas chez les historiens qu'il faut regarder, mais bel et bien autour de nous, ou encore dans les pays étrangers, pour savoir ce qui s'y passe, et c'est l'analyse de ce qu'il y a de contemporain qui permettra de déterminer comment fonctionne la raison d'État. [... *] Et là il faut citer Chemnitz, parce que c'est vraiment un des plus intéressants, celui qui a parfaitement perçu quel rapport..., enfin, en tout cas envisagé une analogie entre ce qui se passait dans le domaine des sciences et ce qui se passait dans le domaine de la raison d'État. Et il dit : bien sûr la raison d'État, elle a toujours existé, si on entend par raison d'État le mécanisme même par lequel les États peuvent fonctionner[27], mais il a fallu un instrument intellectuel absolument nouveau pour la détecter et l'analyser, tout comme il existe des étoiles qu'on n'a jamais vues, et il a fallu attendre, pour les voir, l'apparition d'un certain nombre d'instruments et de lunettes. « Les mathématiciens modernes, dit Chemnitz, ont découvert avec leurs lunettes de nouvelles étoiles dans le firmament et des taches dans le soleil. Les nouveaux politiques ont eu de même leurs lunettes, par le moyen desquelles ils ont découvert ce que les Anciens ne connaissaient pas ou nous avaient caché avec tant de soin[28]. »

Innovation donc, immédiatement perçue, de cette raison d'État, innovation et scandale, et tout comme les découvertes de Galilée – inutile de

---

* Quelques mots inaudibles.

revenir là-dessus – ont provoqué dans le champ de la pensée religieuse le scandale que vous savez, de la même façon la *ratio status* a provoqué un scandale au moins aussi grand. Bien sûr, le fonctionnement réel, le fonctionnement historique et politique de ce scandale a été tout autre, dans la mesure où on avait derrière tout cela et le problème du partage entre les Églises protestantes et l'Église catholique, [et] le problème de la gestion, par des souverains qui se disaient catholiques, d'États dans lesquels fonctionnait la tolérance, comme en France. Du fait, d'ailleurs, que les tenants les plus rigoureux et les plus ardents de la raison d'État ont été, en France au moins, des personnages comme Richelieu et Mazarin, qui n'étaient peut-être pas d'une piété intense mais étaient du moins recouverts de la pourpre, le scandale religieux provoqué par cette apparition de la notion, du problème, de la question de la raison d'État a été tout à fait différent de ce qu'on peut voir dans le cas de la physique galiléenne. En tout cas scandale, scandale au point qu'il y a un pape qui s'appelait Pie V et qui a dit : mais la *ratio status,* ce n'est pas du tout la raison d'État. *Ratio status,* c'est *ratio diaboli,* c'est la raison du diable [29]. Et il y a eu toute une littérature contre la raison d'État qui était inspirée, en France, à la fois par une sorte de catholicisme, j'allais dire : intégriste, en tout cas un catholicisme qui était d'une part ultramontain, pro-espagnol et, [d'autre part], opposé à la politique de Richelieu. Cette série de pamphlets a été fort bien repérée et étudiée par Thuau dans son gros livre sur la pensée politique sous Richelieu [30]. Je vous y renvoie et j'en extrais simplement cette citation d'un révérend père Claude Clément, qui était, je crois, un jésuite et qui était lié, mais je ne sais pas jusqu'à quel point et dans quelle mesure, avec les Espagnols – était-il passé en Espagne, était-il simplement un agent espagnol, je ne sais pas –, en tout cas il a écrit en 1637 un livre qui s'appelle *Le Machiavélisme égorgé, Machiavellismus jugulatus,* et dans lequel il dit, dès le début, ceci : « Réfléchissant sur la secte des Politiques, je ne sais ce que je dois en dire, ce que je dois en taire et de quel nom je dois l'appeler. La désignerai-je comme un Polythéisme ? Oui, sans doute, parce que le Politique respecte toute chose et n'importe quoi par la seule raison politique. L'appellerai-je Athéisme ? Ce serait juste, car le Politique a un respect de commande que détermine la seule raison d'État ; il change de couleur et de peau, plus capable de transformations que Protée. La nommerai-je [toujours cette secte des Politiques ; M. F.] Statolâtrie ? Ce serait le nom le plus juste. Si dans son indifférence générale le Politique respecte quelque chose, c'est pour accorder les hommes à je ne sais quelle divinité, Dieu ou Déesse, que les Grecs anciens invoquaient sous le nom de Cité, que les Romains invoquaient sous le nom de République ou d'Empire et que les gens d'aujourd'hui invoquent sous le nom d'État. Voilà la seule divinité des Politiques, voilà le nom le plus juste pour les désigner[31]. » Et je vous renverrai aussi – enfin, il y a une littérature immense, encore une fois vous la trouverez chez Thuau – au titre simplement d'un texte qui est encore plus tardif, qui date de 1667, et qui a été écrit par un certain Raymond de Saint-Martin. Le titre du livre est simplement celui-ci : *La Vraie Religion en son jour contre toutes les erreurs contraires des athées, des libertins, des mathématiciens et de tous les autres*[32] *qui établissent le Destin et la Fatalité, des païens, des juifs, des mahométans, des sectes des hérétiques en général, des schismatiques, des machiavélistes et des politiques*[33].

Alors, dans ces diatribes, je voudrais retenir trois mots. Premièrement, le mot de « Machiavel », deuxièmement le mot de « politique », troisièmement bien sûr le mot d'« État ». Machiavel d'abord. J'avais essayé dans un cours précédent[34] de vous montrer qu'en fait l'art de gouverner que cherchaient si fort les gens du XVIᵉ et du XVIIᵉ siècle, cet art de gouverner, il ne pouvait pas se trouver chez Machiavel pour l'excellente raison qu'il n'y était pas et qu'il n'y était pas parce que je crois que le problème de Machiavel n'est pas justement la conservation de l'État en lui-même. Je pense que vous verrez cela mieux la prochaine fois, quand on abordera intérieurement ce problème de la raison d'État. Ce que Machiavel cherche à sauver, à sauvegarder, ce n'est pas l'État, c'est le rapport du Prince à ce sur quoi il exerce sa domination, c'est-à-dire que ce qu'il s'agit de sauver, c'est la principauté comme rapport de pouvoir du Prince à son territoire ou à sa population. C'est donc tout à fait autre chose. Il n'y a pas, je crois, d'art de gouverner chez Machiavel. Il n'en reste pas moins que Machiavel – et alors là, il faudrait nuancer énormément ce que je vous ai dit la première fois, [à savoir] que Machiavel avait finalement été récusé au moment de l'art de gouverner, c'est plus compliqué que ça et c'était finalement faux –, il est au centre du débat, Machiavel. Il est au centre du débat avec des valeurs diverses, tantôt négatives, tantôt au contraire positives. En fait, il est au centre du débat pendant toute cette période de 1580 à 1650-1660. Il est au centre du débat dans la mesure non pas du tout où ça passe par lui, mais dans la mesure où ça se dit à travers lui. Ce n'est pas par lui que ça se passe, ce n'est pas par lui et ce n'est pas chez lui qu'on va trouver un art de gouverner. Ce n'est pas lui qui a défini l'art de gouverner, mais c'est à travers ce qu'il a dit que l'on va chercher ce que c'est que l'art de gouverner. Après tout, ce phénomène de discours où l'on va chercher ce qui se passe alors qu'on ne cherche en fait qu'à dire quelque chose à travers lui, n'est pas un phénomène unique. Notre Machiavel à nous, de ce point de vue-là, c'est bien Marx : ça ne passe pas par lui, mais ça se dit à travers lui.

Eh bien, comment ça se dit-il à travers lui ? Les adversaires de la raison d'État, ces catholiques, pro-espagnols, anti-Richelieu, tous ceux-là disent aux tenants de la raison d'État et à ceux qui cherchent la spécificité d'un art de gouverner : vous prétendez qu'il y a un art de gouverner bien autonome, bien spécifique, différent de l'exercice de la souveraineté, différent aussi de la gestion pastorale. Mais cet art de gouverner dont vous prétendez qu'il existe, qu'il faut le trouver, qu'il est rationnel, qu'il est ordonné au bien de tous, qu'il est d'un autre type que les lois de Dieu ou les lois de la nature, regardez un peu, cet art de gouverner, en fait, il n'existe pas, il n'a pas de consistance. Il ne peut définir rien d'autre que… quoi ? Eh bien, que les caprices ou les intérêts du Prince. Creusez autant que vous voudrez votre idée d'un art spécifique de gouverner, vous ne trouverez que Machiavel. Vous ne trouverez que Machiavel, c'est-à-dire que vous ne trouverez jamais rien d'autre que les caprices ou les lois du Prince. Hors de Dieu, hors de ses lois, hors des grands modèles donnés par la nature, c'est-à-dire finalement par Dieu, hors du principe de souveraineté, il n'y a rien, il n'y a que le caprice du Prince, il n'y a que Machiavel. Et c'est à ce moment-là que Machiavel va jouer le rôle de contre-exemple, de critique, d'exemple de réduction de l'art de gouverner à rien d'autre que le salut, non pas de l'État, mais de la principauté. La gouvernementalité n'existe pas. Voilà ce que veulent dire les adversaires de la raison d'État quand ils disent : vous n'êtes que des machiavélistes. Vous ne trouverez pas cet art de gouverner. Et par-dessus le marché (c'est ce que dit Innocent Gentillet dont je vous avais déjà parlé [35]), on peut même dire qu'utiliser les principes de Machiavel non seulement n'est pas sur la piste d'un art de gouverner, mais est un très mauvais instrument pour le Prince lui-même qui risquera de perdre son trône et sa principauté s'il les applique [36]. Donc, Machiavel non seulement permet de réduire ce qu'on cherchait dans la spécificité de la raison d'État, mais de montrer que c'est immédiatement contradictoire et nocif. Et puis, plus radicalement encore, il y a un autre argument qui consiste à dire : mais quand on se passe de Dieu, quand on se passe du principe fondamental de la souveraineté de Dieu sur le monde, la nature et les hommes pour essayer de chercher une forme de gouvernement spécifique, au fond à quoi est-ce qu'on va aboutir ? Aux caprices du Prince, comme je vous l'[ai déjà] dit, et puis aussi à l'impossibilité de fonder au-dessus des hommes aucune forme d'obligation. Ôtez Dieu du système, dites aux gens qu'il faut obéir et qu'il faut obéir à un gouvernement, au nom de quoi est-ce qu'il faut obéir ? Plus de Dieu, plus de lois. Plus de Dieu, plus d'obligations. Et il y a quelqu'un qui a dit : « Si Dieu n'existe pas, tout est permis. » Ce quelqu'un n'est pas celui que vous croyez[37]. C'est le révérend père Contzen, dans le *Politicorum libri decem,* le *Livre des politiques* qui date de 1620[38]. C'est en 1620 qu'il a été dit * : si Dieu n'existe pas, tout est permis. Voir comment l'apparition des questions de l'État, de la gouvernementalité en Russie au milieu du [XIX]e ** siècle n'a pas provoqué la même question, le même problème ***. Si Dieu n'existe pas, tout est permis. Donc, il faut bien que Dieu existe [… ****]

Quant aux tenants de la raison d'État, les uns vont dire : en fait, nous n'avons rien à voir avec Machiavel. Machiavel ne nous donne pas ce que nous cherchons. Machiavel n'est rien d'autre en effet qu'un machiavéliste, rien d'autre que quelqu'un qui ne calcule qu'en fonction des intérêts du Prince et nous le récusons comme lui. De sorte que vous voyez que la récusation de Machiavel va se faire des deux côtés. Du côté de ceux qui critiquent la raison d'État en disant que la raison d'État, finalement, ce n'est rien d'autre que Machiavel ; et [de] ceux qui sont tenants de la raison d'État [et] vont dire : mais en fait ce que nous cherchons, ça n'a rien à voir avec Machiavel, Machiavel, il est bon à jeter aux chiens. Parmi les tenants de la raison d'État, cependant, quelques-uns vont relever le défi et dire : eh bien oui, Machiavel, au moins celui des *Commentaires*[39], sinon celui du *Prince,* celui-là peut en effet nous servir dans la mesure où il a effectivement essayé de repérer, hors de tout modèle naturel et hors de tout fondement théologique, ce que seraient les nécessités intérieures, intrinsèques à la cité, les nécessités des rapports entre ceux qui gouvernent et ceux qui sont gouvernés. Et c'est ainsi que vous trouverez quelques apologistes de Machiavel, jamais évidemment chez les adversaires de la raison d'État, mais chez certains, certains seulement, de ceux qui tiennent pour la raison d'État. Vous aurez par exemple Naudé, agent de Richelieu, qui écrit un ouvrage où il fait l'éloge de Machiavel[40], et vous trouverez même aussi, dans un sens paradoxalement chrétien, un livre d'un certain Machon[41] qui explique que Machiavel est tout à fait conforme à ce qu'on trouve dans la Bible[42]. Et ceci, il ne l'écrit pas pour montrer que la Bible est pleine d'horreurs, mais pour montrer que même chez les peuples qui sont conduits par Dieu et ses prophètes, il y a bien une spécificité irréductible du gouvernement, une certaine *ratio status,*

---

    * M. Foucault ajoute : en termes *[mot inaudible],* puisque c'était en latin
   ** M. F. : XVIIe
  *** M. Foucault ajoute : le même *[mot inaudible]*
 **** La fin de la phrase est inaudible (dernier mot : un État).

une certaine raison d'État qui fonctionne pour elle-même et en dehors des lois générales que Dieu peut donner au monde ou à la nature. Voilà pour Machiavel.*

Deuxièmement, le mot « politique ». Vous avez vu que dans toutes ces diatribes contre la raison d'État, on [trouve] le mot « politique ». Le mot « politique », [tout d'abord], vous l'avez remarqué, est toujours employé de façon négative, et [ensuite] « politique » ne se réfère pas à quelque chose, à un domaine, à un type de pratique, mais à des gens. Ce sont « les politiques ». Les politiques, c'est une secte, c'est-à-dire quelque chose qui fleure ou qui frise l'hérésie. Le mot « politique[s] » apparaît donc ici pour désigner des gens qu'unissent entre eux une certaine manière de penser, une certaine manière d'analyser, de raisonner, de calculer, une certaine manière de concevoir ce que doit faire un gouvernement et sur quelle forme de rationalité on peut l'appuyer. Autrement dit, ce qui est apparu d'abord dans l'Occident du XVIᵉ et du XVIIᵉ siècle, ce n'est pas la politique comme domaine, ce n'est pas la politique comme ensemble d'objets, ce n'est même pas la politique comme profession ou comme vocation, ce sont les politiques, ou, si vous voulez, c'est une certaine manière de poser, de penser, de programmer la spécificité du gouvernement par rapport à l'exercice de la souveraineté. Par opposition au problème juridico-théologique du fondement de la souveraineté, les politiques, ce sont ceux qui vont essayer de penser pour elle-même la forme de la rationalité du gouvernement. Et [c'est] simplement au milieu du XVIIᵉ siècle que vous voyez apparaître la politique, la politique entendue alors comme domaine ou comme type d'action. Le mot « la politique », vous le trouvez dans un certain nombre de textes, en particulier chez le marquis du Chastelet[43], vous le trouvez aussi chez Bossuet. Et lorsque Bossuet parle de « la politique tirée de l'Écriture sainte[44] », vous voyez qu'à ce moment-là la politique, bien sûr, a cessé d'être une hérésie. La politique a cessé d'être une manière de penser propre à certains individus, une certaine manière de raisonner propre à certains individus. Elle est bien devenue un domaine, un domaine valorisé d'une façon positive dans la mesure où elle aura bel et bien été intégrée au niveau des institutions, au niveau des pratiques, au niveau des manières de faire, à l'intérieur du système de souveraineté de la monarchie absolue française. Louis XIV, c'est

---

* Le manuscrit (p. 20) présente ici un développement sur la théorie du contrat comme moyen d'« arrêter l'insidieuse question de Contzen » : « Même si Dieu n'existe pas, l'homme est obligé. Par qui ? Par lui-même. » Prenant l'exemple de Hobbes, M. Foucault ajoute : « Le souverain ainsi institué, étant absolu, ne sera lié par rien. Il pourra donc être pleinement un "gouvernant". »

précisément l'homme qui a fait entrer la raison d'État avec sa spécificité dans les formes générales de la souveraineté. Ce qui fait la place absolument singulière de Louis XIV dans toute cette histoire, c'est que précisément il est arrivé, pas simplement au niveau de sa pratique, mais au niveau de tous les rituels manifestes et visibles de sa monarchie (j'y reviendrai la prochaine fois *), à manifester le lien, l'articulation, mais en même temps la différence de niveau, la différence de forme, la spécificité [de] la souveraineté et [du] gouvernement. Louis XIV, c'est bien en effet la raison d'État, et quand il dit « l'État, c'est moi », c'est précisément cette couture souveraineté-gouvernement qui est mise en avant. En tout cas, quand Bossuet dit « la politique tirée de l'Écriture sainte », la politique est donc devenue quelque chose qui a perdu de ses connotations négatives. C'est devenu un domaine, un ensemble d'objets, un type d'organisation de pouvoir. [Enfin], elle est tirée de l'Écriture sainte, c'est-à-dire que la réconciliation avec la pastorale religieuse ou, en tout cas, la modalité des rapports avec la pastorale religieuse a été établie. Et si on ajoute à cela que cette politique tirée de l'Écriture sainte chez Bossuet conduit à cette conclusion que le gallicanisme est fondé, c'est-à-dire que la raison d'État peut jouer contre l'Église, on voit quelle série de retournements se sont opérés entre le moment où on jetait contre les politiques des anathèmes, [où] on les associait aux mahométans ou aux hérétiques, [et] l'évêque de Tours tirant de l'Écriture sainte le droit pour Louis XIV d'avoir une politique commandée par la raison d'État et par conséquent spécifique, différente, voire opposée à celle de la monarchie absolue de l'Église. L'Empire est bien mort.

Enfin, troisièmement, après Machiavel et la politique, l'État. (Là, je serai très bref, parce que, en fait, j'en parlerai plus longuement la prochaine fois.) Bien sûr, il serait absurde de dire que l'ensemble des institutions que nous appelons l'État date de ces années 1580-1650. Ça n'aurait pas de sens de dire que l'État naît alors. Après tout, les grandes armées, elles apparaissent en France déjà, elles s'organisent avec François Iᵉʳ. La fiscalité est mise en place depuis plus longtemps encore. La justice depuis plus longtemps encore. Donc, tous ces appareils existaient. Mais ce qui est important, ce qu'il faut retenir, ce qui est en tout cas un phénomène historique réel, spécifique, incompressible, c'est le moment où ce quelque chose qu'est l'État a commencé à entrer, est entré effectivement

---

* M. Foucault ajoute : on essaiera *[quelques mots inintelligibles]*
Cf. ses remarques, dans la leçon suivante, sur le rôle politique du théâtre sous Louis XIV.

dans la pratique réfléchie des hommes. Le problème est de savoir à quel moment, dans quelles conditions, sous quelle forme l'État a commencé à être projeté, programmé, développé à l'intérieur de cette pratique consciente des gens, à partir de quel moment il est devenu un objet de connaissance et d'analyse, à partir de quel moment et comment il est entré dans une stratégie réfléchie et concertée, à partir de quel moment l'État a commencé à être, par les hommes, appelé, désiré, convoité, redouté, repoussé, aimé, haï. Bref, c'est cette entrée de l'État dans le champ de la pratique et de la pensée des hommes, c'est cela qu'il faut essayer de ressaisir.

Et ce que je voudrais vous montrer, ce que j'essaierai de vous montrer, c'est comment on peut effectivement replacer l'émergence de l'État comme enjeu politique fondamental à l'intérieur d'une histoire plus générale qui est l'histoire de la gouvernementalité ou encore, si vous voulez, dans le champ des pratiques de pouvoir. Je sais bien qu'il y en a qui disent qu'à parler du pouvoir, on ne fait pas autre chose que développer une onto-logie intérieure et circulaire du pouvoir, mais je dis : ceux qui parlent de l'État, qui font l'histoire de l'État, du développement de l'État, des pré-tentions de l'État, est-ce que ce ne sont pas eux, précisément, qui déve-loppent une entité à travers l'histoire et qui font l'ontologie de cette chose que serait l'État ? Et si l'État n'était pas autre chose qu'une manière de gouverner ? Si l'État n'était pas autre chose qu'un type de gouvernemen-talité ? Si, en fait, toutes ces relations de pouvoir que l'on voit se former petit à petit à partir de processus multiples et très différents les uns des autres et qui petit à petit se coagulent et forment effet, si ces pratiques de gouvernement étaient précisément ce à partir de quoi s'est constitué l'État ? On aurait, à ce moment-là, à dire que l'État n'est pas dans l'histoire cette espèce de monstre froid qui n'a pas cessé de croître et de se déve-lopper comme une sorte d'organisme menaçant au-dessus d'une société civile. Il s'agirait de montrer comment une société civile, ou plutôt tout simplement une société gouvernementalisée a, à partir du XVIᵉ siècle, mis en place quelque chose, ce quelque chose à la fois de fragile et d'obsédant qui s'appelle l'État. Mais l'État, ce n'est qu'une péripétie du gouvernement et ce n'est pas le gouvernement qui est un instrument de l'État. Ou en tout cas l'État est une péripétie de la gouvernementalité. Voilà pour aujourd'hui. La prochaine fois, je parlerai plus précisément de la raison d'État.

NOTES

1. *Bauernkrieg* (1524-1526): révolte des paysans allemands, en Souabe, Franconie, Thuringe, Alsace et dans les Alpes autrichiennes. Ce mouvement qui, dans le prolongement des révoltes paysannes du xv^e siècle, visait d'abord l'excès des corvées, les usurpations de communs et les abus des juridictions seigneuriales, prit un caractère religieux, au début de 1525, sous l'influence, notamment, des anabaptistes de Münzer (cf. *supra*, p. 225, note 25). La répression, menée par les princes catholiques et luthériens fit plus de 100 000 morts. Cf. E. Bloch, *Thomas Münzer als Theologe der Revolution*, Berlin, Aufgebau-Verlag, 1960 / *Thomas Münzer, théologien de la Révolution*, trad. M. de Gandillac, Paris, Julliard, 1964, rééd. «10-18», 1975; L. G. Walter, *Thomas Munzer (1489-1525) et les luttes sociales à l'époque de la Réforme*, Paris, A. Picard, 1927; M. Pianzola, *Thomas Munzer, ou la Guerre des paysans*, Paris, Le Club français du livre («Portraits d'histoire»), 1958; E. G. Léonard, *Histoire générale du protestantisme, op. cit.*, éd. 1988, t. 1, p. 93-97.

2. Il convient de rapprocher cette périodisation de l'histoire de la philosophie de celle exposée par P. Hadot, l'année précédente, dans son article, «Exercices spirituels», *Annuaire de l'École pratique des hautes études, V^e section*, t. LXXXIV, 1977, p. 68 (rééd. *in* Id., *Exercices spirituels et Philosophie antique*, Paris, Études augustiniennes, 1981, p. 56): alors que la philosophie, dans son aspect originel, consistait en «une méthode de formation à une nouvelle manière de vivre et de voir le monde, [...] un effort de transformation de l'homme», c'est au Moyen Âge, avec sa réduction «au rang de servante de la théologie», qu'elle en est venue à être considérée comme «une démarche purement théorique et abstraite». On sait quelle importance cette relecture de la philosophie antique en termes d'exercices spirituels aura pour le travail de Foucault à partir de 1980.

3. Sur cette lecture des méditations cartésiennes, cf. «Mon corps, ce papier, ce feu» (1972), *DE*, II, n° 102, p. 257-258 (la méditation cartésienne comme exercice modifiant le sujet lui-même), et *L'Herméneutique du sujet, op. cit.*, p. 340-341 («[L']idée de la méditation, non pas comme jeu du sujet avec sa pensée, mais comme jeu de la pensée sur le sujet, c'est au fond exactement cela que faisait encore Descartes dans les *Méditations* [...]»). En 1983, dans son long entretien avec Dreyfus et Rabinow, «À propos de la généalogie de l'éthique», Foucault ne considère plus Descartes comme l'héritier d'une conception de la philosophie fondée sur le primat de la conduite de soi, mais comme le premier, au contraire, à rompre avec elle: «[...] il ne faut pas oublier que Descartes a écrit des "méditations" – et les méditations sont une pratique de soi. Mais la chose extraordinaire dans les textes de Descartes, c'est qu'il a réussi à substituer un sujet fondateur de pratiques de connaissance à un sujet constitué grâce à des pratiques de soi. [...] Jusqu'au xvi^e siècle, l'ascétisme et l'accès à la vérité sont toujours plus ou moins obscurément liés dans la culture occidentale. [...] Après Descartes, c'est un sujet de la connaissance non astreint à l'ascèse qui voit le jour» (*DE*, IV, n° 326, p. 410 et 411).

4. *Regulae ad directionem ingenii / Les Règles pour la direction de l'esprit*, ouvrage rédigé par Descartes en 1628 et publié après sa mort à Amsterdam en 1701 (après une traduction flamande parue en 1684) in *R. Descartes opuscula posthuma*. L'édition moderne de référence est celle de Ch. Adam & P. Tannery, *Œuvres de Descartes*, Paris, L. Cerf, t. X, 1908, p. 359-469; rééd. Paris, Vrin, 1966.

5. *Meditationes Metaphysicae* (ou *Meditationes de Prima Philosophia in qua Dei existentia et animae immortalitas demonstrantur*), Paris, chez Michel Soly, 1641 ; trad. fr. du duc de Luynes, *Les Méditations métaphysiques de Descartes*, Paris, V^ve J. Camusat & Le Petit, 1647 ; éd. Adam & Tannery, Paris, Léopold Cerf, 1904.

6. Peut-être faut-il voir dans ce développement une allusion aux travaux de Philippe Ariès (*L'Enfant et la vie familiale sous l'Ancien Régime*, Paris, Plon, 1960 ; rééd. Paris, Seuil, «L'univers historique», 1973 ; éd. abrégée, «Points Histoire», 1975) qui venait de préfacer *La Civilité puérile d'Érasme* (Paris, Ramsay, «Reliefs», 1977), situant ce texte dans la tradition des manuels de courtoisie : «Ces manuscrits de courtoisie sont au XV^e siècle, pour la façon de se conduire, l'équivalent des rédactions de coutumes pour le droit ; au XVI^e siècle, ils sont des rédactions de règles coutumières de comportement (des «codes de comportement», disent R. Chartier, M.-M. Compère et D. Julia [*L'Éducation en France du XVI^e au XVIII^e siècle*, Paris, Sedes, 1976]), qui définissaient comment chacun devait se conduire en chaque circonstance de la vie quotidienne» (p. x). Le texte d'Érasme, dans ce volume, est précédé d'une longue notice d'Alcide Bonneau, reprise de l'édition d'Isidore Lisieux (Paris, 1877), sur les «livres de civilité depuis le XVI^e siècle» (cf. également, sur les sources et la postérité de l'ouvrage d'Érasme, N. Elias, *Über den Process der Zivilisation. Soziogenetische und psychogenetische Untersuchungen*, Berne, Francke, 1939 / *La Civilisation des mœurs*, Paris, Calmann-Lévy, 1973 ; rééd. Le Livre de Poche, «Pluriel», 1977, p. 90-140). Dans l'article qu'il consacra à Ph. Ariès après sa mort, en 1984, Foucault écrivait : «Max Weber s'intéressait avant tout aux conduites économiques ; Ariès, lui, aux conduites qui concernent la vie» («Le souci de la vérité», *DE*, IV, n° 347, p. 647).

7. Saint Thomas, Aquinas, *De regno*, in *Opera omnia*, t. 42, Rome, 1979, p. 449-471 / *Du royaume*, trad. M. Martin-Cottier, Paris, Egloff («Les Classiques de la politique»), 1946.

8. *Ibid.*, I, 1 ; trad. franç., p. 34 : «[...] le roi est celui qui gouverne la multitude d'une cité ou d'une province, et ceci en vue du bien commun.»

9. *Ibid.*, I, 12 ; trad. franç., p. 105 : «Puisque les choses de l'art imitent celles de la nature [...], le mieux semble de tirer le modèle de l'office du roi de la forme du gouvernement naturel. Or on trouve dans la nature un gouvernement universel, et un gouvernement particulier. Un gouvernement universel, selon que tourtes chose sont contenues sous le gouvernement de Dieu qui dirige l'Univers par la Providence.»

10. *Ibid.*, I, 13 ; trad. franç., p. 109 : «Il y a en tout à considérer deux opérations de Dieu dans le monde : l'une par laquelle il le crée, l'autre par laquelle il le gouverne une fois créé.»

11. *Ibid.*, I, 1 ; trad. franç., p. 29 : «[...] le corps de l'homme ou de n'importe quel animal se désagrégerait, s'il n'y avait dans le corps une certaine force directrice commune, visant au bien commun de tous les membres.»

12. *Ibid.* ; trad. franç., p. 29 : «Il faut donc que dans toute multitude, il y ait un principe directeur.»

13. *Ibid.*, I, 15 ; trad. franç., p. 124 : «Parce que [...] la fin de la vie que nous menons présentement avec honnêteté est la béatitude céleste, il appartient, pour cette raison, à l'office de roi de procurer à la multitude une vie bonne, selon qu'il convient à l'obtention de la béatitude céleste.»

14. Cf. *supra*, p. 87, note 34.

15. Cf. *supra*, p. 89, note 48.

16. Cf. *supra,* leçon du 22 février, p. 171 *sq.*

17. Sur cette caractérisation du cosmos médiéval et renaissant, cf. *Les Mots et les Choses, op. cit.,* ch. II, p. 32-46.

18. *Ibid.,* p. 64-91.

19. Giovanni Botero (1540-1617), *Della ragion di Stato libri dieci,* Venetia, appresso i Gioliti, 1589 ; 4ᵉ éd. augmentée, Milan, 1598 / *Raison et Gouvernement d'Estat en dix livres,* trad. G. Chappuys, chez Guillaume Chaudière, Paris, 1599. L'ouvrage a fait l'objet de deux rééditions récentes, l'une par L. Firpo, Turin, UTET (« Classici politici »), 1948, l'autre par C. Continisio, Rome, Donzelli, 1997.

20. *Ibid.,* I, 1, éd. 1997, p. 7 : « Ragione di Stato si è notizia de'mezzi atti a fondare, conservare e ampliare un dominio. Egli è vero che, sebbene assolutamente parlando, ella si stende alle tre parti sudette, nondimeno pare chepiù strettamente abbracci la conservazione che l'altre, e dall'altre due più l'ampliazione che la fondazione. » Trad. franç., p. 4 : « Estat est une ferme domination sur les peuples ; & la Raison d'Estat est la cognoissance des moyens propres à fonder, conserve, & agrandir une telle domination & seigneurie. Il est bien vray, pour parler absolument, qu'encore qu'elle s'estende aux trois susdites parties, il semble ce neantmoins qu'elle embrasse plus estroictemet la conservation que les autres : & des autres l'estendue plus que la fondation. »

21. P. Veyne, *Le Pain et le Cirque. Sociologie historique d'un pluralisme politique,* Paris, Le Seuil (« L'Univers historique »), 1976, rééd. « Points Histoire », 1995.

22. Il peut paraître curieux que Foucault rende ici hommage à un livre qui s'inscrit explicitement dans la mouvance de la sociologie historique selon Raymond Aron et dont son auteur avoue qu'il l'aurait écrit tout autrement s'il avait compris alors la signification de la méthodologie foucaldienne (cf. son essai, « Foucault révolutionne l'histoire » (1978), *in op. cit.,* p. 212 : « [...] j'ai cru et j'ai écrit, à tort, que le pain et le Cirque avaient pour but d'établir une relation entre gouvernants et gouvernés ou répondaient au défi objectif qu'étaient les gouvernés »). Selon P. Veyne, à qui j'ai posé la question, il convient de tenir compte de l'humour de Foucault dans la référence qu'il fait à son livre. Il est clair, cependant, que l'analyse proposée par P. Veyne de l'évergétisme (« dons d'un individu à la collectivité », p. 9, ou « libéralités privées en faveur du public », p. 20), sa distinction entre les formes libres et statutaires d'évergésie, le lien établi avec diverses pratiques (mécénat, largesses *ob honorem* et libéralités funéraires) et catégories sociales ou acteurs (notables, sénateurs, empereurs), la mise en évidence de mobiles multiples (piété, désir d'être honoré, patriotisme), etc., pouvaient constituer, aux yeux de Foucault, le modèle d'une pratique historienne hostile à une explication de type causal et soucieuse d'individualiser les événements. Cf. P. Veyne, *Comment on écrit l'histoire, op. cit.* (1ʳᵉ éd. Paris, Le Seuil, « L'Univers historique », 1971), p. 70 : « Le problème de la causalité en histoire est une survivance de l'ère paléo-épistémologique. » Comme le précise D. Defert, les thèses nominalistes de Paul Veyne développées dans « Foucault révolutionne l'histoire » (mais déjà présentes dans *Comment on écrit l'histoire*), furent discutées par Foucault, avec le groupe de chercheurs qui se réunissaient dans son bureau, « pendant les deux années où il traita de la gouvernementalité et de la raison politique libérale » (« Chronologie », *DE,* I, p. 53).

23. Sur ce traité, ou plutôt ces traités, qui marquèrent la naissance de l'Europe politique moderne, cf. *infra,* p. 315, note 9.

24. Fils d'un haut fonctionnaire allemand, Martin Chemnitz, qui avait été chancelier de deux princes d'Empire, Bogislaw Philipp von Chemnitz (1605-1678) étudia le droit et l'histoire à Rostock et Iéna. C'est dans cette université qu'il subit d'influence du juriste calviniste, Dominicus Arumaeus (1579-1637), considéré comme le créateur de la science du droit public allemand, dont l'école joua un rôle déterminant dans la critique de l'idéologie impériale. Ayant interrompu ses études vers 1627, pour des raisons demeurées obscures, Chemnitz servit comme officier dans l'armée néerlandaise, puis dans l'armée suédoise où il fit carrière jusqu'en 1644, et devint l'historiographe de Christine de Suède. La *Dissertatio de ratione status in Imperio nostro Romano-Germanico* parut en 1640 (date contestée : peut-être 1642 ou 1643 ; cf. R. Hoke, « Staatsräson und Reichsverfassung bei Hippolithus a Lapide », *in* R. Schnur, ed., *Staatsräson. Studien zur Geschichte einen politischen Begriffs*, Berlin, Duncker & Humblot, 1975, p. 409-410 n. 12 et p. 425 ; M. Stolleis, *Histoire du droit public en Allemagne, 1600-1800,* trad. citée [*supra*, p. 27, note 25], p. 303 n. 457 sur l'état de la discussion), sous le pseudonyme de Hippolithus a Lapide. L'ouvrage connut deux traductions françaises, l'une par Bourgeois du Chastenet, *Interets des Princes d'Allemagne* (Freistade, [s.n.], 1712, 2 vol.), à partir de la première édition datée de 1640, l'autre, plus complète, par S. Formey, *Les Vrais Intérêts de l'Allemagne* (La Haye, [s.n.], 1762, 3 vol.), à partir de la seconde édition de 1647. Foucault, qui confond ici les dates des deux éditions, fait référence à la première traduction. Une nouvelle édition de l'ouvrage, réalisée par R. Hoke, est en préparation (« Bibliothek des deutschen Staatsdenkens », s. dir. H. Maier & M. Stolleis, Francfort/ M., Insel Verlag).

25. *Dissertatio, op. cit.,* t. I, éd. 1712, p. 1 (cf. éd. 1647, p. 1). Cité par E. Thuau, *Raison d'État et Pensée politique à l'époque de Richelieu,* Paris, Armand Colin, 1966, repr. Paris, Albin Michel (« Bibliothèque de l'évolution de l'humanité »), 2000, p. 9-10 n. 2. Il s'agit de la première phrase de la *Dissertatio* qui ouvre l'ouvrage (« Considerations generales sur la raison d'Etat »). Le traducteur, toutefois, écrit : « la poussière de l'école » *(in pulvere scholastico),* expression dirigée contre l'aristotélisme dominant alors dans les universités allemandes.

26. Cf. E. Thuau, *op. cit.,* ch. 2 : « L'accueil à Tacite et à Machiavel ou les deux raisons d'État », p. 33-102. Pour une problématisation des rapports entre Tacite, Machiavel et la raison d'État, cf. A. Stegmann, « Le tacitisme : programme pour un nouvel essai de définition », *Il Pensiero politico,* II, 1969 (Florence, Olschki), p. 445-458.

27. *Dissertatio,* t. I, éd. 1712, p. 6 (cf. éd. 1647, p. 4) : « La cause & l'origine de la raison d'état, sont celles de l'Etat même où elle a pris naissance. »

28. *Ibid.,* p. 6-7 (cf. éd. de 1647, p. 4).

29. Pie V (1504-1572), fut élu pape en 1566. La formule lui est attribuée, dès la fin du xvie siècle, par un grand nombre d'auteurs. Cf. notamment Girolamo Frachetta, *L'Idea del Libro de' governi di Stato e di guerra,* Venetia, appresso Damian Zenaro, 1592, p. 44b : « La Ragion di Stato [...] a buona equità da Pio Quinto di felice e santa memoria era appellata Ragion del Diavolo » (autres exemples cités par R. De Mattei, *Il Problema della « ragion di stato » nell' età della controriforma,* Milan-Naples, R. Ricciardi, 1979, p. 28-29).

30. E. Thuau, *Raison d'État...* Cf. ch. III : « L'opposition à la "raison d'enfer" », p. 103-152.

31. R. P. Claude Clément (1594-1642/43), *Machiavellismus jugulatus a Christiana Sapientia Hispanica et Austriaca* [Machiavélisme égorgé par la Sagesse

chrétienne d'Espagne et d'Autriche], Compluti, apud A. Vesquez, 1637, p. 1-2 ; cité par E. Thuau, *op. cit.*, p. 95-96 (M. Foucault modifie légèrement la fin du texte, qui se présente sous cette forme : «[...] que les Grecs anciens invoquaient comme la Cité, les Romains comme la République et l'Empire, les gens d'aujourd'hui comme l'État»).

32. Titre original : *ou autres* (au lieu de «*et de tous les autres*»).

33. Ce livre du R. P. Raymond de Saint-Martin fut publié à Montauban en 1667. Cf. E. Thuau, *Raison d'État...*, p. 92 et 443.

34. Cf. *supra,* leçon du 1er février, p. 95-96.

35. *Ibid.,* p. 94.

36. E. Thuau, *Raison d'État...*, p. 62-65.

37. Allusion à la fameuse formule d'Ivan Karamazov dans le roman de Dostoïevski, *Les Frères Karamazov* (1879-80), trad. B. de Schloezer, Paris, Gallimard, («Bibliothèque de la Pléiade»), 1952, p. 285 (V, 5, la légende du Grand Inquisiteur).

38. R. P. Adam Contzen, s.j., *Politicorum libri decem, in quibus de perfectae rei-publicae forma, virtutibus et vitiis tractatur*, Maguntiae, B. Lippius, 1620, p. 20 : «Si Deus non est aut non regit mundum, sine metu sunt omnia scelera» (cité par E. Thuau, *Raison d'État...*, p. 94).

39. M. Foucault désigne par là, bien entendu, les *Discours sur la première décade de Tite-Live* de Machiavel (manuscrit, p. 19 : «Machiavel (au moins celui des Commentaires sur T. L.) a cherché les principes autonomes de l'art de gouverner»).

40. Gabriel Naudé (1600-1653), secrétaire du cardinal de Bagni, à Rome, de 1631 à 1641 ; il fut rappelé en France par Richelieu à la mort de ce dernier, puis devint le bibliothécaire de Mazarin jusqu'en 1651. Foucault se réfère aux *Considérations politiques sur les coups d'État,* publiées à Rome sans nom d'auteur («par G. P. N.») en 1639 (réimpr. Hildesheim, Olms, 1993, introd. et notes de F. Charles-Daubert). Cette première édition, limitée à douze exemplaires, fut suivie, au XVIIe siècle, de plusieurs rééditions posthumes : en 1667, sans précision de lieu («sur la copie de Rome») ; en 1673, à Strasbourg, sous le titre *Sciences des Princes, ou Considérations politiques sur les coups d'État,* avec les commentaires de Louis Du May, secrétaire de l'Électeur de Mayence ; en 1676 à Paris (rééd. Bibliothèque de philosophie politique et juridique de l'Université de Caen, 1989), etc. Le texte de 1667 a été réédité par Louis Marin, Paris, Éditions de Paris, 1988, avec une importante introduction, «Pour une théorie baroque de l'action politique». Cf. E. Thuau, *Raison d'État...*, p. 318-334.

41. Louis Machon (1603-?), «Apologie pour Machiavelle en faveur des Princes et des Ministres d'Estat», 1643, version définitive 1668 (manuscrit 935 de la Bibliothèque de la ville de Bordeaux). Cet ouvrage, composé d'abord sous l'impulsion de Richelieu, est resté inédit, à l'exception d'un fragment, représentant le premier tiers du texte final, publié, d'après un manuscrit de 1653, dans l'introduction aux *Œuvres complètes de Machiavel* par J. A. C. Buchon en 1852 (Paris, Bureau du Panthéon littéraire). Cf. E. Thuau, *op. cit.*, p. 334-350 (notice biographique, p. 334 n. 2) ; G. Procacci, *Machiavelli nella cultura europea...*, *op. cit.*, p. 464-473.

42. «Mon premier dessein touchant cette *Apologie* était de mettre le texte de nostre Politique [Machiavel] d'un costé de ce livre, et celuy de la Bible, des docteurs de l'Eglise, des canonistes, [...], de l'autre ; et faire voir, sans autre raisonnement et sans autre artifice, que ce grand homme n'a rien escript qui ne soit tiré mot pour mot, ou du moins qui ne corresponde à tout ce que ces doctes personnages en avoient dit devant lui, ou bien approuvé depuis [...]» (L. Machon, *op. cit.*, textes de 1668,

p. 444-448, cité par K. T. Butler, «Louis Machon's "Apologie pour Machiavelle"», *Journal of the Warburg and Courtauld Institutes,* vol. 3, 1939-40, p. 212.

43. Paul Hay, marquis du Chastelet, *Traitté de la politique de France,* Cologne, chez Pierre du Marteau, 1669. Cet ouvrage, qui déplut fortement à Louis XIV, fut constamment réédité jusqu'à la fin du XVII$^e$ siècle et constitua l'une des sources d'inspiration principales de la *Dîme royale* de Vauban (1707). Hay du Chastelet définit ainsi la politique (éd. augmentée de 1677, chez le même éditeur, p. 13) : «La Politique est l'art de gouverner les Estats, les Anciens ont dict que c'étoit une science Royalle & tres divine, la plus excellente & la plus maîtresse de toutes les autres, & ils luy ont donné entre les disciplines praticques le même avantage que la Metaphysique & la Theologie ont entre le Speculatives.»

44. Jacques-Bénigne Bossuet (évêque de Meaux, 1627-1704), *Politique tirée des propres paroles de l'Écriture Sainte,* Paris, Pierre Cot, 1709 ; éd. critique par J. Le Brun, Genève, Droz («Les Classiques de la pensée politique»), 1967.

# LEÇON DU 15 MARS 1978

*La raison d'État (II) : sa définition et ses principaux caractères au XVIIᵉ siècle. – Le nouveau modèle de temporalité historique impliqué par la raison d'État. – Traits spécifiques de la raison d'État par rapport au gouvernement pastoral : (1) Le problème du salut : la théorie du coup d'État (Naudé). Nécessité, violence, théâtralité. – (2) Le problème de l'obéissance. Bacon : la question des séditions. Différences entre Bacon et Machiavel. – (3) Le problème de la vérité : de la sagesse du prince à la connaissance de l'État. Naissance de la statistique. Le problème du secret. – Le prisme réflexif dans lequel est apparu le problème de l'État. – Présence-absence de l'élément «population» dans cette nouvelle problématique.*

Aujourd'hui je voudrais vous parler très rapidement de ce qu'on entend, fin XVIᵉ - début XVIIᵉ, par la raison d'État, et ceci en m'appuyant sur un certain nombre de textes soit italiens, comme celui de Palazzo, soit anglais, comme le texte de Bacon, soit français, ou encore celui de Chemnitz dont je vous avais parlé la dernière fois[1] et qui m'apparaît singulièrement important. Qu'est-ce qu'on entend par raison d'État ? Je vais commencer par me référer à deux ou trois pages du traité de Palazzo publié en italien tout à la fin du XVIᵉ siècle, ou peut-être dans les premières années du XVIIᵉ[2]. Il existe à la [Bibliothèque] Nationale une édition datée de 1606 qui n'est peut-être pas la première, mais en tout cas la traduction française, la première traduction française au moins, date de 1611. Ce traité s'appelle donc *Discours du gouvernement et de la vraie raison d'État,* et dans les premières pages Palazzo pose tout simplement la question : qu'est-ce qu'il faut entendre par «raison» et qu'est-ce qu'il faut entendre par «état» ? «Raison», dit-il, – et vous allez voir combien tout ceci est, disons, scolastique, au sens banal et trivial du terme –, qu'est-ce que c'est que «raison» ? Eh bien «raison» est un mot qui s'emploie en deux sens : raison, c'est l'essence entière d'une chose, c'est ce qui constitue l'union, la réunion de toutes ses parties, c'est le lien nécessaire entre les différents éléments qui la constituent[3]. Voilà ce qu'est la raison.

Mais «raison» est employé aussi en un autre sens. La raison c'est, subjectivement, une certaine puissance de l'âme qui permet justement de connaître la vérité des choses, c'est-à-dire justement ce lien, cette intégrité des différentes parties de la chose, et qui la constituent. La raison, c'est donc un moyen de connaissance, mais c'est également quelque chose qui permet à la volonté de se régler sur ce qu'elle connaît, c'est-à-dire de se régler sur l'essence même des choses[4]. La raison sera donc l'essence des choses, la connaissance de la raison des choses et cette espèce de force qui permet [à la volonté], et jusqu'à un certain point [l']oblige, [de] suivre l'essence même des choses[5]. Voilà pour la définition du mot «raison».

Définition du mot «état», maintenant. «État», dit Palazzo, est un mot qui s'entend en quatre sens[6]. Un «état», c'est un domaine, *dominium*. Deuxièmement, c'est une juridiction, dit-il, c'est un ensemble de lois, de règles, de coutumes, un petit peu, si vous voulez, ce que nous appellerions, – là j'emploie, bien sûr, un mot qu'il n'utilise pas –, une institution, un ensemble d'institutions. Troisièmement, «état» c'est, dit-il (dit le traducteur dont je suis le mot ici), une condition de vie, c'est-à-dire en quelque sorte un statut individuel, une profession : l'état de magistrat ou l'état de célibat ou l'état religieux. Et enfin quatrièmement, l'«état», dit-il, c'est la qualité d'une chose, qualité qui s'oppose au mouvement. Un «état», c'est ce qui rend quelque chose sinon tout à fait immobile – alors là, je passe le détail : car, dit-il, certaines immobilités seraient contraires au repos même de la chose, il faut bien que certaines choses se meuvent pour pouvoir rester réellement en repos –, mais en tout cas c'est une qualité, cet état, qui fait que la chose reste ce qu'elle est.

Qu'est-ce que la république ? La république, c'est un état, aux quatre sens du mot que je viens de dire. Une république, c'est d'abord un domaine, un territoire. C'est ensuite un milieu de juridiction, un ensemble de lois, de règles, de coutumes. La république, c'est sinon un état, du moins un ensemble d'états, c'est-à-dire d'individus qui se définissent par leur statut. Et enfin la république, c'est une certaine stabilité de ces trois choses précédentes, domaine, juridiction, institution ou statut des individus[7].

Qu'est-ce qu'on va appeler «raison d'État», aux deux sens du mot «raison», objectif et subjectif ? Objectivement, on appellera raison d'État ce qui est nécessaire et suffisant pour que la république, aux quatre sens du mot «état», conserve exactement son intégrité. Par exemple, prenons l'aspect territorial de la république. On dira que si tel fragment du territoire, telle ville située dans le territoire, telle forteresse pour le défendre est effectivement indispensable au maintien de l'intégrité de cet État, on dira que cet élément, ce territoire, ce fragment de territoire, cette citadelle, ces villes feront partie de la raison d'État[8]. Maintenant, si on prend le côté [subjectif]* du mot « raison », on appellera « raison d'État », quoi ? Eh bien, « une règle ou un art » – je vous cite là le texte de Palazzo –, « une règle ou un art [...] qui nous fait connaître les moyens pour obtenir l'intégrité, la tranquillité ou la paix de la république[9] ». Cette définition formelle, cette définition scolastique au sens trivial du mot, n'est pas propre à Palazzo, et vous la retrouveriez pratiquement chez la plupart des théoriciens de la raison d'État. Je voudrais vous citer un texte de Chemnitz, beaucoup plus tardif donc, puisqu'il date de 1647[10]. Chemnitz, dans ce texte, dit : qu'est-ce que c'est que la raison d'État ? C'est « un certain égard politique que l'on doit avoir dans toutes les affaires publiques, dans tous les conseils et desseins, et qui doit tendre uniquement à la conservation, à l'augmentation, à la félicité de l'État, à quoi on doit employer les moyens les plus faciles et les plus prompts[11] ».

Cette définition de Palazzo, confirmée par d'autres, Chemnitz et bien des théoriciens de la raison d'État, vous voyez qu'elle présente immédiatement des caractères très visibles. D'abord, rien dans cette définition de la raison d'État ne se réfère à autre chose qu'à l'État lui-même. Vous n'avez aucune référence à un ordre naturel, à un ordre du monde, à des lois fondamentales de la nature, ni même à un ordre divin. Rien du cosmos, rien de la nature, rien de l'ordre du divin n'est présent dans la définition de la raison d'État. Deuxièmement, vous voyez que cette raison d'État est fortement articulée autour du rapport essence-savoir. La raison d'État, c'est l'essence même de l'État, et c'est également la connaissance qui permet de suivre en quelque sorte la trame de cette raison d'État et d'y obéir. C'est donc un art, avec son côté pratique et son côté de connaissance. Troisièmement, vous voyez que la raison d'État, c'est essentiellement quelque chose de... j'allais dire : conservateur, disons : conservatoire. Il s'agit essentiellement, dans cette raison d'État, par cette raison d'État, de repérer ce qui est nécessaire et suffisant pour que l'État existe et se maintienne dans son intégrité, au besoin, si c'était nécessaire et suffisant pour rétablir cette intégrité, si elle venait à être entamée. Mais cette raison d'État n'est en aucune manière un principe de transformation, je dirai même d'évolution de l'État. Bien sûr, vous trouverez le mot « augmentation » sur lequel je reviendrai un petit peu tout à l'heure. Mais cette augmentation n'est au fond que la majoration, le perfectionnement d'un certain nombre de traits et de caractères qui

---

* M. F. : positif

constituent déjà effectivement l'État et ce n'en est en aucune manière la transformation. La raison d'État est donc conservatrice. Il s'agit, dira le marquis du Chastelet dans la seconde moitié du XVIIᵉ siècle, de parvenir à une « juste médiocrité[12] ». Enfin – et c'est là sans doute le trait le plus caractéristique –, dans cette raison d'État, vous voyez qu'il n'y a rien qui concerne quelque chose comme une finalité antérieure, extérieure ou même ultérieure à l'État lui-même. Bien sûr, on va parler de la félicité. C'est dans le texte de Chemnitz[13]. Bien sûr, d'autres textes parleront aussi du bonheur. Mais cette félicité, ce bonheur, cette perfection, à qui sont-ils attribués et à qui faut-il les rapporter ? À l'État lui-même. Souvenez-vous de la manière dont saint Thomas parlait de ce qu'était la république et de ce qu'était le gouvernement royal. Le gouvernement royal relevait bien d'un certain art terrestre, mais l'objectif final du gouvernement royal était de faire en sorte que les hommes, sortant de leur statut terrestre et libérés de cette république humaine, puissent arriver à quelque chose qui était la félicité éternelle et la jouissance de Dieu. C'est-à-dire que, finalement, l'art de gouverner, l'art de régner chez saint Thomas était toujours ordonné à cette fin extra-terrestre, à cette fin extra-étatique, j'allais dire extra-républicaine, hors de la *res publica,* et c'était à cette fin que la *res publica* devait être en dernier lieu et en dernière instance ordonnée[14]. Ici, rien de tel. La fin de la raison d'État, c'est l'État lui-même, et s'il y a quelque chose comme une perfection, comme un bonheur, comme une félicité, ce ne sera jamais que [celui] ou celles de l'État lui-même. Il n'y a pas de dernier jour. Il n'y a pas de point ultime. Il n'y a pas quelque chose comme une organisation temporelle unie et finale.

Objections aussitôt que Palazzo se fait – étaient-ce des objections qu'il avait rencontrées, est-ce qu'il les imagine lui-même ? Peu importe, elles sont intéressantes, parce que Palazzo dit ceci : mais enfin, si le gouvernement, l'art de gouverner en suivant cette raison d'État n'a au fond aucune fin qui soit étrangère à l'État lui-même, si on ne peut rien proposer aux hommes au-delà de l'État, si au fond la raison d'État n'a pas de finalité, est-ce qu'après tout on ne peut pas s'en passer ? Pourquoi les hommes seraient-ils obligés d'obéir à un gouvernement qui ne leur propose aucune fin à eux personnelle et extérieure à l'État ? Et deuxième objection : s'il est vrai que la raison d'État n'a de fin que conservatrice, ou d'objectif en tout cas que conservateur, si ces fins sont intérieures au maintien même de l'État, est-ce qu'il ne suffit pas que la raison d'État intervienne simplement lorsque, par un accident qui peut se produire dans certains cas, mais qui ne se produira pas tout le temps, l'existence de l'État se trouve compromise ? Autrement dit, la raison d'État, l'art de gouverner et le gouvernement lui-même ne doivent-ils pas intervenir simplement lorsqu'il s'agit de corriger un défaut ou de parer à un danger immédiat ? Donc, est-ce qu'on ne peut pas avoir un gouvernement discontinu et une raison d'État intervenant simplement en certains points et à certains moments dramatiques ? [15] Ce à quoi Palazzo répond : pas du tout, la république ne pourrait en aucun moment subsister, elle ne pourrait avoir aucune durée si elle n'était à chaque instant reprise en compte, maintenue par un art de gouverner commandé par la raison d'État. « La république elle-même ne serait pas capable ni suffisante, dit-il, de se conserver en paix l'espace même d'une heure [16]. » La faiblesse de la nature humaine, la méchanceté des hommes font que rien, dans la république, ne pourrait se maintenir s'il n'y avait, en tout point, en tout moment, en tout lieu une action spécifique de la raison d'État assurant d'une façon concertée et réfléchie le gouvernement. Il faut donc toujours un gouvernement et de tout temps un gouvernement : le gouvernement comme acte de création continue de la république.

Je crois que cette thématique générale posée par Palazzo dans sa définition de la raison d'État est importante pour plusieurs raisons. Je n'en retiendrai qu'une, c'est celle-ci : c'est qu'avec cette analyse de la raison d'État on voit se dessiner un temps, un temps historique et politique qui a, par rapport à celui qui avait pu dominer la pensée au Moyen Âge ou même encore à la Renaissance, des caractères bien particuliers. Car il s'agit justement d'un temps indéfini, du temps d'un gouvernement qui est un gouvernement à la fois perpétuel et conservateur. Premièrement, par conséquent, pas de problème d'origine, pas de problème de fondement, pas de problème de légitimité, pas de problème non plus de dynastie. Même le problème que posait Machiavel et qui était de savoir comment gouverner étant donné la manière dont on avait pris le pouvoir, – on ne peut pas gouverner de la même façon si c'est par héritage ou si c'est par usurpation ou si c'est par conquête [17] –, ces problèmes-là n'interviendront plus maintenant ou n'interviendront que d'une manière seconde. L'art de gouverner et la raison d'État ne posent plus de problème d'origine. On est dans le gouvernement, on est déjà dans la raison d'État, on est déjà dans l'État.

Deuxièmement, non seulement il n'y a pas de point d'origine qui soit pertinent pour modifier l'art du gouvernement, mais le problème du point terminal ne doit pas se poser. Et ceci est encore sans doute plus important que cela. C'est-à-dire que l'État – la raison d'État et le gouvernement commandé par la raison d'État – n'aura pas à se préoccuper du salut des individus. Il n'aura même pas à rechercher quelque chose comme une fin de l'histoire, ou comme un accomplissement, ou comme un point où s'articuleraient le temps de l'histoire et l'éternité. Rien, par conséquent, comme ce rêve du dernier Empire qui avait tout de même commandé les perspectives religieuses et historiques du Moyen Âge. Après tout, au Moyen Âge, on restait encore dans un temps qui devait à un certain moment devenir un temps unifié, le temps universel d'un Empire dans lequel toutes ces différences seraient effacées, et c'est cet Empire universel qui annoncerait et serait le théâtre sur lequel se produirait le retour du Christ. L'Empire, le dernier Empire, l'Empire universel, que ce soit celui des Césars ou que ce soit celui de l'Église, était tout de même quelque chose qui hantait la perspective du Moyen Âge, et dans cette mesure-là il n'y avait pas de gouvernement indéfini. Il n'y avait pas d'État ou de royaume voué indéfiniment à la répétition dans le temps. Maintenant, au contraire, nous nous trouvons dans une perspective où le temps de l'histoire est indéfini. C'est l'indéfini d'une gouvernementalité pour laquelle on ne prévoit pas de terme ou de fin. Nous sommes dans l'historicité ouverte, à cause du caractère indéfini de l'art politique.

Sauf à être corrigée évidemment par un certain nombre de choses sur lesquelles nous reviendrons, l'idée de paix perpétuelle qui va, je crois, se substituer à l'idée de l'Empire terminal, alors que l'Empire terminal était au Moyen Âge la fusion de toutes les particularités et de tous les royaumes en une seule forme de souveraineté, l'idée de paix universelle – qui existait déjà au Moyen Âge, mais toujours comme un des aspects de l'Empire terminal ou encore un des aspects de l'Empire de l'Église –, [cette idée] va être le lien que l'on va rêver entre des États qui resteront des États. C'est-à-dire que la paix universelle ne sera pas la conséquence d'une unification dans un empire temporel ou spirituel, mais la manière dont différents États, si effectivement les choses marchent, pourront coexister les uns avec les autres selon un équilibre qui empêchera justement la domination de l'un sur les autres. La paix universelle, c'est la stabilité acquise dans et par la pluralité, par une pluralité équilibrée, tout à fait différente par conséquent de l'idée de l'Empire terminal. Et puis ce sera corrigé ensuite, cette idée d'une gouvernementalité indéfinie, par l'idée de progrès, l'idée de progrès dans le bonheur des hommes. Mais ceci, c'est une autre affaire qui implique justement quelque chose dont on va remarquer l'absence dans toute cette analyse de la raison d'État et qui est la notion de population.

Ceci étant dit, pour situer un petit peu l'horizon général de la raison d'État, je voudrais maintenant reprendre quelques-uns des traits de ce gouvernement des hommes qui se pratique donc non plus sous le signe de l'art pastoral, mais sous celui de la raison d'État. Et là, je voudrais non pas du tout faire une analyse exhaustive, mais pratiquer – j'allais dire : quelques sondages, mais le mot est malheureux – quelques coupes, comme ça, en rapportant justement la raison d'État à certains des thèmes importants qu'on avait rencontrés dans l'analyse du pastorat, c'est-à-dire le problème du salut, le problème de l'obéissance et le problème de la vérité.

Et pour étudier la manière dont la raison d'État pense, réfléchit, analyse le salut, je prendrai un exemple précis, celui de la théorie du coup d'État. Le coup d'État : notion très importante dans ce début du XVIIᵉ siècle, puisque des traités entiers [lui] ont été consacrés. Naudé, par exemple, écrit en 1639 des *Considérations politiques sur les coups d'État*[18]. Quelques années auparavant, il y avait eu un texte plus polémique, plus immédiatement lié aux événements, de Sirmond qui s'appelait *Coup d'État de Louis XIII*[19] et qui n'était absolument pas un texte polémique contre Louis XIII, [bien] au contraire. Car le mot « coup d'État », au début du XVIIᵉ siècle, ne signifie aucunement la confiscation de l'État par les uns aux dépens des autres qui l'auraient détenu jusque-là et qui s'en trouveraient dépossédés. Le coup d'État, c'est tout autre chose. Qu'est-ce que c'est qu'un coup d'État dans cette pensée politique du début du XVIIᵉ siècle ? C'est d'abord un suspens, une mise en congé des lois et de la légalité. Le coup d'État, c'est ce qui excède le droit commun. *Excessus iuris communis,* dit Naudé[20]. Ou encore, c'est une action extraordinaire contre le droit commun, action qui ne garde aucun ordre ni aucune forme de justice[21]. En cela, est-ce que le coup d'État est étranger à la raison d'État ? Est-ce qu'il constitue une exception par rapport à la raison d'État ? Absolument pas. Parce que la raison d'État elle-même, et c'est là, je crois, un point essentiel à bien marquer, la raison d'État elle-même n'est absolument pas homogène à un système de légalité ou de légitimité. La raison d'État, qu'est-ce que c'est ? Eh bien, c'est quelque chose, dit Chemnitz par exemple, qui permet de déroger à toutes « les lois publiques, particulières, fondamentales de quelque espèce qu'elles soient[22] ». La raison d'État doit, en effet, commander, « non pas suivant les lois », mais, si c'est nécessaire, « aux lois mêmes, lesquelles doivent s'accommoder à l'état présent de la république[23] ». Donc, le coup d'État n'est pas rupture par rapport à la raison d'État. C'est au contraire un élément, un événement, une manière de faire qui s'inscrit tout à fait dans l'horizon général, dans la forme générale de la raison d'État, c'est-à-dire quelque chose qui excède les lois ou en tout cas qui ne se soumet pas aux lois.

Qu'est-ce qu'il y a donc, pourtant, de spécifique dans le coup d'État et qui fait que ce ne soit pas simplement une manifestation parmi les autres de la raison d'État ? Eh bien, c'est que la raison d'État, qui par nature n'a pas à se plier aux lois, qui dans son fonctionnement fondamental est toujours dérogatoire par rapport aux lois publiques, particulières, fondamentales, cette raison d'État d'ordinaire respecte les lois. Elle les respecte non pas en ce sens qu'elle s'inclinerait devant les lois, parce que les lois positives, morales, naturelles, divines seraient plus fortes qu'elle, mais elle s'incline devant ces lois, elle les respecte dans la mesure où elle veut bien s'incliner devant elles et les respecter, dans la mesure, si vous voulez, où elle les pose comme élément de son propre jeu. La raison d'État est de toute façon fondamentale par rapport à ces lois, mais dans son jeu ordinaire elle en fait usage, parce que précisément elle l'estime nécessaire ou utile. Mais il va y avoir des moments où la raison d'État ne peut plus se servir de ces lois, et où elle est obligée par quelque événement pressant et urgent, à cause d'une certaine nécessité, de s'affranchir de ces lois. Au nom de quoi ? Au nom du salut de l'État. C'est cette nécessité de l'État par rapport à lui-même qui va, à un certain moment, pousser la raison d'État à balayer les lois civiles, morales, naturelles qu'elle a bien voulu reconnaître et dont elle avait fait jusqu'à présent son jeu. La nécessité, l'urgence, le besoin de salut de l'État lui-même vont exclure le jeu de ces lois naturelles et produire quelque chose qui ne sera en quelque sorte que la mise en rapport directe de l'État à lui-même sous le signe de la nécessité et du salut. L'État va agir de soi sur soi, rapidement, immédiatement, sans règle, dans l'urgence et la nécessité, dramatiquement, et c'est cela le coup d'État. Le coup d'État n'est donc pas confiscation de l'État par les uns aux dépens des autres. Le coup d'État, c'est l'automanifestation de l'État lui-même. C'est l'affirmation de la raison d'État – [la raison d'État] qui affirme que l'État doit de toute façon être sauvé, quelles que soient les formes que l'on emploie pour pouvoir le sauver. Coup d'État, donc, comme affirmation de la raison d'État, comme automanifestation de l'État.

Importance, je crois, dans ce repérage de la notion d'État, importance d'un certain nombre d'éléments. D'abord, cette notion de nécessité. Il y a donc une nécessité de l'État qui est supérieure à la loi. Ou plutôt, la loi de cette raison particulière à l'État et qu'on appelle raison d'État, la loi de cette raison sera que, de toute façon, le salut de l'État doit l'emporter sur n'importe quoi d'autre. Cette loi fondamentale, cette loi de la nécessité qui au fond n'est pas une loi, excède donc tout le droit naturel, excède le droit positif, excède le droit que les théoriciens n'osent pas dire exactement le droit divin, enfin le droit posé par les commandements mêmes de

Dieu, et alors ils l'appellent « philosophique » pour masquer un peu les choses, mais Naudé dira : le coup d'État obéit non pas à « la justice naturelle, universelle, noble et philosophique » – le mot « noble » est ironique et le mot « philosophique » recouvre autre chose –, le coup d'État, dit Naudé, obéit à « une justice artificielle, particulière, politique, [...] rapportée à la nécessité de l'État [24] ». La politique, par conséquent, n'est donc pas quelque chose qui a à s'inscrire à l'intérieur d'une légalité ou d'un système de lois. La politique a affaire à quelque chose d'autre, même si elle utilise les lois comme instrument quand elle en a besoin à certains moments. La politique est quelque chose qui a rapport à la nécessité. Et vous trouvez toute une espèce de, non pas philosophie, mais, comment dire... éloge, exaltation de la nécessité dans les écrits politiques du début du XVIIe siècle. Quelqu'un comme Le Bret, par exemple, dira – ce qui est très curieux par rapport à la pensée scientifique de l'époque et en opposition très directe avec cette pensée scientifique – : « Si grande est la force de la nécessité que, comme une souveraine déesse, n'ayant rien de sacré au monde que la fermeté de ses arrêts irrévocables, elle range sous sa puissance toute chose divine et humaine. La nécessité rend muettes les lois. La nécessité fait cesser tous les privilèges pour se faire obéir par tout le monde [25]. » Non pas donc gouvernement en rapport avec légalité, mais raison d'État en rapport avec nécessité.

Deuxième notion importante : la notion de violence, bien sûr. Car il est de la nature du coup d'État d'être violent. La raison d'État dans son exercice ordinaire, habituel, n'est pas violente, car justement elle se donne elle-même et volontairement les lois comme cadre et comme forme. Mais lorsque la nécessité l'exige, la raison d'État devient coup d'État et, à ce moment-là, elle est violente. Violente, c'est-à-dire qu'elle est obligée de sacrifier, d'amputer, de faire du tort, elle est amenée à être injuste et meurtrière. C'est le principe tout à fait opposé, vous le savez, au thème pastoral que le salut de chacun, c'est le salut de tous et le salut de tous, c'est le salut de chacun. Désormais on va avoir une raison d'État dont la pastorale sera une pastorale du choix, une pastorale de l'exclusion, une pastorale du sacrifice de quelques-uns au tout, de quelques-uns à l'État. « Pour garder justice aux choses grandes », disait Charron dans une phrase qui est reprise par Naudé, « il faut quelquefois s'en détourner dans les choses petites [26] ». Et Chemnitz donnera comme bel exemple de la violence nécessaire des coups d'État ce que Charlemagne avait fait chez les Saxons, quand il [leur] avait fait la guerre et qu'il en avait occupé les territoires. Chemnitz dit que Charlemagne avait établi des juges pour juguler la révolte et l'agitation des Saxons, et ces juges avaient la particularité, premièrement, d'être inconnus du public, de sorte qu'on ne savait pas qui vous jugeait. Deuxièmement, ces juges jugeaient sans connaissance de cause, c'est-à-dire sans avoir rien établi des faits qu'ils reprochaient à ceux qu'ils condamnaient. Troisièmement, leur jugement était sans forme de procès, c'est-à-dire qu'il n'y avait aucun rituel judiciaire. Autrement dit, c'est une manière polie pour Chemnitz de dire que Charlemagne avait établi des assassins chez les Saxons, qui tuaient qui ils voulaient, comme ils voulaient, sans dire pourquoi. Et ils devaient tuer qui? Les perturbateurs du repos public et de l'État. Apparaît ici l'idée du crime d'État qu'on aurait pu aussi analyser, parce que c'est une notion très importante qui apparaît à ce moment-là, et qui prend à ce moment-là des dimensions très particulières. Et, dit Chemnitz, bien sûr, dans ce coup d'État de Charlemagne il y eut des injustices, des innocents furent condamnés, mais le système ne dura pas et la fureur des Saxons fut modérée [27]. Donc, le coup d'État est violent. Or comme le coup d'État n'est rien d'autre que la manifestation de la raison d'État, nous en arrivons à cette idée qu'il n'y a aucune antinomie, en ce qui concerne l'État du moins, entre violence et raison. On peut même dire que la violence de l'État, ce n'est rien d'autre que la manifestation irruptive, en quelque sorte, de sa propre raison. Et, faisant une opposition – que vous allez sans doute reconnaître si vous avez lu l'article de Genet dans *Le Monde* du mois de septembre dernier [28] –, un texte qui date de la première moitié du XVIIᵉ siècle (il a été écrit sous Richelieu) disait ceci (c'est un texte anonyme): il faut distinguer entre violence et brutalité, car les brutalités, ce sont les violences qui « ne se font que par le caprice des particuliers », tandis que les violences qui « se font par le concert des sages », ce sont les coups d'État [29]. Bossuet a repris aussi l'opposition brutalité et violence, et Genet à son tour, retournant simplement la tradition et appelant brutalité la violence d'État et violence ce que les théoriciens du XVIIᵉ siècle appelaient brutalité.

Troisième notion importante, après nécessité et violence, je crois que c'est le caractère nécessairement théâtral du coup d'État. Un coup d'État, en effet, en tant qu'il est l'affirmation irruptive de la raison d'État, le coup d'État doit se reconnaître aussitôt. Il doit se reconnaître aussitôt selon ses véritables traits, en exaltant la nécessité qui le justifie. Bien sûr, le coup d'État suppose une part de secret pour réussir. Mais pour pouvoir emporter l'adhésion, et pour que le suspens des lois auquel il est nécessairement lié ne soit pas compté à son débit, il faut que le coup d'État éclate au grand jour et que, éclatant au grand jour, il fasse apparaître sur la scène même sur laquelle il se place la raison d'État qui le fait se produire.

Le coup d'État doit cacher sans doute ses procédés et ses cheminements, mais il doit apparaître solennellement dans ses effets et dans les raisons qui le soutiennent. D'où la nécessité de la mise en scène du coup d'État, et on la trouverait dans la pratique politique de cette époque-là comme par exemple la journée des Dupes[30], l'arrestation du prince[31], l'incarcération de Fouquet[32]. Tout ceci fait du coup d'État une certaine manière pour le souverain de manifester l'irruption de la raison d'État et la prévalence de la raison d'État sur la légitimité, de la manière la plus éclatante possible.

On touche là un problème qui est apparemment marginal, mais que je crois malgré tout important, qui est le problème de la pratique théâtrale dans la politique, ou encore la pratique théâtrale de la raison d'État. Le théâtre, enfin cette pratique théâtrale, cette théâtralisation, doit être un mode de manifestation de l'État et du souverain, du souverain comme dépositaire du pouvoir d'État. Et on pourrait, je crois, opposer [aux] cérémonies royales – qui, du sacre par exemple au couronnement jusqu'à l'entrée des villes ou aux funérailles du souverain, marquaient le caractère religieux du souverain et articulaient son pouvoir sur le pouvoir religieux et sur la théologie –, on pourrait opposer à ces cérémonies traditionnelles de la royauté cette espèce de théâtre moderne dans lequel la royauté a voulu se manifester et s'incarner et dont la pratique du coup d'État opéré par le souverain lui-même est une des manifestations les plus importantes. Apparition, donc, d'un théâtre politique avec comme envers le fonctionnement du théâtre, au sens littéraire du terme, comme étant le lieu privilégié de la représentation politique et particulièrement de la représentation du coup d'État. Car, après tout, une partie du théâtre historique de Shakespeare, c'est bien le théâtre du coup d'État. Prenez Corneille, prenez même Racine, ce ne sont jamais que des représentations ; enfin j'exagère en disant cela, mais c'est assez souvent, presque toujours des représentations de coups d'État. D'*Andromaque*[33] à *Athalie*[34], ce sont des coups d'État. Même *Bérénice*[35], c'est un coup d'État. Le théâtre classique est, je crois, essentiellement organisé autour du coup d'État[36]. Tout comme dans la politique la raison d'État se manifeste dans une certaine théâtralité, le théâtre, en revanche, s'organise autour de la représentation de cette raison d'État sous sa forme dramatique, intense et violente du coup d'État. Et on pourrait dire que la cour, telle que Louis XIV l'a organisée, est précisément le point d'articulation, le lieu où se théâtralise la raison d'État sous la forme d'intrigues, de disgrâces, de choix, d'exclusions, d'exils, et puis la cour, c'est aussi le lieu où précisément le théâtre va représenter l'État lui-même.

Disons d'un mot qu'à l'époque où l'unité quasi impériale du cosmos se disloque, à l'époque où la nature s'est dédramatisée, s'est libérée de l'événement, s'est affranchie du tragique, je crois que dans l'ordre politique quelque chose d'autre se passe, quelque chose d'inverse. Au XVIIᵉ siècle, à la fin des guerres de Religion, – à l'époque précisément de la guerre de Trente Ans, depuis les grands traités, depuis la grande recherche de l'équilibre européen –, s'ouvre une perspective historique nouvelle, perspective de la gouvernementalité indéfinie, perspective de la permanence des États qui n'auront ni fin ni terme, apparaît un ensemble d'États discontinus qui sont voués à une histoire qui n'a pas d'espoir puisqu'elle n'a pas de terme, États qui s'ordonnent à une raison dont la loi n'est pas celle d'une légitimité, légitimité dynastique ou légitimité religieuse, mais celle d'une nécessité qu'elle doit affronter dans des coups qui sont toujours hasardeux, même s'ils doivent être concertés. État, raison d'État, nécessité, coup d'État risqué, c'est tout ça qui va constituer l'horizon tragique nouveau de la politique et de l'histoire. En même temps que naît la raison d'État, naît, je crois, un certain tragique de l'histoire qui n'a plus rien à voir avec la déploration du présent ou du passé, avec le lamento des chroniques qui était la forme dans laquelle le tragique de l'histoire apparaissait jusque-là, un tragique de l'histoire qui est lié à la pratique politique elle-même, et le coup d'État, c'est en quelque sorte la mise en œuvre de ce tragique sur une scène qui est le réel lui-même. Et ce tragique du coup d'État, ce tragique de l'histoire, ce tragique d'une gouvernementalité qui n'a pas de terme, mais qui ne peut que se manifester, en cas de nécessité, sous cette forme théâtrale et violente, je crois que Naudé, dans un texte assez étonnant, l'a caractérisé quand il donnait sa définition, sa description du coup d'État, et il y a dans ce texte, vous allez voir, quelque chose de très napoléonien, quelque chose qui fait assez singulièrement penser aux nuits hitlériennes, aux nuits des longs couteaux. Naudé dit ceci : « [...] ès coups d'État, on voit plus tôt tomber le tonnerre qu'on ne l'a entendu gronder dans les nuées. » Dans les coups d'État, « les matines s'y disent auparavant qu'on les sonne, l'exécution précède la sentence ; tout s'y fait à la judaïque ; [...] tel reçoit le coup qui pensait le donner, tel y meurt qui pensait bien être en sûreté, tel en pâtit qui n'y songeait point, tout s'y fait de nuit, à l'obscur, parmi les brouillards et les ténèbres [37] ». À la grande promesse du pastorat, qui faisait endurer toutes les misères, même celles volontaires de l'ascétisme, commence à faire suite maintenant cette dureté théâtrale et tragique de l'État qui demande qu'au nom de son salut, un salut toujours menacé, jamais certain, on accepte les violences comme étant la forme la plus pure de la raison et de la raison d'État. Voilà ce que je voulais vous dire sur le problème du salut par rapport à l'État, sous l'angle simplement du coup d'État.

Deuxièmement maintenant, le problème de l'obéissance. Et là je vais prendre une tout autre question et un tout autre texte. Autre question : c'est la question des révoltes et des séditions qui ont été, bien entendu, jusqu'à la fin du XVIIᵉ siècle, un problème politique majeur et pour lesquelles il y a un texte, un texte tout à fait remarquable qui a été écrit par le chancelier Bacon [38], Bacon que plus personne n'étudie et qui est certainement un des personnages les plus intéressants de ce début du XVIIᵉ siècle. Je n'ai pas beaucoup l'habitude de vous donner des conseils quant au travail universitaire, mais si certains d'entre vous voulaient étudier Bacon, je crois qu'ils ne perdraient pas leur temps [39].

Alors Bacon écrit donc un texte qui s'appelle, traduit en français : « Essai sur les séditions et les troubles [40] ». Et là, il donne toute une description, toute une analyse – j'allais dire : toute une physique – de la sédition et des précautions à prendre contre les séditions, et du gouvernement du peuple, qui est tout à fait remarquable. Premièrement, il faut prendre les séditions comme une espèce de phénomène, de phénomène non pas tellement extraordinaire que tout à fait normal, naturel, en quelque sorte immanent même à la vie de la *res publica,* de la république. Les séditions, dit-il, c'est comme les tempêtes, ça se produit précisément au moment où on les attend le moins, dans le calme le plus grand, en des périodes d'équilibre ou d'équinoxe. En ces moments d'égalité et de calme, quelque chose peut parfaitement être en train de se tramer ou plutôt de naître, d'enfler comme une tempête [41]. La mer s'enfle secrètement, dit-il, et c'est précisément cette signalétique, cette sémiotique de la révolte qu'il faut établir. En période de calme, comment est-ce que l'on peut repérer la possibilité d'une sédition en train de se former ? Bacon (là, je vais passer très vite) donne un certain nombre de signes. Premièrement, des bruits, c'est-à-dire des libelles, des pamphlets, des discours contre l'État et contre ceux qui gouvernent, qui commencent à circuler. Deuxièmement, ce que j'appellerai un renversement des valeurs, ou en tout cas des appréciations. Chaque fois que le gouvernement fait quelque chose de louable, cette chose est prise en mauvaise part par les gens qui sont mécontents. Troisièmement, les ordres circulent mal, et on voit que les ordres circulent mal à deux choses : premièrement, au ton de ceux qui parlent dans le système de diffusion des ordres. C'est-à-dire que ceux qui transmettent les ordres parlent avec timidité et ceux qui reçoivent les ordres parlent avec hardiesse. Eh bien, quand ce renversement de ton se produit, il faut se méfier. Autre chose toujours concernant la circulation des ordres, c'est le problème de l'interprétation, lorsque celui qui reçoit un ordre, au lieu de le recevoir et de l'exécuter, commence à l'interpréter et à insérer en quelque sorte son propre discours entre l'injonction qu'il reçoit et l'obéissance qui devrait normalement la suivre[42].

Voilà pour tous les signes qui viennent d'en bas et qui semblent prouver que la tempête, même en période d'équinoxe et de calme, est en train de se préparer. Et puis il y a des signes qui viennent d'en haut. Les signes qui viennent d'en haut, il faut y faire tout aussi attention. Les premiers, c'est quand les grands, les puissants, ceux qui entourent le souverain, qui en sont les officiers ou les proches, quand ceux-là montrent bien qu'ils obéissent non pas tellement aux ordres du souverain qu'à leur propre intérêt et qu'ils agissent de leur propre chef. Au lieu, comme dit Bacon, d'être « comme des planètes qui tournent avec rapidité sous l'impulsion du premier mobile », en l'occurrence le souverain, au lieu de cela les grands sont comme des planètes perdues dans un ciel sans étoiles, ils vont n'importe où, ou plutôt ils vont là où ils veulent au lieu d'être tenus dans l'orbite qui leur est imposée[43]. Et enfin, autre signe que le prince se donne à lui-même malgré lui, c'est lorsque le prince est incapable ou ne veut plus prendre un point de vue qui soit extérieur ou supérieur aux différents partis qui s'opposent et luttent entre eux à l'intérieur de la république, mais que spontanément il prend le parti et soutient les intérêts d'un parti aux dépens des autres. Ainsi, dit-il, quand Henri III a pris le parti des catholiques contre les protestants, lui-même aurait dû faire attention qu'en faisant cela, il montrait bien que son pouvoir était tel qu'il n'obéissait pas à la raison d'État, mais simplement à la raison d'un parti et il donnait ainsi à tout le monde, aux grands comme au peuple, le signe manifeste que le pouvoir était faible et que, par conséquent, on pouvait se révolter[44].

Les séditions ont donc des signes. Elles ont [également] des causes ; et là encore d'une manière scolastique, si vous voulez, en tout cas très traditionnelle, Bacon dit : il y a deux sortes de causes de sédition, les causes matérielles et les causes occasionnelles[45]. Causes matérielles des séditions : ce n'est pas difficile, dit Bacon, il n'y en a pas beaucoup, il n'y en a que deux. Matière des séditions, c'est d'abord l'indigence, ou du moins l'indigence excessive, c'est-à-dire un certain niveau de pauvreté qui cesse d'être supportable. Et, dit Bacon, « les rebellions qui viennent du ventre sont les pires de toutes[46] ». Deuxième matière de la sédition, en dehors du ventre, eh bien la tête, c'est-à-dire le mécontentement. Phénomène d'opinion, phénomène de perception, qui n'est pas, et là Bacon y insiste, nécessairement corrélatif avec le premier, c'est-à-dire l'état du ventre. On peut parfaitement être mécontent, alors que finalement la pauvreté n'est

pas très grande, car les phénomènes de mécontentement sont des phénomènes qui peuvent naître pour un certain nombre de raisons et de causes
sur lesquelles on reviendra et qui sont sans commune mesure avec la réalité
même. C'est en effet, dit Bacon, une des propriétés, un des caractères de
la naïveté du peuple [que] de s'indigner de choses qui n'en valent pas la
peine et d'accepter en revanche des choses qu'il ne devrait pas tolérer[47].
Mais les choses étant ce qu'elles sont, il faut tenir compte et du ventre
et de la tête, et de l'indigence et de l'état de l'opinion. Faim et opinion,
ventre et tête, voilà les deux matières de la sédition. Ce sont, dit Bacon,
comme deux matières inflammables, c'est-à-dire qu'elles sont absolument
indispensables, ces deux conditions – le ventre et l'opinion, le ventre ou
l'opinion –, pour qu'il y ait sédition[48].

Quant aux causes [occasionnelles]*, ça va être comme ces éléments
enflammés qui viennent tomber sur une matière combustible. Après tout,
on ne sait pas très bien d'où [ils] viennent et ça peut être un peu n'importe
quoi. Et ces causes occasionnelles, Bacon les énumère dans un grand
désordre. Ça peut être un changement dans la religion, ça peut être une
modification dans la distribution des privilèges, ça peut être un bouleversement dans les lois et les coutumes, ça peut être un changement dans le
régime des impôts, ça peut être aussi le fait que le souverain élève à des
postes importants des gens indignes, ça peut être la présence trop nombreuse et l'enrichissement trop manifeste des étrangers, ça peut être également des raretés de grain ou de subsistance et l'élévation des prix. Tout
ce qui, en tout cas, dit Bacon, « en offensant unit[49] ». C'est-à-dire qu'il y
a causes occasionnelles de sédition lorsqu'on fait accéder au niveau d'un
mécontentement conscient un certain nombre d'éléments qui, jusque-là,
étaient restés en quelque sorte dissociés et indifférents, lorsqu'on produit
le même type de mécontentement chez des gens différents; ce qui, par
conséquent, les amène à s'unir malgré la divergence de leurs intérêts.

La sédition a donc des causes. Elle a des remèdes. Ces remèdes, il
ne faut absolument pas chercher à les appliquer à cette série de causes
occasionnelles, puisque précisément ces causes occasionnelles sont très
nombreuses, et si telle cause occasionnelle est supprimée, il y en aura
toujours une autre qui viendra allumer ces matières inflammables. En
réalité, les remèdes doivent porter sur les matières inflammables, c'est-
à-dire sur le ventre ou la tête ou encore sur l'indigence et le mécontent-
tement. Remèdes contre l'indigence – là je passe vite, mais l'intéressant,
je crois, c'est la nature même des remèdes proposés : ôter l'indigence et la

* Mot omis.

pauvreté, dit Bacon, ça sera réprimer le luxe et empêcher la paresse, la fainéantise, le vagabondage, la mendicité. Ça va être : favoriser le commerce intérieur, multiplier la circulation de l'argent en diminuant le taux d'intérêt, en évitant les trop grandes propriétés, en élevant le niveau de vie – enfin, il n'emploie pas cette expression, il dit : il vaut mieux beaucoup de gens dépensant un peu que peu de gens dépensant beaucoup [50] –, favoriser le commerce extérieur en accroissant la valeur des matières premières par le travail, en assurant à l'étranger le service des transports. Il faut aussi, dit-il, équilibrer les ressources et la population et faire qu'il n'y ait pas trop de population pour les ressources dont dispose l'État. Il faut équilibrer aussi les proportions entre la population productive et les non-productifs que sont les grands et le clergé. C'est donc tout cela qu'il faut faire pour empêcher, pour éteindre cette cause matérielle de révolte que constitue l'indigence [51].

Du côté du mécontentement, il faut là aussi toute une série de techniques et de procédés. Et Bacon dit : au fond, il y a deux catégories d'individus à l'intérieur de l'État. Il y a le peuple et il y a les grands. Or, en fait, il n'y a de sédition véritable et véritablement dangereuse que le jour où le peuple et les grands viennent à s'unir. Car le peuple en lui-même, dit-il, est trop lent et il n'entrerait jamais en révolte s'il n'y avait l'instigation de la noblesse. Quant à la noblesse, étant évidemment peu nombreuse, elle est faible, et elle restera faible tant que le peuple ne sera pas lui-même disposé aux troubles. Un peuple lent et une noblesse faible, c'est cela qui garantit le fait que la sédition ne pourra peut-être pas avoir lieu et que les mécontentements ne se contamineront pas. Or, dit Bacon, au fond, si on regarde du côté des grands et des nobles, il n'y a pas de véritable problème, parce que les grands et les nobles, on s'en accommode toujours. Ou bien on les achète, ou bien on les exécute [52]. Un noble, ça se décapite, un noble, ça trahit, donc un noble c'est toujours de notre côté et ça ne sera pas le problème. En revanche, le problème du mécontentement du peuple est beaucoup plus grand, beaucoup plus sérieux, plus difficile à résoudre. Il faut faire en sorte que ce mécontentement du peuple, d'une part, n'arrive jamais à un point tel qu'il ne trouve d'autre issue que l'explosion dans la révolte et la sédition. C'est-à-dire il lui faut toujours laisser un petit peu d'espérance. Deuxièmement, il faut faire en sorte que le peuple, qui est lent et qui par lui-même ne peut rien faire, ne trouve jamais un chef chez les nobles. Il faudra donc précisément établir toujours une coupure, une rivalité d'intérêts entre les nobles et le peuple, de manière à ce que cette coagulation de mécontentements ne se produise pas [53].

Je vous ai cité tout ceci, en réalité, parce que je crois que si on compare ce texte avec celui de Machiavel, qui par un certain nombre de côtés lui ressemble, on voit tout de même très vite apparaître une différence. Et il faut noter d'ailleurs tout de suite que Bacon se réfère à Machiavel et le cite avec éloge[54]. Malgré cela, je crois qu'on peut voir la différence. Le problème posé par Machiavel, qu'est-ce que c'était? C'était essentiellement le problème du Prince qui [était] menaçé d'être dépossédé. Comment le Prince doit-il faire pour ne pas être dépossédé? C'était donc l'acquisition ou la perte de la principauté qui était essentiellement mise en question par Machiavel. Ici, au fond, jamais le problème de la dépossession du roi, jamais la possibilité que le roi ne soit chassé et ne perde son royaume, jamais cela n'est évoqué[55]. Ce qui est évoqué, c'est au contraire une sorte de possibilité perpétuellement présente à l'intérieur de l'État et qui fait en quelque sorte partie de la vie quotidienne des États, en tout cas des virtualités intrinsèques mêmes à l'État. Cette virtualité, c'est qu'il y ait sédition et émeute. La possibilité de la sédition et de l'émeute est quelque chose avec [quoi] il faut bien gouverner. Et le gouvernement, – c'est un de ses aspects –, sera précisément la prise en charge de cette possibilité de l'émeute et de la sédition.

Deuxièmement, Machiavel distinguait bien ce qui vient du peuple et ce qui vient des grands. C'est une idée machiavélienne aussi qu'il faut faire bien attention que le mécontentement des grands et le mécontentement du peuple n'aillent jamais de pair et ne viennent jamais se renforcer l'un l'autre[56]. Mais pour Machiavel, l'essentiel du danger venait des grands, en tout cas venait des ennemis du Prince, venait de la part de ceux qui pensaient au complot et tramaient le complot[57]. Pour Machiavel, au fond, le peuple était essentiellement passif, naïf, il avait à servir d'instrument au Prince, sans quoi il servait d'instrument aux grands. Le problème, c'était le débat entre le Prince et ses rivaux, rivaux extérieurs et rivaux intérieurs, ceux qui faisaient des coalitions militaires contre lui et ceux qui faisaient des complots intérieurs contre lui. Pour Bacon, vous voyez bien que le problème, ce n'est pas les grands. Le problème, c'est le peuple. Le peuple, pour Bacon, est également naïf tout comme chez Machiavel. Mais c'est lui qui va être l'objet essentiel de ce qui justement doit être le gouvernement d'un État. Tant qu'il s'agissait, avec Machiavel, de maintenir une principauté, on pouvait penser aux grands et aux rivaux. Maintenant qu'il s'agit de gouverner selon la raison d'État, ce à quoi il faut penser, ce qu'il faut toujours avoir présent à l'esprit, c'est le peuple. Le problème du gouvernement, ce ne sont pas les rivaux du Prince, c'est le peuple, car les grands, encore une fois, ça s'achète et ça se décapite. Ils sont proches du gouvernement, alors que le peuple, lui, est quelque chose qui est à la fois proche et à distance. Il est réellement difficile, il est réellement dangereux. Gouverner, ça va être essentiellement gouverner le peuple.

Troisième différence, je crois, entre Bacon et Machiavel, c'est que les calculs de Machiavel portent essentiellement, me semble-t-il, sur, comment dire ?... les qualificatifs du Prince, qualificatifs réels ou apparents. Le problème de Machiavel, c'est de dire : est-ce que le Prince doit être juste ou est-ce qu'il doit être injuste ? Est-ce qu'il doit apparaître juste ou est-ce qu'il doit apparaître injuste ? Comment doit-il apparaître redoutable ? Comment doit-il cacher sa faiblesse ?[58] C'est toujours les épithètes, au fond, du Prince qui sont en jeu dans le calcul machiavélien. Avec Bacon, on a affaire au contraire à un calcul qui ne porte pas sur les épithètes, sur les qualificatifs réels ou apparents du prince. C'est un calcul qui va apparaître sur des éléments à la fois capitaux et réels, c'est-à-dire, – et alors là, je me réfère aux remèdes que nous proposait Bacon contre les séditions –, l'économie. Le calcul du gouvernement, dit Bacon, doit porter sur les richesses, leur circulation, les impôts, les taxes etc., c'est tout ça qui doit être l'objet du gouvernement. Donc calcul qui porte sur les éléments de l'économie, et calcul qui porte également sur l'opinion, c'est-à-dire non pas l'apparence du prince, mais ce qui se passe dans la tête des gens qui sont gouvernés. Économie et opinion, ce sont là, je crois, les deux grands éléments de réalité que le gouvernement aura à manipuler.

Or ce qu'on retrouve là en filigrane, à peine dessiné chez Bacon, c'est en réalité la pratique politique de l'époque, puisque c'est à partir de cette époque qu'on voit se développer d'une part une politique qui va être une politique de calcul économique avec le mercantilisme, qui n'est pas théorie mais avant tout, essentiellement, pratique politique, et [d'autre part] les premières grandes campagnes d'opinion qui, en France, vont accompagner le gouvernement de Richelieu. Richelieu a inventé la campagne politique par voie de libelles, de pamphlets, et a inventé cette profession de manipulateurs de l'opinion que l'on appelait à cette époque-là les «publicistes»[59]. Naissance des économistes, naissance des publicistes. Ce sont les deux grands aspects du champ de réalité, les deux éléments corrélatifs du champ de réalité qui apparaît comme corrélatif du gouvernement, l'économie et l'opinion.

Enfin troisièmement (là, je serai très rapide, parce que d'une part l'heure a passé et puis ce sont des choses qui sont beaucoup plus connues, bien qu'elles soient tout à fait capitales), c'est le problème de la raison d'État et de la vérité. La *ratio status,* la rationalité intrinsèque à l'art de gouverner implique tout comme le pastorat une certaine production de vérité, mais très différente dans ses circuits et dans ses types de celle que l'on trouve dans le pastorat lui-même. Dans le pastorat, vous vous [en] souvenez, il fallait qu'il y ait, premièrement, une vérité enseignée. Il fallait, dans l'économie de vérité du pastorat, que le pasteur connaisse ce qui se passe dans sa communauté. Il fallait que chacun de ceux qui étaient les brebis du pasteur découvre en lui-même une vérité qu'il porte au jour et dont le pasteur se trouve, sinon le juge et le garant, du moins le témoin perpétuel. C'était tout ce cycle de vérités qui caractérisait le pastorat. Dans le cas de la raison d'État et de cette nouvelle manière de gouverner les hommes, on va avoir aussi tout un champ de vérité, mais évidemment d'un type entièrement différent. Premièrement, au niveau du contenu, qu'est-ce qu'il est nécessaire de savoir pour gouverner ? Je crois que là, on voit un phénomène important, une transformation qui est capitale. Dans les images, dans la représentation, dans l'art de gouverner tel qu'il avait été défini jusqu'au début du xviiᵉ siècle, au fond le souverain avait essentiellement à être sage et prudent. Être sage voulait dire quoi ? Être sage, c'était connaître les lois : connaître les lois positives du pays, connaître les lois naturelles qui s'imposent à tous les hommes, connaître bien sûr les lois et les commandements de Dieu lui-même. Être sage, c'était aussi connaître les exemples historiques, les modèles de vertu et en faire comme autant de règles de comportement. D'autre part, le souverain avait à être prudent, c'est-à-dire savoir dans quelle mesure, à quel moment et en quelles circonstances il fallait appliquer effectivement cette sagesse. À quel moment, par exemple, il fallait que les lois de la justice soient appliquées dans toute leur rigueur, à quel moment, au contraire, il fallait que les principes de l'équité l'emportent sur les règles formelles de la justice. Sagesse et prudence, c'est-à-dire finalement un maniement de lois.

Je crois qu'à partir du xviiᵉ siècle, on voit apparaître, comme caractérisation du savoir nécessaire à celui qui gouverne, tout autre chose. Ce que le souverain ou celui qui gouverne, le souverain en tant qu'il gouverne, doit connaître, ce ne sont pas simplement les lois, ce n'est même pas premièrement ni fondamentalement les lois (bien qu'on s'y réfère toujours, bien sûr, et qu'il soit nécessaire de les connaître), mais ce qui est, je crois, à la fois nouveau, capital et déterminant, c'est que le souverain doit connaître ces éléments qui constituent l'État, au sens où Palazzo, dans le texte par lequel j'ai commencé, parlait de l'État. C'est-à-dire, il faut que celui qui gouverne connaisse les éléments qui vont permettre le maintien de l'État, le maintien de l'État dans sa force ou le développement nécessaire de la force de l'État, pour qu'il ne soit pas dominé par les autres et ne perde pas son existence en perdant sa force ou sa force relative. C'est-à-dire que le savoir nécessaire au souverain sera une connaissance des choses plus qu'une connaissance de la loi, et ces choses que le souverain doit connaître, ces choses qui sont la réalité même de l'État, c'est précisément ce qu'on appelle à l'époque la « statistique » *. La statistique, étymologiquement, c'est la connaissance de l'État, la connaissance des forces et des ressources qui caractérisent un État à un moment donné. Par exemple : connaissance de la population, mesure de sa quantité, mesure de sa mortalité, de sa natalité, estimation des différentes catégories d'individus dans un État et de leur richesse, estimation des richesses virtuelles dont dispose un État : les mines, les forêts, etc., estimation des richesses produites, estimation des richesses qui circulent, estimation de la balance commerciale, mesure des effets des taxes et des impôts, ce sont toutes ces données et bien d'autres qui vont constituer maintenant le contenu essentiel du savoir du souverain. Non plus donc corpus de lois ou habileté à les appliquer quand il faut, mais ensemble de connaissances techniques qui caractérisent la réalité de l'État lui-même.

Techniquement, bien sûr, cette connaissance de l'État posait un grand nombre de difficultés. Et on sait que la statistique s'est précisément développée d'abord là où les États étaient plus petits ou là où il y avait une situation favorable, comme par exemple dans l'Irlande occupée par l'Angleterre [60], où la possibilité de savoir exactement ce qu'il y avait, quelles en étaient les ressources, était donnée par la petitesse du pays et l'occupation militaire qui était faite. Développement aussi de la statistique dans les petits États allemands [61] puisque, là, les unités en quelque sorte de recherche étaient plus petites. Nécessité aussi, à cause de ces difficultés techniques, de penser un appareil administratif non encore existant, mais qui serait tel que l'on puisse à chaque instant connaître exactement ce qui se passe dans le royaume, un appareil administratif qui ne soit pas simplement l'agent d'exécution des ordres du souverain ou l'agent de prélèvement des taxes, richesses, hommes dont le souverain a besoin, mais un appareil administratif qui soit en même temps un appareil de savoir, là encore comme dimension essentielle à l'exercice du pouvoir [62]. **

* M. Foucault, dans le manuscrit, p. 23, écrit : « *Statistik* ». Sur l'origine de ce mot, qui date du XVIIIe siècle, cf. *infra*, p. 291, note 61.
** Après avoir analysé le « contenu » du savoir requis par la raison d'État, M. Foucault, dans le manuscrit (p. 24), en décrit rapidement la « forme » :

On pourrait ajouter à cela un certain nombre d'autres éléments, comme par exemple le problème du secret. Le savoir, en effet, que l'État doit se former de lui-même et à partir de lui-même, ce savoir risquerait de perdre un certain nombre de ses effets et de n'avoir pas les conséquences qu'on en attend si, au fond, tout le monde savait ce qui se passe ; et en particulier les ennemis de l'État, les rivaux de l'État ne doivent pas savoir quelles sont les ressources réelles dont il dispose en hommes, en richesses, etc. Donc, nécessité du secret. Nécessité d'enquêtes, par conséquent, qui soient coextensives en quelque sorte à l'exercice d'une administration, mais nécessité aussi d'un codage précis de ce qui peut être publié et de ce qui ne doit pas l'être. C'est ce qu'on appelait à l'époque, – et qui faisait partie explicitement de la raison d'État –, les *arcana imperii,* les secrets du pouvoir[63], et les statistiques en particulier ont été longtemps considérées comme secrets du pouvoir à ne pas divulguer[64].

Et troisièmement enfin, toujours dans cet ordre de la pratique de la vérité, le problème du public, c'est-à-dire que la raison d'État doit intervenir sur la conscience des gens, non pas simplement pour leur imposer un certain nombre de croyances vraies ou fausses, comme par exemple lorsque les souverains voulaient faire croire à leur légitimité ou à l'illégitimité de leur rival, mais de manière que leur opinion, bien sûr, soit modifiée, et avec leur opinion la manière de faire des gens, la manière d'agir, leur comportement comme sujets économiques, leur comportement comme sujets politiques. C'est tout ce travail de l'opinion du public qui va être un des aspects de la politique de la vérité dans la raison d'État. *

---

(1) « enquêtes et rapports continus », tout d'abord, permettant la constitution d'un « savoir spécifique qui naît en permanence dans l'exercice même du pouvoir gouvernemental, qui lui est coextensif, qui l'éclaire à chaque pas et qui indique, non pas ce qu'il faut faire, mais ce qui existe [et] ce qui est possible. Le savoir qu'on réclamait pour la politique relevait de la raison pratique. C'était toujours le "que faire" (en termes d'habileté, de prudence, de sagesse, de vertu). Essentiellement prescriptif, articulé à partir de l'*exemplum,* d'où l'on tirait des conseils positifs/négatifs. Maintenant, le gouvernement va se lester de tout un savoir factuel, contemporain, articulé autour d'un réel (l'État), avec autour de lui un champ de possibilité et d'impossibilité. L'État : cette instance du réel qui définit les possibilités du gouvernement » ; (2) le secret : « ce savoir des forces (réel + possibilité) n'est, dans beaucoup de cas, un instrument de gouvernement qu'à la condition de n'être pas divulgué ». Seul ce second point est repris dans la leçon.
* Le manuscrit, p. 25, ajoute : « Le public comme sujet-objet d'un savoir : sujet d'un savoir qui est "opinion" et objet d'un savoir qui est d'un tout autre type, puisqu'il a l'opinion pour objet et qu'il s'agit pour ce savoir d'État de modifier l'opinion ou de s'en servir, de l'instrumentaliser. Nous sommes loin de l'idée "vertueuse" d'une communication du monarque et de ses sujets dans la connaissance commune des lois humaines, naturelles et divines. Loin aussi de l'idée "cynique" d'un prince qui ment à ses sujets pour mieux asseoir et conserver son pouvoir. »

En vous disant tout cela, il est bien entendu que je n'ai voulu en aucun cas faire la généalogie de l'État lui-même ou l'histoire de l'État. J'ai simplement voulu montrer quelques faces ou quelques arêtes de ce qu'on pourrait appeler le prisme pratico-réflexif, ou prisme réflexif tout simplement, dans lequel est apparu au XVIᵉ, fin XVIᵉ - début XVIIᵉ siècle, le problème de l'État. Un peu comme si je vous disais : je n'ai pas voulu vous faire l'histoire, en termes d'astrophysique, de la planète Terre, j'ai voulu faire l'histoire du prisme réflexif qui a permis, à partir d'un certain moment, de penser que la Terre était une planète. C'est un petit peu la même chose, avec cependant une différence. C'est que, quand on fait simplement l'histoire des sciences, quand on fait simplement l'histoire de la manière dont on a appris, constitué un savoir tel que la Terre y apparaissait comme une planète par rapport au soleil, quand on fait une histoire comme celle-là, il est bien évident qu'on fait l'histoire d'une série tout à fait autonome et indépendante et qui n'a rien à voir avec l'évolution du cosmos lui-même. Que l'on ait su, à partir d'un certain moment, que la Terre est une planète n'a influé en rien sur la position de la Terre dans le cosmos, cela va de soi, alors que l'apparition précisément de l'État à l'horizon d'une pratique réfléchie, à la fin du XVIᵉ et au début du XVIIᵉ siècle, a eu une importance absolument capitale dans l'histoire de l'État et dans la manière dont se sont effectivement cristallisées les institutions de l'État. L'événement réflexif, l'ensemble des processus par lesquels l'État est effectivement, à un moment donné, entré dans la pratique réfléchie des gens, la manière dont l'État, à un moment donné, est devenu pour ceux qui gouvernaient, pour ceux qui conseillaient les gouvernants, pour ceux qui réfléchissaient sur les gouvernements et l'action des gouvernements telle qu'ils la voyaient [... *], cette manière-là a été, à coup sûr, non pas le facteur absolument déterminant du développement des appareils d'État qui en vérité avaient existé bien avant – l'armée, la fiscalité, la justice, tout ça existait bien avant –, mais ça a été absolument capital, je pense, pour que tous ces éléments entrent dans le champ d'une pratique active, concertée, réfléchie qui a été précisément l'État. On ne peut pas parler de l'État-chose comme si c'était un être se développant à partir de lui-même et s'imposant par une mécanique spontanée, comme automatique, aux individus. L'État, c'est une pratique. L'État ne peut pas être dissocié de l'ensemble des pratiques qui ont fait effectivement que l'État est devenu une manière de gouverner, une manière de faire, une manière aussi d'avoir rapport au gouvernement.

---

\* Segment de phrase inachevé.

C'est donc cette espèce de prisme réflexif que j'ai essayé d'isoler, et je terminerai maintenant en faisant simplement une remarque (je voulais en faire d'autres, mais je tâcherai de les faire la prochaine fois). C'est que, dans cette analyse de la raison d'État, vue sous le biais du salut et du coup d'État, sous le biais de l'obéissance et de la soumission, sous le biais de la vérité, de l'enquête et du public, il y a tout de même un élément qui est à la fois... j'allais dire : présent et absent – présent d'une certaine manière, mais plus absent encore que présent. Cet élément, c'est la population. La population, elle est à la fois présente dans la mesure où, quand on dit : mais quelle est la finalité de l'État ? et qu'on répond : la finalité de l'État, c'est l'État lui-même, mais c'est l'État lui-même dans la mesure où cet État doit être heureux, doit être prospère, etc., on peut dire que la population, comme étant le sujet ou l'objet de cette félicité, est légèrement esquissée. Quand on parle de l'obéissance, et que l'élément fondamental de l'obéissance dans le gouvernement, c'est le peuple, le peuple qui peut entrer en sédition, vous voyez que la notion de « population » est légèrement présente. Lorsqu'on parle du public, de ce public sur l'opinion duquel il faut agir de manière à modifier ses comportements, on est déjà tout près de la population. Mais je pense que l'élément réellement réfléchi de la population, la notion de population n'est pas présente et n'est pas opératoire dans cette première analyse de la raison d'État. C'est au fond une félicité sans sujet dont parle la raison d'État. Quand Chemnitz, par exemple, définit ce qu'est la raison d'État, il dit « félicité de l'État » et jamais « félicité de la population[65] ». Ce ne sont pas les hommes qui doivent être heureux, ce ne sont pas les hommes qui doivent être prospères, à la limite même ce ne sont pas les hommes qui doivent être riches, c'est l'État lui-même. C'est bien cela un des traits fondamentaux de la politique mercantiliste à l'époque. Le problème, c'est la richesse de l'État et pas celle de la population. La raison d'État, c'est un rapport de l'État à lui-même, une automanifestation dans laquelle l'élément de la population est esquissé mais non présent, esquissé mais non réfléchi. De la même façon, quand on parle des séditions avec Bacon, quand on parle de l'indigence et du mécontentement, on est tout proche de la population, mais jamais Bacon n'envisage la population comme étant constituée par des sujets économiques qui sont capables d'avoir un comportement autonome. On va parler de richesses, on va parler de la circulation des richesses, de la balance commerciale, on ne va pas parler de la population comme sujet économique. Et quand, à propos de la vérité, les théoriciens de la raison d'État insistent sur le public, la nécessité d'avoir une opinion publique, c'est en quelque sorte d'une manière purement passive que l'analyse se fait. Il s'agit de donner aux individus une certaine représentation, une certaine idée, de leur imposer quelque chose et aucunement de se servir d'une manière active de leur attitude, opinion, manière de faire. Autrement dit, je pense que la raison d'État a bien défini un art de gouverner dans lequel la référence à la population était implicite, mais précisément n'était pas encore entrée dans le prisme réflexif. Ce qui va se passer, du début du XVIIᵉ siècle au milieu du XVIIIᵉ, ça va être une série de transformations grâce auxquelles et à travers lesquelles cette espèce d'élément central dans toute la vie politique, dans toute la réflexion politique, dans toute la science politique à partir du XVIIIᵉ siècle, cette notion de population va être élaborée. Elle va être élaborée à travers un appareil qui a été mis en place pour faire fonctionner la raison d'État. Cet appareil, c'est la police. Et c'est l'intervention de ce champ de pratiques que l'on va appeler la police, c'est cette intervention qui va, dans cette théorie générale, si vous voulez, absolutiste de la raison d'État, faire apparaître ce sujet nouveau. Eh bien, c'est cela que j'essaierai de vous expliquer la prochaine fois.

\*

## NOTES

1. Cf. leçon précédente (8 mars), p. 245-246.
2. Giovanni Antonio Palazzo, *Discorso del governo e della ragion vera di Stato,* Napoli, per G. B. Sottile, 1604. On ne sait presque rien de cet auteur, sinon qu'il exerça quelque temps la profession d'avocat à Naples, sans en tirer un grand profit, et fut secrétaire du seigneur de Vietri, Don Fabrizio Di Sangro. Son livre fit l'objet de deux traductions en français : *Discours du gouvernement et de la raison vraye d'Estat,* par Adrien de Vallières, Douai, impr. De Bellire, 1611, et *Les politiques et vrays remèdes aux vices volontaires qui se comettent ez cours et republiques,* Douai, impr. B. Bellère, 1662, ainsi que d'une traduction latine : *Novi discursus de gubernaculo et vera status ratione nucleus, ab Casparo Janthesius,* ab Casparo Janthesius, Dantzig, sumptibus G. Rhetii, 1637.
3. *Discours du gouvernement...,* trad. citée, Iʳᵉ partie, ch. 3 («De la raison d'estat»), p. 13 : «Raison souventefois est prise pour l'essence de chaque chose, qui n'est autre chose que l'estre entier d'icelle qui consiste en l'union de toutes les parties.»
4. *Ibid.* : «D'avantage la raison signifie la puissance intellectuelle de l'ame, qui entend & cognoit la verité des choses, & regle bien & deüement la volonté en ses actions.»
5. *Ibid.* : «La raison donc étant prise en sa premiere signification, c'est l'essence entiere des choses, & prise en l'autre, c'est une regle juste des mesmes choses, & une mesure de nos operations.» Cf. également IV, 17, p. 363.

6. *Ibid.*, I, 2 («De l'estat de la republique, & des princes, cause finale du gouvernement»), p. 10-11, et IV, 17 («De la raison d'estat»), p. 362. Le second texte étant à la fois plus concis et plus précis que le premier, nous le citons intégralement: «On use du mot d'estat pour signifier quatre choses. Premierement il signifie un lieu limité du domaine, lequel estant exercé en iceluy ne peut outrepasser ses confins. Secondement estat signifie la mesme jurisdiction, qui s'appelle estat, d'autant que le prince s'efforce de la conserver & la rendre ferme & stable perpetuellement; par ainsi un tel estat n'est autre chose qu'un domaine perpetuel & stable du prince. Troisiesmement estat signifie une election perpetuelle de vie, soit de ne se point marier, d'estre religieux ou se marier; ou vrayement il signifie une election d'office, d'art & exercice, qui se nomme autrement degré & condition, & ceste election est appellée estat, pour ce que l'homme doit estre immuable en icelle, & constant en l'observation de ses regles & raisons introduites pour sa fermeté. Finalement estat signifie une qualité des choses contraire au mouvement. Car ainsi qu'il est toujours propre aux choses imparfaictes, qui sont maintenant & apres ne sont plus, qui sont ore bonnes & ore mauvaises, ore d'une qualité & puis d'une autre, cela estant causé par la contrarieté & distinction des mesmes choses; semblablement au contraire la paix n'est autre chose qu'un repos, une perfection & un establissement des mesmes choses, causées par la simplicité & l'union d'icelles dressées à une mesme fin, ja acquise; & de ceste proprieté de rendre les choses fermes & stables, ce repos vient à estre appellé estat.»

7. *Ibid.*, I, 2; IV, 18-21.

8. *Ibid.*, I, 3, p. 13-14: «Premierement, raison d'estat est l'essence entiere des choses & de tout ce qui est requis à tous les arts, & à tous les offices qui sont en la republique. Laquelle description se peut verifier par exemples, car quelque province venant à defaillir ou quelque ville, ou bien quelque chasteau du royaume estant occupé, l'integrité de son essence vient à cesser. Et pour ce on peut & on doit user de moyens convenables pour le remettre en son entier, & cet usage & emploite de moiens se fait pour raison d'estat, c'est a dire pour son integrité.»

9. *Ibid.*, p. 14: «Mais selon l'autre signification, je die que la raison d'estat est une regle & un art qui enseigne & observe les moiens deüs & convenables pour obtenir la fin destinée par l'artisan, laquelle definition se verifie au gouvernement; pour ce que c'est luy qui nous fait cognoistre les moiens, & nous enseigne l'exercice d'iceux pour obtenir la tranquillité & le bien de la republique [...]»

10. Sur cette datation, cf. *supra*, p. 257, note 24.

11. B. Chemnitz (Hippolithus a Lapide), *Interets des Princes d'Allemagne*, éd. citée (1712), t. 1, p. 12 (texte latin, éd. 1647, p. 8). Quelques pages plus haut, Chemnitz critique la définition de Palazzo («la raison d'état est une regle & un niveau avec lequel on mesure toutes choses, & qui les conduit au but où elles doivent être portées») comme étant «trop generale & trop obscure» pour expliquer clairement ce qu'est la raison d'État (*ibid.*, p. 10; éd. 1647, p. 6-7). Foucault n'est donc fondé à dire que Chemnitz la confirme qu'en se plaçant d'un point de vue extérieur aux débats académiques sur le sens de l'expression.

12. Paul Hay, marquis du Chastelet, *Traitté de la politique de France, op. cit.*, éd. 1677, p. 13-14: «Les moyens de la Politique consistent à observer exactement la Religion, à rendre justice en toutes choses, faire en sorte que les peuples se puissent maintenir dans les temps & en chassant d'un Estat la pauvrete & la Richesse, y entretenir une juste & loüable mediocrite.»

13. La traduction de 1712, citée plus haut par Foucault – « j'appelle raison d'état, un certain égard politique que l'on doit avoir dans toutes les affaires publiques, dans tous les conseils & dans tous les desseins, & qui doit tendre uniquement à la conservation, à l'augmentation & à la félicité de l'Etat, à quoi l'on doit employer les moyens les plus faciles et les plus prompts » *(op. cit.,* p. 12) –, trahit ici le texte latin qui définit la raison d'État comme un certain point de vue politique, auquel, comme à une règle, se ramènent toute décision et toute action dans une république, afin d'atteindre le but suprême, qui est le salut et l'accroissement de la république *(summum finem, qui est salus & incrementum Reipublicae),* par les moyens les plus heureux *(felicius)* et les plus prompts. La « félicité » appartient donc aux moyens, non aux fins.

14. Cf. leçon précédente, p. 238-240.

15. *Op. cit.,* I, 5 (« De la nécessité & de l'excellence du gouvernement »), p. 28-29.

16. *Ibid.,* p. 31 : « […] veu qu'il [le gouvernement] est nostre Prince, notre Capitaine & conducteur en ceste guerre du monde, la repoublique a constinuellement besoin de luy, pour ce que les meschantes recheutes sont infinies auxquelles il convient remedier. Ce luy seroit encore peu s'il ne luy estoit pas necessaire de conserver avec beaucoup de vigilance la santé qu'elle a une fois acquise ; car autrement les desordres des hommes seroient en si grand nombre, que la republique d'elle mesme ne seroit point capable ny suffisante de se conserver en paix l'espace d'une heure. »

17. Cf. *Le Prince,* ch. II-VII.

18. Cf. leçon précédente, p. 258, note 40.

19. Jean Sirmond (v. 1589-1649), *Le Coup d'Estat de Louis XIII,* Paris, [s.n.], 1631. Cf. E. Thuau, *Raison d'État et Pensée politique à l'époque de Richelieu, op. cit.,* p. 226-227 et 395. Ce libelle fait partie du *Recueil de diverses pièces pour servir à l'Histoire* [1626-1634] composé par Hay du Chastelet en 1635 (Paris, [s.n.]).

20. G. Naudé, *Considérations politiques sur les coups d'État, op. cit.* (1667), ch. 2, p. 93 et 103 (rééd. 1988, p. 99 et 101). Cf. E. Thuau, *op. cit.,* p. 324. Naudé applique aux coups d'État cette définition qu'il oppose tout d'abord à celle que donne Botero de la raison d'État (« […] en quoy il n'a pas si bien rencontré à mon jugement, que ceux qui la definissent, *excessum juris communis propter bonum commune* [en note : Excès du droit commun à cause du bien public] ») : « [Les] Coups d'Estat […] peuvent marcher sous la mesme definition que nous avons déjà donnée aux Maximes & à la raison d'Estat, *ut sint excessus juris communis propter bonum commune.* » Cette définition est empruntée à Scipion Ammirato (1531-1600), *Discorsi sopra Cornelio Tacito,* Fiorenza, G. Giunti, 1594, XII, 1 / *Discours politiques et militaires sur C. Tacite,* trad. L. Melliet, Rouen, chez Jacques Caillove, VI, 7, p. 338 : « [La] Raison d'Estat n'[est] autre chose qu'une contrevention aux Raisons ordinaires, pour le respect du bien public, ou […] d'une plus grande & plus universelle raison. »

21. G. Naudé, *op. cit.,* p. 103 (rééd. 1988, p. 101), aussitôt après la définition latine citée ci-dessus : « […] ou pour m'étendre un peu davantage en François, *des actions hardies & extraordinaires que les Princes sont contraints d'executer aux affaires difficiles & comme desesperées, contre le droit commun, sans garder même aucun ordre ny forme de justice, hazardant l'interest du particulier, pour le bien du public.* » Cf. E. Thuau, *op. cit.,* p. 324.

22. B. Chemnitz, *Interets des Princes d'Allemagne,* t. 1, p. 25-26 : « La raison d'état renfermée dans les bornes dont on vient de parler [la Religion, la fidelité,

l'honnêteté naturelle & la justice], n'en reconnoit point d'autres: les loix publiques, particulieres, fondamentales, ou de quelque autre espece que ce soit, ne la gênent point; & lors qu'il est question de sauver l'Etat, elle peut hardiment y déroger. »

23. *Ibid.*, p. 26: «[...] il faut commander, non pas suivant les loix, mais aux loix mêmes, lesquelles doivent s'accommoder à l'état present de la Republique, & non pas l'Etat aux loix. »

24. G. Naudé, *Considérations politiques...*, ch. 5, p. 324-325 (rééd. 1988, p. 163-164). Le passage concerne la justice, deuxième vertu du ministre-conseiller, avec la force et la prudence: «Mais dautant que cette justice naturelle, universelle, noble & philosophique, est quelquefois hors d'usage & incommode dans la pratique du monde, où *veri juris germanaeque justitiae solidam & expressam effigiem nullam tenemus, umbria & imaginibus utimur* [nous n'avons aucune solide & expresse effigie du vray droit, & de la veritable justice, nous nous servons seulement de leurs ombres], il faudra bien souvent se servir de l'artificielle, particuliere, politique, faite & rapportée au besoin & à la necessité des Polices & Estats, puis qu'elle est assez lâche & assez molle pour s'accommoder comme la regle Lesbienne à la foiblesse humaine & populaire, & aux divers temps, personnes, affaires & accidens.» Cf. E. Thuau, *Raison d'État...*, p. 323. Ces formules, comme le remarque A. M. Battista («Morale "privée" et utilitarisme politique en France au xviie siècle» (1975), in Ch. Lazzeri & D. Reynié, *Le Pouvoir de la raison d'État*, Paris, PUF, «Recherches politiques», 1992, p. 218-219), sont presque littéralement reprises de Charron, *De la sagesse* (1601), Paris, Fayard («Corpus des œuvres de philosophie en langue française»), 1986, III, 5, p. 626.

25. Cardin Le Bret (1558-1655), *De la souveraineté du roi, de son domaine et de sa couronne*, Paris, 1632; cf. E. Thuau, *op. cit.*, p. 275-278 et p. 396 pour la citation (tirée de R. von Albertini, *Das politische Denken in Frankreich zur Zeit Richelieus*, Giessen, Bruhl, 1951, p. 181).

26. G. Naudé, *Considérations politiques...*, ch. 1, p. 15 (rééd. 1988, p. 76): «Beaucoup tiennent que le Prince bien sage & avisé, doit non seulement comander selon les loix; mais encore aux loix même si la necessité le requiert. Pour garder justice aux choses grandes, dit Charon, il faut quelquefois s'en détourner aux choses petites, & pour faire droit en gros, il est permis de faire tort en détail.» Cf. E. Thuau, *op. cit.*, p. 323. La citation de Charron est tirée du traité *De la sagesse*.

27. B. Chemnitz, *Interets des Princes d'Allemagne*, t. 1, p. 27-28: «Il est vrai que ces gens-là commettoient quelquefois des injustices, & que cette maniere de punir les criminels n'étoit pas trop bonne en elle même; puisque les innocens pouvoient être enveloppez dans le nombre des coupables: aussi cet établissement n'a-t'il pas longtems duré, & n'a-t'il été souffert que pendant qu'on l'a crû necessaire, par rapport à la fureur des Saxons qui ne pouvoit être modérée que par une voye aussi extraordinaire.»

28. J. Genet, «Violence et brutalité» (À propos de la «Rote Armee Fraktion»), *Le Monde*, n° 10137 (2 septembre 1977), p. 1-2. Affirmant, d'entrée de jeu, que «violence et vie sont à peu près synonymes», Genet écrivait: «[...] le procès fait à la violence, c'est cela même qui est la brutalité. Et plus la brutalité sera grande, plus le procès infamant, plus la violence devient impérieuse et nécessaire. Plus la brutalité est cassante, plus la violence qui est vie sera exigeante jusqu'à l'héroïsme.» Il concluait ainsi la première partie de son article: «Nous devons à Andreas Baader, à Ulrike Meinhof, à Holger Meine, à la R.A.F. en général, de nous avoir fait

comprendre, non seulement par des mots, mais par leurs actions, hors de prison et dans les prisons, que la violence seule peut achever la brutalité des hommes. » La référence à ce texte est d'autant plus intéressante qu'il peut apparaître comme une apologie du terrorisme (« [le mot] de "terrorisme" [...] devrait être appliqué autant et davantage aux brutalités d'une société bourgeoise »), contre les « gauchistes désinvoltes » issus de Mai 68, qualifiés d'angéliques, spiritualistes et humanistes, – « l'héroïsme, écrit Genet, n'est pas à la portée de n'importe quel militant » –, alors que Foucault, dès 1977, marquait nettement son hostilité à l'égard de toute forme d'action terroriste (« Je n'acceptais pas le terrorisme et le sang, je n'approuvais pas Baader et sa bande », confia-t-il plus tard à Claude Mauriac. Cf. Cl. Mauriac, *Le Temps immobile*, Paris, Grasset, t. IX, 1986, p. 388; cité par D. Eribon, *Michel Foucault*, Paris, Flammarion, 1989, p. 276).

29. *La Vérité prononçant ses oracles sans flatteries*, cité par E. Thuau, *Raison d'État...*, p. 395: « Les violences sont des brutalités lorsqu'elles ne se font que par le caprice d'un particulier; lorsqu'elles se font par le concert des sages, ce sont des coups d'État. »

30. Journée du 11 novembre 1630 où les « dupes » furent les adversaires de Richelieu qui se crurent vainqueurs alors qu'il n'en était rien. Louis XIII, malade, avait promis à Marie de Médicis, à Gaston d'Orléans et à Anne d'Autriche, ligués, de renvoyer le cardinal, mais se ravisa après une entrevue avec lui à Versailles, et lui livra ses ennemis (*Petit Robert des noms propres*, 1996, p. 630).

31. Allusion à l'arrestation du prince de Condé, qui s'était rapproché des frondeurs après la paix de Rueil en 1649?

32. En 1661. Surintendant des Finances depuis 1653, Nicolas Fouquet (1615-1680?) avait acquis une fortune prodigieuse. Accusé de malversations, il fut enfermé au donjon de Pignerol, à l'issue d'un long procès entaché d'irrégularités.

33. Jean Racine, *Andromaque* (1668), in *Théâtre complet*, éd. par Maurice Rat, Paris, Garnier, 1960, p. 112-171.

34. *Athalie* (1691), *ibid.*, p. 648-715.

35. *Bérénice* (1671), *ibid.*, p. 296-350.

36. Rapprocher ces remarques de celles que développe Foucault, en 1976, sur la fonction politique des tragédies de Shakespeare, Corneille et Racine (*« Il faut défendre la société »*, *op. cit.*, leçon du 25 février 1976, p. 155-157).

37. G. Naudé, *Considérations politiques...*, p. 105 (rééd. 1988, p. 101). Cf. E. Thuau, *Raison d'État...*, p. 324.

38. Francis Bacon (1561-1626), baron Verulam, conseiller d'État en 1616, garde des Sceaux en 1617, puis Grand Chancelier de 1618 à 1621, date à laquelle, accusé de concussion, il fut destitué de ses fonctions.

39. Ce conseil a-t-il été entendu? Toujours est-il que les études baconiennes ont connu un essor important, en France, depuis la fin des années soixante-dix avec la traduction, notamment, des *Essais* (Aubier, 1979), de *La Nouvelle Atlantide* (Payot, 1983; GF, 1995), du *Novum Organum* (PUF, 1986), du *De dignitate et augmentis scientiarum / Du progrès et de la promotion des savoirs* (Gallimard, « Tel », 1991), et de *La Sagesse des Anciens* (Vrin, 1997).

40. *Of Seditions and Troubles*. Cet écrit, absent des deux premières éditions des *Essays* (*The Esayes or Counsels, Civill and Morall*, 1597, 1612), figure dans la troisième édition, publiée en 1625 (Londres, impr. John Haviland), un an avant la mort

de l'auteur. Nous citerons en note le texte anglais et la traduction, d'après l'édition bilingue des *Essais* établie par M. Castelain, Paris, Aubier, 1979, p. 68-82.

41. Bacon, *op. cit.* (éd. Castelain), p. 68/69: «Shepheards of People have need know the Kalenders of Tempests in State, which are commonly greatest, when Things grow to Equality; As Naturall Tempests are greatest about the Aequinoctia. And as there are certain hollow Blasts of Winde ans secret Swellings of Seas before a Tempest, so are there in States.» / «Les pasteurs de peuples doivent bien connaître les calendriers des tempêtes de l'Etat, qui sont d'ordinaire plus fortes quand les choses sont à égalité, comme les tempêtes de la nature sont plus fortes autour de l'équinoxe. Et comme on voit avant la tempête des rafales sourdes et des gonflements secrets des mers, il en va de même dans les États.»

42. *Ibid.*, p. 70/71.

43. *Ibid.*, p. 72/73: «For the Motions of the greatest persons in a Government ought to be as the Motions of the Planet under *Primum Mobile* (according to the old Opinion), which is, That Every of them is carried swiftly by the Highest Motion, and softly in their owne Motion. And therfore, when great Ones, in their owne particular Motion, move violently, [...] It is a Signe the Orbs are out of Frame.» / «Car les mouvements des plus hauts personnages de l'Etat doivent être comme ceux des planètes sous le *primum mobile* (dans l'ancien système), c'est-à-dire que chacun d'eux est emporté rapidement par le mouvement suprême, et lentement par le sien propre. C'est pourquoi, quand les grands s'agitent violemment dans leur orbe particulier, [...] c'est le signe que les cercles sont déréglés.»

44. *Ibid.*, p. 70-72/71-73. Allusion à l'attitude de la Ligue catholique, après la paix de Monsieur (1576), qu'elle jugeait trop favorable aux huguenots. Elle poussa Henri III à reprendre la guerre contre ces derniers, tout en visant à le détrôner au profit de son chef, le duc Henri de Guise. Le roi le fit assassiner en 1588, après la journée des Barricades, à Paris, où la Ligue s'était soulevée en sa faveur.

45. Cette distinction apparaît sous une forme moins scolastique dans le texte original de Bacon, qui parle de «the Materials of Seditions; Then, [...] the Motives of them»/«les objets des séditions, puis [...] leurs motifs» (*ibid.*, p. 72/73).

46. *Ibid.*, p. 74/75: «[...] the Rebellions of the Belly are the worst» / «[...] les révoltes du ventre sont les pires.»

47. *Ibid.*: «And let no Prince mesure the Danger of them by this, wether they be Iust, or Iniust? For that were to imagine People to be too reasonable, who doe often spurne at their owne Good; Nor yet by this, wether the Griefes, whereupon they rise, be in fact great or small; For they are the most dangerous Discontentments, where the Fear is greater than the Feeling.» / «Et que le prince ne mesure pas le danger au plus ou moins de justice des griefs; ce serait prêter trop de raison au peuple, qui souvent repousse son propre avantage; et qu'il n'en juge point d'après la grandeur ou la médiocrité des griefs qui les font se révolter, car les mécontentements où la crainte l'emporte sur la souffrance sont les plus dangereux.»

48. *Ibid.*, p. 72/73: «[...] the surest way to prevent Seditions (if the Times doe beare it) is to take away the Matter of them. For if there be Fuell prepared, it is hard to tell whence the Spark shall come that shall set it on Fire. The Matter of Seditions is of two kindes; Much Poverty and Much Discontentment.» / «[...] le plus sûr moyen de prévenir les séditions (si les temps le permettent), étant d'en supprimer l'objet; car s'il y a des matières inflammables toutes prêtes, il est malaisé de dire d'où viendra

l'étincelle qui y portera le feu. L'objet des séditions est double : la grande misère et le grand mécontentement. »

49. *Ibid.,* p. 74/75 : « [...] whatsoever in offending People ioyneth and knit-teth them in a Common Cause » / « [...] tout ce qui, nuisant aux sujets, les unit et les rejoint dans une cause commune. »

50. *Ibid.,* p. 76/77 : « For a smaller Number, that spend more and earne lesse, doe weare out and Estate sooner then a greater Number, that live lowwer and gather more. » / « [...] un nombre moindre, dépensant plus et gagnant moins, use une nation plus vite qu'un nombre supérieur vivant plus frugalement et produisant davantage. »

51. *Ibid.,* p. 74-76/75-77.

52. Le texte ne dit pas exactement cela : « [...] which Kind of Persons are either to be wonne and reconciled to the State, and that in a fast and true manner; Or to be fronted with some other of the same Party, that may oppose them, and so divide the reputation. » / « [...] ces gens-là [les nobles] peuvent être gagnés et réconciliés au gouvernement d'une façon solide et sûre ; ou bien encore, on peut leur susciter dans leur propre parti quelque adversaire qui leur fera opposition, afin de partager leur renom. » Le remède proposé, comme le précise la phrase suivante, est donc de « diviser et rompre les factions », et non d'exécuter les chefs.

53. *Ibid.,* p. 76-80/77-81.

54. *Ibid.,* p. 70/71 : « [...] as Macciavel noteth well ; when Princes that ought to be Common Parents, make themselves as a Party and leane to a side, it is as a Boat that is overthrowen by uneven weight on the one Side. » / « [...] comme le note jus-tement Machiavel, quand les princes, qui devraient être les pères de tous, deviennent comme un faction et prennent parti, c'est comme un bateau qui serait surchargé d'un côté par un poids mal réparti. » Suit alors l'exemple d'Henri III.

55. Cf. toutefois p. 72/73 (à propos de l'exemple d'Henri III) : « [...] when the Authority of Princes, is made but an Accessary to a Cause, And that there be other Bands that tie faster then the Band of Soveraignty, Kings begin to be put almost out of Possession. » / « [...] quand l'autorité des princes n'est plus qu'un renfort à une faction, et quand il y a d'autres nœuds qui lient plus fort que celui de la souveraineté, les rois sont sur le point de se voir dépossédés. »

56. Cf. *Le Prince,* ch. 9.

57. Sur le danger des conjurations, cf. *ibid.,* ch. 19 (trad. citée [*supra,* p. 51, note 2], p. 156/157).

58. *Ibid.,* ch. 15-19.

59. Cf. E. Thuau, *Raison d'État...,* p. 169-178 sur le « gouvernement des esprits » selon Richelieu et la mise en œuvre du principe « gouverner, c'est faire croire ».

60. M. Foucault fait allusion aux travaux de William Petty (1623-1684), fondateur de l'arithmétique politique (*Political Arithmetick or a Discourse Concerning, The Extent and Value of Lands, People, Buildings : Husbandry, Manufacture, Commerce, Fishery, Artizans, Seamen, Soldiers ; Publick Revenues, Interest, Taxes, Superlucra-tion, Registries, Banks Valuation of Men, Increasing of Seamen, of Militia's, Har-bours, Situation, Shipping, Power at Sea, & c. As the same relates to every Country in general, but more particularly to the Territories of His Majesty of Great Britain, and his Neighbours of Holland, Zealand, and France,* Londres, R. Clavel, 1691 ; trad. Dussauze & Pasquier, in *Les Œuvres économiques de William Petty, op. cit.,* t. 1, p. 263-348). De 1652 à 1659, Petty, qui s'était engagé comme médecin auprès du gouvernement d'Irlande, avait été chargé, après avoir établi le cadastre de l'île, de

partager les terres confisquées aux catholiques entre les troupes anglaises et leurs commanditaires. C'est de cette expérience qu'est issu son ouvrage *The Political Anatomy of Ireland* (1671-72 ; 1ʳᵉ éd. Londres, D. Brown, 1691 / *L'Anatomie politique de l'Irlande,* in *Œuvres économiques,* t. 1, p. 145-260).

61. Sur le développement de la statistique allemande, cf. V. John, *Geschichte der Statistik, op. cit.,* p. 15-154. Les ouvrages les plus représentatifs de cette tradition sont les écrits de H. Conring consacrés à la «notitia rerum publicarum» (*Opera,* t. IV, Braunschweig, F. W. Meyer, 1730) et le traité de Gottfried Achenwall – à qui l'on doit l'invention du mot *Statistik* en 1749 –, *Notitiam rerum publicarum Academiis vindicatam,* Göttingen, J. F. Hager, 1748. Cf. R. Zehrfeld, *Hermann Conrings (1606-1681) Staatenkunde. Ihre Bedeutung für die Geschichte der Statistik unter besonderen Berücksichtigung der Conringischen Bevölkerungslehre,* Berlin-Leipzig, W. De Gruyter, 1926 ; F. Felsing, *Die Statistik als Methode der politischen Ökonomie im 17. und 18. Jahrhundert,* Leipzig, 1930.

62. Cf. *infra,* p. 325.

63. Ce concept, qui remonte à Tacite, a été introduit par Bodin dans le vocabulaire politique moderne (*Methodus ad facilem Historiarum cognitionem,* [Parisiis, apud Martinum Iuvenem], 1566, ch. 6 / *La Méthode de l'histoire,* trad. P. Mesnard, Paris, PUF, 1951, p. 349). Le premier grand traité consacré à ce thème est celui du juriste allemand Arnold Clapmar (dit Clapmarius), *De arcanis rerum publicarum,* Brême, 1605 ; rééd. Amsterdam, apud Ludovicum Elzevirium, 1644.

64. Cf. par exemple le *Discours historique à Monseigneur le Dauphin sur le Gouvernement intérieur du Royaume,* 1736 : «Plus les forces de l'État sont ignorées, plus elles sont respectables» (manuscrit anonyme d'inspiration colbertiste, cité par E. Brian, *La Mesure de l'État,* Paris, Albin Michel, «L'Évolution de l'humanité», 1994, p. 155). Cette tradition du secret de l'administration, comme le montre Brian, s'est prolongée jusqu'à la seconde moitié du xvIIIᵉ siècle.

65. Cf. *supra,* note 13.

# LEÇON DU 22 MARS 1978

*La raison d'État (III). – L'État comme principe d'intelligibilité et objec-
tif. – Le fonctionnement de cette raison gouvernementale : (A) Dans les textes
théoriques. La théorie du maintien de l'État. (B) Dans la pratique politique.
Le rapport de concurrence entre les États. – Le traité de Westphalie et la fin
de l'Empire romain. – La force, nouvel élément de la raison politique. – Politique et dynamique des forces. – Le premier ensemble technologique
caractéristique de ce nouvel art de gouverner : le système diplomatico-
militaire. – Son objectif : la recherche d'un équilibre européen. Qu'est-ce
que l'Europe ? L'idée de «balance». – Ses instruments : (1) la guerre ;
(2) la diplomatie ; (3) la mise en place d'un dispositif militaire permanent.*

J'ai donc essayé de vous montrer un petit peu comment s'était opérée
en Europe ce qu'on pourrait appeler la percée d'une «raison gouvernementale»*. Je ne veux pas dire par là que cet art de gouverner des
hommes, dont j'avais essayé de vous indiquer quelques traits à propos
de la pratique pastorale, est devenu par un processus de simple report,
transfert, translation, un des attributs du pouvoir souverain. Ce n'est pas
le roi qui serait devenu berger, qui serait devenu berger des corps et des
vies, un peu comme l'autre pasteur, le pasteur spirituel, était lui le berger
des âmes et des survies. Ce qui a vu le jour, – et c'est ce que j'ai essayé
de vous montrer –, c'est un art absolument spécifique de gouverner, un
art qui avait à lui-même sa propre raison, sa propre rationalité, sa propre
*ratio*. Événement dans l'histoire de la raison occidentale, de la rationalité
occidentale, qui n'est sans doute pas moins important que celui qui, exactement à la même époque, c'est-à-dire fin XVIe - courant XVIIe siècle, a été
caractérisé par Kepler, par Galilée, Descartes, etc. On a là un phénomène
très complexe de transformation de cette raison occidentale. Cette apparition d'une raison gouvernementale, j'ai essayé de vous montrer comment
elle avait donné lieu à une certaine manière de penser, de raisonner,

* Entre guillemets dans le manuscrit.

de calculer. Cette manière de penser, de raisonner, de calculer, c'est ce que, à l'époque, on appelait la politique, dont il ne faut jamais oublier qu'elle a d'abord été perçue, reconnue et qu'elle a tout de suite inquiété les contemporains, comme quelque chose qui serait une hétérodoxie. Autre manière de penser, autre manière de penser le pouvoir, autre manière de penser le royaume, autre manière de penser le fait de régner et de gouverner, autre manière de penser les rapports du royaume du ciel et du royaume terrestre. C'est cette hétérodoxie qui a été repérée et appelée politique ; la politique, qui serait un peu à l'art de gouverner ce que la *mathesis* était, à la même époque, à la science de la nature.

J'ai voulu aussi vous montrer que cette *ratio* gouvernementale, cette raison gouvernementale dessinait quelque chose qui était à la fois son principe et son objectif, son fondement et son but, et ce quelque chose, à la fois principe et objectif de la raison gouvernementale, c'est l'État. L'État qui serait, si vous voulez, un petit peu, je ne sais pas trop quoi dire… principe d'intelligibilité et schème stratégique, disons, pour employer un mot anachronique par rapport à l'époque dont je vous parle : l'idée régu-latrice [1]. L'État, c'est l'idée régulatrice de la raison gouvernementale. Je veux dire par là que l'État, dans cette pensée politique, dans cette pensée qui cherchait la rationalité d'un art de gouverner, l'État a d'abord été un principe d'intelligibilité du réel. L'État, ça a été une certaine manière de penser ce qu'étaient dans leur nature propre et dans leurs liens, dans leurs rapports, un certain nombre d'éléments, un certain nombre d'institu-tions déjà tout donnés. Qu'est-ce qu'un roi ? Qu'est-ce qu'un souverain ? Qu'est-ce qu'un magistrat ? Qu'est-ce qu'un corps constitué ? Qu'est-ce qu'une loi ? Qu'est-ce qu'un territoire ? Qu'est-ce que les habitants de ce territoire ? Qu'est-ce que c'est que la richesse du prince ? Qu'est-ce que c'est que la richesse du souverain ? Tout cela a commencé à être conçu comme éléments de l'État. L'État a été une certaine manière de concevoir, d'analyser, de définir la nature et les rapports de ces éléments tout donnés. L'État, c'est donc un schéma d'intelligibilité de tout un ensemble d'insti-tutions déjà établies, de tout un ensemble de réalités toutes données. On s'aperçoit que le roi se définit comme un personnage qui a un rôle parti-culier, non pas tellement par rapport à Dieu, non pas tellement par rapport au salut des hommes, mais par rapport à l'État : magistrat, juge, etc. Donc l'État comme principe d'intelligibilité d'une réalité toute donnée, d'un ensemble institutionnel déjà établi.

Deuxièmement, l'État fonctionne dans cette raison politique comme un objectif, c'est-à-dire comme ce qui doit être obtenu au terme des inter-ventions actives, de cette raison, de cette rationalité. L'État, c'est ce qui doit être au bout de l'opération de rationalisation de l'art de gouverner. C'est l'intégrité de l'État, c'est l'achèvement de l'État, c'est le renforcement de l'État, c'est son rétablissement s'il a été compromis ou si quelque révolution l'a renversé ou en a suspendu, pour un moment, la force et les effets spécifiques, c'est tout cela qui doit être obtenu par l'intervention de la raison d'État. L'État est donc principe d'intelligibilité de ce qui est, mais c'est également ce qui doit être. Et on ne comprend ce qui est comme État que pour mieux arriver à faire exister dans la réalité l'État. Principe d'intelligibilité et objectif stratégique, c'est cela, je crois, qui encadre la raison gouvernementale qu'on appelait précisément la raison d'État. Je veux dire que l'État, c'est essentiellement et avant tout l'idée régulatrice de cette forme de pensée, de cette forme de réflexion, de cette forme de calcul, de cette forme d'intervention que l'on appelle la politique. La politique comme *mathesis,* comme forme rationnelle de l'art de gouverner. La raison gouvernementale pose donc l'État comme principe de lecture de la réalité et le pose comme objectif et comme impératif. L'État, c'est ce qui commande la raison gouvernementale, c'est-à-dire que c'est ce qui fait qu'on peut gouverner rationnellement en suivant les nécessités ; c'est la fonction d'intelligibilité de l'État par rapport au réel, et c'est ce qui fait qu'il est rationnel, il est nécessaire de gouverner. Gouverner rationnellement parce qu'il y a un État et pour qu'il y aitun État. Voilà un petit peu ce que j'avais essayé de vous dire les fois précédentes.

Tout cela évidemment est tout à fait insuffisant pour arriver à repérer ce qu'a été réellement le fonctionnement de cette raison d'État, de cette raison gouvernementale. En effet, si on reprend un petit peu ces définitions de la raison d'État dont je vous parlais, il me semble qu'il y a toujours quelque chose comme, non pas exactement une équivoque, mais une oscillation, une sorte d'effet de bougé, de tremblé, une oscillation dans la définition. Je ne sais pas si vous vous [rappelez], quand je m'étais référé à ce texte de Palazzo écrit donc, édité, publié en italien en 1606 et traduit en français en 1611 [2], comment la raison d'État était définie. Palazzo disait que la raison d'État, c'est ce qui doit assurer l'intégrité de l'État, c'est, disait-il, et là je cite ses expressions mêmes, « l'essence même de la paix, la règle de vivre en repos, la perfection des choses [3] ». Autrement dit, Palazzo donne là une définition proprement essentialiste de la raison d'État. La raison d'État doit faire que l'État effectivement soit conforme à ce qu'il est, c'est-à-dire reste en repos, proche de sa propre essence, que sa réalité soit exactement conforme à ce qui doit être, au niveau de sa nécessité idéale. La raison d'État va donc être cet ajustement de la réalité de l'État à l'essence éternelle de l'État, ou à l'essence en tout cas immuable de l'État. Disons d'un mot : la raison d'État, c'est ce qui permet de maintenir l'État en état. Et d'ailleurs Palazzo (je vous citais ce texte[4]) jouait sur le mot de *status* qui veut dire à la fois « État », au sens d'un État, et puis en même temps l'immobilité même de la chose. Maintenir l'État en état, voilà ce que disait Palazzo.

Mais en fait dans les définitions de Palazzo lui-même et dans d'autres définitions de la même époque à peu près, la raison d'État est en même temps caractérisée par un autre trait qui intervient d'une manière, je ne peux pas dire absolument secrète mais, disons, discrète. Palazzo dit en effet que la raison d'État, c'est la règle qui permet l'acquisition de cette paix, de ce repos, de cette perfection des choses, l'acquisition de cette paix, sa conservation et son amplification. Botero qui est, je crois, en Italie le premier à avoir fait la théorie de la raison d'État, dit que la raison d'État, c'est « une connaissance parfaite des moyens par lesquels les États se forment, se maintiennent, se fortifient et s'augmentent[5] ». Chemnitz, beaucoup plus tard, au moment du traité de Westphalie, dira que la raison d'État, c'est ce qui permet d'établir, de conserver, d'augmenter une république[6]. Et s'il est vrai que la plupart des théoriciens insistent sur le fait que la raison d'État, c'est ce qui permet de maintenir l'État – on emploie le mot « manutention », maintenir –, tous ajoutent que, à côté de ça, en plus, en outre, peut-être d'ailleurs de façon un peu subordonnée, il faut aussi l'augmenter. Qu'est-ce que c'est donc que cette augmentation de l'État qui intervient dans toutes les définitions que l'on donne de la raison d'État ? Les définitions, enfin les textes que je vous cite là – celui de Botero, celui de Palazzo certainement, celui de Chemnitz sans doute un peu moins, car il était plus lié à une situation politique précise –, la plupart de ces textes sont tout de même des textes un petit peu théoriques et spéculatifs qui ont encore quelque chose comme un relent platonicien, en ce sens que c'est bien le maintien de l'État conformément à son essence d'État qui doit, selon eux, caractériser la raison d'État. Ce qu'il faut éviter, ce sont bien entendu ces événements quasi nécessaires, en tout cas toujours menaçants dont Bacon parlait par exemple à propos des séditions[7]. Mais c'est autre chose aussi. Ce qu'il faut éviter, selon Botero, selon Palazzo et les autres, c'est ces processus pratiquement inévitables, toujours menaçants en tout cas, qui risquent de faire entrer l'État en décadence et de le faire, après l'avoir porté au zénith de l'histoire, disparaître et s'effacer. Ce qu'il s'agit d'éviter, au fond, et c'est en cela et pour cela que fonctionne selon Botero et Palazzo la raison d'État, c'est ce qui est arrivé au royaume de Babylone, à l'Empire romain, à l'Empire de

Charlemagne, ce cycle de la naissance, de la croissance, de la perfection et puis de la décadence. Ce cycle, c'est cela qu'on appelle, dans le vocabulaire de l'époque, les « révolutions ». La révolution, les révolutions, c'est cette espèce de phénomène quasi naturel, enfin à moitié naturel et à moitié historique, qui fait entrer les États dans un cycle qui, après les avoir menés à la lumière et à la plénitude, les fait ensuite disparaître et s'effacer. C'est ça la révolution. Et ce que Botero et Palazzo entendent par raison d'État, c'est au fond essentiellement maintenir les États contre ces révolutions. En ce sens, vous voyez que l'on est proche de Platon, comme je vous le disais tout à l'heure, à cette différence près cependant que, contre la décadence toujours menaçante des cités, Platon proposait un moyen qui était une bonne constitution et de bonnes lois et des magistrats vertueux, alors que les hommes du XVIᵉ siècle, Botero, Palazzo, contre cette menace quasi fatale des révolutions, ce qu'ils proposent, ce n'est pas tellement des lois, ce n'est pas tellement une constitution, ce n'est même pas la vertu des magistrats, c'est un art de gouverner, donc une sorte d'habileté, en tout cas une rationalité dans les moyens utilisés pour gouverner. Mais cet art de gouverner a, au fond, le même objectif encore que les lois de Platon, c'est-à-dire éviter la révolution, maintenir l'État, un seul État, dans un état permanent de perfection.

Mais en fait dans des textes qui sont moins théoriques, moins spéculatifs, moins moralistes ou moraux que ceux de Botero et de Palazzo, je crois qu'on trouve tout autre chose. On le trouve dans des textes qui émanent de gens plus proches à coup sûr de la pratique politique, qui y ont été directement mêlés, qui l'ont faite eux-mêmes, c'est-à-dire dans les textes laissés par Sully qui ont été publiés sous le titre d'*Économies royales*[8], les textes laissés par Richelieu, les *Instructions* aussi qui ont été données à des ambassadeurs par exemple ou à un certain nombre de responsables, d'officiers royaux. Et là on voit que cette théorie du maintien de l'État est tout à fait insuffisante pour recouvrir la pratique réelle de la politique et la mise en œuvre de la raison d'État. Cette autre chose, le support réel à ce que Botero et les autres appelaient simplement l'« augmentation » de l'État, c'est un phénomène, me semble-t-il, très important. C'est la constatation que les États sont placés les uns à côté des autres dans un espace de concurrence. Et je crois que cette idée est, à l'époque, à la fois fondamentale, nouvelle, et d'une extrême fécondité quant à tout ce que peut-être on peut appeler la technologie politique. Idée nouvelle, pourquoi ? On peut prendre la chose sous deux aspects, un aspect proprement théorique et un aspect qui se réfère à la réalité historique de l'État.

Point de vue théorique : je crois que l'idée que les États sont entre eux dans un rapport de concurrence est au fond la conséquence directe, quasi inéluctable, des principes théoriques posés par la raison d'État et dont je vous parlais la dernière fois. Quand j'essayais de vous dire comment on concevait la raison d'État, il apparaissait que l'État était défini par les théoriciens de la raison d'État comme étant toujours en lui-même sa propre fin. L'État ne s'ordonne qu'à lui-même. Il n'y a aucune loi positive, bien sûr, ni même aucune loi morale, ni même aucune loi naturelle, à la limite même peut-être aucune loi divine – mais enfin ça, c'est une autre question –, en tout cas, il n'y a aucune loi qui puisse s'imposer de l'extérieur à l'État. L'État ne s'ordonne qu'à lui-même, il cherche son propre bien et il n'a aucune finalité extérieure, c'est-à-dire qu'il ne doit déboucher sur rien d'autre que lui-même. Ni le salut du souverain, bien entendu, ni le salut éternel des hommes, ni aucune forme d'accomplissement ou d'eschatologie vers laquelle il devrait tendre. On est, je vous le rappelais la dernière fois, avec la raison d'État dans un monde d'historicité indéfinie, dans un temps ouvert et sans terme. Autrement dit, à travers la raison d'État se trouve esquissé un monde dans lequel il y aura nécessairement, fatalement et pour toujours une pluralité d'États qui n'auront leur loi et leur fin qu'en eux-mêmes. La pluralité des États, ce n'est pas, dans cette perspective, une forme de transition entre un premier royaume unitaire et un empire ultime où l'unité se retrouverait. La pluralité des États, ce n'est pas une phase de transition qui a été imposée aux hommes pendant un temps et pour leur châtiment. En fait, la pluralité des États, c'est la nécessité même d'une histoire maintenant entièrement ouverte et qui n'est pas temporellement polarisée vers une unité ultime. Un temps ouvert, une spatialité multiple, voilà ce qui est en fait impliqué dans cette théorie de la raison d'État dont je vous parlais la dernière fois.

Mais à vrai dire, ces conséquences théoriques n'auraient sans doute pas eu de quoi cristalliser quelque chose comme une technologie politique * si, de fait, elles n'étaient pas articulées sur une réalité historique dont elles constituaient précisément le principe d'intelligibilité. Or cette réalité historique sur laquelle s'est articulée l'idée d'une histoire temporellement ouverte et d'un espace, j'allais dire : étatiquement multiple, cette réalité, qu'est-ce que c'est ? Bien sûr, c'est, dans le courant du XVIᵉ siècle, d'une façon alors absolument constatable, tangible, définitive, reconnue et d'ailleurs institutionnalisée au XVIIᵉ siècle et dans ce fameux traité de Westphalie⁹ dont je vais vous parler à nouveau, que les vieilles

---

* M. Foucault ajoute : si, de fait, elles n'avaient pu s'investir,

formes de l'universalité qui s'étaient proposées et imposées à l'Europe tout au long du Moyen Âge et pratiquement depuis l'Empire romain, et en héritage de l'Empire romain, tout cela enfin disparaît. La fin de l'Empire romain, il faut la placer exactement en [1648]\*, c'est-à-dire le jour où enfin [il] est reconnu que l'Empire n'est pas la vocation ultime de tous les États, l'Empire n'est plus la forme dans laquelle un jour il faut bien espérer ou rêver que les États se fondront. Et c'est à la même époque que se constate, toujours avec ce traité de Westphalie, le fait que la coupure de l'Église, due à la Réforme, cette coupure, d'une part elle est acquise, elle est institutionnalisée, elle est reconnue [10], et que d'autre part les États dans leur politique, dans leurs choix, dans leurs alliances n'ont même plus à se regrouper selon leur appartenance religieuse. Les États catholiques peuvent parfaitement s'allier à des États protestants et inversement, les États catholiques peuvent utiliser des armées protestantes et inversement [11]. Autrement dit, ces deux grandes formes d'universalité qui sans doute étaient, au moins pour l'Empire, devenues une sorte d'enveloppe vide, de coquille sans contenu depuis un certain nombre d'années, de décennies et peut-être de siècles, mais qui gardaient encore leur pouvoir de focalisation, de fascination et d'intelligibilité historique et politique, ces deux grandes formes d'universalité, l'Empire et l'Église, ont perdu leur vocation et leur sens, au moins au niveau de cette universalité. C'est sur cette réalité-là que s'articule le principe qu'on est dans un temps qui est [politiquement]\*\* ouvert et dans un espace qui est étatiquement multiple. On a affaire maintenant à des unités en quelque sorte absolues, sans aucune subordination ni dépendance les unes [par rapport aux] autres, au moins pour les principales d'entre elles, et ces unités – et c'est là, alors, l'autre aspect, l'autre versant de la réalité historique sur laquelle tout ça s'articule –, ces unités s'affirment, ou en tout cas se cherchent, cherchent à s'affirmer dans un espace qui est maintenant celui d'échanges économiques à la fois multipliés, étendus et intensifiés. Elles cherchent à s'affirmer dans un espace qui est celui de la concurrence commerciale et de la domination commerciale, dans un espace de circulation monétaire, dans un espace de conquête coloniale, dans un espace de contrôle des mers, et tout ceci donne à l'affirmation de chaque État par lui-même non pas simplement la forme de l'autofinalité dont je vous parlais la dernière fois, mais cette forme nouvelle de la concurrence. On ne peut s'affirmer que dans un espace de concurrence politique et économique, pour

\* M. F. : 1647
\*\* M. F. : temporellement

employer des mots un peu anachroniques par rapport à la réalité, dans un espace de concurrence qui va donner son sens à ce problème de l'augmentation de l'État comme principe, fil conducteur de la raison d'État.

Plus concrètement encore, on peut dire que toute l'apparition, le développement, plutôt, d'une raison d'État qui ne peut conserver l'État que par l'augmentation de ses forces dans un espace de concurrence, je crois que tout ceci prend sa figure immédiate et concrète dans le problème en gros de l'Espagne, ou de l'Espagne et de l'Allemagne. La raison d'État, c'est vrai, elle est née en Italie, elle a été formulée en Italie à partir des problèmes spécifiques des relations des petits États italiens entre eux. Mais si elle s'est développée, si elle est effectivement devenue une catégorie de pensée absolument fondamentale pour tous les États européens, si elle n'est pas restée un instrument d'analyse, de réflexion, un outil d'action, une forme stratégique propre aux petits États italiens, c'est à cause de tous ces phénomènes dont je vous parlais et qui se concrétisent, qui prennent la figure même de l'Espagne. L'Espagne qui, d'une part, en tant qu'héritière par des voies dynastiques de l'Empire et de la famille qui détenait l'Empire, se trouve héritière de la prétention à la monarchie universelle ; l'Espagne qui, d'autre part, se trouve depuis le XVIᵉ siècle détentrice d'un empire colonial et maritime qui est à peu près planétaire et quasi monopolistique au moins depuis l'absorption du Portugal, et enfin l'Espagne qui se trouve être aux yeux de l'Europe tout entière l'exemple d'un phénomène stupéfiant et qui va pendant des dizaines et des dizaines d'années amener la réflexion des chroniqueurs, des historiens, des politiciens et des économistes – à savoir que l'Espagne, à cause de cela même, à cause de ce quasi-monopole, enfin, de l'étendue de son empire, s'est trouvée s'enrichir d'une façon spectaculaire pendant quelques années et s'est appauvrie de manière encore plus spectaculaire et encore plus rapide dans le courant du XVIIᵉ siècle, peut-être même dès le début du XVIᵉ siècle.

On a donc là affaire, avec l'Espagne, à un ensemble de processus qui ont absolument cristallisé toutes ces réflexions sur la raison d'État et l'espace concurrentiel dans lequel désormais on vivait. Premièrement, tout État comme l'Espagne, pourvu qu'il en ait les moyens, pourvu qu'il en ait l'étendue, pourvu qu'il en puisse réellement définir la prétention, tout État va chercher pour lui-même à occuper par rapport aux autres une position dominante. Ce ne sera plus directement à l'Empire que l'on prétendra, mais à une domination de fait sur les autres pays. Deuxièmement, l'exercice même de cette domination, cette situation de quasi-monopole que l'Espagne avait, sinon acquise, du moins rêvée et presque atteinte pendant un certain temps, est pourtant perpétuellement menacée par cela même qui a pu la provoquer et l'entretenir, c'est-à-dire qu'on peut s'appauvrir de s'enrichir, on peut s'épuiser de son excès de puissance, et la situation de domination peut être victime de quelque chose que l'on va appeler maintenant la révolution, mais dans un tout autre sens : la révolution comme étant l'ensemble des mécanismes réels par lesquels cela même qui avait assuré la puissance de l'État et de la domination va provoquer en retour sa perte ou en tout cas la diminution de sa puissance. L'Espagne a été ce autour de quoi, l'objet privilégié, l'exemple type autour duquel l'analyse de la raison d'État va se développer. Et on comprend que toutes ces analyses de la raison d'État, toutes ces analyses de ce nouveau champ de la politique qui était en train de se définir se soient développées de façon privilégiée chez les ennemis et chez les rivaux de l'Espagne : la France, l'Allemagne qui essayait de se déprendre du joug de la prééminence impériale, l'Angleterre des Tudors. Bref, on est passé d'un temps, celui qui dominait encore, qui servait encore d'horizon, je crois, à la pensée politique du XVIᵉ siècle, on est passé d'un temps à tendance unificatrice et scandé, menacé par des révolutions essentielles, à un temps ouvert et traversé par des phénomènes de concurrence qui peuvent amener des révolutions réelles, des révolutions au niveau même des mécanismes qui assurent la richesse et la puissance des nations.

Ceci étant dit, est-ce que tout ceci est si nouveau ? Est-ce que, effectivement, on peut dire que l'ouverture d'un espace de concurrence entre les États est un phénomène qui est apparu brusquement à la fin du XVIᵉ siècle et au début du XVIIᵉ et qui a ainsi cristallisé toute une série de nouveaux aspects et de nouveaux développements de cette raison d'État ? Bien sûr, il y avait bien longtemps que des rivalités, des affrontements, des phénomènes de concurrence s'étaient produits, cela va de soi. Mais, encore une fois, je voudrais qu'il soit bien clair que ce dont je parle, ce qui est en question dans tout ce que je vous dis là, c'est le moment où tous ces phénomènes commencent à entrer effectivement dans un prisme réflexif qui permet de les organiser en stratégies. Le problème est de savoir à partir de quel moment ont été effectivement perçus sous la forme de concurrence entre États, de concurrence dans un champ économique et politique ouvert, dans un temps indéfini, ces phénomènes d'affrontement, de rivalité que l'on pouvait constater évidemment depuis tous les temps. À partir de quel moment est-ce qu'on a organisé une pensée et une stratégie de la concurrence pour coder tous ces phénomènes-là ? C'est ça que je voudrais essayer de saisir, et il me semble bien que c'est à partir du XVIᵉ-XVIIᵉ siècle qu'on a perçu les rapports entre les États non plus sous la forme de la rivalité, mais sous la forme de la concurrence. Et là – bien sûr, je ne peux qu'indiquer le problème –, je crois qu'il faudrait essayer de repérer la manière dont les affrontements entre les royaumes pouvaient être perçus, reconnus, parlés et en même temps pensés et calculés en forme de rivalités et essentiellement de rivalités dynastiques, et puis à partir de quel moment on en est venu à les penser dans la forme de la concurrence.

De façon très grossière, très schématique, on pourrait dire que tant qu'on restait dans une forme d'affrontement qui se réfléchissait lui-même comme rivalité de princes, de rivalité dynastique, ce qui était l'élément pertinent, c'était bien sûr la richesse du prince, soit sous la forme du trésor qu'il possédait, soit encore sous la forme des ressources fiscales dont il pouvait disposer. La première des transformations, c'est lorsqu'on a cessé de penser, de calculer, de jauger les possibilités d'affrontement et les possibilités d'issue de l'affrontement à partir de la richesse du prince, du trésor dont il disposait, des ressources monétaires qu'il avait, et qu'on a essayé de le[s] penser dans la forme de la richesse de l'État lui-même. Passage de la richesse du prince comme facteur de puissance à la richesse de l'État comme force même du royaume. Deuxièmement, deuxième transformation, lorsqu'on est passé d'une estimation de la puissance d'un prince par l'étendue de ses possessions à une recherche des forces plus solides, même si elles sont plus secrètes, qui vont caractériser un État : c'est-à-dire, [non] plus les possessions elles-mêmes, [mais] les richesses intrinsèques à l'État, les ressources, ce dont il peut disposer, ressources naturelles, possibilités commerciales, balance des échanges, etc. Troisièmement, troisième transformation : quand on pensait les affrontements en termes de rivalité des princes, ce qui caractérisait la puissance du prince, c'était le système de ses alliances, au sens familial ou au sens des obligations familiales qui lui étaient liées, et à partir du moment où on a commencé à penser les affrontements en termes de concurrence, c'est [par] l'alliance en tant que combinaison provisoire d'intérêts que les puissances vont être jaugées et calculées. Ce passage de la rivalité des princes à la concurrence des États est sans doute une des mutations les plus essentielles dans les formes, à la fois de ce qu'on peut appeler la vie politique et l'histoire de l'Occident.

Bien sûr, le passage de la rivalité dynastique à la concurrence des États est un passage complexe, lent, que je caricature absolument en indiquant comme ça quelques caractères, et les chevauchements seront plus longs. Par exemple la guerre de Succession d'Espagne, au début du XVIIIᵉ siècle[12], sera encore tout imprégnée des problèmes et des techniques et des procédés, des manières de faire et de penser des rivalités dynastiques. Mais je crois qu'on a, avec la guerre de Succession d'Espagne et la butée, l'échec qu'elle a rencontré, on a le dernier moment, la dernière forme d'affrontement dans lequel la rivalité dynastique des princes va encore imprégner et jusqu'à un certain point commander quelque chose qui est la concurrence des États et qui apparaîtra ensuite à l'état libre, à l'état nu dans les guerres suivantes. En tout cas, à partir du moment où on est passé de la rivalité des princes à la concurrence entre les États, à partir du moment où l'affrontement a été pensé en termes de concurrence d'États, il est évident qu'on découvre, qu'on met à nu une notion qui est absolument essentielle et fondamentale, qui n'était pas encore apparue et qui n'était formulée encore dans aucun des textes théoriques sur la raison d'État dont je vous ai parlé, et cette notion, bien entendu, c'est la notion de force. Ce n'est plus l'accroissement des territoires, mais c'est la croissance des forces de l'État ; ce n'est plus l'extension des possessions ou des alliances matrimoniales, [mais] c'est la majoration des forces de l'État ; ce n'est plus la combinaison des héritages par des alliances dynastiques, mais c'est la composition des forces étatiques dans des alliances politiques et provisoires : c'est tout cela qui va être la matière première, l'objet et en même temps le principe d'intelligibilité de la raison politique. La raison politique, si on la prend maintenant non plus donc dans ces textes un peu théoriques, encore un petit peu essentialistes et platoniciens dont je vous parlais la dernière fois, mais si vous la prenez dans les formulations qui ont été les siennes à la fin du XVIᵉ surtout, au début du XVIIᵉ siècle, surtout autour de la guerre de Trente Ans [13], et chez des gens qui étaient plutôt des praticiens que des théoriciens de la politique, eh bien nous trouvons une nouvelle strate théorique. Cette nouvelle strate théorique et analytique, ce nouvel élément de la raison politique, c'est la force. C'est la force, la force des États. On entre maintenant dans une politique qui va avoir pour objet principal l'utilisation et le calcul des forces. La politique, la science politique rencontre le problème de la dynamique.

Alors s'ouvre évidemment un problème que je laisse complètement en suspens, je vous le signale simplement. Vous voyez que cette évolution qui s'est produite absolument à partir d'une réalité historique et de processus historiques repérables – il s'agit de la découverte de l'Amérique, de la constitution d'empires coloniaux, de la disparition de l'Empire, du recul, de l'effacement des fonctions universalistes de l'Église –, enfin tous ces phénomènes-là, qui sont ce qu'ils sont et qui ont leur nécessité et leur intelligibilité propres, nous mènent à ceci qui est l'apparition au niveau de la pensée politique de la catégorie fondamentale de la force. Tous ces phénomènes, ils conduisent à une mutation dans la pensée politique qui fait qu'on est, pour la première fois, en présence d'une pensée politique qui se veut être en même temps une stratégie et une dynamique des forces. Or à la même époque, et par des processus qui sont entièrement différents, vous le savez parfaitement, ce sont les sciences de la nature, et essentiellement la physique, qui vont rencontrer, elles aussi, cette notion de force. Si bien que la dynamique politique et la dynamique comme science physique sont à peu de choses près contemporaines. Et il faudrait voir du côté de Leibniz [14] comment tout cela s'est articulé, Leibniz qui est le théoricien général de la force tant du point de vue historico-politique que du point de vue de la science physique. Pourquoi est-ce que ça s'est fait comme ça, qu'est-ce que c'est que cette contemporanéité? J'avoue que je n'en sais rigoureusement rien, mais je crois qu'il est inévitable de poser le problème dans la mesure même où, avec Leibniz, on a la preuve que l'homogénéité des deux processus n'était absolument pas étrangère à la pensée des contemporains.

Résumons tout ceci. Le vrai problème de cette nouvelle rationalité gouvernementale, ce n'est donc pas tellement ou seulement la conservation de l'État dans un ordre général, c'est la conservation d'un certain rapport de forces, c'est la conservation, le maintien ou le développement d'une dynamique des forces. Eh bien, je crois que pour mettre en œuvre une raison politique qui va donc se définir maintenant essentiellement à partir de la dynamique des forces, je crois que pour cela l'Occident, ou les sociétés occidentales ont mis en place deux grands ensembles qui ne peuvent se comprendre qu'à partir de là, de cette rationalisation des forces. Ces deux grands ensembles dont je voudrais vous parler aujourd'hui et la prochaine fois, bien sûr c'est, d'une part, un dispositif diplomatico-militaire et, d'autre part, le dispositif de la police, au sens que le mot avait à cette époque, – ces deux grands ensembles qui ont essentiellement pour fonction d'assurer quoi? Premièrement, le maintien d'un rapport de forces et, d'autre part, la croissance de chacune des forces sans qu'il y ait rupture de l'ensemble. Ce maintien du rapport des forces et ce développement des forces internes à chacun des éléments, leur jonction, c'est précisément cela qu'on appellera plus tard un mécanisme de sécurité.

Premièrement, les nouvelles techniques de type diplomatico-militaire. Si les États sont placés les uns à côté des autres dans un rapport de concurrence, il faut trouver un système qui permette de limiter le plus possible la mobilité de tous les autres États, leur ambition, leur croissance, leur renforcement, mais en laissant cependant assez d'ouvertures à chaque État pour que, quant à lui, il puisse maximaliser sa croissance sans provoquer ses adversaires et sans, donc, amener sa propre disparition ni son propre affaiblissement. Ce système de sécurité, il a été esquissé et à vrai dire parfaitement mis en place au terme de la guerre de Trente Ans, au terme donc de ces cent ans de luttes religieuses et politiques [15] qui ont amené d'une façon claire et définitive la disparition et du rêve impérial et de l'universalisme ecclésiastique, et qui ont mis en place, les uns en face des autres, un certain nombre d'États qui pouvaient tous prétendre à l'affirmation d'eux-mêmes et à l'autofinalité de leur propre politique. Ce système mis en place à la fin de la guerre de Trente Ans, il comportait quoi? Il comportait un objectif et il comportait des instruments. L'objectif, ça a été l'équilibre de l'Europe. L'équilibre de l'Europe, là encore, tout comme la raison d'État, est d'origine italienne; l'idée d'un équilibre est d'origine italienne. C'est, je crois, chez Guichardin que l'on trouve la première analyse de toute cette politique par laquelle chacun des princes italiens essayait de maintenir en Italie un état d'équilibre [16]. Laissons le cas italien et revenons à l'Europe. L'équilibre de l'Europe, qu'est-ce que ça veut dire? Quand les diplomates, les ambassadeurs qui ont négocié le traité de Westphalie recevaient de leur gouvernement des instructions [17], on leur recommandait explicitement de faire en sorte que les nouveaux tracés de frontières, les nouveaux découpages des États, les nouveaux rapports à établir entre les États allemands et l'Empire, les zones d'influence de la France, de la Suède, de l'Autriche, [que] tout cela [soit] fait en fonction d'un principe: maintenir un certain équilibre entre les différents États de l'Europe.

Premièrement, qu'est-ce que c'est que l'Europe? Idée absolument nouvelle que l'idée de l'Europe en ce début ou en cette première moitié du XVIIe siècle. Qu'est-ce que c'est que l'Europe? Premièrement, c'est justement une unité qui n'a plus du tout la vocation universaliste que pouvait avoir le christianisme, par exemple. Le christianisme visait par définition, par vocation, à recouvrir le monde tout entier. L'Europe, en revanche, c'est un découpage géographique qui à l'époque, par exemple, ne comprend pas la Russie et ne comprend l'Angleterre que d'une façon assez ambiguë, puisque l'Angleterre n'était pas effectivement partie prenante dans le traité de Westphalie. Donc l'Europe, c'est un certain découpage géographique bien limité, sans universalité. Deuxièmement, l'Europe n'est pas une forme hiérarchique d'États plus ou moins subordonnés les uns aux autres et qui culminerait dans une forme ultime et unique qui serait l'Empire. Chaque souverain – je parle, alors là, très grossièrement, vous allez voir, il va falloir corriger ça tout de suite –, chaque souverain est empereur en son propre royaume, ou en tout cas les principaux souverains sont empereurs en leur royaume et il n'y a rien qui, au fond, signale chez un des souverains de l'un de ces États une supériorité qui ferait de l'Europe une sorte d'ensemble unique. L'Europe est fondamentalement plurielle. Ce qui ne veut pas dire, bien sûr, – et c'est là où je corrige aussitôt ce que je viens de dire –, qu'il n'y ait pas de différences entre les États *. [Le fait est très bien marqué] **, par exemple, avant même le traité de Westphalie, dans ce que Sully raconte à propos d'Henri IV et de ce qu'il appelait le « magnifique dessein [18] ». Le magnifique dessein que Sully prétend avoir été la pensée politique d'Henri IV consistait à constituer une Europe, bien sûr, donc une Europe plurielle, une Europe comme découpage géographique limité, sans universalité et sans unité culminante, bien sûr, mais dans laquelle il y aurait eu quinze États plus forts que les autres, qui auraient pris la décision pour les autres [19]. Donc, c'est un découpage géographique, une multiplicité sans unité d'États [parmi] lesquels pourtant il y a une différence majeure, sinon constitutive, sinon intriquée, une différence majeure entre les petits et les grands. Enfin, quatrième caractère de l'Europe, c'est que, tout en étant un découpage géographique, une pluralité, elle n'est pas sans rapport avec le monde tout entier, mais ce rapport avec le monde tout entier marque la spécificité même de l'Europe par rapport au monde, puisque l'Europe ne doit avoir, et ne commence à avoir avec le reste du monde qu'un certain type de rapport, qui est celui de la domination économique ou de la colonisation, ou en tout cas de l'utilisation commerciale. L'Europe comme région géographique d'États multiples, sans unité mais avec dénivellation entre les petits et les grands, ayant au reste du monde un rapport d'utilisation, de colonisation, de domination, c'est cette pensée-là qui s'est formée [à la] fin [du] XVIe et au tout début du XVIIe siècle, une pensée qui va se cristalliser au milieu du XVIIe avec l'ensemble des traités qui sont signés à ce moment-là, et c'est cette réalité historique dont nous ne sommes toujours pas sortis. Voilà ce que c'est que l'Europe.

Deuxièmement, la balance. Qu'est-ce que c'est que la balance de l'Europe ? [20] Le mot latin, c'est *trutina Europae* ***. Le mot « balance » est employé en plusieurs sens dans les textes de cette époque-là. La balance de l'Europe, ça veut dire, et ça a été selon les différents pays, selon les différentes politiques, selon les différents moments, premièrement : l'impossibilité pour l'État le plus fort de dicter sa loi à n'importe quel

---

* M. F. : et, au contraire, a été très bien marqué
** M. F. : On le trouve
*** Manuscrit, p. 14 : « *trutina sive bilanx Europeae* » (expression citée par L. Donnadieu, *La Théorie de l'équilibre. Étude d'histoire diplomatique et de droit international,* Thèse pour le doctorat ès sciences politiques (Université d'Aix-Marseille), Paris, A. Rousseau, 1900, p. 3).

autre État. Autrement dit, on maintiendra la balance de l'Europe si on s'arrange pour que la différence entre le plus fort des États et ceux qui le suivent ne soit pas telle que le plus fort des États puisse imposer sa loi à tous les autres. Limitation, par conséquent de l'écart entre le plus fort et les autres. * Premier point. Deuxièmement, la balance européenne, l'équilibre européen s'est conçu comme étant la constitution d'un nombre limité d'États les plus forts, entre lesquels l'égalité sera maintenue de telle manière que chacun de ces États les plus forts pourra empêcher n'importe quel autre de prendre de l'avance et de l'emporter. Autrement dit, constitution d'une aristocratie d'États, et d'une aristocratie égalitaire qui prendra la forme par exemple d'une égalité de forces entre l'Angleterre, l'Autriche, la France et l'Espagne. Avec un quadrige comme celui-là, il est bien entendu qu'aucun des quatre ne pourra prendre une avance considérable sur les autres, les trois autres ayant évidemment pour première réaction, si ce phénomène commençait à se produire, de l'en empêcher d'une manière ou d'une autre. Enfin, troisième définition de l'équilibre européen, c'est celle que l'on trouve plus facilement chez les juristes et qui va avoir par la suite toute la série de conséquences que vous pouvez imaginer. Vous la trouvez au XVIIIᵉ siècle chez Wolff dans le *Jus gentium*, où il dit que l'équilibre européen doit consister en ceci : c'est que « l'Union mutuelle de plusieurs nations » doit pouvoir se faire de façon « que la puissance prépondérante d'un ou plusieurs pays soit égale à la puissance réunie des autres [21] ». Autrement dit, il faut que les choses soient telles que la réunion de plusieurs petites puissances puisse contrebalancer la force de la puissance supérieure qui risquerait de menacer l'une d'entre elles. Possibilité, par conséquent, de coalition qui soit telle que l'effet de la coalition puisse contrebalancer, à un moment donné et en un lieu donné, n'importe laquelle des prépondérances établies. Limitation absolue de la force des plus forts, égalisation des plus forts, possibilité de combinaison des plus faibles contre les plus forts, ce sont là les trois formes qui ont été conçues et imaginées pour constituer l'équilibre européen, la balance de l'Europe.

Vous voyez qu'avec ces différentes procédures, au lieu d'une sorte d'eschatologie absolue qui fixerait à l'histoire comme point d'achèvement un empire, une monarchie universelle, on va avoir quelque chose qu'on pourrait appeler une eschatologie relative, une eschatologie précaire et fragile, mais vers laquelle il faut effectivement tendre, et cette

---

* M. Foucault, dans le manuscrit, renvoie ici à « Sully, "le magnifique dessein" ». Cf. *infra*, p. 316, note 18.

eschatologie fragile, eh bien c'est la paix. C'est la paix universelle, paix relativement universelle et paix relativement définitive, bien sûr, mais cette paix dont on rêve à ce moment-là, on ne l'attend plus d'une suprématie enfin unitaire et définitivement incontestée comme celle de l'Empire ou comme celle de l'Église. On attend cette paix universelle et relativement universelle, définitive mais relativement définitive, on l'attend au contraire d'une pluralité sans effets majeurs et uniques de domination. Ce n'est plus de l'unité qu'on fait naître la paix, c'est de la non-unité, c'est de la pluralité maintenue comme pluralité. Et vous voyez combien on est maintenant dans une perspective historique, mais en même temps dans une forme de technique diplomatique très différente de ce que pouvait être celle du Moyen Âge par exemple, où c'était de l'Église que l'on attendait la paix, parce qu'elle était la puissance unique, unique et unifiante. On attend maintenant la paix des États eux-mêmes et de leur pluralité. Changement considérable. Voilà quel est l'objectif, pour assurer cette sécurité dans laquelle chaque État pourra effectivement majorer ses forces sans que la majoration de ses forces soit cause de ruine pour les autres ou pour lui-même.

Deuxièmement, les instruments. Les instruments que se donne cette raison d'État dont l'armature est diplomatique et s'est donc définie essentiellement par la constitution d'une Europe, d'une balance européenne, ces instruments, je crois qu'il y en a trois. Le premier instrument de cette paix universelle précaire, fragile, provisoire, qui prend l'aspect d'une balance et d'un équilibre entre une pluralité d'États, ça va de soi, c'est la guerre. C'est-à-dire que désormais on va pouvoir faire la guerre, ou mieux on devra faire la guerre pour maintenir précisément cet équilibre. Et alors là, on voit basculer entièrement les fonctions, les formes, les justifications, la pensée juridique de la guerre, mais également ses objectifs. Car après tout, la guerre telle qu'elle était conçue au Moyen Âge, qu'est-ce que c'était ? La guerre, c'était essentiellement un comportement, j'allais dire juridique, je veux dire judiciaire. On faisait la guerre pourquoi ? Quand il y avait eu injustice, quand il y avait eu violation de droit ou quand quelqu'un, en tout cas, prétendait à un certain droit qui était contesté par quelqu'un d'autre. Dans la guerre médiévale, il n'y avait aucune discontinuité entre le monde du droit et le monde de la guerre. Il n'y avait même pas de discontinuité entre l'univers du droit privé, où il s'agissait de liquider des litiges, et le monde du droit qui ne s'appelait pas et qui ne pouvait pas justement s'appeler international et public, et qui était le monde de l'affrontement des princes. On était toujours dans le litige, la liquidation du litige – tu m'as pris mon héritage, tu m'as confisqué une de mes terres, tu as répudié ma sœur –, et on se battait, et les guerres se développaient dans ce cadre juridique, qui était guerre publique et guerre privée. C'était la guerre publique en tant que guerre privée, ou c'était la guerre privée qui prenait une dimension publique. On était dans une guerre de droit, et d'ailleurs la guerre se liquidait exactement comme une procédure juridique par quelque chose qui était une victoire, laquelle victoire était comme un jugement de Dieu. Tu as perdu, c'est donc que le droit n'était pas pour toi. Sur cette continuité du droit et de la guerre, sur cette homogénéité entre la bataille et la victoire et le jugement de Dieu, je vous renvoie au livre de Duby sur *Le Dimanche de Bouvines* [22], où vous avez des pages qui sont tout à fait éclairantes sur le fonctionnement judiciaire de la guerre.

Maintenant, on va avoir une guerre qui va fonctionner autrement, puisque d'une part on n'est plus dans une guerre du droit, on est dans une guerre de l'État, de la raison d'État. Au fond, on n'a plus besoin de se donner une raison juridique pour déclencher une guerre. On a parfaitement le droit de se donner, pour déclencher une guerre, une raison purement diplomatique – l'équilibre est compromis, il faut rétablir l'équilibre, il y a un excès de puissance d'un côté, et on ne peut pas le tolérer. Bien sûr, on trouvera le prétexte juridique, mais la guerre se détache de ce prétexte juridique. Deuxièmement, si la guerre perd sa continuité avec le droit, vous voyez qu'elle récupère une autre continuité, et cette autre continuité, bien sûr, c'est avec la politique. Cette politique qui a précisément pour fonction de maintenir l'équilibre entre les États, cette politique qui doit assurer la balance des États dans le cadre européen, c'est celle-là qui, à un moment donné, va commander de faire la guerre, de faire la guerre à tel ou tel, jusqu'à un certain point et un certain point seulement, sans que l'équilibre soit trop compromis, avec un système d'alliances, etc. Et par conséquent, c'est à partir de ce moment-là qu'apparaît le principe dont vous savez bien qu'il sera formulé presque deux cents ans après par quelqu'un qui aura dit : «La guerre, c'est la politique continuée par d'autres moyens [23].» Mais il ne faisait rien d'autre que constater une mutation qui avait été acquise en fait dès le début du XVIIᵉ siècle, [avec la constitution]* de la nouvelle raison diplomatique, de la nouvelle raison politique au moment du traité de Westphalie. Il ne faut pas oublier que sur le bronze des canons du roi de France, il y avait écrit : *Ultima ratio regum*, «la dernière, la raison ultime des rois [24]». **

* M. F. : au moment de cette grande constitution
** Suit une phrase en partie inaudible : [...] la raison politique qui maintenant s'est inscrite sur le canon [...]

Donc, premier instrument pour faire fonctionner ce système de la sécurité européenne, de l'équilibre européen.

Deuxième instrument bien sûr, instrument tout aussi ancien que la guerre, et profondément renouvelé lui aussi, c'est l'instrument diplomatique. Et c'est à ce moment-là que l'on voit apparaître quelque chose de relativement nouveau – enfin là, il faudrait préciser les choses –, en tout cas, quelque chose comme le traité de Westphalie est un traité multilatéral dans lequel on ne liquide pas un litige entre plusieurs personnes, mais dans lequel la totalité des États, à l'exception de l'Angleterre, qui constituent cet ensemble nouveau qu'est l'Europe, vont régler leurs problèmes, régler leur conflit [25]. Or régler cela, ça ne veut pas dire justement suivre les lignes juridiques qui sont prescrites par les lois et par les traditions. Ce n'est pas suivre les lignes prescrites par les droits de l'héritage ou encore les droits du vainqueur, avec les clauses de rançon, de mariage, de cession. Les lignes de force qui vont être suivies par les diplomates dans ce traité multilatéral, ce sont des lignes déterminées par la nécessité d'un équilibre. On échangera, on marchandera, on transférera les territoires, les villes, les évêchés, les ports, les abbayes, les colonies – en fonction de quoi ? Non pas donc du vieux droit de l'héritage ou du vieux droit du vainqueur, mais en fonction de principes physiques, puisqu'il s'agira d'accoler tel territoire à tel autre, de transférer tel revenu à tel prince, d'accorder tel port à tel territoire en fonction du principe qui veut qu'un certain équilibre interétatique soit établi de manière à ce qu'il soit le plus stable possible. C'est une physique des États et non plus un droit des souverains, qui va être le principe fondamental de cette nouvelle diplomatie. Et en liaison avec cela, bien sûr, toujours dans l'ordre de la diplomatie, on voit apparaître la création de ce qu'on n'appelle pas encore missions diplomatiques permanentes, en tout cas l'organisation de négociations pratiquement en permanence et l'organisation d'un système d'information quant à l'état des forces de chaque pays (j'y reviendrai tout à l'heure). Les ambassadeurs permanents, c'est en fait, là encore, une institution à longue genèse que l'on voit apparaître, s'installer fin XVe siècle - début XVIe siècle, mais l'organisation consciente, réfléchie et absolument permanente d'une diplomatie toujours en train de négocier date de cette époque-là. C'est-à-dire qu'on a l'idée d'un dispositif permanent de relations entre États, dispositif de relations qui n'est ni l'unité impériale ni l'universalité ecclésiastique. C'est l'idée d'une véritable société des nations, et là ce n'est pas moi qui emploie un mot rétrospectif. L'idée a bel et bien été formulée à ce moment-là. Vous la trouvez chez quelqu'un qui s'appelait Crucé et qui a écrit au début du XVIIe siècle une sorte d'utopie qui s'appelait *Le Nouveau Cynée*[26], et dans laquelle il projette, d'une part, une police[27] (j'y reviendrai plus précisément la prochaine fois[28]), et puis d'autre part, en même temps et dans une corrélation qui est absolument essentielle – et qui vous explique que tout en vous ayant promis de vous parler de la police, j'ai le sentiment de devoir vous parler [aupar] avant des organisations diplomatico-militaires –, une organisation permanente entre les États, une organisation de consultation avec des ambassadeurs réunis dans une ville en permanence. Cette ville, ce serait Venise, territoire dont il dit qu'il est neutre et indifférent à tous les princes[29], et ces ambassadeurs réunis en permanence à Venise seraient chargés de liquider les litiges et les contestations et de veiller à ce que le principe de l'équilibre soit bel et bien maintenu[30].

Cette idée que les États forment entre eux dans l'espace européen comme une société, cette idée que les États sont comme des individus qui doivent avoir entre eux un certain nombre de relations que le droit doit fixer et coder, c'est cela qui a suscité à cette époque le développement de ce qu'on a appelé le droit des gens, le *jus gentium,* qui devient un des points fondamentaux, un des foyers d'activité de la pensée juridique, particulièrement intense, puisqu'il s'agit là de définir quelles vont être les relations juridiques entre ces individus nouveaux, coexistant dans un espace nouveau, à savoir les États dans l'Europe, les États dans une société des nations. Et alors là, l'idée que les États sont une société, vous la trouvez formulée clairement dans un texte du tout début du xviiie siècle, chez le plus grand des théoriciens du droit des gens qui s'appelle Burlamaqui, – c'est [dans] *Les Principes du droit de la nature et des gens*[31] –, et qui dit : « L'Europe fait aujourd'hui un système politique, un corps où tout est lié par des relations et les divers intérêts des nations qui habitent cette partie du monde. Ce n'est plus, comme autrefois, un amas confus de pièces isolées dont chacune se croyait peu intéressée au sort des autres et se mettait rarement en peine de ce qui ne la touchait pas immédiatement » – ce qui est historiquement tout à fait faux, mais peu importe, c'est pas comme ça que ça se passait avant, mais voilà comment il définit la situation actuelle : « L'attention continuelle des souverains à tout ce qui se passe chez eux et chez les autres, les ministres toujours résidents [référence aux diplomates permanents[32] ; M. F.], les négociations perpétuelles font de l'Europe moderne une espèce de république dont les membres indépendants mais liés par l'intérêt commun se réunissent pour y maintenir l'ordre et la liberté. »

Voilà donc comment naît cette idée de l'Europe et de la balance européenne. Elle se cristallise bien sûr avec le traité de Westphalie[33], première manifestation complète, consciente, explicite d'une politique de l'équilibre européen, traité, vous le savez, qui a pour fonction principale de réorganiser l'Empire, de définir son statut, ses droits par rapport aux principautés allemandes, les zones d'influence de l'Autriche, de la Suède, de la France sur le territoire allemand – tout ceci en fonction de lois d'équilibre qui nous expliquent en effet que l'Allemagne a pu devenir, et est effectivement devenue, le foyer d'élaboration de la république européenne. Il ne faut jamais oublier ceci : c'est que l'Europe comme entité juridico-politique, l'Europe comme système de sécurité diplomatique et politique, c'est le joug que les pays les plus puissants (de cette Europe) ont imposé à l'Allemagne chaque fois qu'ils ont essayé de lui faire oublier le rêve de l'empereur endormi, que ce soit Charlemagne ou Barberousse ou le petit homme qui a brûlé entre son chien et sa maîtresse un soir de mai* dans les locaux de la chancellerie. L'Europe, c'est la manière de faire oublier à l'Allemagne l'Empire. Et il ne faut donc pas s'étonner que, si l'empereur effectivement ne se réveille jamais, l'Allemagne se redresse parfois et dise : « Je suis l'Europe. Je suis l'Europe puisque vous avez voulu que je sois l'Europe. » Et elle le dit précisément à ceux qui ont voulu qu'elle soit l'Europe, et qu'elle ne soit rien que l'Europe, à savoir l'impérialisme français, la domination anglaise ou l'expansionnisme russe. On a voulu substituer en Allemagne au désir d'empire, l'obligation de l'Europe. « Eh bien, répond donc l'Allemagne, qu'à cela ne tienne puisque l'Europe sera mon empire. Il est juste que l'Europe soit mon empire, dit l'Allemagne, puisque vous n'avez fait l'Europe que pour imposer à l'Allemagne la domination de l'Angleterre, de la France et de la Russie. » Il ne faut pas oublier cette petite anecdote lorsque, en 1871, Thiers discutait avec le plénipotentiaire allemand qui s'appelait, je crois, Ranke et qu'il lui disait : « Mais enfin, contre qui vous battez-vous ? Nous n'avons plus d'armée, plus personne ne peut vous résister, la France est épuisée, la Commune a porté le dernier coup aux possibilités de résistance, contre qui faites-vous la guerre ? », Ranke a répondu : « Mais voyons, contre Louis XIV. »

Alors, troisième instrument de ce système diplomatico-militaire, qui va permettre d'assurer la balance européenne – c'était donc la guerre, premièrement, une nouvelle forme, une nouvelle conception de la guerre, [deuxièmement] un instrument diplomatique –, le troisième instrument, ça va être la constitution d'un élément lui aussi fondamental et lui aussi nouveau : la mise en place d'un dispositif militaire permanent qui va

---

* Lapsus évident. Hitler se suicida le 30 avril 1945 dans le bunker souterrain de la chancellerie du Reich à Berlin.

comporter, [premièrement] une professionnalisation de l'homme de guerre, la constitution d'une carrière des armes ; deuxièmement, une structure armée permanente, susceptible de servir de cadre à des recrutements exceptionnels en temps de guerre ; troisièmement, un équipement de forteresses et de transports ; quatrièmement enfin, un savoir, une réflexion tactique, des types de manœuvre, des schémas d'attaque et de défense, bref toute une réflexion propre et autonome sur la chose militaire et les guerres possibles. Apparition donc de cette dimension militaire qui est très loin de s'épuiser dans la pratique de la guerre. L'existence d'un dispositif militaire permanent, coûteux, important, savant à l'intérieur même du système de la paix, c'est cela qui a été bien sûr un des instruments indispensables à la constitution de l'équilibre européen. Comment en effet pourrait-on maintenir cet équilibre si effectivement chacun des États, du moins les plus puissants, n'avait pas ce dispositif militaire et ne faisait pas en sorte que ce dispositif militaire [fût] en somme, en gros, globalement, à peu près du même niveau que celui de son principal rival ? La constitution, par conséquent, d'un dispositif militaire qui va être non pas tellement la présence de la guerre dans la paix que la présence de la diplomatie dans la politique et dans l'économie, l'existence de ce dispositif militaire permanent est une des pièces essentielles dans une politique qui est commandée par le calcul des équilibres, par le maintien d'une force qui s'obtient par la guerre, ou par la possibilité de la guerre, ou par la menace de la guerre. Bref, c'est un des éléments essentiels dans cette concurrence des États, dont chacun cherche bien sûr à inverser le rapport de force en sa faveur, mais que tous veulent maintenir dans son ensemble. Là encore, on voit comment ce principe de Clausewitz que la guerre, c'est la politique continuée, a eu un support, un support institutionnel précis qui a été l'institutionnalisation du militaire. La guerre, ce n'est plus une autre face de l'activité des hommes. La guerre, ça va être, à un moment donné, la mise en œuvre d'un certain nombre de moyens que la politique a définis et dont le militaire est une des dimensions fondamentales et constitutives. On a donc un complexe politico-militaire, absolument nécessaire à la constitution de cet équilibre européen comme mécanisme de sécurité ; ce complexe politico-militaire sera mis en jeu en permanence et la guerre ne sera que l'une de ses fonctions. [On comprend donc]* que le rapport de ce qui est la paix et la guerre, que le rapport du civil et du militaire va se redéployer autour de tout cela**.

---

\* Conjecture ; quelques mots inaudibles.
    \*\* Le manuscrit ajoute, p. 20 : « 4. Quatrième instrument : un appareil informatif. Connaître ses propres forces (et d'ailleurs les cacher), connaître celles des autres,

Bon, j'ai un peu trop traîné, pardonnez-moi. Alors la prochaine fois, je vous parlerai de l'autre grand mécanisme de sécurité qui a été mis en place dans cette raison d'État désormais ordonnée au problème de la force et de la puissance, et cet autre instrument, cette autre grande technologie, ce n'est plus le dispositif diplomatico-militaire, c'est le dispositif politique de police.

---

alliés, adversaires, et cacher qu'on les connaît. Or les connaître implique qu'on sache en quoi consiste la force des États. Où est le secret en quoi ça réside : mystère de l'Espagne qui a perdu sa puissance, mystère des Provinces-Unies, un des États importants de l'Europe. »

\*

## NOTES

1. Sur ce concept kantien, dont Foucault fait ici un usage assez libre, cf. la *Critique de la raison pure,* I, II, «Appendice à la dialectique transcendantale : De l'usage régulateur des idées de la Raison pure», trad. A. Tremesaygues & B. Pacaud, Paris, PUF, 1968, p. 453-454 : «Les idées transcendantales [...] ont un usage régulateur excellent et indispensablement nécessaire : celui de diriger l'entendement vers un certain but, qui fait converger les lignes de direction que suivent toutes ses règles en un point qui [...] sert à leur procurer la plus grande unité avc la plus grande extension.»

2. Cf. leçon précédente (15 mars), p. 261-263.

3. A. Palazzo, *Discours du gouvernement et de la raison vraye d'Estat,* trad. de Vallières (citée), IV, 24, p. 373-374 : «Finalement raison d'estat est l'essence mesme de la paix, la regle de vivre à repos, & la perfection des choses [...]»

4. Cf. leçon précédente, p. 262-263.

5. Cf. *supra,* leçon du 8 mars, p. 243.

6. Cf. leçon précédente, p. 263.

7. Cf. leçon précédente, p. 273 *sq.*

8. Maximilien de Béthune, baron de Rosny, duc de Sully (1559-1641), *Économies royales,* éd. par J. Chailley-Bert, Paris, Guillaumin, s. d. [vers 1820]. Cf. *infra,* note 18.

9. La paix de Westphalie, définitivement signée à Münster le 24 octobre 1648, au sortir de la guerre de Trente Ans, fut le résultat de cinq années d'intenses et difficiles négociations entre les principales puissances européennes. Les historiens distinguent trois grandes périodes : (1) de janvier 1643 à novembre 1645, où les questions de procédure furent au centre des discussions, (2) de novembre 1645 à juin 1647, qui permit de régler la plupart des différends concernant les Allemands et les Hollandais, (3) l'année 1648, qui s'acheva par la signature des deux traités de Münster, entre l'Empire et la France *(Instrumentum Pacis Monsteriense),* et d'Osnabrück, entre

l'Empire et la Suède *(Instrumentum Pacis Osnabrucense)* (cf. G. Parker, *La Guerre de Trente Ans,* trad. citée [*supra,* p. 28, note 30], p. 269). Les États de l'Empire se virent reconnaître en droit la «supériorité territoriale» *(Landeshoheit)* qu'ils exerçaient déjà de fait, pour un grand nombre, depuis un siècle. L'Empire, lui-même, dépuillé de son caractère sacré, continua de se survivre comme État, au prix toutefois de certaines modifications constitutionnelles. Pour plus de précisions sur ces dernières, cf. M. Stolleis, *Histoire du droit public en Allemagne, 1600-1800,* trad. citée, p. 335-343.

10. Les traités, en effet, consacrèrent la reconnaissance du calvinisme comme troisième religion légale de l'Empire, avec le catholicisme et le luthéranisme.

11. C'était déjà, dans le sillage des «politiques», l'attitude adoptée par Richelieu à l'égard de la Maison d'Espagne, qui aboutit à l'entrée en guerre ouverte de 1635. «Autres sont les intérêts d'État qui lient les princes et autres les intérêts du salut de nos âmes» (Richelieu, *in* D. L. M. Avenel, ed., *Lettres, Instructions diplomatiques et Papiers d'État du cardinal de Richelieu,* t. I: *1608-1624,* Paris, Imprimerie impériale, 1854, p. 225). Cette politique, fondée sur le seul critère des «intérêts d'État», trouva sa première défense systématique dans le traité d'Henri de Rohan, *De l'intérêt des princes et des États de la chrétienté* (Paris, 1638; éd. établie par Ch. Lazzeri, Paris, PUF, 1995). Cf. F. Meinecke, *L'Idée de la raison d'État dans l'histoire des Temps modernes,* trad. citée [*supra,* p. 114, note 5], livre I, ch. 6: «La doctrine des intérêts des États dans la France de Richelieu» (sur Rohan, cf. p. 150-180).

12. Ce conflit, qui opposa la France et l'Espagne à une coalition européenne (Quadruple-Alliance) de 1701 à 1714, suite à l'accession au trône d'Espagne de Philippe V, petit-fils de Louis XIV, s'acheva par les traités d'Utrecht et de Rastadt. Cf. L. Donnadieu, *La Théorie de l'équilibre. Étude d'histoire diplomatique et de droit international,* Thèse pour le doctorat ès sciences politiques (Université d'Aix-Marseille), Paris, A. Rousseau, 1900, p. 67-79.

13. La guerre de Trente Ans (1618-1648) qui transforma peu à peu l'Allemagne en champ de bataille de l'Europe (la Suède intervint en 1630, la France, après une «guerre fourrée», en 1635), fut à la fois une guerre civile et le premier grand conflit international, mettant en jeu des logiques de puissance, au xviie siècle. Sur les traités de Westphalie, qui mirent fin à cette guerre, cf. *supra,* note 9.

14. Gottfried Wilhelm Leibniz (1646-1717), juriste, mathématicien, philosophe et diplomate, auteur des *Essais de théodicée* (1710) et de la *Monadologie* (1714). Sur la «force» comme expression physique de l'unité de la substance, cf. en particulier *Specimen dynamicum* (1695), éd. H.G. Dorsch, Hambourg, F. Meiner, 1982. Leibniz est également l'auteur d'un certain nombre d'écrits historico-politiques: cf. *Opuscules contre la paix de Ryswick,* in *Die Werke von Leibniz gemäss seinem handschriftlichen Nachlass in der Bibliothek zu Hannover,* Hanovre, Klindworth, 1864-1884, vol. VI, sect. B. Sur le dynamisme leibnizien, cf. M. Guéroult, *Leibniz. Dynamique et métaphysique,* Paris, Aubier-Montaigne, 1967; W. Voisé, «Leibniz's model of political thinking», *Organon,* 4, 1967, p. 187-205. Sur les implications juridico-politiques de ses positions métaphysiques, cf. maintenant A. Robinet, *G. W. Leibniz. Le meilleur des mondes par la balance de l'Europe,* Paris, PUF, 1994, notamment p. 235-236: «Qu'est que "la balance de l'Europe"? C'est l'idée d'*une physique politico-militaire des nations* où des forces antagonistes variables s'exercent selon des chocs violents aléatoires les uns avec les autres, les uns contre les autres. [...] La balance de l'Europe n'est pas un problème de statique, mais de dynamique.»

15. Cent ans, si l'on considère la période qui va de la paix d'Augsbourg (1555), qui reconnaissait à chaque État, au sein de l'Empire, le droit de pratiquer la religion (catholique ou luthérienne) qu'il confessait – principe nommé plus tard *cujus regio, ejus religio* –, et consacrait, de ce fait, la fin de l'Empire médiéval, à la paix de Westphalie (1648).

16. Francesco Guicciardini (1483-1540), *Storia d'Italia,* I, 1, Fiorenza, appresso Lorenzo Torrentino, 1561 (éd. incomplète); Genève, Stoer, 1621; rééd. Turin, Einaudi, 1970, a cura di Silvana Seidel Menchi, p. 6-7: «E conoscendo che alla republica fiorentina e a sé proprio sarebbe molto pericoloso se alcuno de'maggiori potentati ampliasse piú la sua potenza, procurava con ogni studio che le cose d'Italia in modo bilanciate si mantenessino che piú in una che in un'altra parte non pendessino: il che, senza la conservazione della pace e senza vegghiare con somma diligenza ogni accidente benché minimo, succedere non poteva.» / *Histoire d'Italie,* trad. J.-L. Fournel & J.-Cl. Zancarini, Paris, Robert Laffont («Bouquins»), 1996, p. 5: «Et, conscient que, pour la république florentine et pour lui-même, il serait très dangereux que l'un des plus puissants accrût encore sa puissance, il [= Laurent de Médicis] s'employait de toutes ses forces à maintenir les choses de l'Italie si bien équilibrées que la balance ne penchât ni d'un côté ni de l'autre; ce qui ne pouvait se faire sans la préservation de la paix et sans surveiller avec la plus grande diligence chaque événement, fût-il minime.»

17. Cf. *Recueil des instructions données aux ambassadeurs et ministres de France, depuis les traités de Westphalie jusqu'à la Révolution française,* XXVIII, États allemands, t. 1: *L'Électorat de Mayence,* s. dir. G. Livet, Paris, Éd. du CNRS, 1962; t. 2: *L'Électorat de Cologne,* 1963; t. 3: *L'Électorat de Trèves,* 1966. Voir également la collection des *Acta Pacis Westphalicae,* en cours de publication depuis 1970, sous la direction de K. Repgen, dans le cadre de la Nordrhein-Westfälische Akademie der Wissenschaften (Serie II. Abt. B: *Die französischen Korrespondenzen,* Münster, Aschendorff, 1973).

18. Maximilien de Béthune, baron de Rosny, duc de Sully, *Mémoires des sages et royales œconomies d'Estat, domestiques, politiques et militaires de Henri le Grand,* Paris («Nouvelle Collection des mémoires pour servir à l'histoire de France», éd. Michaud & Poujoulat), t. 2, 1837, ch. C, p. 355b-356a. Cf. E. Thuau, *Raison d'État et Pensée politique à l'époque de Richelieu, op. cit.,* p. 282, qui renvoie à l'article de Ch. Pfister, «Les "Œconomies royales" de Sully et le Grand Dessein de Henri IV», *Revue historique,* 1894 (t. 54, p. 300-324, t. 55, p. 67-82 et 291-302, t. 56, p. 39-48 et 304-339). L'expression «magnifique dessein» est citée par L. Donnadieu, *La Théorie de l'équilibre,* p. 45, suivie de l'extrait suivant des *Œconomies royales* (éd. Petitot, VII, 94): «Rendre tous les quinze grands potentats de l'Europe chrétienne à peu près d'une même égalité de puissance, royaume, richesse, étendue et domination, et donner à icelles des bornes et limites si bien ajustées et contempérées, qu'il ne puisse venir à ceux qui seraient les plus grands et ambitieux des désirs et aviditez de s'accroistre, ny aux autres, ombrages, jalousies, n'y crainte d'en être opprimez.»

19. Cf. les deuxième et troisième desseins du roi exposés par Sully, *op. cit.,* p. 356a: «[...] associer autant de puissances souveraines qu'il luy seroit possible au dessein qu'il faisoit de reduire toutes celles des monarchies hereditaires à une presque esgale puissance, tant en estenduë de pays qu'en richesses, afin que les trop excessives des uns ne leur fissent venir le desir d'opprimer les foibles, et à ceux-cy la crainte de le pouvoir estre», «[...] essayer à faire poser entre les quinze dominations, desquelles

devoit estre composée la chrestienté d'Europe, des bornes si bien ajustées entre celles qui sont limitrophes les unes des autres, et de regler tant equitablement la diversité de leurs droits et pretentions, qu'ils n'en pussent jamais plus entrer en dispute».

20. Sur cette question, outre la thèse de Donnadieu, qui constitue la source principale de Foucault, cf. E. Thuau, *Raison d'État...*, p. 307-309, et l'article de G. Zeller auquel renvoie ce dernier («Le principe d'équilibre dans la politique internationale avant 1789», *Revue historique*, 215, janv.-mars 1956, p. 25-57).

21. Christian von Wolff, *Jus gentium methodo scientifica pertractatum*, Halle, in officina libraria Rengeriana, 1749, cap. VI, § 642, cité par L. Donnadieu, *La Théorie de l'équilibre*, p. 2 n. 5, qui ajoute: «Talleyrand se rapproche de Wolff: "L'Équilibre est un rapport entre les forces de résistance et les forces d'agression réciproque de divers corps politiques" ("Instruction pour le congrès de Vienne", Angeberg, p. 227).»

22. G. Duby, *Le Dimanche de Bouvines*, Paris, Gallimard («Trente journées qui ont fait la France»), 1973, notamment p. 144-148.

23. C. von Clausewitz, *Vom Kriege*, éd. établie par W. Hahlweg, Bonn, Dümmlers Verlag, 1952, livre I, ch. 1, § 24 / *De la guerre*, Paris, Minuit, 1955; trad. De Vatry, révisée et complétée, Paris, Lebovici, 1989. Comparer cette analyse avec celle développée dans le cours de 1975-1976, *«Il faut défendre la société»*, *op. cit.*, p. 146-147 (la formule de Clausewitz y était présentée, non comme le prolongement de la nouvelle raison diplomatique, mais comme le retournement du rapport entre guerre et politique défini, aux XVIIᵉ-XVIIIᵉ siècles, par les historiens de la guerre des races).

24. Sur cette formule, cf. la déclaration des princes de l'Empire (la 23ᵉ observation en réponse à la circulaire envoyée par les plénipotentiaires français, le 6 avril 1644, pour les inviter à envoyer des représentants aux conférences de Münster), citée par G. Livet, *L'Équilibre européen*, Paris, PUF, 1976, p. 83: «Nous avons vu des inscriptions, des portraits du roi de France, où il est nommé le conquérant de l'Univers, nous avons vu sur ses canons cette pensée, *la dernière raison des rois*, qui exprime parfaitement son génie usurpateur.»

25. «À Munster, autour du nonce et du représentant de Venise, siègent, outre les puissances en guerre en Allemagne [la France et la Suède], l'Espagne, les Provinces-Unies, le Portugal, la Savoie, la Toscane, Mantoue, les Cantons suisses, Florence» (G. Livet, *La Guerre de Trente Ans*, Paris, PUF, 1963, p. 42).

26. Emeric Crucé (Emery La Croix, 1590?-1648), *Le Nouveau Cynée, ou Discours d'Estat representant les occasions & moyens d'établir une paix generalle & la liberté du commerce par tout le monde*, Paris, chez Jacques Villery, 1623, rééd. 1624; repr. EDHIS (Éditions d'histoire sociale), Paris, 1976. Cf. L.-P. Lucas, *Un plan de paix générale et de liberté du commerce au XVIIᵉ siècle, Le Nouveau Cynée d'Emeric Crucé*, Paris, L. Tenin, 1919; H. Pajot, *Un rêveur de paix sous Louis XIII*, Paris, 1924; E. Thuau, *Raison d'État...*, p. 282. Crucé ne parle pas de «société des nations», mais de «société humaine» (*op. cit.*, préface (non paginée): «[...] la société humaine est un corps, dont tous les membres ont une sympathie, de maniere qu'il est impossible que les maladies de l'un ne se communiquent aux autres.» Cf. *ibid.*, p. 62.

27. *Ibid.*, préface (non paginée): «[...] ce petit livre contient une police universelle, utile indifferemment à toutes nations, & aggreable à ceux qui ont quelque lumiere de raison» (voir le texte à partir de la p. 86).

28. Foucault reviendra, dans la prochaine leçon, sur la question de la police, mais non sur l'analyse qu'en donne Crucé.

29. *Op. cit.*, p. 61 : «Or le lieu le plus commode pour une telle assemblee c'est le territoire de Venise, pource qu'il est comme neutre & indifferent à tous Princes: ioinct aussi qu'il est proche des plus signalees Monarchies de la terre, de celles du Pape, des deux Empereurs, & du Roy d'Hespagne.»

30. Interprétation assez libre du texte de Crucé. Cf. *ibid.*, p. 78 : «[…] rien ne peut asseurer un Empire, sinon une paix generale, de laquelle le principal ressort consiste en la limitation des Monarchies, afin que chaque Prince se contienne és limites des terres qu'il possede à présent, & qu'il ne les outrepasse pour aucunes pretentions. Et s'il se trouve offensé par un tel reglement, qu'il considere que les bornes des Royaumes, & Seigneuries sont mises par la main de Dieu, qui les oste & transfere quand & où bon luy semble.» Ce respect du *statu quo,* conforme à la volonté divine, est très éloigné du principe dynamique de l'équilibre.

31. Jean-Jacques Burlamaqui (1694-1748), *Principes du droit de la nature et des gens,* IVe partie, ch. II, éd. posthume par De Felice, Yverdon, 1767-1768, 8 vol.; nouvelle éd. revue et corrigée par M. Dupin, Paris, chez B. Warée, 1820, 5 vol.; cité par L. Donnadieu, *La Théorie de l'équilibre,* p. 46, qui ajoute: «Les idées de Bur-lamaqui se retrouvent mot pour mot dans Vattel, *Droit des gens.*» Cf. E. de Vattel, *Le Droit des gens, ou Principes de la loi naturelle…,* III, 3, § 47 («De l'Équilibre politique»), Londres, [s. n.], 1758, t. 2, p. 39-40.

32. Comme le précise L. Donnadieu, *op. cit.*, p. 27 n. 3: «Les traités de West-phalie ont consacré l'usage des ambassadeurs. Voilà d'où vient en partie leur grande influence sur l'Équilibre.»

33. Sur la paix de Westphalie, qui se compose en réalité de plusieurs traités, cf (à nouveau) *supra,* note 9.

# LEÇON DU 29 MARS 1978

*Le second ensemble technologique caractéristique du nouvel art de gouverner selon la raison d'État: la police. Significations traditionnelles du mot jusqu'au XVIᵉ siècle. Son sens nouveau aux XVIIᵉ-XVIIIᵉ siècles: calcul et technique permettant d'assurer le bon emploi des forces de l'État. – Le triple rapport entre le système de l'équilibre européen et la police. – Diversité des situations italienne, allemande, française. – Turquet de Mayerne, La Monarchie aristodémocratique. – Le contrôle de l'activité des hommes comme élément constitutif de la force de l'État. – Objets de la police: (1) le nombre des citoyens; (2) les nécessités de la vie; (3) la santé; (4) les métiers; (5) la co-existence et la circulation des hommes. – La police comme art de gérer la vie et le bien-être des populations.*

[*M. Foucault présente ses excuses pour son retard, dû à un embouteillage.*] J'aurai une seconde mauvaise nouvelle à vous dire, mais je vous la dirai à la fin... Alors ce nouvel art de gouverner, celui dont j'ai essayé de vous montrer qu'il était devenu – c'est le premier point – une des fonctions, des attributs ou des tâches de la souveraineté, dont j'ai essayé de vous montrer qu'il avait trouvé son principe fondamental de calcul dans la raison d'État, ce nouvel art de gouverner (et c'est ce que j'ai essayé de vous montrer la dernière fois), je crois que l'essentiel de sa nouveauté tient à autre chose que cela. C'est-à-dire que cet art de gouverner, qui avait été évidemment esquissé depuis fort longtemps, il ne s'agit plus désormais pour lui, à partir de la fin du XVIᵉ - début du XVIIᵉ siècle, il ne s'agit plus pour lui, selon la formule ancienne, de se conformer, de s'approcher, de rester conforme à l'essence d'un gouvernement parfait. Désormais l'art de gouverner, cela va consister, non pas donc à restituer une essence ou à y rester fidèle, cela va consister à manipuler, à maintenir, à distribuer, à rétablir des rapports de force et des rapports de force dans un espace de concurrence qui implique des croissances compétitives. Autrement dit, l'art de gouverner se déploie dans un champ relationnel de forces. Et c'est ça, je crois, qui est le grand seuil de modernité de cet art de gouverner.

Se déployer dans un champ relationnel de forces, cela veut dire concrètement mettre en place deux grands ensembles de technologie politique. L'un, dont je vous ai parlé la dernière fois, c'est un ensemble constitué par les procédures nécessaires et suffisantes au maintien de ce qu'on appelait déjà à cette époque la balance de l'Europe, l'équilibre européen, c'est-à-dire en somme la technique qui consiste à organiser, aménager la composition et la compensation interétatique des forces, et ceci grâce à une double instrumentation : une instrumentation diplomatique, diplomatie permanente et multilatérale, d'une part, et puis, d'autre part, organisation d'une armée de métier. Voilà la premier grand ensemble technologique caractéristique du nouvel art de gouverner dans un champ concurrentiel de forces.

Le second grand ensemble technologique, celui dont je voudrais vous parler aujourd'hui, c'est quelque chose que l'on appelait à cette époque-là la « police » et dont il doit être bien entendu que ça n'a que très peu à voir, – un ou deux éléments en commun, pas plus –, avec ce qu'on devait appeler, à partir de la fin du XVIIIe siècle, la police. Autrement dit, du XVIIe à la fin du XVIIIe siècle, le mot « police » a un sens tout à fait différent de celui que nous entendons maintenant[1]. À propos de cette police, je voudrais faire trois ensembles de remarques.

Premièrement, bien sûr, sur le sens du mot. Disons qu'au XVe, au XVIe siècle, vous trouvez déjà fréquemment ce mot « police » qui désigne, à ce moment-là, un certain nombre de choses. D'abord, on appelle « police », tout simplement, une forme de communauté ou d'association qui serait en somme régie par une autorité publique, une sorte de société humaine dès lors que quelque chose comme un pouvoir politique, comme une autorité publique s'exerce sur elle. Vous trouvez très fréquemment des séries d'expressions, des énumérations comme celle-ci : les états, les principautés, les villes, les polices. Ou encore, vous trouvez souvent associés les deux mots : les républiques et les polices. On ne dira pas qu'une famille est une police, on ne dira pas qu'un couvent est une police, parce qu'il y manque précisément le caractère de l'autorité publique qui s'exercerait sur elle. Mais c'est tout de même une sorte de société relativement mal définie, c'est une chose publique. Cet usage du mot « police », en ce sens, va durer pratiquement jusqu'au début du XVIIe siècle. Deuxièmement, on appelle également « police », toujours au XVe et au XVIe siècle, l'ensemble des actes qui vont précisément régir ces communautés sous autorité publique. C'est ainsi que vous trouvez l'expression presque traditionnelle de « police et régiment », « régiment » employé au sens de manière de régir, manière de gouverner, et qui est associé à « police ». Enfin, vous avez le troisième sens du mot « police », qui est tout simplement le résultat, le résultat positif et valorisé d'un bon gouvernement. Voilà en gros les trois significations un petit peu traditionnelles que l'on rencontre jusqu'au XVIᵉ siècle.

Or à partir du XVIIᵉ siècle, il me semble que le mot « police » va commencer à prendre une signification qui est assez profondément différente. Je crois qu'on peut en somme la résumer de la manière suivante. À partir du XVIIᵉ siècle, on va commencer à appeler « police » l'ensemble des moyens par lesquels on peut faire croître les forces de l'État tout en maintenant le bon ordre de cet État[2]. Autrement dit la police, cela va être le calcul et la technique qui vont permettre d'établir une relation mobile, mais malgré tout stable et contrôlable, entre l'ordre intérieur de l'État et la croissance de ses forces. Il y a un mot, d'ailleurs, qui recouvre à peu près cet objet, ce domaine, qui désigne bien cette relation entre la croissance des forces de l'État et son bon ordre. Ce mot assez étrange, on le rencontre plusieurs fois pour caractériser l'objet même de la police. Vous le trouvez au début du XVIIᵉ siècle dans un texte sur lequel j'aurai l'occasion plusieurs fois de revenir, un texte de Turquet de Mayerne qui porte le nom très curieux de *La Monarchie aristodémocratique,* texte de 1611[3]. Vous le retrouverez cent cinquante ans plus tard, dans un texte allemand de Hohenthal, en 1776[4]. Et ce mot, c'est tout simplement le mot « splendeur ». La police, c'est ce qui doit assurer la splendeur de l'État. Turquet de Mayerne, en 1611, dit : « Tout ce qui peut donner ornement, forme et splendeur à la cité », c'est cela dont doit s'occuper la police[5]. Et Hohenthal, en 1776, dit, reprenant d'ailleurs justement la définition traditionnelle : « J'accepte la définition de ceux qui appellent police l'ensemble des moyens qui servent à la splendeur de l'État tout entier et au bonheur de tous les citoyens[6]. » Splendeur, qu'est-ce que c'est ? C'est à la fois la beauté visible de l'ordre et l'éclat d'une force qui se manifeste et qui rayonne. La police, c'est donc bien en effet l'art de la splendeur de l'État en tant qu'ordre visible et force éclatante. D'une façon plus analytique, c'est bien ce type-là de définition de la police que vous trouvez chez celui qui a été finalement le plus grand des théoriciens de la police, un Allemand qui s'appelle von Justi[7] et qui, dans les *Éléments généraux de police,* au milieu du XVIIIᵉ siècle, donnait cette définition de la police : c'est l'ensemble des « lois et des règlements qui concernent l'intérieur d'un État et qui s'attachent à affermir et à augmenter la puissance de cet État, qui s'attachent à faire un bon emploi de ses forces[8] ». Le bon emploi des forces de l'État, c'est cela l'objet de la police.

Deuxième remarque que je veux faire, c'est qu'entre cette définition de la police qui est traditionnelle, canonique au XVIIᵉ-XVIIIᵉ siècle, et les problèmes de l'équilibre de la balance de l'Europe, vous voyez combien les rapports sont étroits. Rapport morphologique d'abord, puisque, au fond, l'équilibre européen, cette technique diplomatico-militaire de la balance, consistait à quoi ? Eh bien, à maintenir un équilibre entre des forces différentes, multiples et qui tendaient chacune à croître selon son propre développement. La police va être également, mais en quelque sorte en sens inverse, une certaine manière de faire croître au maximum les forces de l'État, d'un État, tout en maintenant son bon ordre. Dans un cas il s'agit de maintenir, et c'est là l'objectif principal, un équilibre en quelque sorte malgré la croissance de l'État, c'est le problème de l'équilibre européen ; le problème de la police, cela va être : comment, tout en maintenant le bon ordre dans l'État, faire en sorte que ses forces croissent au maximum. Premier rapport, donc, entre la police et l'équilibre européen.

Deuxièmement, rapport de conditionnement, car il est bien évident que dans cet espace de compétition interétatique qui s'est ouvert très largement au cours du XVIᵉ siècle, à la fin du XVIᵉ siècle, et qui a pris la relève des rivalités dynastiques, dans cet espace de concurrence, je ne veux pas dire généralisée, de concurrence européenne entre les États, il est bien entendu que le maintien de l'équilibre ne s'acquiert que dans la mesure où chacun des États est capable de faire croître sa propre force et dans une proportion qui soit telle qu'il ne se trouve jamais dépassé par un autre. On ne peut effectivement maintenir la balance et l'équilibre en Europe que dans la mesure où chacun des États a une bonne police qui lui permet de faire croître ses propres forces. Et si le développement n'est pas relativement parallèle entre chacune de ces polices, on va avoir des faits de déséquilibre. Chaque État, pour ne pas voir le rapport des forces s'inverser en sa défaveur, doit donc avoir une bonne police. Et on en arrivera vite à la conséquence, en quelque sorte paradoxale et inverse, qui consistera à dire : mais finalement, si dans l'équilibre européen, il y a un État, même qui n'est pas le mien, qui se trouve avoir une mauvaise police, on va avoir un phénomène de déséquilibre. Et par conséquent il faut veiller à ce que, même chez les autres, la police soit bonne. L'équilibre européen se mettra donc à fonctionner comme police en quelque sorte inter-étatique ou comme droit. L'équilibre européen donnera le droit à l'ensemble des États de veiller à ce que la police soit bonne dans chacun de ces États. C'est la conséquence qui en sera tirée tout simplement, d'une façon systématique, explicite, formulée, en 1815 avec le traité de Vienne et la politique de la Sainte-Alliance⁹.

Enfin troisièmement, entre équilibre européen et police il y a un rapport d'instrumentation, en ce sens qu'il y a au moins un instrument commun. Cet instrument commun à l'équilibre européen et à l'organisation de la police, qu'est-ce que c'est ? C'est la statistique. Pour que l'équilibre soit maintenu effectivement en Europe, il faut que chaque État puisse d'une part connaître ses propres forces, deuxièmement connaître, apprécier les forces des autres et, par conséquent, établir une comparaison qui permettra justement de suivre et de maintenir l'équilibre. On a donc besoin d'un principe de déchiffrement des forces constitutives d'un État. On a besoin de connaître, pour chaque État, pour le sien et pour les autres, quelle est la population, quelle est l'armée, quelles sont les ressources naturelles, quelle est la production, quel est le commerce, quelle est la circulation monétaire – tous éléments qui sont effectivement donnés par cette science ou plutôt par ce domaine de connaissance qui s'ouvre et se fonde, se développe à ce moment-là et qui est la statistique. Or la statistique, comment est-ce que l'on peut l'établir ? On peut l'établir justement par la police, car la police, en tant qu'art de développer les forces, suppose elle-même que chaque État repère exactement quelles sont ses possibilités, ses virtualités. La statistique est rendue nécessaire par la police, mais elle est rendue également possible par la police. Car c'est justement l'ensemble des procédés mis en place pour faire croître les forces, pour les combiner, pour les développer, c'est tout cet ensemble, en somme, administratif qui va permettre de repérer dans chaque État en quoi consistent les forces, où sont les possibilités de développement. Police et statistique se conditionnent l'une l'autre, et la statistique est entre la police et l'équilibre européen un instrument commun. La statistique, c'est le savoir de l'État sur l'État, entendu comme savoir de soi de l'État, mais savoir également des autres États. Et c'est dans cette mesure-là que la statistique va se trouver à la charnière des deux ensembles technologiques.

Il y aurait un quatrième élément de relation essentielle, fondamentale, entre police et équilibre, mais j'essaierai de vous en reparler la prochaine fois, c'est le problème du commerce. Laissons-le pour l'instant.

Troisième ensemble de remarques que je voulais vous faire, c'est celui-ci : c'est que ce projet de police, l'idée en tout cas qu'il doit y avoir dans chaque État un art concerté de faire croître les forces constitutives de cet État, ce projet n'a pas pris évidemment la même forme, la même charpente théorique, il ne s'est pas donné les mêmes instruments dans les différents États. Alors que les éléments dont je vous ai parlé jusqu'ici, par exemple la théorie de la raison d'État ou le dispositif de l'équilibre européen, ont en somme été des notions ou des dispositifs qui étaient partagés, avec bien sûr des modulations, par la plupart des pays européens, dans le cas de la police, les choses se sont passées, je crois, d'une façon assez différente, et on ne trouve pas du tout ni les mêmes formes de réflexion ni les mêmes institutionnalisations de la police dans les différents pays européens. Ce serait à étudier, bien entendu, en détail. À titre d'indications et d'hypothèses, en pointillé si vous voulez, on peut dire ceci, je crois.

Pour l'Italie, qu'est-ce qui s'est passé ? Eh bien très curieusement, autant la théorie de la raison d'État s'y est trouvée développée, autant le problème de l'équilibre a été un problème important et souvent commenté, en revanche la police fait défaut. Elle fait défaut comme institution et également comme forme d'analyse et de réflexion. On pourrait dire ceci : c'est que peut-être le morcellement territorial de l'Italie, la relative stagnation économique qu'elle a connue à partir du XVIIᵉ siècle, la domination politique et économique de l'étranger, la présence aussi de l'Église comme institution universaliste et en même temps localisée, dominante dans la péninsule et ancrée territorialement à un endroit précis de l'Italie, enfin tout cela a peut-être fait que la problématique de la croissance des forces n'a jamais pu s'établir réellement, ou plutôt qu'elle a perpétuellement été traversée et barrée par un autre problème, dominant pour l'Italie, qui était justement l'équilibre de ces forces plurielles, non encore unifiées et non peut-être unifiables. Au fond, depuis le grand morcellement de l'Italie, la question a toujours été d'abord celle de la composition et compensation des forces, c'est-à-dire : primat [de] la diplomatie. Et le problème de la croissance des forces, de ce développement concerté, réfléchi, analytique des forces de l'État n'a pu venir qu'après. C'était vrai sans doute avant l'unité italienne, et c'est sans doute vrai aussi depuis que l'unité italienne a été réalisée et que quelque chose comme un État italien s'est constitué, un État qui n'a véritablement jamais été un État de police au sens des XVIIᵉ-XVIIIᵉ siècles, bien sûr, qui a toujours été un État de diplomatie ; c'est-à-dire un ensemble de forces plurielles, entre lesquelles un équilibre doit être établi, entre les partis, les syndicats, les clientèles, l'Église, le Nord, le Sud, la maffia, etc. – tout ceci, qui fait que l'Italie est un État de diplomatie sans être un État de police. Et c'est ce qui fait peut-être que, justement, quelque chose comme une guerre, ou une guérilla, ou une quasi-guerre est en permanence la forme d'existence de l'État italien.

Dans le cas de l'Allemagne, la division territoriale a produit paradoxalement un effet tout à fait différent. Au contraire, ça a été une surproblématisation\* de la police, un développement théorique et pratique intense de ce que doit être la police comme mécanisme d'accroissement des forces de l'État. Il faudrait essayer de repérer les raisons pour lesquelles

---

\* Mot entre guillemets dans le manuscrit.

un morcellement territorial qui en Italie a produit [tel] effet, produit en Allemagne un effet exactement inverse. Passons sur les raisons. Ce que je voudrais simplement vous indiquer, c'est ceci : c'est qu'on peut penser que ces États allemands qui avaient été constitués, réaménagés, parfois même fabriqués au moment du traité de Westphalie, au milieu du XVIIe siècle, ces États allemands ont constitué de véritables petits laboratoires micro-étatiques, qui ont pu servir de modèles et comme de lieux d'expérimentation. Entre des structures féodales recombinées par le traité de Westphalie et avec, au-dessus de l'Allemagne, flottant par-dessus son territoire, l'idée impériale, mais affaiblie, sinon annulée par ce même traité de Westphalie, on a vu se constituer ces États nouveaux sinon modernes, intermédiaires entre les structures féodales et les grands États, et qui ont constitué des espaces privilégiés pour l'expérimentation étatique. Et ce côté laboratoire s'est trouvé sans doute renforcé par le fait suivant : c'est que l'Allemagne, sortant justement d'une structure féodale, n'avait absolument pas ce qu'avait la France, un personnel administratif déjà constitué. C'est-à-dire que pour faire cette expérimentation, il a bien fallu se donner un personnel nouveau. Ce personnel nouveau, où allait-on le trouver ? On l'a trouvé dans une institution qui existait à travers toute l'Europe mais qui, dans cette Allemagne ainsi morcelée et surtout partagée entre catholiques et protestants, a pris une importance beaucoup plus grande que partout ailleurs, c'est-à-dire l'université. Alors que les universités en France ne cessaient de perdre de leur poids et de leur influence pour un certain nombre de raisons qui étaient aussi bien le développement administratif que le caractère dominant de l'Église catholique, en Allemagne les universités sont devenues des lieux à la fois de formation de ces administrateurs qui devaient assurer le développement des forces de l'État, et de réflexion sur les techniques à employer pour faire croître les forces de l'État. De là, le fait que dans les universités allemandes vous voyez se développer quelque chose qui n'a pratiquement pas eu d'équivalent en Europe et qui est la *Polizeiwissenschaft,* la science de la police [10] ; cette science de la police qui, depuis le milieu, enfin depuis la fin du XVIIe siècle jusqu'à la fin du XVIIIe siècle, va être absolument une spécialité allemande, une spécialité allemande qui diffusera à travers l'Europe et qui aura une influence capitale. Théories de la police, livres sur la police, manuels pour les administrateurs, tout cela donne une énorme bibliographie de la *Polizeiwissenschaft* au XVIIIe siècle [11].

En France, je crois qu'on a une situation qui n'est ni la situation italienne ni la situation allemande. Le développement rapide, précoce de l'unité territoriale, de la centralisation monarchique, de l'administration aussi, a fait que la problématisation de la police ne s'est absolument pas faite sur ce mode théorique et spéculatif qu'on peut remarquer en Allemagne. C'est en quelque sorte à l'intérieur même de la pratique administrative que la police a été conçue, mais conçue sans théorie, conçue sans système, conçue sans concepts, pratiquée par conséquent, institutionnalisée à travers des mesures, des ordonnances, des recueils d'édits, à travers aussi des critiques, des projets venant non pas du tout de l'université, mais de personnages qui rôdaient autour de l'administration, soit qu'ils étaient eux-mêmes administrateurs, soit qu'ils désiraient y entrer, soit qu'ils en avaient été chassés. On la trouve également chez des pédagogues et en particulier chez les pédagogues de prince : vous avez une théorie de la police par exemple chez Fénelon [12], une autre très intéressante chez l'abbé Fleury [13], chez tous ceux qui ont été précepteurs des dauphins. De sorte que vous ne trouverez pas en France de grands édifices semblables à la *Polizeiwissenschaft* [allemande], [ni même] cette notion qui a été si importante en Allemagne, de *Polizeistaat*, d'État de police. Je l'ai trouvée, – bien entendu sous réserves, on la trouverait, je pense, dans d'autres textes –, mais enfin j'ai trouvé une fois chez Montchrétien, dans son *Traité d'économie politique*, l'expression « État* de la police » qui correspond exactement au *Polizeistaat* des Allemands [14].

Voilà pour la situation générale de ce problème de la police. Alors maintenant, question : de quoi réellement s'occupe la police, s'il est vrai que son objectif général, c'est donc la croissance des forces de l'État dans des conditions telles que l'ordre même de cet État en soit non seulement pas compromis, mais renforcé ? Je vais prendre un texte dont je vous ai parlé déjà, texte très précoce puisqu'il date du tout début du XVIIe siècle et qui est une sorte d'utopie justement de ce que les Allemands auraient immédiatement appelé un *Polizeistaat*, un État de police, et pour lequel les Français n'avaient pas ce mot. Cette utopie d'un État de police de 1611 a été rédigée par quelqu'un qui s'appelle Turquet de Mayerne, et dans ce texte donc, dont le titre est *La Monarchie aristodémocratique*, Turquet de Mayerne commence par définir la police comme « tout ce qui doit donner [là, je vous ai déjà cité ce texte ; M. F.] ornement, forme et splendeur à la cité [15] ». C'est « l'ordre de tout ce qu'on pourrait voir » dans la cité [16]. Par conséquent, la police c'est bien, pris à ce niveau-là, exactement l'art de gouverner tout entier. L'art de gouverner et exercer la police, pour Turquet de Mayerne, c'est la même chose [17]. Mais si l'on veut maintenant savoir comment effectivement exercer la police, eh bien, dit

---

* Avec une majuscule dans le manuscrit.

Turquet de Mayerne, il faudrait que dans tout bon gouvernement il y ait quatre grands offices et quatre grands officiers [18] : le Chancelier pour s'occuper de la justice, le Connétable pour s'occuper de l'armée et le Superintendant pour s'occuper des finances – tout ceci étant déjà des institutions existantes –, plus un quatrième grand officier qui serait, dit-il, le « Conservateur et le général réformateur de la police ». Quel serait son rôle ? Son rôle serait d'entretenir parmi le peuple « une [et là je le cite ; M. F.] singulière pratique de modestie, charité, loyauté, industrie et bon ménage [19] ». Je reviendrai là-dessus tout à l'heure.

Maintenant ce grand officier, qui est donc au même niveau que le Chancelier et ne connaît pas de surintendant, ce Conservateur de la police, qui va-t-il avoir sous ses ordres dans les différentes régions du pays et dans les différentes provinces ? De ce Conservateur général de la police relèveront dans chaque province quatre bureaux qui sont donc les dérivés directs, les subordonnés directs du Conservateur de police. Le premier a le nom de Bureau de Police proprement dite, et ce Bureau de Police proprement dite a en charge, quoi ? Premièrement, l'instruction des enfants et des jeunes gens. C'est ce Bureau de Police qui devra veiller à ce que les enfants apprennent les lettres, et par lettres, dit Turquet de Mayerne, il s'agit de tout ce qui est nécessaire pour pourvoir à toutes les fonctions du royaume, ce qui est donc nécessaire pour exercer une fonction dans le royaume [20]. Ils devront apprendre évidemment la piété, et enfin ils devront apprendre les armes [21]. Ce Bureau de Police qui s'occupe de l'instruction, donc, des enfants et des jeunes gens devra aussi s'occuper de la profession de chacun. C'est-à-dire qu'une fois la formation terminée et lorsque le jeune homme arrivera à l'âge de 25 ans, il devra se présenter au Bureau de la Police. Et là il devra dire quel type d'occupation il veut avoir dans sa vie, qu'il soit riche ou non, qu'il veuille s'enrichir ou qu'il veuille simplement se délecter. De toute façon, ce qu'il veut faire, il doit le dire. Et il sera inscrit sur un registre avec son choix de profession, son choix de mode de vie, inscrit et inscrit une fois pour toutes. Et ceux qui, par hasard, ne voudraient pas s'inscrire dans l'une des rubriques – alors je passe sur celles qui sont proposées [22] –, ceux qui ne voudraient pas s'inscrire, ceux-là ne devraient pas être tenus au rang de citoyen, mais ils devraient être considérés « comme un rebut du peuple, truands et sans honneur [23] ». Voilà pour le Bureau de Police.

À côté, toujours donc sous la responsabilité, sous la direction de ce grand officier qui est le Réformateur général de la police, on va avoir, à côté du Bureau de Police proprement dite, des bureaux de police non proprement dite, à savoir le Bureau de Charité. Et le Bureau de Charité va s'occuper des pauvres, bien sûr des pauvres valides auxquels on donnera un travail ou que l'on contraindra à prendre un travail, [et] des pauvres malades et invalides auxquels on donnera des subventions[24]. Ce Bureau de Charité s'occupera aussi de la santé publique en temps d'épidémie et de contagion, mais également en tout temps. Le Bureau de Charité s'occupera [encore] des accidents, des accidents du feu, des inondations, des déluges et de tout ce qui peut être cause d'appauvrissement, «qui mette les familles en indigence et misère[25]». Essayer d'empêcher ces accidents, essayer de les réparer et aider ceux qui en sont victimes. Enfin, toujours fonction de ce Bureau de Charité, prêter de l'argent, prêter de l'argent «aux menus artisans et aux laboureurs» qui se trouveraient en avoir besoin pour l'exercice de leur métier et de façon à pouvoir les mettre à l'abri «des rapines des usuriers[26]».

Troisième bureau, après la police proprement dite, la charité, un troisième bureau qui va s'occuper des marchands et qui, là, règlera (je passe très vite) les problèmes de marché, les problèmes de fabrication, de mode de fabrication, et qui devra favoriser le commerce dans toute la province[27]. Et enfin quatrième bureau, le Bureau du Domaine, qui, lui, s'occupera des biens immobiliers : éviter par exemple que les droits seigneuriaux n'écrasent trop le peuple, veiller à l'achat et à la manière dont on achète et dont on vend les biens-fonds, veiller au prix de ces ventes, tenir registre des héritages, veiller enfin au domaine du roi et aux chemins, aux rivières, aux édifices publics, aux forêts[28].

Eh bien, si l'on regarde un petit peu ce projet de Turquet de Mayerne, qu'est-ce qu'on voit? On voit d'abord ceci : c'est donc que la police qui, à un certain niveau s'identifie au gouvernement tout entier, apparaît –, c'est là son second niveau, sa première précision par rapport à cette fonction générale –, comme une fonction d'État en face des trois autres, celles de la justice, de l'armée et de la finance, qui, elles, étaient des institutions traditionnelles. Institutions traditionnelles en face desquelles il faut en ajouter une quatrième, qui va être la modernité administrative par excellence, à savoir la police. Deuxièmement, ce qu'il faut remarquer, c'est que, quand Turquet de Mayerne définit le rôle du Réformateur général de la police, qu'est-ce qu'il dit? Il dit que ce Réformateur doit veiller à la loyauté, à la modestie des citoyens ; donc il a une fonction morale, mais il doit également s'occuper de la richesse et du ménage, c'est-à-dire de la manière dont les gens se conduisent quant à leurs richesses, quant à leur manière de travailler, de consommer. C'est donc un mélange de moralité et travail. Mais ce qui me paraît surtout essentiel et caractéristique, c'est que ce qui constitue le cœur même de la police, ces bureaux de police proprement dits dont je vous ai parlé, quand on regarde de quoi ils s'occupent, à quoi ils doivent faire attention, on s'aperçoit que c'est l'éducation d'une part et la profession, la professionnalisation des individus ; l'éducation qui doit les former de manière à ce qu'ils puissent avoir une profession, et puis ensuite quelle est la profession ou, en tout cas, quel est le type d'activité auquel ils se consacrent et auquel ils s'engagent à se consacrer. Donc, on a là tout un ensemble de contrôles, de décisions, de contraintes qui portent sur les hommes eux-mêmes, non pas en tant qu'ils ont un statut, non pas en tant qu'ils sont quelque chose dans l'ordre, la hiérarchie et la structure sociale, mais en tant qu'ils font quelque chose, en tant qu'ils sont capables de le faire et en tant qu'ils s'engagent à le faire tout au long de leur vie. Turquet de Mayerne remarque d'ailleurs lui-même : ce qui est important pour la police, ce n'est pas la distinction entre nobles et roturiers, ce n'est donc pas la différence de statut, c'est la différence des occupations [29]. Et je voudrais vous citer ce texte remarquable qui se trouve au début, dans les premières pages du livre de Turquet de Mayerne. Il dit, à propos des magistrats de police : « J'ai proposé aux magistrats qui en seront recteurs », – il s'agit donc de la police –, « j'ai proposé l'homme pour vrai sujet auquel la vertu et le vice s'impriment, afin que, comme par degrés, il soit conduit dès son enfance jusqu'à sa perfection, et afin que, l'ayant amené à une certaine perfection, il soit retenu, lui et ses actions, aux termes de la vraie vertu politique et sociale, à quelque chose qu'il s'adonne [30] ».

Avoir « l'homme pour vrai sujet », et l'homme pour vrai sujet « à quelque chose qu'il s'adonne », en tant précisément qu'il a une activité et que cette activité doit caractériser sa perfection et permettre par conséquent la perfection de l'État, c'est ça, je crois, qui est un des éléments fondamentaux et les plus caractéristiques de ce qu'on entend désormais par « la police ». C'est cela qui est visé par la police, l'activité de l'homme, mais l'activité de l'homme en tant qu'il a un rapport à l'État. Disons que dans la conception traditionnelle, ce qui intéressait le souverain, ce qui intéressait le prince ou la république, c'était ce que les hommes étaient, étaient par leur statut ou étaient encore par leurs vertus, par leurs qualités intrinsèques. Il était important que les hommes soient vertueux, il était important qu'ils soient obéissants, il était important qu'ils ne soient pas paresseux mais qu'ils soient travailleurs. La bonne qualité de l'État dépendait de la bonne qualité des éléments de l'État. C'était un rapport d'être, c'était un rapport de qualité d'être, c'était un rapport de vertu. Dans cette nouvelle conception, ce qui va intéresser l'État, ce n'est pas ce que sont les hommes, ce ne sont même pas leurs litiges comme dans un État de justice. Ce qui intéresse l'État, ce n'est même pas leur argent, ce qui est la caractéristique d'un État, disons, de fiscalité. Ce qui caractérise un État de police, c'est que ce qui l'intéresse, c'est ce que font les hommes, c'est leur activité, c'est leur « occupation » *. L'objectif de la police, c'est donc le contrôle et la prise en charge de l'activité des hommes en tant que cette activité peut constituer un élément différentiel dans le développement des forces de l'État. Je crois qu'on est là au cœur même de ce qui va constituer l'organisation de ce que les Allemands appellent l'État de police et que les Français, sans l'appeler comme tel, ont de fait mis en place. À travers le projet de Turquet de Mayerne, on voit, au fond, à quoi s'accroche ce projet de grande police. C'est l'activité de l'homme comme élément constitutif de la force de l'État.

Concrètement, la police devra donc être quoi ? Eh bien, elle devra se donner comme instrument tout ce qui est nécessaire et suffisant pour que cette activité de l'homme s'intègre effectivement à l'État, à ses forces, au développement des forces de l'État, et elle devra faire en sorte que l'État puisse en retour stimuler, déterminer, orienter cette activité d'une manière qui soit effectivement utile à l'État. D'un mot, il s'agit de la création de l'utilité étatique, à partir de, et à travers l'activité des hommes. Création de l'utilité publique à partir de l'occupation, de l'activité, à partir du faire des hommes. Je crois qu'à partir de là et en ressaisissant là le cœur de cette idée si moderne de la police, je crois que l'on peut facilement déduire les objets dont la police prétend désormais s'occuper.

Premièrement, la police aura à s'occuper, premier souci, du nombre des hommes, car c'est très important, aussi bien quant à l'activité des hommes qu'à leur intégration dans une utilité étatique, de savoir combien il y en a et de faire en sorte qu'il y en ait le plus possible. La force d'un État dépend du nombre de ses habitants : c'est une thèse que l'on voit formulée déjà tôt dans le Moyen Âge, répétée à travers le XVIᵉ siècle, mais qui, au XVIIᵉ siècle, va commencer à prendre un sens précis dans la mesure où on posera aussitôt le problème de savoir combien d'hommes il faut effectivement et quel rapport il doit y avoir entre le nombre d'hommes et l'étendue du territoire, les richesses, pour que la force de

---

\* Mot entre guillemets dans le manuscrit. M. Foucault note en marge, dans le manuscrit : « Cf. Montchrétien, p. 27 ». (Ce dernier écrit : « L'homme plus entendu en fait de police n'est pas celuy qui, par supplice rigoureux, extermine les brigands et voleurs, mais celuy qui, par l'occupation qu'il donne à ceux qui sont commis à son gouvernement, empesche qu'il n'en soit point », *Traité de l'œconomie politique* (1615), éd. par Th. Funck-Brentano, Paris, E. Plon, 1889, p. 27.)

l'État puisse croître au mieux et de la façon la plus sûre. La thèse, l'affirmation que la force d'un État dépend du nombre de ses habitants, vous la
trouvez répétée obstinément à travers tout le xviie, au début du xviiie siècle
encore, avant la grande critique et la grande reproblématisation que
feront les physiocrates, mais je prends un texte de la fin du xviie - tout
début du xviiie. Dans les notes qui ont été publiées et qui étaient les
notes des leçons qu'il donnait au Dauphin[31], l'abbé Fleury disait : « On
ne peut rendre justice, faire guerre, lever finances, etc., sans qu'il y ait
abondance d'hommes vivants, sains et paisibles. Plus il y en a, plus le
reste est facile, plus l'État et le prince sont puissants. » Encore faut-il
aussitôt dire que ce n'est pas le chiffre absolu de la population qui est
important, mais son rapport avec l'ensemble des forces : étendue du
territoire, ressources naturelles, richesses, activités commerciales, etc.
Et c'est toujours Fleury qui dit dans ses notes de cours : « [...] étendue
de terres ne fait rien à la grandeur de l'État, mais fertilité et nombre
d'hommes. Hollande, Moscovie, Turquie, quelle différence ? Étendue
déserte nuit au commerce et au gouvernement. Plutôt 500 000 hommes
en peu d'espace qu'un million dispersés : terre d'Israël[32]. » De là, le
premier objet de la police : le nombre d'hommes, le développement
quantitatif de la population par rapport aux ressources et possibilités du
territoire qu'occupe cette population ; c'est ce que Hohenthal appellera
dans son *Traité de police,* la *copia civium,* la quantité, l'abondance
de citoyens[33]. Premièrement donc, le nombre des citoyens, c'est ça le
premier objet de la police.

Deuxième objet de la police : les nécessités de la vie. Car il ne suffit
pas qu'il y ait des hommes, faut-il encore qu'ils puissent vivre. Et par
conséquent la police va s'occuper de ces nécessités immédiates. Au
premier chef, bien sûr, les vivres, les objets dits de première nécessité.
Là encore Fleury dira : « Prince est père : nourrir ses enfants, chercher les
moyens de procurer au peuple nourriture, vêtement, logement, chauffage.
[...] On ne peut trop multiplier les denrées utiles à la vie[34]. » Cet objectif
de la police – veiller à ce que les gens puissent effectivement soutenir la
vie que la naissance leur a donnée – implique évidemment une politique
agricole : multiplier le peuple de la campagne par la diminution de taille,
des charges, de la milice, cultiver les terres qui ne le sont pas encore, etc.
Tout ceci, c'est dans Fleury[35]. Donc, cela implique une politique agricole.
Cela implique également un contrôle exact de la commercialisation des
denrées, de leur circulation, des provisions qui sont faites pour les moments
de disette ; bref, toute cette police des grains dont je vous avais parlé au
début[36] et qui constitue, d'après d'Argenson, la police « la plus précieuse

et la plus importante pour l'ordre public [37] ». Ce qui implique que non seulement la commercialisation de ces vivres et denrées sera surveillée, mais également leur qualité au moment de leur mise en vente, leur bonne qualité, le fait qu'elles ne soient pas gâtées, etc.

Et par là on touche à un troisième objectif de la police, après le nombre des gens, les nécessités de la vie, on touche au problème de la santé. La santé devient un objet de police dans la mesure où la santé est bien effectivement une des conditions nécessaires pour que les hommes nombreux et qui subsistent grâce aux vivres et aux éléments de première nécessité qu'on leur fournit, ces individus puissent de plus travailler, s'activer, s'occuper. Par conséquent, la santé ne sera pas pour la police simplement un problème dans les cas d'épidémie, lorsque la peste se déclare ou lorsqu'il s'agit simplement d'écarter des contagieux comme les lépreux, mais désormais la santé, la santé quotidienne de tout le monde va devenir un objet permanent de souci et d'intervention pour la police. Il va donc falloir veiller à tout ce qui peut entretenir les maladies en général. Cela va donc être, dans les villes surtout, l'air, l'aération, la ventilation, tout ceci étant lié bien entendu à la théorie des miasmes [38], et on va avoir toute une politique d'un nouvel équipement, d'un nouvel espace urbain qui sera ordonné, subordonné à des principes, à des soucis de santé : largeur des rues, dispersion des éléments qui peuvent produire des miasmes et empoisonner l'atmosphère, les boucheries, les abattoirs, les cimetières. Donc, toute une politique de l'espace urbain liée à ce problème de santé.

Quatrième objet de la police, après la santé : cela va être précisément, quand on a des hommes nombreux qui peuvent subsister et qui sont en bonne santé, [de] veiller à leur activité. À leur activité : entendre, d'abord, le fait qu'ils ne soient pas oisifs. Mettre au travail tous ceux qui peuvent travailler, c'est la politique à l'égard des pauvres valides. Ne subvenir qu'aux besoins des pauvres invalides. Et ce sera aussi, beaucoup plus important, veiller aux différents types d'activité dont les hommes sont susceptibles, veiller à ce que, effectivement, les différents métiers dont on a besoin, et dont l'État a besoin, soient effectivement pratiqués, veiller à ce que les produits soient fabriqués selon un modèle qui soit tel que le pays puisse en bénéficier. D'où, toute cette réglementation des métiers qui est un autre des objets de la police.

Enfin, dernier objet de la police, la circulation, la circulation de ces marchandises, de ces produits qui sont issus de l'activité des hommes. Et cette circulation, il faut l'entendre d'abord au sens des instruments matériels qu'il faut bien lui donner. Donc la police s'occupera des routes, de leur état, de leur développement, de la navigabilité des fleuves, des canaux, etc. Dans son *Traité de droit public,* Domat consacre [à cette question] un chapitre qui s'appelle «De la police» et dont le titre complet est celui-ci : «De la police pour l'usage des mers, des fleuves, des rivières, des ponts, des rues, des places publiques, des grands chemins et autres lieux publics[39]». L'espace de la circulation est donc un objet privilégié pour la police[40]. Mais par «circulation» il faut entendre non seulement ce réseau matériel qui permet la circulation des marchandises et éventuellement des hommes, mais la circulation elle-même, c'est-à-dire l'ensemble des règlements, contraintes, limites ou au contraire facilitations et encouragements qui vont permettre de faire circuler les hommes et les choses dans le royaume et éventuellement hors des frontières. D'où ces règlements typiquement de police, dont les uns vont réprimer le vagabondage, les autres vont faciliter la circulation des marchandises dans telle ou telle direction, [et] d'autres vont empêcher que les ouvriers qualifiés ne puissent se déplacer par rapport à leur lieu de travail, ou surtout ne puissent quitter le royaume. C'est tout ce champ de la circulation qui va devenir, après la santé, après les vivres et les objets de première nécessité, après la population elle-même, l'objet de la police.

D'une façon générale, au fond, ce que la police va avoir à régir et qui va constituer son objet fondamental, cela va être toutes les formes, disons, de coexistence des hommes les uns à l'égard des autres. C'est le fait qu'ils vivent ensemble, qu'ils se reproduisent, qu'ils ont besoin, chacun pour sa part, d'une certaine quantité de nourriture, d'air pour respirer, vivre, subsister, c'est le fait qu'ils travaillent, qu'ils travaillent les uns à côté des autres, à des métiers différents ou semblables, c'est le fait aussi qu'ils sont dans un espace de circulation, c'est (pour employer un mot qui est anachronique par rapport aux spéculations de l'époque) toute cette espèce de socialité que la police doit prendre en charge. Les théoriciens du XVIIIe siècle le diront : ce dont la police s'occupe, au fond, c'est la société[41]. Mais déjà Turquet de Mayerne avait dit que la vocation des hommes – il n'emploie pas le mot «vocation», enfin je ne sais plus –, c'était de s'associer les uns avec les autres, de s'entrechercher les uns avec les autres, et c'est cette «communication», «l'acheminement et l'entretenement» de cette communication qui est proprement l'objet de la police[42]. La coexistence et la communication des hommes les uns avec les autres, c'est finalement ça le domaine que doit couvrir cette *Polizeiwissenschaft* et cette institution de la police dont parlent les gens du XVIIe et du XVIIIe siècle.

Ce qu'embrasse ainsi la police, c'est au fond un immense domaine dont on pourrait dire qu'il va du vivre au plus que vivre. Je veux dire par là : la police doit s'assurer que les hommes vivent et vivent en grand nombre, la police doit s'assurer qu'ils ont de quoi vivre et par conséquent qu'ils ont de quoi ne pas trop mourir, ou en trop grand nombre. Mais elle doit s'assurer en même temps que tout ce qui, dans leur activité, peut aller au-delà de cette pure et simple subsistance, que tout cela va bien, en effet, être produit, distribué, réparti, mis en circulation d'une manière telle que l'État puisse en tirer effectivement sa force. Disons d'un mot que dans ce système économique, social, on pourrait même dire dans ce système anthropologique nouveau qui se met en place à la fin du XVIᵉ et au début du XVIIᵉ siècle, dans ce nouveau système qui n'est plus commandé par le problème immédiat de ne pas mourir et survivre, mais qui va être commandé maintenant par le problème : vivre et faire un peu mieux que vivre, eh bien c'est là que la police s'insère, dans la mesure où elle est l'ensemble des techniques qui assurent que vivre, faire un peu mieux que vivre, coexister, communiquer, tout ceci sera effectivement convertissable en forces d'État. La police, c'est l'ensemble des interventions et des moyens qui assurent que vivre, mieux que vivre, coexister, sera effectivement utile à la constitution, à la majoration des forces de l'État. On a donc avec la police un cercle qui, partant de l'État comme pouvoir d'intervention rationnelle et calculée sur les individus, va faire retour à l'État comme ensemble de forces croissantes ou à faire croître, mais qui va passer par quoi ? Eh bien, par la vie des individus, qui va maintenant, comme simple vie, être précieuse à l'État. Au fond ceci, c'était déjà acquis, on savait bien qu'un roi, un souverain était d'autant plus puissant qu'il avait beaucoup de sujets. Ça va passer par la vie des individus, mais ça va passer aussi par leur mieux que vivre, par leur plus que vivre, c'est-à-dire par ce qu'on appelle à l'époque la commodité des hommes, leur agrément ou encore leur félicité. C'est-à-dire que ce cercle, avec tout ce qu'il implique, fait que la police doit arriver à articuler, l'une sur l'autre, la force de l'État et la félicité des individus. Cette félicité, en tant que mieux que vivre des individus, c'est cela qui doit être en quelque sorte prélevé et constitué en utilité étatique : faire du bonheur des hommes l'utilité de l'État, faire du bonheur des hommes la force même de l'État. Et c'est pourquoi vous trouvez, dans toutes ces définitions de la police auxquelles je faisais allusion tout à l'heure, un élément que j'avais avec soin mis de côté et qui est le bonheur des hommes. Vous trouvez par exemple chez Delamare cette affirmation que l'unique objet de la police « consiste à conduire l'homme à la plus parfaite félicité dont il puisse jouir en cette vie [43] ». Ou encore Hohenthal – dont je vous avais cité la définition de la police [44], mais dans sa première partie seulement –,

Hohenthal dit que la police, c'est l'ensemble des moyens qui assurent
« *reipublicae splendorem, la splendeur de la république, et externam
singulorum civilium felicitatem,* et la félicité externe de chacun des individus[45] ». Splendeur de la république et félicité de chacun. Je reprends la
définition fondamentale de Justi qui, encore une fois, est la plus claire et
la plus articulée, la plus analytique. Von Justi dit ceci : « La police, c'est
l'ensemble des lois et des règlements qui concernent l'intérieur d'un État,
qui tendent à affermir et à augmenter sa puissance, à faire un bon emploi
de ses forces » – cela, je vous l'avais déjà cité – « et enfin à procurer le
bonheur des sujets[46] ». Affermir et augmenter la puissance de l'État, faire
un bon emploi des forces de l'État, procurer le bonheur des sujets, c'est
cette articulation-là qui est spécifique de la police.

Il y a un mot qui, mieux encore que celui d'agrément, de commodité, de
félicité, désigne ce dont la police s'occupe. Ce mot, on le trouve rarement
avant la fin du XVIIIᵉ siècle. Il a pourtant été employé au début du XVIIᵉ et,
me semble-t-il, d'une façon assez unique, sans avoir été réutilisé dans la
littérature française, mais vous allez voir quel écho il aura et en quoi ça
va déboucher sur toute une série de problèmes absolument fondamentaux.
Ce mot est celui-ci, on le trouve dans Montchrétien, *L'Économie politique.* Montchrétien dit ceci : « Au fond, la nature ne peut nous donner
que l'être, mais le bien-être nous le tenons de la discipline et des arts[47]. »
La discipline qui doit être égale pour tous, important qu'il est au bien
de l'État que tous y vivent bien et honnêtement, et les arts qui, depuis la
chute, sont indispensables pour nous donner – et je cite à nouveau – « le
nécessaire, l'utile, le bienséant et l'agréable[48] ». Eh bien, tout ce qui va
de l'être au bien-être, tout ce qui peut produire ce bien-être au-delà de
l'être et de telle sorte que le bien-être des individus soit la force de l'État,
c'est cela, me semble-t-il, qui est l'objectif de la police. *

Bon, alors, d'une part j'étais en retard, mais d'un quart d'heure, d'autre
part, de toute façon, je suis loin d'avoir fini ce que je voulais vous dire.
Alors – c'était la seconde mauvaise nouvelle –, je vais sans doute faire
encore un cours la semaine prochaine, mercredi, où j'essaierai, à partir
de cette définition générale de la police, de voir comment elle a été cri-
tiquée, comment on s'en est détaché au cours du XVIIIᵉ siècle, comment
l'économie politique a pu en naître, comment le problème spécifique
de la population s'en est détaché, [ce qui ira] rejoindre ce problème

---

* M. Foucault ajoute dans le manuscrit, p. 28 : « Le "bien" qui était présent dans
la définition du gouvernement chez saint Thomas (faire en sorte que les hommes se
conduisent bien pour pouvoir accéder au bien suprême) change tout à fait de sens. »

« sécurité et population » dont je vous avais parlé la dernière fois. Alors, si ça ne vous ennuie pas… Enfin, en tout cas, moi je ferai ce cours-là mercredi. Comme, de toute façon, nul de vous n'est forcé d'y assister, vous ferez ce que vous voudrez…

\*

NOTES

1. Cf. la définition qu'en donne M. Foucault en 1976, « La politique de la santé au XVIIIᵉ siècle », art. cité [*supra,* p. 83, note 7], p. 17 : « Ce qu'on appellera jusqu'à la fin de l'Ancien Régime la police, ce n'est pas, ou pas seulement, l'institution policière ; c'est l'ensemble des mécanismes par lesquels sont assurés l'ordre, la croissance canalisée des richesses et les conditions de maintien de la santé "en général" » (suit une brève description du traité de Delamare). L'intérêt de Foucault pour Delamare remonte aux années soixante. Cf. l'*Histoire de la folie…, op. cit.,* éd. 1972, p. 89-90.

2. Dans une série de feuillets manuscrits sur la police, joints au dossier préparatoire du cours, M. Foucault cite ce passage des *Instructions* de Catherine II (cf. *infra,* p. 369, note 18), à propos de la transformation du sens du mot police (« d'effet vers la cause ») : « Tout ce qui sert au maintien du bon ordre de la société est du ressort de la police. »

3. Louis Turquet de Mayerne (1550-1615), *La Monarchie aristodémocratique, ou le Gouvernement composé et meslé des trois formes de legitimes Republiques,* Paris, Jean Berjon et Jean le Bouc, 1611. Dans sa conférence « "Omnes et singulatim" », M. Foucault précise : « C'est l'une des premières utopies-programmes d'État policé. Turquet de Mayerne la composa et la présenta en 1611 aux états généraux de Hollande. Dans *Science and Rationalism in the Government of Louis XIV* [Baltimore, Md., The Johns Hopkins Press, 1949], J. King attire l'attention sur l'importance de cet étrange ouvrage […] » (art. cité, *DE,* IV, p. 154). Voir notamment les p. 31-32, 56-58, 274 (J. King dit : « Louis de Turquet-Mayerne »). Cf. également R. Mousnier, « L'opposition politique bourgeoise à la fin du XVIᵉ et au début du XVIIᵉ siècle. L'œuvre de Turquet de Mayerne », *Revue historique,* 213, 1955, p. 1-20.

4. Peter Carl Wilhelm, Reichsgraf von Hohenthal, *Liber de politia, adspersis observationibus de causarum politiae et justitiae differentiis,* Leipzig, C. G. Hilscherum, 1776, § 2, p. 10. L'ouvrage ayant été écrit en latin, il faut entendre : le texte de l'Allemand Hohenthal. Sur ce traité, cf. « "Omnes et singulatim" », *loc. cit.,* p. 158.

5. L. Turquet de Mayerne, *La Monarchie aristodémocratique, op. cit.,* livre I, p. 17 : « […] il se doit comprendre sous le nom de Police, tout ce qui peut donner ornement, forme & splendeur à la Cité, et que c'est en effect l'ordre de tout ce que l'on sçauroit voir en icelle. »

6. P. C. W. von Hohenthal, *Liber de politia, op. cit.,* § II, p. 10 : « Non displicet vero nobis ea definitio, qua politiam dicunt congeriem mediorum (s. legum et institutorum), quae universae reipublicae splendori atque externae singulorum civium felicitati inserviunt. » À l'appui de cette définition, Hohenthal cite J. J. Moser, *Commentatio von der Landeshoheit in Policey-Sachen,* Francfort-Leipzig, 1773, p. 2, § 2, et

J. S. Pütter, *Institutiones Iuris publici germanici,* Göttingen, 1770, p. 8. Ni l'un ni l'autre, toutefois, insistant sur le bonheur ou la sécurité des sujets, n'utilisent le terme de « splendeur ».

7. Polygraphe à la carrière mouvementée et dont la vie contient maintes zones d'ombre, Johann Heinrich Gottlob von Justi (1720-1771) fut à la fois un professeur et un praticien. Il enseigna tout d'abord la caméralistique au Theresianum de Vienne, établissement fondé en 1746, destiné à l'éducation des jeunes nobles, puis, après diverses péripéties qui le conduisirent de Leipzig au Danemark, il s'établit en 1760 à Berlin où Frédéric II lui confia, quelques années plus tard, la charge de Berghauptmann, sorte d'administrateur général des mines. Accusé, sans doute à tort, d'avoir détourné de l'argent public, il fut emprisonné en 1768 à la forteresse de Küstrin où, aveugle et ruiné, il mourut sans avoir pu établir son innocence. Aux deux périodes, viennoise et berlinoise, de son existence correspondent des ouvrages à la tonalité assez distincte, les premiers (dont les *Grundsätze der Policey-Wissenschaft,* 1756, tirés de ses leçons au Theresianum et traduits en français sous le titre *Éléments généraux de police,* 1769) étant essentiellement axés sur le bien de l'État, les seconds (*Grundriß einer guten Regierung,* 1759; *Grundfeste der Macht und Glückseligkeit der Staaten oder Polizeiwissenschaft,* 1760-61) mettant davantage l'accent sur celui des individus.

8. J. H. G. von Justi, *Grundsätze der Policey-Wissenschaft,* Göttingen, Van den Hoecks, 1756, p. 4: « In weitläuftigem Verstande begreifet man unter der Policey alle Maaßregeln in innerlichen Landesangelegenheiten, wodurch das allgemeine Vermögen des Staats dauerhaftiger gegründet und vermehrt, die Kräfte des Staats besser gebrauchet und überhaupt die Glückseligkeit des gemeinen Wesens befördet werden kann; und in diesem Verstande sind die Commercien, Wissenschaft, die Stadt- und Landöconomie, die Verwaltung der Bergwerke, das Forstwesen und dergleichen mehr, in so fern die Regierung ihre Vorsorge darüber nach Maaßgebung des allgemeinen Zusammenhanges der Wohlfahrt des Staats einrichtet, zu der Policey zu rechnen. » / *Éléments généraux de police,* trad. franç. partielle de Eidous, Paris, Rozet, 1769, introd., § 2 (il s'agit ici de la police au sens étendu): « [...] on comprend sous le nom de police les lois et règlements qui concernent l'intérieur d'un État, qui tendent à affermir et à augmenter sa puissance, à faire un bon emploi de ses forces, à procurer le bonheur des sujets, en un mot, le commerce, les finances, l'agriculture, l'exploitation des mines, les bois, les forêts, etc., vu que le bonheur de l'État dépend de la sagesse avec laquelle toutes ces choses sont administrées. »

9. Sur le congrès de Vienne (septembre 1814 - juin 1815), dont l'Acte final du 9 juin 1815 réunit les différents traités signés par les grandes puissances, cf. *supra,* p. 115, note 9. La Sainte-Alliance, conclue en septembre 1815, fut tout d'abord un pacte d'inspiration religieuse, signé par le tsar Alexandre Ier, l'empereur d'Autriche François Ier et le roi de Prusse Frédéric-Guillaume II, pour la défense « des préceptes de la justice, de la charité chrétienne et de la paix » « au nom de la Très Sainte et indivisible Trinité ». Metternich, qui la considérait comme « un monument vide et sonore », sut la transformer en un instrument d'union des puissances alliées contre les mouvements libéraux et nationalistes. Elle se disloqua en 1823, à la suite du congrès de Vérone et de l'expédition française en Espagne.

10. Sur l'enseignement de la *Polizeiwissenschaft* dans les universités allemandes, au XVIIIe siècle, cf. *supra,* p. 27, note 25. Cf. M. Stolleis, *Histoire du droit public en Allemagne, 1600-1800,* trad. citée, p. 562-570.

11. Sur cette bibliographie, cf. M. Humpert, *Bibliographie des Kameral-wissenschaften*, Cologne, K. Schröder, 1937, qui remonte jusqu'au xvi⁰ siècle. L'auteur recense plus de 4000 titres, de 1520 à 1850, sous les rubriques «science de la police au sens large» et «science de la police au sens étroit». Cf. également A. W. Small, *The Cameralists, op. cit.* [*supra*, p. 27, note 25]; H. Maier, *Die ältere deutsche Staats- und Verwaltungslehre*, Neuwied-Berlin, H. Luchterhand, 1966 (rééd. considérablement augmentée, Munich, DTV, 1986), et P. Schiera, *Il Camera-lismo e l'assolutismo tedesco, op. cit.*

12. Fénelon, François de Salignac de La Mothe (1651-1715), précepteur du duc de Bourgogne de 1689 à 1694. M. Foucault fait sans doute allusion à l'*Examen de conscience sur les devoirs de la royauté* (1ʳᵉ édition posthume sous le titre *Direction pour la conscience d'un roi*, La Haye, Neaulme, 1747), in *Œuvres de Fénelon*, Paris, Firmin Didot, 1838, t. 3, p. 335-347.

13. Cf. *infra*, p. 331.

14. Antoyne de Montchrétien (Montchrestien, 1575-1621), *Traité de l'œcono-mie politique* (1615), éd. par Th. Funck-Brentano, Paris, E. Plon, 1889, livre I, p. 25: «Et en l'estat de la police les peuples septentrionaux s'en servent en nos jours mieux et plus reglément que nous. »

15. Cf. *supra*, note 5.

16. *Ibid.*

17. Cf. L. Turquet de Mayerne, *La Monarchie aristodémocratique*, livre IV, p. 207: «[...] en icelle [= la Police] se reduict tout ce que l'on sçauroit penser ou dire, en matiere de gouvernement: s'estendant la Police evidemment par tous Estats & conditions de personnes, & en tout ce qu'elles designent, font, manient ou exercent. »

18. *Ibid.*, livre I, p. 14.

19. *Ibid.*, p. 15.

20. *Ibid.*, p. 20: «[...] pourvoir convenablement à toutes fonctions, où il est besoin d'employer gens de lettres. »

21. *Ibid.*, p. 19-20: «[...] veiller sur l'instruction de la jeunesse de tous estats, en ce que principalement le public requiert, & où il a droict & notoire interest, en toutes les familles; qui se reduict en trois chefs, sçavoir est Institution aux lettres, en la pieté ou religion, & en la discipline militaire [...]»

22. *Ibid.*, p. 14: «C'est à sçavoir, comme Riches, ayant grands revenus, ou comme Negociateurs & hommes d'affaires, ou comme Artisans, & pour les derniers & plus bas, comme Laboureurs & manœuvriers. »

23. *Ibid.*, p. 22: «Devant iceux [les Recteurs des Bureaux de Police] en chaque ressort seroyent tenus de comparoir tous meslez ayant accompli l'age de vingt & cinq ans, pour faire profession de la vacation qu'ils voudroyent suivre, & se faire enregis-trer en une desdittes classes, selon leurs moyens, nourriture, & industrie, sur peine d'ignominie. Car ceux qui ne seroyent pas escrits aux registres desdits Bureaux, ne devroyent estre tenus au rang de citoyens, ains comme un rebut du peuple, truans & sans honneur; privez de tous privileges d'ingenuite [...]»

24. *Ibid.*, p. 23.

25. *Ibid.*, p. 24-25: «Pourvoyroient aussi les dicts Recteurs à la santé publique en tous temps; & contagion advenant, subviendroyent aux malades, & à tous les acci-dents que porte une telle calamité [...]. Les accidents de feu & grands inondations ou

deluges, seroyent pareillement de la pourvoyance & diligence d'iceux en chaque siege comme causes d'appauvrissement, & qui mettent les gens en indigence & misere.»

26. *Ibid.*, p. 24.

27. Cf. *ibid.*, p. 25: «le Bureau des Marchans».

28. *Ibid.*, p. 25-26.

29. *Ibid.*, p. 14: «[...] estant les qualitez de chasque classe [= les cinq ordres ou classes dont se compose le peuple] purement privees, il n'est là question de Noblesse, n'y de Roture, mais seulement des moyens & façons que chacun doit tenir à vivre, & conserver en la Republique.»

30. *Ibid.*, p. 19.

31. Claude Fleury (1640-1723), prêtre et historien, sous-précepteur des enfants du roi au côté de Fénelon, – ne pas confondre avec le cardinal de Fleury, qui fut également précepteur de Louis XV. Il est l'auteur de nombreux ouvrages, dont le plus célèbre est les *Institutions du droit français,* Paris, 1692, 2 vol. Cf. R. E. Wanner, *Claude Fleury (1640-1723) as an Educational Historiographer and Thinker*, La Haye, Martinus Nijhoff, 1975, et, sur son activité de publiciste, G. Thuillier, «Économie et administration au Grand Siècle: l'abbé Claude Fleury», *La Revue administrative,* 10, 1957, p. 348-573; Id., «Comment les Français voyaient l'administration au XVIIIᵉ siècle: le Droit public de la France de l'abbé Fleury», *ibid.,* 18, 1965, p. 20-25.

32. Cette citation, ainsi que la précédente, restent introuvables dans la seule édition des *Avis au Duc de Bourgogne* dont nous ayons connaissance, in *Opuscules,* Nîmes, P. Beaume, 1780, t. 3, p. 273-284. Cf. toutefois, les *Pensées politiques* de Fleury, *ibid.,* p. 252: «C'est le nombre des hommes & non l'étendue de la terre qui fait la force d'un État. Il vaudroit mieux commander à cent hommes dans une île fertile de deux lieues, que d'être seul dans une île de deux cents lieues: ainsi celui qui gouvernera cent mille hommes en dix lieues de pays, sera plus puissant que celui qui en aura deux cents mille dispersés en cent lieues.»

33. P. C. W. von Hohenthal, *Liber de politia,* cap. I, I: «De copia civium» (§ VIII-XI), p. 17-28.

34. C. Fleury, *Avis au Duc de Bourgogne, op. cit.,* p. 277: «Prince est père: nourrir ses enfants: chercher les moyens de procurer au peuple nourriture, vêtement, logement, chauffage. Vivres: bled & autres grains, légumes, fruits: favoriser les Laboureurs, ils sont les plus nécessaires de tous les Sujets, laborieux, vivans de peu, ordinairement gens de bien: le moyen le plus honnête de gagner, par l'Agriculture: on ne peut trop multiplier les denrées utiles à la vie.»

35. *Ibid.*: «Repeupler les Villages & multiplier le peuple de la Campagne par diminution de Taille, décharge de Milice, & c.»

36. Cf. *supra,* leçon du 18 janvier, p. 33-35.

37. Marc-René de Voyer, marquis d'Argenson (1652-1721), père de l'auteur des *Mémoires* (cf. *Naissance de la biopolitique, op. cit.,* leçon du 10 janvier 1979, p. 22). Il succéda à La Reynie comme lieutenant général de police en 1697, puis exerça les fonctions de président du Conseil des finances et de garde des Sceaux (1718). La phrase est extraite d'une lettre du 8 novembre 1699, citée par M. de Boislisle, *Correspondance des Contrôleurs généraux,* t. II, n° 38, et reproduite par E. Depitre, dans son introduction à Herbert, *Essai sur la police générale des grains, op. cit.* [*supra,* p. 51, note 7], éd. 1753, p. v.

38. Cf. C. Fleury, *Avis au Duc de Bourgogne,* p. 378 : « Avoir soin de la netteté des Villes pour la santé, prévenir maladies populaires ; bon air, bonnes eaux, & en abondance. »

39. Jean Domat (juriste janséniste, avocat du roi au présidial de Clermont, 1625-1696), *Le Droit public, suite des Loix civiles dans leur ordre naturel,* Paris, J.-B. Coignard, 2 vol., 1697 (2ᵉ éd. en 5 vol., 1697) ; rééd. Paris, 1829, reproduite dans la « Bibliothèque de philosophie politique et juridique », Presses universitaires de Caen, 1989 ; livre I, titre VIII : « De la Police pour l'usage des mers, des fleuves, des rivières, des ports, des ponts, des rues, des places publiques, des grands chemins, & autres lieux publics : & de ce qui regarde les eaux & forêts, la chasse & la pêche. »

40. *Ibid.,* 1697², t. IV, p. 224-225 : « [...] c'est pour cet usage de cette seconde espèce de choses [les choses produites par l'homme, telles que nourriture, vêtement et habitation] que, comme elles sont toutes nécessaires dans la société des hommes et qu'ils ne peuvent les avoir et les mettre en usage que par des voyes qui demandent des différentes liaisons et communications entre eux, non seulement d'un lieu à un autre, mais de tout pays à tout autre, et entre les nations les plus éloignées, Dieu a pourvu par l'ordre de la nature et les hommes par la police à faciliter les communications. »

41. Dans la série de feuillets manuscrits sur la police, déjà citée plus haut (p. 336, note 2), M. Foucault cite Delamare, à propos de cette idée que « ce dont s'occupe la police, c'est la "société" » : « La police renferme dans son objet toutes les choses qui servent de fondement et de règle aux sociétés que les hommes ont établies entre eux. » Et il ajoute : « Un ensemble d'individus ayant des relations de coexistence qui les font vivre et habiter ensemble. En somme une population. »

42. L. Turquet de Mayerne, *La Monarchie aristodémocratique,* livre I, p. 4 : « [...] sans cette communication dont l'acheminement & l'entretenement est, ce que proprement nous appellons Police, il est certain que nous serions privez d'humanité & de pieté encor plus, peririons miserablement par deffauts, & n'y auroit au monde amour n'y charité aucune. »

43. N. Delamare, *Traité de la police, op. cit.,* t. I, éd. 1705, préface non paginée [p. 2].

44. Cf. *supra,* p. 321 (citation complète, en latin, à la note 6).

45. P. C. W. von Hohenthal, *Liber de politia,* p. 10.

46. Cf. *supra,* note 6.

47. A. de Montchrétien, *Traité de l'œconomie politique, op. cit.,* p. 39.

48. *Ibid.,* p. 40.

# LEÇON DU 5 AVRIL 1978

*La police (suite). – Delamare. – La ville, lieu d'élaboration de la police. Police et réglementation urbaine. L'urbanisation du territoire. Rapport de la police avec la problématique mercantiliste. – L'émergence de la ville-marché. – Les méthodes de la police. Différence entre police et justice. Un pouvoir de type essentiellement réglementaire. Réglementation et discipline. – Retour au problème des grains. – La critique de l'État de police à partir du problème de la disette. Les thèses des économistes, relatives au prix du grain, à la population et au rôle de l'État. – Naissance d'une nouvelle gouvernementalité. Gouvernementalité des politiques et gouvernementalité des économistes. – Les transformations de la raison d'État : (1) la naturalité de la société ; (2) les nouveaux rapports du pouvoir et du savoir ; (3) la prise en charge de la population (hygiène publique, démographie, etc.) ; (4) les nouvelles formes d'intervention étatique ; (5) le statut de la liberté. – Les éléments du nouvel art de gouverner : pratique économique, gestion de la population, droit et respect des libertés, police à fonction répressive. – Les différentes formes de contre-conduite relatives à cette gouvernementalité. – Conclusion générale.*

On va donc terminer aujourd'hui ce cours un peu prolongé. D'abord, deux mots sur ce qu'était concrètement la police – enfin, comment se présentait effectivement dans les textes la pratique même de la police. Je vous en avais expliqué l'idée générale, je crois, la dernière fois, mais concrètement, un livre consacré à la police, ça parle de quoi ? Je pense qu'il faut se référer de toute façon à ce qui a été pendant tout le XVIIIe siècle le recueil fondamental, le texte de base de la pratique de la police, aussi bien d'ailleurs en Allemagne qu'en France, bien que ce recueil soit en français, mais c'est à lui toujours que les livres allemands se référaient, lorsqu'il s'agissait de savoir de quoi il était question quand on parlait de la police. Ce recueil, c'est celui de Delamare, qui est un gros recueil d'ordonnances de police en trois volumes, qui a paru en, je ne me souviens plus, 1711, 1708…, enfin, qui a été republié plusieurs fois au XVIII<sup>e</sup> siècle [1]. Ce recueil de Delamare, comme les recueils qui l'ont suivi [2], précise en général qu'il y a treize domaines dont la police doit s'occuper. Ce sont la religion, les mœurs, la santé et les subsistances, la tranquillité publique, le soin des bâtiments, des places et des chemins, les sciences et les arts libéraux, le commerce, les manufactures et les arts mécaniques, les domestiques et les manouvriers, le théâtre et les jeux, et enfin le soin et la discipline des pauvres, comme « partie considérable du bien public [3] ». Ces treize rubriques [4], Delamare les regroupe selon un certain nombre de titres plus généraux, ou plutôt de fonctions plus générales, puisque, si la police s'occupe de la religion et des mœurs, c'est qu'il s'agit pour elle d'assurer ce qu'il appelle la « bonté de la vie [5] ». Si elle s'occupe de la santé et des subsistances, c'est qu'elle a pour fonction la « conservation de la vie [6] ». Bonté, conservation de la vie. La tranquillité, le soin des bâtiments, les sciences et les arts libéraux, le commerce, les manufactures et arts mécaniques, domestiques et manouvriers, tout ceci se réfère à la « commodité de la vie [7] » ; le théâtre et les jeux, aux « agréments de la vie [8] ». Et quant à la discipline et au soin des pauvres, c'est « une partie considérable du bien public [9] », c'est cette élimination ou en tout cas ce contrôle des pauvres, l'exclusion de ceux qui ne peuvent pas travailler et l'obligation pour ceux qui le peuvent, effectivement, de travailler. Tout ceci constitue la condition générale pour que la vie, dans la société, soit effectivement conservée selon sa bonté, sa commodité, ses agréments. Vous voyez qu'on a bien là, je crois, la confirmation de ce que je vous disais la dernière fois, à savoir que ce dont la police, au sens général du terme, au sens qui était celui du XVII<sup>e</sup> et du XVIII<sup>e</sup> siècle, ce dont la police a à s'occuper, c'est le vivre et le plus que vivre, le vivre et le mieux vivre. Comme le disait Montchrétien, non seulement il faut être, mais encore il faut « bien être [10] ». Bonté, conservation, commodité, agréments de la vie, c'est bien de cela qu'il s'agit.

Or quand on regarde, de fait, quels sont ces différents objets qui sont donc définis comme relevant de la pratique, de l'intervention et aussi de la réflexion de la police et sur la police, on voit, je crois, première chose à remarquer, que ces objets sont tout de même essentiellement des objets que l'on pourrait appeler urbains. Urbains, en ce sens que les uns, certains de ces objets, n'existent que dans la ville et parce qu'il y a une ville. Ce sont les rues, les places, les bâtiments, le marché, le commerce, les manufactures, arts mécaniques, etc. Les autres sont des objets qui font problème et qui relèvent de la police dans la mesure où c'est surtout en ville qu'ils prennent l'essentiel de leur importance. La santé, par exemple, la subsistance, tous les moyens pour empêcher qu'il y ait des disettes, [la] présence des mendiants, [la] circulation des vagabonds – les vagabonds ne feront problème à la campagne que tout à fait à la fin du XVIII<sup>e</sup> siècle. Disons que tout ceci, ce sont donc des problèmes de la ville. Plus généralement, ce sont les problèmes de la coexistence et de la coexistence dense.

Deuxièmement, il faut remarquer que les problèmes dont s'occupe la police sont également, tout proches de ces problèmes de la ville, les problèmes, disons, du marché, de l'achat et de la vente, de l'échange. C'est la réglementation de la manière dont on peut et dont on doit mettre en vente les choses, à quel prix, comment, à quel moment. C'est la réglementation aussi des produits fabriqués, c'est la réglementation des arts mécaniques et, en gros, des artisanats. Bref, c'est tout ce problème de l'échange, de la circulation, de la fabrication et de la mise en circulation des marchandises. Coexistence des hommes, circulation des marchandises : il faudrait compléter aussi en disant circulation des hommes et des marchandises les uns par rapport aux autres. C'est tout le problème, justement, de ces vagabonds, de ces gens qui se déplacent. Disons, en somme, que la police est essentiellement urbaine et marchande, ou encore, pour dire les choses plus brutalement, que c'est une institution de marché, au sens très large.

Donc, ne pas s'étonner d'un certain nombre de faits. Premièrement, dans sa pratique, dans ses institutions réelles, ces ordonnances que les grands recueils du XVIII<sup>e</sup> siècle réunissent, d'où viennent-elles ? Elles sont en général anciennes, elles remontent au XVI<sup>e</sup>, XV<sup>e</sup>, XIV<sup>e</sup> siècle parfois, et ce sont essentiellement des ordonnances urbaines. C'est-à-dire que la police, dans ses pratiques et ses institutions, n'a fait très souvent que reprendre ce préalable que constituait la réglementation urbaine, telle qu'elle s'était développée depuis le Moyen Âge et qui concernait la cohabitation des hommes, la fabrication des marchandises, la vente des denrées. C'est donc une sorte d'extension de cette réglementation urbaine que la police du XVII<sup>e</sup> et du XVIII<sup>e</sup> siècle va assurer.

L'autre institution qui sert en quelque sorte de préalable à la police, ce n'est pas la réglementation urbaine, c'est la maréchaussée, c'est-à-dire cette force armée que le pouvoir royal avait été obligé de mettre en circulation au XV<sup>e</sup> siècle pour éviter toutes les conséquences et les désordres qui suivaient les guerres, et essentiellement la dissolution des armées à la fin des guerres. Soldats libérés, soldats qui n'avaient pas souvent touché leur solde, soldats débandés, tout cela qui constituait une masse flottante d'individus qui était bien entendu vouée à tous les illégalismes : violence, délinquance, crime, vol, assassinat, – tous les gens en chemin, et c'était ces gens en chemin que la maréchaussée était chargée de contrôler et de réprimer.

Ce sont là les institutions préalables à la police. La ville et la route, le marché et le réseau routier qui alimente le marché. De là, le fait que la police au XVII⁰ et au XVIII⁰ siècle a, je crois, été essentiellement pensée en termes de ce qu'on pourrait appeler l'urbanisation du territoire. Il s'est agi, au fond, de faire du royaume, de faire du territoire tout entier une sorte de grande ville, de faire en sorte que le territoire soit ordonné comme une ville, sur le modèle d'une ville et aussi parfaitement qu'une ville. Il ne faut pas oublier que, dans son *Traité de droit public**, qui est très important pour tous ces problèmes de l'articulation entre le pouvoir de police et la souveraineté juridique, Domat dit que « c'est par la police qu'on a fait les villes et des lieux où les hommes s'assemblent et se communiquent entre eux par l'usage des rues, des places publiques et [...] des grands chemins ¹¹ ». Dans l'esprit de Domat, le lien entre police et ville est si fort qu'il dit que c'est seulement parce qu'il y a eu de la police, c'est-à-dire parce que l'on a réglé la manière dont les hommes pouvaient et devaient premièrement s'assembler entre eux, deuxièmement se communiquer au sens large du terme « communiquer », c'est-à-dire bien cohabiter et échanger, coexister et circuler, cohabiter et parler, cohabiter et vendre et acheter, c'est parce qu'il y a eu une police réglementant cette cohabitation et cette circulation et cet échange que des villes ont pu exister. La police comme condition d'existence de l'urbanité. À la fin du XVIII⁰ siècle, 150 ans ou presque après Domat, Fréminville, dans un dictionnaire général de police ¹², donnera cette explication, tout à fait mythique d'ailleurs, de la naissance de la police en France, en disant que Paris était devenue la première ville du monde au XVII⁰ siècle, et qu'elle l'était devenue par la perfection exacte de sa police. L'exacte police qui s'y était exercée en avait fait un modèle si parfait et si merveilleux que Louis XIV, dit Fréminville, « a voulu que tous les juges de toutes les villes de son royaume fassent la police en se conformant à celle de Paris ¹³ ». Il y a des villes parce qu'il y a la police, et c'est parce qu'il y a des villes si parfaitement policées qu'on a eu l'idée de transférer la police à l'échelle générale du royaume. « Policer », « urbaniser », j'évoque simplement ces deux mots pour que vous voyiez toutes les connotations, tous les phénomènes d'écho qu'il peut y avoir dans ces deux mots et avec tous les déplacements de sens et les atténuations de sens qu'il a pu y avoir au cours du XVIII⁰ siècle, mais au sens fort des termes, policer et urbaniser c'est la même chose.

---

* M. Foucault ajoute : du XVII⁰ siècle

Vous voyez aussi, – c'est l'autre remarque que je veux faire à propos de ce rapport entre la police et, disons, l'urbanité –, vous voyez que cette police, l'instauration de cette police, ne peut absolument pas être dissociée d'une théorie et d'une pratique gouvernementale qu'on met en général sous la rubrique du mercantilisme. Le mercantilisme, c'est-à-dire une technique et un calcul de renforcement de la puissance des États dans la compétition européenne par le commerce, par le développement du commerce et par la vigueur nouvelle donnée aux relations commerciales. Le mercantilisme s'inscrit entièrement dans ce contexte de l'équilibre européen et de la compétition intra-européenne dont je vous avais parlé il y a quelques semaines[14], et il donne comme instrument, arme fondamentale dans cette compétition intra-européenne qui doit se faire dans la forme de l'équilibre, il donne comme instrument essentiel le commerce. C'est-à-dire qu'il exige premièrement que chaque pays tente d'avoir la population la plus nombreuse possible, deuxièmement que cette population soit entièrement mise au travail, troisièmement que les salaires donnés à cette population soient le plus bas possible de façon, quatrièmement, à ce que les prix de revient des marchandises soient le plus bas possible, que l'on puisse par conséquent vendre le plus possible à l'étranger, vente qui assurera l'importation de l'or, le transfert de l'or dans le trésor royal, ou en tout cas dans le pays qui triomphera ainsi commercialement. Or qui permettra, premièrement, d'assurer, bien sûr, le recrutement de soldats et la force militaire indispensable à la croissance de l'État et à son jeu dans l'équilibre européen, et qui permettra aussi de stimuler la production, d'où de nouveaux progrès commerciaux ? C'est toute cette stratégie du commerce comme technique d'importation de la monnaie, c'est cela qui est un des traits caractéristiques du mercantilisme. Et vous voyez bien pourquoi, au moment où la raison d'État se donne pour objectif l'équilibre européen, avec pour instrument une armature diplomatico-militaire, et à l'époque où cette même raison d'État se donne pour autre objectif la croissance singulière de chaque puissance étatique et se donne en même temps, comme instrument de cette croissance, le commerce, vous voyez bien comment et pourquoi la police ne peut pas être dissociée d'une politique qui est une politique de concurrence commerciale à l'intérieur de l'Europe.

Police et commerce, police et développement urbain, police et développement de toutes les activités de marché au sens large, tout ceci va constituer une unité, je crois, essentielle au XVII⁰ siècle et jusqu'au début du XVIII⁰. Il paraît que le développement de l'économie de marché, la multiplication et l'intensification des échanges à partir du XVI⁰ siècle, il paraît que l'activation de la circulation monétaire, que tout ceci a fait entrer l'existence humaine dans le monde abstrait et purement représentatif de la marchandise et de la valeur d'échange [15]. Peut-être, et peut-être faut-il le déplorer, en ce cas déplorons-le. Mais je crois que, beaucoup plus encore que cette entrée de l'existence humaine dans le monde abstrait de la marchandise, ce qui se manifeste au XVIIᵉ siècle, eh bien c'est tout autre chose. C'est un faisceau de relations intelligibles, analysables qui permettent de lier comme les facettes d'un même polyèdre un certain nombre d'éléments fondamentaux : la formation d'un art de gouverner qui serait ordonné au principe de la raison d'État, une politique de compétition dans la forme de l'équilibre européen, la recherche d'une technique de croissance des forces étatiques* par une police qui aurait essentiellement pour but l'organisation des rapports entre une population et une production de marchandises, et enfin l'émergence de la villemarché, avec tous les problèmes de cohabitation, de circulation comme problèmes relevant de la vigilance d'un bon gouvernement suivant les principes de la raison d'État. Je ne veux pas dire que c'est à ce moment-là que naît la ville-marché, mais que la ville-marché soit devenue le modèle de l'intervention étatique sur la vie des hommes, je crois que c'est là le fait fondamental du XVIIᵉ siècle, en tout cas le fait fondamental qui caractérise la naissance de la police au XVIIᵉ siècle. Il y a un cycle, si vous voulez, raison d'État et privilège urbain, un lien fondamental entre la police et le primat de la marchandise, et c'est dans la mesure où il y a eu ce rapport entre raison d'État et privilège urbain, entre police et primat de la marchandise, que le vivre et le mieux que vivre, que l'être et le bien-être des individus sont effectivement devenus pertinents, et pour la première fois, je crois, dans l'histoire des sociétés occidentales, pour l'intervention du gouvernement. Si la gouvernementalité de l'État s'intéresse, et pour la première fois, à la matérialité fine de l'existence et de la coexistence humaine, à la matérialité fine de l'échange et de la circulation, si cet être et ce mieux-être, la gouvernementalité de l'État le prend pour la première fois en compte et ceci à travers la ville et à travers des problèmes comme ceux de la santé, des rues, des marchés, des grains, des routes, c'est parce que le commerce est pensé à ce moment-là comme l'instrument principal de la puissance de l'État et donc comme l'objet privilégié d'une police qui a pour objectif la croissance des forces de l'État. Voilà la première chose que je voulais vous dire à propos de ces

* Manuscrit : « intra étatiques ».

objets de la police, de leur modèle urbain et de leur ordonnancement autour du problème du marché et du commerce.

Deuxième remarque, toujours à propos de cette police dont je vous parlais la dernière fois, c'est que cette police manifeste l'intervention d'une raison et d'un pouvoir d'État dans des domaines qui sont donc, me semble-t-il, nouveaux. En revanche, les méthodes qui sont employées par cette police me paraissent relativement et même entièrement traditionnelles. Bien sûr, l'idée d'un pouvoir de police va, dès le début du XVIIe siècle, être parfaitement distinguée d'un autre type d'exercice du pouvoir royal et qui est le pouvoir de justice, le pouvoir judiciaire. Police n'est pas justice, et là-dessus tous les textes en sont d'accord, que ce soient les textes de ceux qui effectivement soutiennent et justifient la nécessité d'une police ou que ce soient les textes des juristes ou des parlementaires qui manifestent à l'égard de cette police une certaine méfiance. De toute façon, la police est perçue comme n'étant pas de la justice[16]. Bien sûr, elle dérive du pouvoir royal tout comme la justice, mais elle reste bien séparée de cette justice. La police n'est pas, à ce moment-là, du tout pensée comme une sorte d'instrument entre les mains du pouvoir judiciaire, une sorte de manière d'appliquer effectivement la justice réglée. Ce n'est pas un prolongement de la justice, ce n'est pas le roi agissant à travers son appareil de justice, c'est le roi agissant directement sur ses sujets, mais dans une forme non judiciaire. Un théoricien comme Bacquet dit : «Le droit de police et le droit de justice n'ont rien de commun l'un avec l'autre. [...] On ne peut pas dire que le droit de police appartienne à quiconque d'autre qu'au roi[17].» C'est donc l'exercice souverain du pouvoir royal sur les individus qui sont ses sujets, c'est en cela que consiste la police. Autrement dit, la police c'est la gouvernementalité directe du souverain en tant que souverain. Disons encore que la police, c'est le coup d'État permanent. C'est le coup d'État permanent qui va s'exercer, qui va jouer au nom et en fonction des principes de sa rationalité propre, sans avoir à se mouler ou à se modeler sur les règles de justice qui ont par ailleurs été données. Spécifique, donc, dans son fonctionnement et dans son principe premier, la police doit l'être aussi dans les modalités de son intervention, et encore à la fin, dans la seconde moitié du XVIIIe siècle, dans les *Instructions* de Catherine II, – il s'agissait pour elle de constituer un code de police –, dans les instructions qu'elle donne et qui sont inspirées par les philosophes français, elle dit : «Les règlements de la police sont d'une espèce tout à fait différente de celle des autres lois civiles. Les choses de la police sont des choses de chaque instant, alors que les choses de la loi sont des choses définitives et permanentes. La police s'occupe des choses de peu, alors que les lois s'occupent des choses importantes. La police s'occupe perpétuellement des détails», et enfin elle ne peut agir que promptement et immédiatement[18]. On a donc là, par rapport au fonctionnement général de la justice, une certaine spécificité de la police.

Mais quand on regarde comment effectivement cette spécificité a pris corps, on s'aperçoit qu'en fait la police ne connaît et n'a connu au XVIIᵉ et au XVIIIᵉ siècle qu'une forme, qu'un mode d'action et d'intervention. Bien sûr, ça ne passe pas par l'appareil judiciaire, ça vient directement du pouvoir royal, c'est un coup d'État permanent, mais c'est un coup d'État permanent qui se donne pour instrument, quoi? Eh bien, le règlement, l'ordonnance, l'interdiction, la consigne. C'est sur le mode réglementaire que la police intervient. C'est encore dans les *Instructions* de Catherine II qu'on lit: «La police a plus besoin de règlements que de lois[19].» On est dans un monde du règlement indéfini, du règlement permanent, du règlement perpétuellement renouvelé, du règlement de plus en plus détaillé, mais on est toujours dans le règlement, on est toujours dans cette espèce de forme malgré tout juridique, si elle n'est pas judiciaire, qui est celle de la loi ou du moins de la loi dans son fonctionnement mobile, permanent et détaillé qu'est le règlement[20]. Mais, si vous voulez, morphologiquement la police, même si elle est tout à fait différente de l'institution judiciaire, n'intervient pas avec des instruments et des modes d'action qui sont radicalement différents de ceux de la justice. Que la police soit un monde essentiellement réglementaire, c'est si vrai qu'un des théoriciens de la police du milieu du XVIIIᵉ siècle, Guillauté, écrivait que la police devait donc être essentiellement réglementaire, mais, dit-il, faut-il encore éviter tout de même que le royaume ne devienne un couvent[21]. On est dans le monde du règlement, on est dans le monde de la discipline. * C'est-à-dire qu'il faut bien voir que cette grande prolifération des disciplines locales et régionales à laquelle on a pu assister depuis la fin du XVIᵉ siècle jusqu'au XVIIIᵉ siècle dans les ateliers, dans les écoles, à l'armée[22], cette prolifération se détache sur le fond d'une tentative de disciplinarisation générale, de réglementation générale des individus et du territoire du royaume, dans la forme d'une police qui aurait un modèle essentiellement urbain. Faire de la ville une sorte de quasi-couvent et du royaume une sorte de quasi-ville, c'est bien ça l'espèce de grand rêve disciplinaire qui se trouve à l'arrière-fond de la police. Commerce, ville, réglementation,

---

* M. F. ajoute, dans le manuscrit: «Et, de fait, les grands traités pratiques de police ont été des recueils de règlements.»

discipline, je crois qu'on a là les éléments les plus caractéristiques de la pratique de police, telle qu'elle était entendue en ce XVIIᵉ et [dans la] première moitié du XVIIIᵉ siècle. Voilà ce que j'aurais voulu vous dire la dernière fois si j'en avais eu tout à fait le temps pour caractériser, donc, ce grand projet de la police.

Maintenant alors, je voudrais revenir à ce dont on était parti tout à fait au début. Vous vous souvenez, ces textes que j'avais essayé de vous ana-lyser, eh bien, si vous voulez, on va prendre les plus précis d'entre eux, ceux qui concernaient, justement, ce qu'on appelait la police des grains et le problème de la disette [23]. Ceci nous place donc au milieu, [à la] fin du premier tiers en tout cas du XVIIIᵉ siècle, et je crois – parce qu'au fond je n'ai rien fait d'autre depuis plusieurs mois qu'essayer de vous com-menter ces textes sur les grains et la disette, c'est toujours d'eux qu'il était question à travers un certain nombre de détours –, je crois qu'on peut mieux comprendre l'importance du problème posé à propos de la police des grains et de la disette, on peut mieux comprendre l'importance du pro-blème, l'acharnement des discussions, on peut mieux comprendre aussi la percée théorique et la mutation pratique qui était en gestation dans tout ça à partir de ce problème, de ces techniques et de ces objets spécifiques à la police. Il me semble qu'à travers le problème des grains, de leur commercialisation et de leur circulation, à travers le problème de la disette aussi, on voit à partir de quel problème concret d'une part et dans quelle direction d'autre part s'est faite la critique de ce qu'on pourrait appeler l'État de police. La critique de l'État de police, le démantèlement, la dislocation de cet État de police auquel on avait pensé si fort et avec tant d'espoir au début du XVIIᵉ siècle, cette dislocation, je crois qu'on y assiste dans la première moitié du XVIIIᵉ siècle à travers un certain nombre de problèmes et essentiellement ceux dont je vous avais parlé, les problèmes économiques, et les problèmes de la circulation des grains en particulier.

Reprenons un petit peu, si vous voulez, un certain nombre des thèmes et thèses qui étaient évoqués à ce moment-là à propos de la police des grains. Première thèse, vous vous souvenez – je me réfère à la littérature, en gros, physiocratique, mais pas exclusivement physiocratique, le problème n'étant pas tellement le contenu positif de chaque thèse que ce qui est en jeu dans chacune, ce dont on parle et autour de quoi s'organise le pro-blème –, première thèse de cette littérature physiocratique ou, plus généra-lement, de cette littérature des économistes : si l'on veut éviter les disettes, c'est-à-dire si l'on veut que le grain soit abondant, il faut d'abord et avant tout qu'il soit bien payé [24]. Cette thèse, elle s'oppose, au niveau même de ce qu'elle affirme, au principe qui était celui mis en œuvre dans toute la politique mercantiliste antérieure, où on disait premièrement : il faut qu'il y ait beaucoup de grain, il faut que ce grain soit bon marché, c'est parce que ce grain sera bon marché que l'on pourra donner des salaires aussi bas que possible, c'est lorsque les salaires seront aussi bas que possible que le prix de revient des marchandises à commercialiser sera bas, et lorsque ce prix sera bas on pourra les vendre à l'étranger, et c'est en les vendant à l'étranger que l'on pourra importer le plus d'or possible. Donc, c'était une politique de bon marché des grains pour le bas salaire des ouvriers. Or, avec la thèse des physiocrates dont je vous parlais à l'instant, en insistant comme sur un moment absolument fondamental sur le lien qu'il y aurait entre l'abondance du grain et son bon prix, c'est-à-dire son prix relativement élevé, vous voyez que les physiocrates – d'une façon générale la pensée des économistes du XVIII<sup>e</sup> siècle –, non seulement opposent à un certain nombre de thèses d'autres thèses, mais surtout [réintroduisent] * dans l'analyse et dans les objectifs d'une intervention politique l'agriculture elle-même, le bénéfice agricole, les possibilités de l'investissement agricole, le bien-être paysan, le plus que vivre de cette population que constitue la paysannerie. Autrement dit, le schéma qui était entièrement ordonné autour du privilège de la ville se trouve par là même battu en brèche. Les limites implicites du système de la police, limites qui avaient été fixées par le privilège urbain, ces limites éclatent et débouchent sur le problème de la campagne, de l'agriculture. Problématique des économistes qui réintroduit l'agriculture comme élément fondamental dans une gouvernementalité rationnelle. La terre apparaît maintenant, à côté de la ville, au moins autant que la ville, plus que la ville, comme objet privilégié de l'intervention gouvernementale. Une gouvernementalité qui prend en considération la terre. Non seulement elle prend en considération la terre, mais cette gouvernementalité ne doit plus se centrer sur le marché, sur l'achat et la vente des produits, sur leur circulation, mais d'abord en tout cas sur la production. Enfin troisièmement, cette gouvernementalité ne s'intéresse plus tellement au problème du comment vendre le moins cher aux autres ce qu'on a produit au plus faible prix, mais elle se centre sur le problème du retour, c'est-à-dire : comment la valeur du produit peut être restituée à celui qui en a été le producteur premier, à savoir le paysan ou l'agriculteur. Donc ce n'est plus la ville mais la terre, ce n'est plus la circulation mais la production, ce n'est plus la mise en vente ou le bénéfice de la vente, mais c'est le problème du retour, c'est tout cela qui apparaît maintenant comme l'objet essentiel de

---

* M. F. : elle réintroduit

la gouvernementalité. Une désurbanisation au profit d'un agrocentrisme, substitution ou en tout cas émergence du problème de la production par rapport au problème de la commercialisation, c'est, je crois, la première grande brèche dans le système de la police, au sens où on entendait ce terme au XVIIᵉ et au début du XVIIIᵉ siècle.

Deuxième thèse. La deuxième thèse, vous vous souvenez, c'était ceci : si le grain est bien payé, c'est-à-dire que si on laisse monter le prix du grain autant en quelque sorte qu'il en a envie, autant que c'est possible, en fonction de l'offre et de la demande, en fonction de la rareté et du désir des consommateurs, si on laisse le grain monter, qu'est-ce qui va se passer ? Eh bien, le grain ne continuera pas à monter indéfiniment, son prix se fixera, il se fixera ni trop haut ni trop bas, il se fixera simplement à un taux qui est le taux juste. C'est la thèse du juste prix [25]. Et le prix du grain se fixera à ce taux qui est juste, pourquoi ? Eh bien, premièrement parce que si le grain est à un prix assez élevé, les agriculteurs n'hésiteront pas à ensemencer autant qu'il sera possible, puisque le prix justement est bon et qu'ils en espèrent beaucoup de bénéfices. S'ils ensemencent beaucoup, les récoltes seront meilleures. Plus les récoltes seront bonnes, moins il y aura évidemment de tentation d'accumuler le grain en attendant le moment de rareté. Donc tout le grain sera commercialisé ; et si le prix est bon, les étrangers vont bien entendu essayer d'envoyer le plus de blé possible pour bénéficier de ce bon prix, de sorte que plus le prix sera élevé, plus il tendra à se fixer et à se stabiliser. Eh bien, ce second principe que les économistes soutiennent, vous voyez qu'il met en cause – quoi ? Non plus l'objet urbain, qui était l'objet privilégié de la police. Il met en cause autre chose, l'instrumentation principale du système de police, à savoir justement la réglementation ; cette réglementation dont je vous disais tout à l'heure qu'elle était, [sur le mode] d'une discipline généralisée, la forme essentielle dans laquelle on avait pensé la possibilité et la nécessité de l'intervention de la police. Le postulat de cette réglementation policière, c'était, bien entendu, que les choses étaient indéfiniment flexibles et que la volonté du souverain ou encore cette rationalité immanente à la *ratio,* à la raison d'État, pouvait obtenir des choses ce qu'elle voulait. Or c'est bien cela qui est mis en question dans l'analyse des économistes. Les choses ne sont pas flexibles, et elles ne sont pas flexibles pour deux raisons. La première, c'est que non seulement il y a un certain cours des choses que l'on ne peut pas modifier, mais en essayant de le modifier, précisément, on l'aggrave. C'est ainsi, expliquent les économistes, que lorsque le grain est rare, il est cher. Si l'on veut précisément empêcher que le grain qui est rare ne soit cher par des règlements qui en fixent le prix, qu'est-ce qui va se passer ? Eh bien, c'est que les gens ne voudront pas vendre leur grain, que plus on essaiera de faire baisser les cours, plus la rareté s'aggravera, plus les cours tendront à monter et par conséquent, non seulement les choses ne sont pas flexibles, mais en quelque sorte elles sont rétives, elles se retournent contre ceux qui veulent les modifier contre leur cours. On obtient exactement le résultat inverse de celui que l'on voulait. Rétivité par conséquent des choses. Non seulement cette réglementation ne va pas dans le sens qu'on souhaite, mais tout simplement elle est inutile. Et la réglementation de police est inutile, puisque justement, comme le montre l'analyse dont je vous parlais tout à l'heure, il y a une régulation spontanée du cours des choses. La réglementation non seulement est nocive, mais pire encore, elle est inutile. Et il faut donc substituer à la réglementation par l'autorité de police une régulation qui se fait à partir de, et en fonction du cours des choses elles-mêmes. Deuxième grande brèche qui est ainsi ouverte dans le système de la *Polizei,* de la police.

Troisième thèse que l'on trouve chez les économistes, c'est que la population ne constitue pas en elle-même un bien. Là encore, rupture essentielle. Dans le système de la police, celui que j'évoquais la dernière fois, la seule manière dont la population était prise en considération, c'était d'y voir, premièrement, le facteur nombre : y a-t-il assez de population ? Et la réponse était toujours : il n'y en a jamais assez. Il n'y en a jamais assez, pourquoi ? Parce qu'on a besoin de beaucoup de bras pour travailler beaucoup et fabriquer beaucoup d'objets. On a besoin de beaucoup de bras pour éviter que les salaires ne montent trop et garantir, par conséquent, un prix de revient minimal de ces choses que l'on doit fabriquer et commercialiser. Il faut beaucoup de bras à condition, bien sûr, que ces bras soient tous au travail. Il faut enfin beaucoup de bras et de bras au travail à la condition qu'ils soient dociles et qu'ils appliquent effectivement les règlements qu'on leur impose. Nombreux, travailleurs, dociles, ou plutôt beaucoup de travailleurs dociles, tout ceci assurera le nombre en quelque sorte efficace dont on a besoin pour une bonne police. La seule donnée naturelle que l'on fasse entrer dans la machine, c'est le nombre. Faire en sorte que les gens se reproduisent et se reproduisent le plus possible. Et en dehors de cette variable nombre, les individus qui constituent la population ne sont rien d'autre que des sujets, des sujets de droit ou des sujets de police, si vous voulez, des sujets en tout cas qui ont à appliquer des règlements.

Avec les économistes, on va avoir une tout autre manière de concevoir la population. La population comme objet de gouvernement, ça ne va pas être un certain nombre ou le plus grand nombre d'individus au travail et appliquant des règlements. La population, ça va toujours être autre chose. Pourquoi ? D'abord, parce que le nombre même n'est pas en soi, pour les économistes, une valeur. Bien sûr, il faut assez de population pour produire beaucoup, et surtout assez de population agricole. Mais il n'en faut pas trop, et il n'en faut pas trop, justement, pour que les salaires ne soient pas trop bas, c'est-à-dire pour que les gens aient intérêt à travailler et pour qu'ils puissent aussi, par la consommation dont ils sont susceptibles, soutenir les prix. Donc il n'y a pas de valeur absolue de la population, mais simplement une valeur relative. Il y a un nombre optimum de gens qui sont souhaitables sur un territoire donné, et ce nombre souhaitable varie en fonction et des ressources et du travail possible et de la consommation nécessaire et suffisante pour soutenir les prix et, d'une façon générale, l'économie. Et deuxièmement, ce nombre qui n'est pas en soi une valeur absolue, ce nombre on n'a pas à le fixer autoritairement. On n'a pas à faire comme ces utopistes du XVIᵉ siècle, qui disaient : eh bien, voilà quel est en gros le nombre de gens suffisant et nécessaire pour constituer les cités heureuses. En fait, le nombre des gens, il va se régler lui-même. Il va se régler en fonction précisément des ressources qui seront mises à leur disposition. Déplacement de la population, éventuellement régulation des naissances (alors là je laisse ce problème de côté, peu importe), en tout cas il y a une régulation spontanée de la population qui fait, – et cela tous les économistes le disent, Quesnay en particulier y insiste [26] –, [que] vous aurez toujours le nombre de gens qui est naturellement déterminé par la situation, là, en un point donné. La population en un point donné, eh bien, si vous prenez les choses à une certaine échelle du temps, ce nombre va être réglé en fonction de la situation et sans que vous ayez à intervenir aucunement par une régulation. La population n'est donc pas une donnée indéfiniment modifiable. C'est la troisième thèse.

La quatrième thèse que l'on trouve chez les économistes, c'est celle-ci : laisser jouer la liberté de commerce entre les pays. Là encore, différence fondamentale avec le système de la police. Dans le système de la police, il s'agissait, vous vous [en] souvenez, de faire en sorte qu'on expédie vers les autres pays le plus de marchandises possible, pour extraire de ces pays le plus d'or possible et assurer le retour de cet or ou la venue de cet or dans le pays, et c'était un des éléments fondamentaux de cette croissance des forces qui était l'objectif de la police. Il va s'agir maintenant, non pas du tout de vendre en quelque sorte à toute force pour rapatrier ou importer le plus d'or possible, il va s'agir maintenant, dans ces nouvelles techniques de gouvernementalité qu'évoquent les économistes, d'intégrer les pays étrangers à des mécanismes de régulation qui vont jouer à l'intérieur de chaque pays. Profiter des hauts prix qui sont pratiqués dans les pays étrangers pour y expédier le plus de grain possible et laisser les prix que l'on pratique chez soi monter pour que le blé étranger, les grains étrangers puissent venir. On va donc laisser jouer la concurrence, mais la concurrence entre quoi et quoi ? Non pas justement la concurrence-compétition entre les États, dont je vous parlais la dernière fois, et qui était le système à la fois de la police et de l'équilibre des forces dans l'espace européen. On va laisser jouer une concurrence entre les particuliers, et c'est précisément ce jeu de l'intérêt des particuliers se faisant concurrence les uns aux autres et cherchant chacun pour soi son maximum de profit, c'est cela qui va permettre à l'État ou encore à la collectivité ou encore à la population tout entière d'empocher en quelque sorte les bénéfices de cette conduite des particuliers, c'est-à-dire d'avoir des grains au juste prix et d'avoir une situation économique qui soit la plus favorable possible. Le bonheur de l'ensemble, le bonheur de tous et de tout, il va dépendre de quoi ? Non plus justement de cette intervention autoritaire de l'État qui va réglementer, sous la forme de la police, l'espace, le territoire et la population. Le bien de tous va être assuré par le comportement de chacun dès lors que l'État, dès lors que le gouvernement saura laisser jouer les mécanismes de l'intérêt particulier qui se trouveront ainsi, par des phénomènes de cumulation et de régulation, servir à tous. L'État n'est donc pas le principe du bien de chacun. Il ne s'agit pas, comme c'était le cas pour la police – souvenez-vous de ce que je vous disais la dernière fois –, de faire en sorte que le mieux-vivre de chacun soit utilisé par l'État et retransmis ensuite comme bonheur de la totalité ou bien-être de la totalité. Il s'agit maintenant de faire en sorte que l'État n'intervienne que pour régler, ou pour laisser plutôt se régler le mieux-être de chacun, l'intérêt de chacun de manière à ce qu'il puisse en effet servir à tous. L'État comme régulateur des intérêts et non plus comme principe à la fois transcendant et synthétique du bonheur de chacun à transformer en bonheur de tous : c'est là, je crois, un changement capital qui nous met en présence de cette chose qui va être, pour l'histoire du XVIIIe, du XIXe siècle et du XXe siècle aussi, un élément essentiel – c'est-à-dire : quel doit être le jeu de l'État, quel doit être le rôle de l'État, quelle doit être la fonction de l'État par rapport à un jeu qui en lui-même est un jeu fondamental et naturel et qui est celui des intérêts particuliers ?

Vous voyez comment, à travers cette discussion sur les grains, sur la police des grains, sur les moyens d'éviter la disette, ce qu'on voit se dessiner, c'est bien entendu toute une forme nouvelle de gouvernementalité, opposée presque terme à terme à la gouvernementalité qui s'était dessinée dans l'idée d'un État de police. Bien sûr, on trouverait certainement au xviiie siècle, à la même époque, bien d'autres signes de cette transformation de la raison gouvernementale, de cette naissance d'une nouvelle raison gouvernementale. Mais je crois tout de même que ce qui est important, ce qu'il est important de souligner, c'est que, en gros, c'est bien du côté du problème de ce qu'on appelle ou de ce qu'on appellera l'économie que tout ça se passe. En tout cas, ceux qui ont été les premiers à faire au xviiie siècle la critique de l'État de police, il faut bien voir que ce ne sont pas les juristes. Bien sûr, il y a eu grogne et rogne chez les juristes au xviie siècle, moins d'ailleurs au xviiie, lorsque, mis en présence de l'État de police et de ce que cela impliquait quant aux modalités directes d'action du pouvoir royal et de son administration, ils ont été jusqu'à un certain point réticents, parfois critiques à l'égard de la naissance de cet État de police ; mais c'était toujours en référence à une certaine conception traditionnelle du droit et des privilèges qui étaient reconnus par ce droit aux individus. Il ne s'agissait pour eux de rien d'autre que de limiter un pouvoir royal qui devenait à leurs yeux de plus en plus exorbitant. Il n'y a jamais eu chez les juristes, même chez ceux qui ont critiqué l'État de police, de tentative ou d'effort pour définir un nouvel art de gouverner. En revanche, ceux qui ont fait la critique de l'État de police en fonction de l'éventualité, de la possibilité, en fonction de la naissance d'un nouvel art de gouverner, eh bien ça a été les économistes. Et je crois qu'il faut en quelque sorte mettre en parallèle ces deux grandes familles qui se répondent à un siècle d'intervalle et qui étaient en réalité profondément opposées. Souvenez-vous, au début du xviie siècle, on a eu * ce qui a été perçu à l'époque comme une véritable secte, comme une sorte d'hérésie, et qui était les politiques[27]. Les politiques, c'étaient ceux qui définissaient un nouvel art de gouverner dans des termes qui n'étaient plus ceux de la grande, comment dire ? ... conformité à l'ordre du monde, à la sagesse du monde, à cette sorte de grande cosmothéologie qui servait de cadre aux arts de gouverner du Moyen Âge et du xvie siècle encore. Les politiques, c'étaient ceux qui ont dit : laissons de côté ce problème du monde et de la nature, cherchons quelle est la raison intrinsèque à l'art de gouverner, définissons un horizon qui puisse permettre de fixer exactement quels doivent être les principes rationnels et les formes de calcul spécifiques à un art de gouverner. Et découpant ainsi le domaine de l'État dans le grand monde cosmothéologique de la pensée médiévale et de la pensée de la

---

* M. Foucault ajoute : ce qui a été présenté,

Renaissance, ils ont défini une nouvelle rationalité. Hérésie fondamentale, hérésie des politiques. Eh bien, presque un siècle après est apparue une nouvelle secte, perçue également d'ailleurs comme secte[28], c'était celle des économistes. Des économistes qui étaient hérétiques par rapport à quoi ? Non plus par rapport à cette grande pensée cosmothéologique de la souveraineté, mais qui étaient hérétiques par rapport à une pensée ordonnée autour de la raison d'État, hérétiques par rapport à l'État, hérétiques par rapport à l'État de police, et c'est eux qui ont inventé un nouvel art de gouverner, toujours en termes de raison, bien sûr, mais d'une raison qui n'était plus la raison d'État, ou qui n'était plus seulement la raison d'État, qui était, pour dire les choses plus précisément, la raison d'État modifiée par cette chose nouvelle, ce domaine nouveau en train d'apparaître et qui était l'économie. La raison économique est en train, non pas de se substituer à la raison d'État, mais de donner un nouveau contenu à la raison d'État et de donner par conséquent de nouvelles formes à la rationalité d'État. Nouvelle gouvernementalité qui naît avec les économistes plus d'un siècle après que l'autre gouvernementalité [est] apparue au XVIIe siècle. Gouvernementalité des politiques qui va nous donner la police, gouvernementalité des économistes qui va, je crois, nous introduire à quelques-unes des lignes fondamentales de la gouvernementalité moderne et contemporaine.

Bien sûr, il faut garder à l'esprit qu'on est toujours dans l'ordre de la raison d'État. C'est-à-dire qu'il va toujours s'agir, dans cette nouvelle gouvernementalité esquissée par les économistes, de se donner pour objectif l'augmentation des forces de l'État dans un certain équilibre, équilibre extérieur dans l'espace européen, équilibre intérieur sous la forme de l'ordre. Mais cette rationalité d'État, cette raison d'État qui continue en effet à dominer la pensée des économistes, elle va se modifier, et c'est quelques-unes de ces modifications essentielles que je voudrais repérer.

Premièrement, vous voyez qu'une analyse comme celle que j'évoquais tout à l'heure très schématiquement, à propos de la police des grains et de la nouvelle économie dans laquelle on pensait ce problème, vous voyez que cette analyse se réfère à tout un domaine de processus qu'on peut dire, jusqu'à un certain point, naturels. Revenons un instant à ce que je vous disais il y a plusieurs semaines[29]. Dans la tradition qui, en gros, était la tradition médiévale ou celle encore de la Renaissance, un bon gouvernement, un royaume bien ordonné, je vous l'ai dit, c'était celui qui faisait partie de tout un ordre du monde et qui était voulu par Dieu. Inscription, par conséquent, du bon gouvernement dans ce grand cadre cosmothéologique. Par rapport à cet ordre naturel, la raison d'État avait donc introduit un découpage, une coupure même radicale, c'était l'État, l'État qui surgissait et qui faisait apparaître une réalité nouvelle avec sa rationalité propre. Rupture donc avec cette vieille naturalité qui encadrait la pensée politique du Moyen Âge. Non-naturalité, artificialité absolue, si vous voulez, rupture en tout cas avec cette vieille cosmo-théologie ; ce qui avait d'ailleurs entraîné les reproches d'athéisme dont je vous ai parlé [30]. Artificialisme de cette gouvernementalité de police, artificialisme de cette raison d'État.

Mais voilà que maintenant, avec la pensée des économistes, va réapparaître la naturalité, ou plutôt une autre naturalité. C'est la naturalité de ces mécanismes qui font que, quand les prix montent, si on les laisse monter, ils vont d'eux-mêmes s'arrêter. C'est cette naturalité qui fait que la population est attirée par les hauts salaires, jusqu'à un certain moment où les salaires se stabilisent, et du coup la population n'augmente plus. C'est donc une naturalité qui, vous [le] voyez, n'est plus du tout du même type que la naturalité du cosmos qui encadrait et soutenait la raison gouvernementale du Moyen Âge ou du XVIᵉ siècle. C'est une naturalité que l'on va opposer justement à l'artificialité de la politique, de la raison d'État, de la police. On va l'opposer à elle, mais selon des modes qui sont tout à fait spécifiques et particuliers. Ce ne sont pas des processus de la nature elle-même, entendue comme nature du monde, c'est une naturalité spécifique aux rapports des hommes entre eux, à ce qui se passe spontanément lorsqu'ils cohabitent, lorsqu'ils sont ensemble, lorsqu'ils échangent, lorsqu'ils travaillent, lorsqu'ils produisent [...]. C'est-à-dire que c'est une naturalité de quelque chose qui, au fond, n'avait pas encore eu d'existence jusque-là et qui est, sinon nommé, du moins qui commence à être pensé et analysé pour tel, c'est la naturalité de la société.

La société comme étant une naturalité spécifique à l'existence en commun des hommes, c'est cela que les économistes sont, au fond, en train de faire émerger comme domaine, comme champ d'objets, comme domaine possible d'analyse, comme domaine de savoir et d'intervention. La société comme champ spécifique de naturalité propre à l'homme, c'est cela qui va faire apparaître comme vis-à-vis de l'État ce qu'on appellera la société civile [31]. Qu'est-ce que c'est que la société civile, sinon précisément ce quelque chose que l'on ne peut pas penser comme étant simplement le produit et le résultat de l'État ? Mais ce n'est pas non plus quelque chose qui est comme l'existence naturelle de l'homme. La société civile, c'est ce que la pensée gouvernementale, les nouvelles formes de gouvernementalité nées au XVIIIᵉ siècle, font apparaître comme corrélatif nécessaire de l'État. De quoi l'État doit-il s'occuper ? Qu'est-ce qu'il doit prendre en charge ? Qu'est-ce qu'il doit connaître ? Qu'est-ce qu'il doit, sinon réglementer, du moins réguler, ou de quoi est-ce qu'il doit respecter les régulations naturelles ? Non pas d'une nature en quelque sorte primitive, non pas non plus d'une série de sujets indéfiniment soumis à une volonté souveraine et ployable à ses exigences. L'État a en charge une société, une société civile, et c'est la gestion de cette société civile que l'État doit assurer. Mutation bien entendu fondamentale par rapport à une raison d'État, à une rationalité de police qui continuait à n'avoir affaire qu'à une collection de sujets. C'est le premier point que je voulais souligner.

Le second point, c'est que, dans cette nouvelle gouvernementalité et corrélativement à ce nouvel horizon de naturalité sociale, vous voyez qu'apparaît le thème d'une connaissance, et d'une connaissance qui est – j'allais dire : spécifique au gouvernement, mais ça ne serait pas tout à fait exact. En effet, avec ces phénomènes naturels dont les économistes parlaient, à quoi a-t-on affaire ? À des processus qui peuvent être connus par des procédés de connaissance qui sont du même type que n'importe quelle connaissance scientifique. La revendication de rationalité scientifique, qui n'était absolument pas posée par les mercantilistes, est posée en revanche par les économistes du XVIIIe siècle, qui vont dire que la règle de l'évidence doit être celle que l'on applique à ces domaines-là[32]. Par conséquent, ce ne sont plus du tout ces sortes de calculs de forces, calculs diplomatiques, que la raison d'État faisait intervenir au XVIIe siècle. C'est une connaissance qui, dans ses procédures mêmes, doit être une connaissance scientifique. * Deuxièmement, cette connaissance scientifique, elle est absolument indispensable pour un bon gouvernement. Un gouvernement qui ne tiendrait pas compte de ce genre d'analyse, de la connaissance de ces processus, qui ne respecterait pas le résultat de ce genre de connaissance, ce gouvernement serait voué à l'échec. On le voit bien lorsque, contre toutes les règles et de l'évidence et de la rationalité, il réglemente par exemple le commerce des grains, fixe des prix maximum : il agit [en] aveugle, contre ses intérêts, littéralement il se trompe, et il se trompe en termes scientifiques. Donc, on a une connaissance scientifique indispensable au gouvernement, mais ce qui est très important, c'est que

---

* Le manuscrit précise (feuillet 21 d'une leçon non paginée) : «Cette connaissance, c'est l'économie politique, non comme simple connaissance de procédés pour enrichir l'État, mais comme connaissance des processus qui lient les variations de richesses et les variations de population sur trois axes : production, circulation, consommation. Naissance, donc, de l'économie politique.»

ce n'est pas une connaissance en quelque sorte du gouvernement lui-même, interne au gouvernement. C'est-à-dire que ce n'est plus du tout une connaissance intérieure à l'art de gouverner, ce n'est plus simplement un calcul qui devrait naître à l'intérieur de la pratique de ceux qui gouvernent. Vous avez une science qui est en quelque sorte en tête-à-tête avec l'art de gouverner, science qui est extérieure et que l'on peut parfaitement fonder, établir, développer, prouver de bout en bout, même si on n'est pas gouvernant, même si on ne participe pas de cet art de gouverner. Mais les conséquences de cette science, les résultats de cette science, le gouvernement ne peut pas s'en passer. Donc, vous le voyez, apparition d'un rapport du pouvoir et du savoir, du gouvernement et de la science qui est d'un type tout particulier. Cette espèce d'unité qui continuait encore à fonctionner, cette espèce de magma, si vous voulez, plus ou moins confus d'un art de gouverner qui serait à la fois savoir et pouvoir, science et décision, ceci commence à se décanter et à se séparer, et en tout cas deux pôles apparaissent – une scientificité qui va de plus en plus se réclamer de sa pureté théorique, qui va être l'économie, et puis qui va en même temps revendiquer le droit d'être prise en considération par un gouvernement qui aura à modeler sur elle ses décisions. C'était le second point, je crois, important.

Troisième point important dans cette nouvelle gouvernementalité, c'est, bien sûr, le surgissement sous des formes nouvelles du problème de la population. Jusqu'alors, au fond, il ne s'agissait pas tellement de la population que du peuplement ou encore du contraire de la dépopulation. Nombre, travail, docilité, de tout cela je vous avais déjà parlé. Maintenant la population va apparaître comme une réalité à la fois spécifique et relative : relative aux salaires, relative aux possibilités de travail, relative aux prix, mais également spécifique, en deux sens. Premièrement, la population a ses propres lois de transformation, de déplacement, et elle est tout autant soumise à des processus naturels que la richesse elle-même. La richesse se déplace, la richesse se transforme, la richesse augmente ou diminue. Eh bien, par des processus qui ne sont pas les mêmes mais qui sont du même type ou en tout cas qui sont tout aussi naturels, la population va se transformer, va croître, décroître, se déplacer. Il y a donc une naturalité intrinsèque à la population. Et d'autre part, autre caractère spécifique de la population, c'est qu'il se produit entre chacun des individus et tous les autres toute une série d'interactions, d'effets circulaires, d'effets de diffusion qui font qu'il y a, de l'individu à tous les autres, un lien qui n'est pas celui constitué et voulu par l'État, mais qui est spontané. C'est cette loi de la mécanique des intérêts qui va caractériser la population. Naturalité de la population, loi de composition des intérêts à l'intérieur de la population, voilà que la population, vous le voyez, apparaît comme une réalité autrement dense, épaisse, naturelle, que cette série de sujets qui étaient soumis au souverain et à l'intervention de la police, même s'il s'agit de la police au sens large et plein du terme tel qu'on l'employait au XVIIe siècle. Et du coup, si la population est effectivement dotée de cette naturalité, de cette épaisseur et de ces mécanismes internes de régulation, vous voyez qu'il va bien falloir que l'État prenne en charge, non plus tellement des individus à soumettre et à soumettre à une réglementation, mais cette réalité nouvelle. Prise en charge de la population dans sa naturalité, et ça va être le développement d'un certain nombre sinon de sciences, du moins de pratiques, de types d'intervention qui vont se développer dans la seconde moitié du XVIIIe siècle. Ça va être par exemple la médecine sociale, enfin ce qu'on appelait à ce moment-là l'hygiène publique, ça va être les problèmes de démographie, enfin tout ceci qui va faire apparaître une nouvelle fonction de l'État, de prise en charge de la population dans sa naturalité même. La population comme collection de sujets est relayée par la population comme ensemble de phénomènes naturels.

Quatrième grande modification de la gouvernementalité, c'est ceci : c'est que, si effectivement les faits de population, les processus économiques obéissent à des processus naturels, ça veut dire quoi ? Ça veut dire que, bien sûr, il n'y aura non seulement aucune justification, mais même tout simplement aucun intérêt à essayer de leur imposer des systèmes réglementaires d'injonctions, d'impératifs, d'interdictions. Le rôle de l'État, et par conséquent la forme de gouvernementalité qui va désormais lui être prescrite, cette forme de gouvernementalité va avoir pour principe fondamental de respecter ces processus naturels, ou en tout cas d'en tenir compte, de les faire jouer ou de jouer avec eux. C'est-à-dire que, d'une part, l'intervention de la gouvernementalité étatique devra être limitée, mais cette limite qui sera posée à la gouvernementalité ne sera pas simplement une sorte de borne négative. À l'intérieur du champ ainsi délimité va apparaître tout un domaine d'interventions, d'interventions possibles, d'interventions nécessaires, mais qui n'auront pas forcément, qui n'auront pas d'une façon générale et qui très souvent n'auront pas du tout la forme de l'intervention réglementaire. Il va falloir manipuler, il va falloir susciter, il va falloir faciliter, il va falloir laisser faire, il va falloir, autrement dit, gérer et non plus réglementer. Cette gestion aura essentiellement pour objectif, non pas tellement d'empêcher les choses, mais de faire en sorte que les régulations nécessaires et naturelles jouent, ou encore de faire des régulations qui permettront les régulations naturelles. Il va donc falloir encadrer les phénomènes naturels de telle manière qu'ils ne dévient pas ou qu'une intervention maladroite, arbitraire, aveugle ne les fasse [pas] dévier. C'est-à-dire qu'il va falloir mettre en place des mécanismes de sécurité. Les mécanismes de sécurité ou l'intervention, disons, de l'État ayant essentiellement pour fonction d'assurer la sécurité de ces phénomènes naturels qui sont les processus économiques ou qui sont les processus intrinsèques à la population, c'est cela qui va être l'objectif fondamental de la gouvernementalité.

De là, enfin, l'inscription de la liberté, non seulement comme droit des individus légitimement opposés au pouvoir, aux usurpations, aux abus du souverain ou du gouvernement, mais [de] la liberté devenue un élément indispensable à la gouvernementalité elle-même. On ne peut bien gouverner maintenant qu'à la condition qu'effectivement la liberté ou un certain nombre de formes de liberté soient respectées. Ne pas respecter la liberté, c'est non seulement exercer des abus de droit par rapport à la loi, mais c'est surtout ne pas savoir gouverner comme il faut. L'intégration des libertés et des limites propres à cette liberté à l'intérieur du champ de la pratique gouvernementale, c'est devenu maintenant un impératif.

Et vous voyez comment se disloque cette grande police sur-réglementaire, si vous voulez, dont je vous avais parlé. Cette réglementation du territoire et des sujets qui caractérisait encore la police du XVIIᵉ siècle, tout ceci doit être évidemment remis en question, et on va avoir maintenant un système en quelque sorte double. D'une part, on va avoir toute une série de mécanismes qui relèvent de l'économie, qui relèvent de la gestion de la population et qui auront justement pour fonction de faire croître les forces de l'État, et puis, d'autre part, un certain appareil ou un certain nombre d'instruments qui vont assurer que le désordre, les irrégularités, les illégalismes, les délinquances seront empêchés ou réprimés. C'est-à-dire que ce qui était l'enjeu de la police au sens classique du terme, au sens des XVIIᵉ-XVIIIᵉ siècles : faire croître les puissances de l'État en respectant l'ordre général, ce projet unitaire va se disloquer, ou plutôt il va prendre corps maintenant dans des institutions ou dans des mécanismes différents. D'un côté, on aura les grands mécanismes d'incitation-régulation des phénomènes : ça sera l'économie, ça sera la gestion de la population, etc. Et puis alors, vous aurez, avec des fonctions simplement négatives, l'institution de la police au sens moderne du terme, qui sera simplement l'instrument par lequel on empêchera que se produisent un certain nombre de désordres. Croissance dans l'ordre, et toutes les fonctions positives vont être assurées par toute une série d'institutions, d'appareils, de mécanismes, etc., et puis l'élimination du désordre – ça sera ça, la fonction de la police. Et, du coup, la notion de police bascule entièrement, se marginalise et prend le sens purement négatif que nous lui connaissons.

D'un mot, si vous voulez, la nouvelle gouvernementalité qui, au XVIIᵉ siècle, avait cru pouvoir s'investir tout entière dans un projet exhaustif et unitaire de police, se trouve maintenant dans une situation telle que, d'une part, elle devra se référer à un domaine de naturalité qui est l'économie. Elle aura à gérer des populations. Elle aura aussi à organiser un système juridique de respect des libertés. Elle aura enfin à se donner un instrument d'intervention direct, mais négatif qui va être la police. Pratique économique, gestion de la population, un droit public articulé sur le respect de la liberté et des libertés, une police à fonction répressive : vous voyez que l'ancien projet de police, tel qu'il était apparu en corrélation avec la raison d'État, se disloque ou plutôt se décompose entre quatre éléments – pratique économique, gestion de la population, droit et respect des libertés, police –, quatre éléments qui viennent s'ajouter au grand dispositif diplomatico-militaire qui, lui, n'a guère été modifié au XVIIIᵉ siècle.

Nous avons donc l'économie, la gestion de la population, le droit avec l'appareil judiciaire, [le] respect des libertés, un appareil policier, un appareil diplomatique, un appareil militaire. Vous voyez que l'on peut parfaitement faire la généalogie de l'État moderne et de ses appareils, non pas précisément à partir d'une, comme ils disent, ontologie circulaire[33] de l'État s'affirmant lui-même et croissant comme un grand monstre ou une machine automatique. On peut faire la généalogie de l'État moderne et de ses différents appareils à partir d'une histoire de la raison gouvernementale. Société, économie, population, sécurité, liberté : ce sont les éléments de la nouvelle gouvernementalité dont nous connaissons, je pense, encore maintenant les formes sous ses modifications contemporaines.

Si vous me donnez encore deux ou trois minutes, je voudrais ajouter ceci. J'avais essayé de vous montrer, vous vous [en] souvenez, comment la pastorale et le gouvernement des hommes qui s'étaient mis en place [et] développés avec l'intensité que vous savez au Moyen Âge, avaient suscité, comme projet de conduire les hommes, un certain nombre de contre-conduites, ou plutôt comment corrélativement s'étaient développés et l'art, le projet, les institutions destinées à conduire les hommes, et les contre-conduites qui s'y étaient opposées : c'étaient toutes ces espèces de mouvements de résistance ou de transformation de la conduite pastorale que j'avais énumérées. Eh bien, je crois qu'on pourrait dire un peu la même chose, enfin suivre l'analyse quant à la gouvernementalité sous sa forme moderne. Et au fond, je me demande si on ne pourrait pas établir un certain nombre, je ne dis pas exactement d'analogies, mais en quelque sorte de correspondances. J'avais essayé de vous montrer comment entre l'art pastoral de conduire les hommes et les contre-conduites qui lui étaient absolument contemporaines, vous aviez toute une série d'échanges, d'appuis réciproques et c'était, au fond, un peu des mêmes choses qu'il était question. Eh bien, je me demande si on ne pourrait pas faire l'analyse de ce qu'on pourrait appeler les contre-conduites dans le système moderne de la gouvernementalité de la façon suivante : en disant qu'au fond les contre-conduites que l'on voit se développer en corrélation avec la gouvernementalité moderne ont comme enjeu les mêmes éléments que cette gouvernementalité, et qu'on a vu se développer, à partir du milieu du XVIII<sup>e</sup> siècle, toute une série de contre-conduites qui ont essentiellement pour objectif, précisément, de refuser la raison d'État et les exigences fondamentales de cette raison d'État, et qui vont prendre appui sur cela même que cette raison d'État, à travers les transformations que je vous avais indiquées, avait fini par faire apparaître, c'est-à-dire justement ces éléments que sont la société opposée à l'État, la vérité économique par rapport à l'erreur, à l'incompréhension, à l'aveuglement, l'intérêt de tous par opposition à l'intérêt particulier, la valeur absolue de la population comme réalité naturelle et vivante, la sécurité par rapport à l'insécurité et au danger, la liberté par rapport à la réglementation.

D'une façon plus schématique et pour résumer tout ce que j'aurais voulu vous dire là-dessus, on pourrait peut-être dire ceci : au fond, la raison d'État, vous vous [en] souvenez, avait posé comme première loi, loi d'airain à la fois de la gouvernementalité moderne et de la science historique, que désormais l'homme a à vivre dans un temps indéfini. Des gouvernements, il y en aura toujours, l'État sera toujours là et n'espérez pas un point d'arrêt. La nouvelle historicité de la raison d'État excluait l'Empire des derniers jours, excluait le royaume de l'eschatologie. Contre ce thème qui a été formulé à la fin du XVI<sup>e</sup> siècle et qui reste encore maintenant, on va voir se développer des contre-conduites qui auront précisément pour principe d'affirmer que le temps viendra où le temps sera fini, qui [aur]ont pour principe de poser la possibilité d'une eschatologie, d'un temps ultime, d'un suspens ou d'un achèvement du temps historique et du temps politique, le moment, si vous voulez, où la gouvernementalité indéfinie de l'État sera arrêtée et stoppée par quoi ? Eh bien, par l'émergence de quelque chose qui sera la société elle-même. Le jour où la société civile aura pu s'affranchir des contraintes et des tutelles de l'État, lorsque le pouvoir d'État aura pu enfin être résorbé dans cette société civile, – cette société civile dont j'essayais de vous montrer comment elle naissait dans la forme même, dans l'analyse même de la raison gouvernementale –, du coup le temps, sinon de l'histoire, du moins de la politique, le temps de l'État sera terminé. Eschatologie révolutionnaire qui n'a pas cessé de hanter le XIXᵉ et le XXᵉ siècle. Première forme de contre-conduite : l'affirmation d'une eschatologie où la société civile l'emportera sur l'État.

Deuxièmement, j'avais essayé de vous montrer comment la raison d'État avait posé comme principe fondamental l'obéissance des individus et le fait que, désormais, les liens de sujétion des individus ne devaient plus se faire dans la forme féodale des allégeances, mais dans la forme d'une obéissance totale et exhaustive, dans leur conduite, à tout ce qui peut être les impératifs de l'État. Maintenant, on va voir se développer des contre-conduites, des revendications dans la forme de la contre-conduite, qui auront pour sens celui-ci : il doit y avoir un moment où la population, rompant avec tous les liens de l'obéissance, aura effectivement le droit, en termes non pas juridiques, mais en termes de droits essentiels et fondamentaux, de rompre tous les liens d'obéissance qu'elle peut avoir avec l'État et, se dressant contre lui, dire désormais : c'est ma loi, c'est la loi de mes exigences à moi, c'est la loi de ma nature même de population, c'est la loi de mes besoins fondamentaux qui doit se substituer à ces règles de l'obéissance. Eschatologie, par conséquent, qui va prendre la forme du droit absolu à la révolte, à la sédition, à la rupture de tous les liens d'obéissance – le droit à la révolution elle-même. Deuxième grande forme de contre-conduite.

Et enfin, à propos de la raison d'État, j'avais essayé de vous montrer comment celle-ci impliquait que ce soit l'État ou ceux qui le représentent qui soient détenteurs d'une certaine vérité sur les hommes, sur la population, sur ce qui se passe à l'intérieur du territoire et dans la masse générale constituée par les individus. L'État comme détenteur de la vérité, eh bien à ce thème, les contre-conduites vont opposer celui-ci : la nation elle-même, dans sa totalité, doit être capable à un moment donné de détenir exactement, en chacun de ses points comme dans sa masse, la vérité sur ce qu'elle est, ce qu'elle veut et ce qu'elle doit faire. L'idée d'une nation titulaire de son propre savoir, ou encore l'idée d'une société qui serait transparente à elle-même et qui détiendrait sa propre vérité, quitte d'ailleurs à ce que ce soit un élément de cette population ou encore une organisation, un parti, mais représentatif de la population tout entière, qui formule cette vérité – de toute façon la vérité de la société, la vérité de l'État, la raison d'État, ce n'est plus à l'État lui-même de les détenir, c'est à la nation tout entière d'en être le titulaire. Là encore, troisième grande forme, je crois, de contre-conduite qui, vous le voyez, s'oppose terme à terme à ce qui caractérise la raison d'État telle qu'elle est apparue au XVIᵉ siècle, mais qui prend appui sur ces différentes notions, sur ces différents éléments qui sont apparus dans la transformations même de la raison d'État.

Que l'on oppose la société civile à l'État, que l'on oppose la population à l'État, que l'on oppose la nation à l'État, de toute façon, ce sont bien ces éléments qui ont été mis en jeu à l'intérieur de cette genèse de l'État et de l'État moderne. C'est donc ces éléments qui vont se jouer, qui vont servir d'enjeu à l'État et à ce qui s'oppose à lui. Et dans cette mesure-là, l'histoire de la raison d'État, l'histoire de la *ratio* gouvernementale, l'histoire de la raison gouvernementale et l'histoire des contre-conduites qui se sont opposées à elle ne peuvent pas être dissociées l'une de l'autre. *

*

Voilà tout ce que je voulais vous dire. Tout ce que je voulais faire cette année, ce n'était rien d'autre qu'une petite expérience de méthode pour

---

* M. Foucault laisse ici de côté les deux dernières pages du manuscrit dans lesquelles, définissant les mouvements révolutionnaires comme «des contre-conduites, ou plutôt des types de contre-conduites qui correspondent à ces formes de société dans lesquelles le "gouvernement des hommes" est devenu un des attributs de la société, sinon même sa fonction essentielle», il examine brièvement la question de leur «hérédité religieuse»:

«On invoque souvent l'hérédité religieuse des mouvements révolutionnaires de l'Europe moderne. Elle n'est pas directe. Ou en tout cas, ce n'est pas une filiation idéologie religieuse – idéologie révolutionnaire. Le lien est plus complexe et ne met pas en relation des idéologies. Au pastorat étatique se sont opposées des contre-conduites qui ont emprunté ou modulé certains de leurs thèmes sur les contre-conduites religieuses. C'est plutôt du côté des tactiques antipastorales, des fractures schismatiques ou hérétiques, du côté des luttes autour du pouvoir de l'Église, qu'il faut chercher la raison de certaine coloration des mouvements révolutionnaires. En tout cas, on a des phénomènes de filiation réelle: le socialisme utopique a [certainement?] des racines très réelles non pas dans des textes, des livres ou des idées, mais dans des pratiques assignables: communautés, colonies, organisations religieuses, comme les Quakers en Amérique, en Europe centrale, [...] et des phénomènes de parenté [ou] alternative: le méthodisme et la Révolution fr[ançais]e. Affaire d'idéologie religieuse ayant [absorbé?] le processus révolutionnaire? À moins que, dans un pays à structure étatique faible, à développement économique fort et à organisation pastorale multiple, les révoltes de conduite aient pu prendre plus [paradoxalement?] la forme "archaïque" d'une nouvelle pastorale.»

vous montrer qu'à partir de l'analyse relativement locale, relativement microscopique de ces formes de pouvoir qui sont caractérisées par le pastorat, à partir de là, il était tout à fait possible, je pense sans paradoxe ni contradiction, de rejoindre les problèmes généraux qui sont ceux de l'État, à condition justement que l'on [n'érige pas] l'État [en] une réalité transcendante dont l'histoire pourrait être faite à partir d'elle-même. L'histoire de l'État doit pouvoir se faire à partir de la pratique même des hommes, à partir de ce qu'ils font et de la manière dont ils pensent. L'État comme manière de faire, l'État comme manière de penser, je crois que ce n'est pas, [assurément], la seule possibilité d'analyse que l'on a quand on veut faire l'histoire de l'État, mais c'est une des possibilités qui est, je crois, suffisamment féconde – fécondité liée, dans mon esprit, au fait qu'on voit qu'il n'y a pas, entre le niveau du micro-pouvoir et le niveau du macro-pouvoir, quelque chose comme une coupure, que quand on parle de l'un on [n']exclut [pas] de parler de l'autre. En fait, une analyse en termes de micro-pouvoirs rejoint sans aucune difficulté l'analyse de problèmes comme ceux du gouvernement et de l'État.

*

NOTES

1. Nicolas Delamare, *Traité de la police, op. cit.* L'ouvrage se compose de trois volumes publiés à Paris, chez J. & P. Cot, en 1705 (t. I), puis chez P. Cot en 1710 (t. II) et chez M. Brunet en 1719 (t. III). Un quatrième tome, réalisé par A.-L. Lecler du Brillet, élève de Delamare, est venu compléter l'ensemble quinze ans après la mort de l'auteur: *Continuation du Traité de la police. De la voirie, de tout ce qui en dépend ou qui y a quelque rapport*, Paris, J.-F. Hérissant, 1738. Réédition augmentée des deux premiers tomes chez M. Brunet en 1722. Une réédition frauduleuse des quatre volumes, dite 2ᵉ édition, est parue à Amsterdam, « aux dépens de la Compagnie », en 1729-1739 (P.-M. Bondois, « Le Commissaire N. Delamare et le *Traité de la police* », art. cité [*supra*, p. 55, note 26], p. 322 n. 3). Le premier volume comprend les quatre premiers livres, I: « De la Police en général, & de ses Magistrats & Officers », II: « De la Religion », III: « Des Mœurs », IV: « De la Santé »; le deuxième volume, les 23 premiers titres du livre V: « Des Vivres »; le troisième volume, la suite du livre V; le quatrième, le livre VI: « De la Voirie ». Resté inachevé, l'ouvrage définitif ne constitue donc qu'une partie – à peine la moitié – du programme établi par Delamare (il manque les livres qui devaient être consacrés à la sûreté des villes et des grands chemins, aux sciences et aux arts libéraux, au commerce, aux arts mécaniques, aux serviteurs, domestiques et manouvriers, aux pauvres).

2. Cf. Edmé de La Poix de Fréminville, *Dictionnaire ou Traité de la police générale des villes, bourgs, paroisses et seigneuries de la campagne*, Paris, Gissey, 1758

(réimpr. Nîmes, Praxis, 1989) (recueil de règlements de police rangés par rubriques alphabétiques); Du Chesne (lieutenant de police à Vitry-en-Chapagne), *Code de la police, ou Analyse des règlemens de police,* Paris, Prault, 1757 (4ᵉ éd. 1768); J.-A. Sallé, *L'Esprit des ordonnances et des principaux édits déclarations de Louis XV, en matière civile, criminelle et beneficiale,* Paris, Bailly, 1771; Nicolas Des Essarts, *Dictionnaire universel de police,* Paris, Moutard, 1786-1791, 8 vol. (lequel, selon P.-M. Bondois, art. cité, p. 318 n. 1, «a tout à fait pillé» le *Traité de la police).*

3. N. Delamare, *Traité de la police,* t. I, livre I, titre I, p. 4: «[...] depuis la naissance du Christianisme, les Empereurs, & nos Rois ont ajoûté à cette ancienne division le soin & la discipline des Pauvres, comme une partie considerable du bien public, dont il ne se trouve aucun exemple dans la Police d'Athenes, ny dans celle de Rome Payenne.»

4. Delamare, quant à lui, n'en dénombre que onze. Cf. *ibid.*: «La Police, selon nous, est donc toute renfermée dans ces onze parties que l'on vient de parcourir: la Religion; la Discipline des mœurs; la Santé; les Vivres; la Sûreté, & la Tranquillité publique; la Voirie; les Sciences, & les Arts Libéraux; le Commerce, les Manufactures & les Arts Mecaniques; les Serviteurs Domestiques, les Manouvriers, & les Pauvres.» Cette différence tient au fait que Foucault fait apparaître le théâtre et les jeux comme une rubrique spéciale, alors qu'ils sont compris dans celle des mœurs, comme s'en explique Delamare, p. 4 (cf. note suivante), et distingue des domaines que réunit Delamare. Dans sa conférence «"Omnes et singulatim"» (art. cité, *DE,* IV, p. 157), en revanche, il parle bien des «onze objets de la police» selon Delamare.

5. *Traité de la police, loc. cit.*: «[...] au lieu que les Grecs se proposerent pour premier objet de leur Police la conservation de la vie naturelle, nous avons postposé ces soins à ceux qui la peuvent rendre bonne, & que nous divisons comme eux en deux points: la Religion, & les Mœurs.» (Cf. *ibid.,* p. 3: «Les premiers Legislateurs de ces celebres Republiques [grecques], considerant que la vie est le supost de tous les autres biens qui font l'objet de la Police, et que la vie même, si elle n'est accompagnée d'une bonne & sage conduite, & de tous les secours exterieurs qui luy sont necessaires, n'est qu'un bien fort imparfait, diviserent toute la Police en ces trois parties, la conservation, la bonté, & les agrémens de la vie.»)

6. *Ibid.*: «Quand nous avons repris pour second objet la conservation de la vie, nous avons encore suivi à cet égard la même subdivision, en appliquant les soins de notre Police à ces deux choses importantes: la santé, & la subsistance des Citoyens.»

7. *Ibid.*: «À l'égard de la commodité de la vie, qui étoit le troisième objet de la Police des Anciens, nous la subdivisons aussi comme eux en six points: la Tranquillité publique; les soins des Bâtimens, des Rûës, des Places publiques, & des Chemins; les Sciences, & les Arts libéraux; le Commerce; les Manufactures; les Arts mecaniques; les Domestiques, & les Manouvriers.»

8. *Ibid.*: «Nous avons enfin imité ces anciennes Républiques, dans les soins qu'elles donnerent à cette portion de la Police, qui concerne les agrémens de la vie. Il y a néanmoins cette difference entre les anciens & nous, que comme les jeux & les spectacles faisoient parmy eux une partie considerable du culte qu'ils rendaient à leurs Dieux, leurs Loix n'avoient en vûë que de les multiplier, & d'en augmenter la magnificence: au lieu que les nôtres plus conformes à la pureté de notre Religion & à nos mœurs, n'ont pour objet que d'en corriger les abus qu'une trop grande

licence pourroit y introduire, ou d'en assûrer la tranquillité. De-là vient qu'au lieu d'en faire, comme eux, un titre separé dans notre Police, nous les rangeons sous celuy qui concerne la discipline des mœurs. »

9. Cf. *supra,* note 3.

10. Cf. leçon précédente (29 mars), p. 335.

11. J. Domat, *Le Droit public, op. cit.,* livre I, titre VIII, éd. 1829, p. 150 : « [...] c'est par la nature qu'un des usages que Dieu a donnés aux mers, aux fleuves et aux rivières, est celui d'ouvrir des voies qui communiquent à tous les pays du monde par la navigation. Et c'est par la police, qu'on a fait des villes, et d'autres lieux où les hommes s'assemblent et se communiquent par l'usage des rues, des places publiques et des autres lieux propres à cet usage, et que ceux de chaque ville, de chaque province, de chaque nation peuvent communiquer à tous autres de tout pays, par les grands chemins. »

12. E. de La Poix de Fréminville, *Dictionnaire ou Traité de la police générale des villes..., op. cit.,* préface, p. VI.

13. *Ibid.*

14. Cf. *supra,* leçon du 22 mars, p. 305 *sq.*

15. Allusion à la critique situationniste du capitalisme, qui dénonçait le double règne du fétichisme de la marchandise et de la société du spectacle. Foucault y revient dans le cours suivant. Cf. *Naissance de la biopolitique, op. cit.,* leçon du 7 février 1979, p. 117.

16. Cf. par exemple Charles Loyseau, *Traité des seigneuries* (1608), que Foucault, dans les feuillets manuscrits sur la police auxquels il a déjà été fait référence (*supra,* p. 336, note 2), cite à partir de Delamare, *Traité de la police,* livre I, titre I, p. 2 : « C'est un Droit, dit ce savant Jurisconsulte, par lequel il est permis de faire d'Office, par le seul interêt du bien public, & sans postulation de personne, des Reglemens qui engagent, & qui lient tous les Citoyens d'une Ville, pour leur bien, & leur utilité commune. Et il ajoute, que le pouvoir du Magistrat de Police approche, & participe beaucoup plus de la puissance du Prince, que celuy du Juge qui n'a droit que de prononcer entre le Demandeur, & le Défendeur. »
Le texte original est le suivant : « [...] le droict de Police consiste proprement à pouvoir faire des réglemens particuliers pour tous les Citoyens de son distroit & terri-toire : ce qui excede la puissance d'un simple Juge qui n'a pouvoir, que de prononcer entre le demandeur & defendeur : & non pas de faire des réglemens sans postulation d'aucun demandeur, ni audition d'aucun defendeur, & qui concernent & lient tout un peuple : ainsi ce pouvoir approche & participe davantage de la puissance du Prince que non pas celui du Juge, attendu que ces réglemens sont comme loix, & ordonnances particulieres, qui sont aussi appelées proprement Edicts, comme il a esté dict cy-devant au troisième chapitre » (*Traité des seigneuries,* ch. IX, § 3, Paris, L'Angelier, 4ᵉ édition augmentée, 1613, p. 88-89).

17. Jean Bacquet (mort v. 1685), *Traicté des droits de justice,* Paris, L'Angelier, 1603, ch. 28 (« Si les droicts de Police, de Guet, et de Voirie, appartiennent aux haults Justiciers. Ou bien au Roy »), p. 381 : « Que le droict de Justice, & de Police, n'ont rien de commun l'un avec l'autre » (= titre du § 3). « Aussi dient que le droict de Justice ne contient en soy le droict de Police, ains sont droicts distincts & separez. Tellement qu'un seigneur, soubs ombre de sa justice, ne peut pas pretendre le droict de Police » (§ 3). « D'avantage, estant certain que l'exercice de la Police contient en soy la conservation & l'entretenement des habitans d'une ville, & du bien public d'icelle : on ne peut dire que le droict de Police appartienne à d'autres qu'au Roy » (§ 4).

18. Catherine II, *Supplément à l'Instruction pour un nouveau code* (= *Instructions pour la commission chargée de dresser le projet du nouveau code de loix)*, Saint-Pétersbourg, impr. de l'Académie des sciences, 1769, § 535 (cf. *Surveiller et Punir, op. cit.,* p. 215, où Foucault fait référence au même passage). Ce texte reproduit presque mot pour mot un passage de l'*Esprit des lois* de Montesquieu, livre XXVI, ch. 24 («Que les règlements de police sont d'un autre ordre que les autres lois civiles»): «Les matières de police sont des choses de chaque instant, et où il ne s'agit ordinairement que de peu: il ne faut donc guère de formalités. Les actions de la police sont promptes, et elle s'exerce sur des choses qui reviennent tous les jours: les grandes punitions n'y sont donc pas propres. Elle s'occupe perpétuellement de détails: les grands exemples ne sont donc point faits pour elle» (Montesquieu, *O.C.,* éd. citée [«Bibliothèque de la Pléiade»], t. I, p. 775-776.

19. Catherine II, *Supplément…*; Montesquieu, *loc. cit.,* p. 776: «Elle a plutôt des règlements que des lois.»

20. Cf. *supra,* note 16.

21. M. Guillauté (officier de la maréchaussée de l'Ile-de-France), *Mémoire sur la réformation de la police de France, soumis au roi en 1749,* Paris, Hermann, 1974, p. 19: «Nous n'avons de villes régulières que celles qui ont été incendiées, et il semblerait que pour avoir un système de police bien lié, dans toutes ses parties, il faudrait brûler ce que nous en avons de recueilli; mais ce remède est impraticable, et selon toute apparence, nous en sommes réduits pour jamais à un vieil édifice qu'on ne peut raser, et qu'il faut étayer de toute part. […] Il ne s'agit pas de faire de la société une maison religieuse, cela n'est pas possible: il faut diminuer autant qu'on peut certains inconvénients: mais il serait peut-être dangereux de les anéantir. Il faut supposer les hommes comme ils sont, et non comme ils devraient être. Il faut combiner ce que l'état actuel de la société permet ou ne permet pas, et travailler d'après ces principes.»

22. Cf. *Surveiller et Punir,* p. 135-196 (IIIᵉ partie: «Discipline»).

23. Cf. *supra,* leçon du 18 janvier, p. 33-35.

24. Sur le «bon prix» des grains, voir par exemple F. Quesnay, art. «Grains» (1757), in *op. cit.* [*F. Quesnay et la physiocratie,* t. 2], p. 507-509, et art. «Hommes», *ibid.,* p. 528-530; cf. également G. Weulersse, *Le Mouvement physiocratique, op. cit.,* livre II, ch. 3: «Le "bon prix" des grains», p. 474-577; *Les Physiocrates, op. cit.,* ch. 4: «Le programme commercial: le Bon prix des grains», p. 129-171.

25. Au sens du bon prix, ou du prix de marché (cf. S. L. Kaplan, *Le Pain, le Peuple et le Roi,* trad. citée [*supra,* p. 51, note 4] note 14 du ch. II, p. 402: «[…] pour Turgot, le "juste prix" était toujours censé représenter le vrai prix du marché, que l'époque fût calme ou troublée. Dans ce sens, le juste prix est le prix normal, ce que les économistes appellent le bon prix» (sur cette notion, cf. note précédente). Sur le sens du concept de «juste prix» dans la tradition théologico-morale et le discours de la police jusqu'au XVIIIᵉ siècle, cf. *Naissance de la biopolitique,* leçon du 17 janvier 1979, p. 49 n. 2.

26. Cf. *supra,* p. 85, notes 19 et 24.

27. Cf. *supra,* leçon du 8 mars, p. 251.

28. Cf. par exemple Grimm, qui ridiculisait tous les travers de la secte, «son culte, ses cérémonies, son jargon et ses mystères» (cité par G. Weulersse, *Les Physiocrates,* p. 25).

29. Cf. *supra,* leçon du 8 mars, p. 238-240.

30. *Ibid.*

31. M. Foucault reviendra plus longuement sur ce concept de société civile dans la dernière leçon (4 avril 1979) de *Naissance de la biopolitique,* p. 299 *sq.*

32. Cf. l'article «Évidence» de l'*Encyclopédie* (t. VI, 1756), rédigé par Quesnay sous le voile de l'anonymat (in *F. Quesnay et la physiocratie,* t. 2, p. 397-426).

33. Cette expression, déjà employée à la fin de la leçon du 8 mars (cf. *supra,* p. 253: «Je sais bien qu'il y en a qui disent qu'à parler du pouvoir, on ne fait pas autre chose que développer une ontologie intérieure et circulaire du pouvoir»), renvoie aux critiques adressées par certains à l'analyse du pouvoir mise en chantier par Foucault depuis le milieu des années soixante-dix.

# Résumé du cours*

\* Publié in *Annuaire du Collège de France, 78ᵉ année, Histoire des systèmes de pensée, année 1977-1978*, 1978, p. 445-449. Repris dans *Dits et Écrits, 1954-1968*, édité par D. Defert & F. Ewald, avec la collaboration de J. Lagrange, Paris, Gallimard (« Bibliothèque des sciences humaines »), 1994, 4 vol.; cf. t. III, n° 255, p. 719-723. [Cf. *infra*, p. 393, note 62.]

Le cours a porté sur la genèse d'un savoir politique qui allait placer, au centre de ses préoccupations, la notion de population et les mécanismes susceptibles d'en assurer la régulation. Passage d'un «État territorial» à un «État de population»? Sans doute pas, car il ne s'agit pas d'une substitution, mais plutôt d'un déplacement d'accent et de l'apparition de nouveaux objectifs, donc, de nouveaux problèmes et de nouvelles techniques.

Pour suivre cette genèse, on a pris pour fil directeur la notion de «gouvernement».

1. Il faudrait faire une enquête approfondie sur l'histoire non seulement de la notion, mais des procédures et moyens mis en œuvre pour assurer, dans une société donnée, le «gouvernement des hommes». En toute première approche, il semble que, pour les sociétés grecques et romaines, l'exercice du pouvoir politique n'impliquait ni le droit ni la possibilité d'un «gouvernement» entendu comme activité qui entreprend de conduire les individus tout au long de leur vie en les plaçant sous l'autorité d'un guide responsable de ce qu'ils font et de ce qui leur arrive. Suivant les indications fournies par P. Veyne, il semble que l'idée d'un souverain-pasteur, d'un roi ou magistrat-berger du troupeau humain ne se trouve guère que dans les textes grecs archaïques ou chez certains auteurs peu nombreux de l'époque impériale. En revanche, la métaphore du berger veillant sur ses brebis est acceptée lorsqu'il s'agit de caractériser l'activité du pédagogue, du médecin, du maître de gymnastique. L'analyse du *Politique* confirmerait cette hypothèse.

C'est en Orient que le thème du pouvoir pastoral a pris son ampleur – et surtout dans la société hébraïque. Un certain nombre de traits marquent ce thème: le pouvoir du berger s'exerce moins sur un territoire fixe que sur une multitude en déplacement vers un but; il a pour rôle de fournir au troupeau sa subsistance, de veiller quotidiennement sur lui et d'assurer son salut; enfin, il s'agit d'un pouvoir qui individualise en accordant, par un paradoxe essentiel, autant de prix à une seule des brebis qu'au troupeau tout entier. C'est ce type de pouvoir qui a été introduit en Occident par le christianisme et qui a pris une forme institutionnelle dans le pastorat ecclésiastique : le gouvernement des âmes se constitue dans l'Église chrétienne comme une activité centrale et savante, indispensable au salut de tous et de chacun.

Or les XVe et XVIe siècles voient s'ouvrir et se développer une crise générale du pastorat. Pas seulement et pas tellement comme un rejet de l'institution pastorale, mais sous une forme beaucoup plus complexe : recherche d'autres modalités (et pas forcément moins strictes) de direction spirituelle et de nouveaux types de rapports entre pasteur et troupeau ; mais aussi recherches sur la façon de « gouverner » les enfants, une famille, un domaine, une principauté. La mise en question générale de la manière de gouverner et de se gouverner, de conduire et de se conduire, accompagne, à la fin de la féodalité, la naissance de nouvelles formes de rapports économiques et sociaux et les nouvelles structurations politiques.

2. On a ensuite analysé, sous quelques-uns de ses aspects, la formation d'une « gouvernementalité » politique : c'est-à-dire la manière dont la conduite d'un ensemble d'individus s'est trouvée impliquée, de façon de plus en plus marquée, dans l'exercice du pouvoir souverain. Cette transformation importante se signale dans les différents « arts de gouverner » qui ont été rédigés, à la fin du XVIe siècle et dans la première moitié du XVIIe. Elle est liée sans doute à l'émergence de la « raison d'État ». On passe d'un art de gouverner dont les principes étaient empruntés aux vertus traditionnelles (sagesse, justice, libéralité, respect des lois divines et des coutumes humaines) ou aux habiletés communes (prudence, décisions réfléchies, soin à s'entourer des meilleurs conseillers) à un art de gouverner dont la rationalité a ses principes et son domaine d'application spécifique dans l'État. La « raison d'État » n'est pas l'impératif au nom duquel on peut ou doit bousculer toutes les autres règles ; c'est la nouvelle matrice de rationalité selon laquelle le Prince doit exercer sa souveraineté en gouvernant les hommes. On est loin de la vertu du souverain de justice, loin aussi de cette vertu qui est celle du héros de Machiavel.

Le développement de la raison d'État est corrélative de l'effacement du thème impérial. Rome, enfin, disparaît. Une nouvelle perception historique se forme ; elle n'est plus polarisée sur la fin des temps et l'unification de toutes les souverainetés particulières dans l'empire des derniers jours ; elle est ouverte sur un temps indéfini où les États ont à lutter les uns contre les autres pour assurer leur survie propre. Et plus que les problèmes de légitimité d'un souverain sur un territoire, ce qui va apparaître comme important, c'est la connaissance et le développement des forces d'un État : dans un espace (à la fois européen et mondial) de concurrence étatique, très différent de celui où s'affrontaient les rivalités dynastiques, le problème majeur, c'est celui d'une dynamique des forces et des techniques rationnelles qui permettent d'y intervenir.

Ainsi, la raison d'État, en dehors des théories qui l'ont formulée et justifiée, prend forme dans deux grands ensembles de savoir et de technologie politiques : une technologie diplomatico-militaire, qui consiste à assurer et développer les forces de l'État par un système d'alliances et par l'organisation d'un appareil armé ; la recherche d'un équilibre européen, qui fut l'un des principes directeurs des traités de Westphalie, est une conséquence de cette technologie politique. L'autre est constitué par la « police », au sens qu'on donnait alors à ce mot : c'est-à-dire l'ensemble des moyens nécessaires pour faire croître, de l'intérieur, les forces de l'État. Au point de jonction de ces deux grandes technologies, et comme instrument commun, il faut placer le commerce et la circulation monétaire interétatique : c'est de l'enrichissement par le commerce qu'on attend la possibilité d'augmenter la population, la main-d'œuvre, la production et l'exportation, et de se doter d'armées fortes et nombreuses. Le couple population-richesse fut, à l'époque du mercantilisme et de la caméralistique, l'objet privilégié de la nouvelle raison gouvernementale.

3. C'est l'élaboration de ce problème population-richesse (sous ses différents aspects concrets : fiscalité, disettes, dépeuplements, oisiveté-mendicité-vagabondage) qui constitue l'une des conditions de formation de l'économie politique. Celle-ci se développe lorsqu'on se rend compte que la gestion du rapport ressources-population ne peut plus passer exhaustivement par un système réglementaire et coercitif qui tendrait à majorer la population pour augmenter les ressources. Les physiocrates ne sont pas antipopulationnistes par opposition aux mercantilistes de l'époque précédente ; ils posent autrement le problème de la population. Pour eux, la population n'est pas la simple somme des sujets qui habitent un territoire, somme qui serait le résultat de la volonté de chacun d'avoir des enfants ou d'une législation qui favoriserait ou défavoriserait les naissances. C'est une variable dépendant d'un certain nombre de facteurs. Ceux-ci ne sont pas tous naturels tant s'en faut (le système des impôts, l'activité de la circulation, la répartition du profit sont des déterminants essentiels du taux de population). Mais cette dépendance peut s'analyser rationnellement, de sorte que la population apparaît comme

« naturellement » dépendante de facteurs multiples et qui peuvent être artificiellement modifiables. Ainsi commence à apparaître, en dérivation par rapport à la technologie de « police » et en corrélation avec la naissance de la réflexion économique, le problème politique de la population. Celle-ci n'est pas conçue comme une collection de sujets de droit, ni comme un ensemble de bras destinés au travail ; elle est analysée comme un ensemble d'éléments qui, d'un côté, se rattache au régime général des êtres vivants (la population relève alors de « l'espèce humaine » : la notion, nouvelle à l'époque, est à distinguer du « genre humain ») et, de l'autre, peut donner prise à des interventions concertées (par l'intermédiaire des lois, mais aussi des changements d'attitude, de manière de faire et de vivre qu'on peut obtenir par les « campagnes »).

SÉMINAIRE

Le séminaire a été consacré à quelques-uns des aspects de ce que les Allemands ont appelé au XVIII<sup>e</sup> siècle la *Polizeiwissenschaft* : c'est-à-dire la théorie et l'analyse de tout « ce qui tend à affirmer et à augmenter la puissance de l'État, à faire bon emploi de ses forces, à procurer le bonheur de ses sujets » et principalement « le maintien de l'ordre et de la discipline, les règlements qui tendent à leur rendre la vie commode et à leur procurer les choses dont ils ont besoin pour subsister ».

On a cherché à montrer à quels problèmes cette « police » devait répondre ; combien le rôle qu'on lui assignait était différent de celui qui allait être plus tard dévolu à l'institution policière ; quels effets on attendait d'elle pour assurer la croissance de l'État, et cela en fonction de deux objectifs : lui permettre de marquer et d'améliorer sa place dans le jeu des rivalités et des concurrences entre États européens et garantir l'ordre intérieur par le « bien-être » des individus. Développement de l'État de concurrence (économico-militaire), développement de l'État de *Wohlfahrt* (richesse-tranquillité-bonheur) ; ce sont ces deux principes que la « police » entendue comme art rationnel de gouverner doit pouvoir coordonner. Elle est conçue à cette époque comme une sorte de « technologie des forces étatiques ».

Parmi les principaux objets dont cette technologie a à s'occuper, la population, dans laquelle les mercantilistes ont vu un principe d'enrichissement et dans laquelle tout le monde reconnaît une pièce essentielle de la force des États. Et, pour gérer cette population, il faut entre autres choses une politique de santé qui soit susceptible de diminuer la mortalité infantile, de prévenir les épidémies et de faire baisser les taux d'endémie, d'intervenir dans les conditions de vie, pour les modifier et leur imposer des normes (qu'il s'agisse de l'alimentation, de l'habitat ou de l'aménagement des villes) et d'assurer des équipements médicaux suffisants. Le développement à partir de la seconde moitié du XVIIIᵉ siècle de ce qui fut appelé *Medizinische Polizei,* hygiène publique, *social medicine,* doit être réinscrit dans le cadre général d'une « biopolitique » ; celle-ci tend à traiter la « population » comme un ensemble d'êtres vivants et coexistants, qui présentent des traits biologiques et pathologiques particuliers et qui par conséquent relèvent de savoirs et de techniques spécifiques. Et cette « biopolitique » elle-même doit être comprise à partir d'un thème développé dès le XVIIᵉ siècle : la gestion des forces étatiques.

Des exposés ont été faits sur la notion de *Polizeiwissenschaft* (P. Pasquino), sur les campagnes de variolisation au XVIIIᵉ siècle (A.-M. Moulin), sur l'épidémie de choléra à Paris en 1832 (F. Delaporte), sur la législation des accidents du travail et le développement des assurances au XIXᵉ siècle (F. Ewald).

Michel Senellart *

# Situation des cours

* Michel Senellart est professeur de philosophie politique à l'École normale supérieure des lettres et sciences humaines de Lyon. Il est l'auteur de *Machiavélisme et Raison d'État* (Paris, PUF, 1989), *Les Arts de gouverner* (Paris, Le Seuil, 1995). Il a également traduit l'*Histoire du droit public en Allemagne, 1600-1800. Théorie du droit public et science de la police,* de M. Stolleis (Paris, PUF, 1998).

Les deux cours de Michel Foucault, que nous publions simultanément, *Sécurité, Territoire, Population* (1978) et *Naissance de la biopolitique* (1979), forment un diptyque dont l'unité réside dans la problématique du bio-pouvoir, introduite pour la première fois en 1976[1]. C'est par le rappel de ce concept que s'ouvre le premier cours ; c'est lui également qui signale, dès le titre, le programme du second. Il semblerait, par conséquent, que les deux cours ne fassent rien d'autre que retracer la genèse de ce « pouvoir sur la vie » dans l'émergence duquel, au XVIIIᵉ siècle, Foucault voyait une « mutation capitale, l'une des plus importantes sans doute, dans l'histoire des sociétés humaines ».[2]. Ils s'inscriraient ainsi dans la parfaite continuité des conclusions du cours de 1976. Après une interruption d'un an – le cours n'eut pas lieu en 1977 –, Foucault aurait repris la parole au point même où il s'était arrêté, afin de donner consistance, par l'analyse historique, à une hypothèse formulée jusque-là en termes très généraux.

La mise en œuvre de ce projet, toutefois, le conduit à des détours qui l'éloignent, en apparence, de son objectif initial et réorientent le cours dans une direction nouvelle. Tout se passe en effet comme si l'hypothèse du bio-pouvoir, pour devenir véritablement opératoire, requérait d'être resituée dans un cadre plus large. L'étude annoncée des mécanismes par lesquels l'espèce humaine est entrée, au XVIIIᵉ siècle, dans une stratégie générale de pouvoir, présentée comme l'esquisse d'une « histoire des technologies de sécurité »[3], cède la place, dès la quatrième leçon du cours de 1978, au projet d'une histoire de la « gouvernementalité » depuis les premiers siècles de l'ère chrétienne. De même, l'analyse des conditions de formation de la biopolitique, dans le second cours, s'efface-t-elle

---

1. Cf. *« Il faut défendre la société »*. *Cours au Collège de France, 1975-1976*, éd. par M. Bertani & A. Fontana, Paris, Gallimard - Le Seuil (« Hautes Études »), 1997, leçon du 17 mars 1976, p. 216-226 ; *La Volonté de savoir*, Paris, Gallimard (« Bibliothèque des histoires »), 1976, p. 181-191.
2. « Les mailles du pouvoir » (1976), *DE*, IV, n° 297, p. 194.
3. *Supra*, ce volume [ultérieurement : *STP*], leçon du 11 janvier 1978, p. 12.

aussitôt au profit de celle de la gouvernementalité libérale. Dans l'un et l'autre cas, il s'agit bien de mettre au jour les formes d'expérience et de rationalité à partir desquelles s'est organisé, en Occident, le pouvoir sur la vie. Mais cette recherche a pour effet, en même temps, de déplacer le centre de gravité des cours de la question du bio-pouvoir à celle du gouvernement, au point que celle-ci, finalement, éclipse presque entièrement celle-là. Il est tentant, dès lors, à la lumière des travaux ultérieurs de Foucault, de voir en ces cours le moment d'un tournant radical, où s'amorcerait le passage à la problématique du « gouvernement de soi et des autres »[4]. Rompant avec le discours de la « bataille » utilisé depuis le début des années soixante-dix[5], le concept de « gouvernement » marquerait le premier glissement, accentué dès 1980, de l'analytique du pouvoir à l'éthique du sujet.

La généalogie du bio-pouvoir, si elle est abordée de façon oblique et reste, de ce fait, très allusive, ne cesse pourtant de constituer l'horizon des deux cours. Foucault conclut le résumé du second, en 1979, par ces mots :

> Ce qui devrait donc être étudié maintenant, c'est la manière dont les problèmes spécifiques de la vie et de la population ont été posés à l'intérieur d'une technologie de gouvernement qui, sans avoir, loin de là, toujours été libérale, n'a pas cessé d'être hantée depuis la fin du XVIIIe siècle par la question du libéralisme[6].

C'est donc bien ce projet, auquel se réfère encore le titre du cours de l'année suivante – « Du gouvernement des vivants »[7] –, qui oriente alors la recherche de Foucault, à travers ses nombreux méandres. La question du bio-pouvoir, toutefois, est inséparable du travail qu'il poursuit,

---

4. Titre des deux derniers cours des années 1983 et 1984. C'est également celui du livre annoncé par Foucault, en 1983, dans la collection « Des travaux » qu'il venait de créer au Seuil avec Paul Veyne et François Wahl. Voir le résumé du cours de 1981, « Subjectivité et vérité », *DE,* IV, n° 304, p. 214, où Foucault énonce son projet de reprendre la question de la gouvernementalité sous un nouvel aspect : « le gouvernement de soi par soi dans son articulation avec les rapports à autrui ».

5. « La Société punitive » (inédit), leçon du 28 mars 1973 : « Le pouvoir se gagne comme une bataille et se perd de même. C'est un rapport belliqueux et non un rapport d'appropriation qui est au cœur du pouvoir. » Cf. également *Surveiller et Punir,* Paris, Gallimard (« Bibliothèque des histoires »), 1975, p. 31. Le cours de 1976, *« Il faut défendre la société »,* avait pour objet, sinon de donner congé à cette conception, du moins d'interroger les présupposés et les conséquences historiques du recours au modèle de la guerre comme analyseur des relations de pouvoir.

6. *Naissance de la biopolitique. Cours au Collège de France, 1978-1979,* éd. par M. Senellart, Paris, Gallimard-Le Seuil (« Hautes Études »), 2004 [ultérieurement : *NBP*], « Résumé du cours », p. 329.

7. Ce cours traite en fait du gouvernement des âmes, à travers le problème de l'examen de conscience et de l'aveu.

parallèlement aux cours, sur l'histoire de la sexualité. Celle-ci, affirmait-il en 1976, «est exactement au carrefour du corps et de la population[8]». À partir de 1978, et tout au long du cheminement qui aboutira, en 1984, à *L'Usage des plaisirs* et au *Souci de soi,* elle se charge d'une signification nouvelle, ne représentant plus seulement le point d'articulation des mécanismes disciplinaires et des dispositifs de régulation, mais le fil conducteur d'une réflexion éthique centrée sur les techniques de soi. Mise au jour d'un plan d'analyse sans doute absent des travaux antérieurs, mais dont les contours se dessinent, dès 1978, dans la problématique de la gouvernementalité.

\*

Il convient, en premier lieu, de rappeler certains éléments du contexte historique, politique et intellectuel dans lequel s'inscrivent ces cours[9].

La réflexion qu'engage Foucault sur la rationalité gouvernementale moderne participe, tout d'abord, de l'essor d'une pensée de gauche – à laquelle contribuait la «deuxième gauche»[10] – ayant pris ses distances par rapport au marxisme et ouverte à de nouvelles questions (la vie quotidienne, la situation des femmes, l'autogestion, etc.[11]). Il assista, en septembre 1977, au forum sur «la gauche, l'expérimentation et le changement social» organisé par *Faire* et *Le Nouvel Observateur*[12] : «J'écris et je travaille pour les gens qui sont là, ces gens nouveaux qui posent des questions nouvelles[13].» Ce souci de participer à la rénovation de

---

8. *« Il faut défendre la société »,* p. 224.

9. Nous ne mentionnerons, ici, que les événements auxquels a été lié Foucault et qui ont trouvé un écho, direct ou indirect, dans les cours.

10. C'est en juin 1977, au congrès du Parti socialiste, à Nantes, que «Michel Rocard développe sa conception des deux cultures politiques de la gauche : l'une jacobine, étatique, qui accepte l'alliance avec les communistes, l'autre décentralisatrice et régionaliste, qui la refuse, bientôt appelée "deuxième gauche"» (D. Defert, «Chronologie», *DE,* I, p. 51).

11. Pour un regard rétrospectif sur cette période, cf. son entretien avec G. Raulet au printemps 1983, «Structuralisme et poststructuralisme», *DE,* IV, n° 330, p. 453-454 : «Nouveaux problèmes, nouvelle pensée, cela a été capital. Je crois qu'un jour quand on regardera cet épisode-là de l'histoire de France [depuis les premières années du gaullisme], on y verra le jaillissement d'une nouvelle pensée de gauche, qui, sous des formes multiples et sans unité – peut-être l'un de ses aspects positifs –, a complètement changé l'horizon sur lequel se situent les mouvements de gauche actuels.»

12. Pour plus de détails sur ce forum, cf. l'introduction à l'interview de Foucault, «Une mobilisation culturelle» (*Le Nouvel Observateur,* 12-18 septembre 1977), *DE,* III, n° 207, p. 329-330 (il s'était inscrit dans l'atelier «médecine de quartier»). Voir également le supplément spécial *Forum,* «Les hommes du vrai changement», dans le même numéro du *Nouvel Observateur,* p. 47-62.

13. «Une mobilisation culturelle», *loc. cit.,* p. 330.

la culture de gauche, à l'écart des stratégies de parti, explique son refus de prendre position aux élections législatives de mars 1978 [14]. C'est dans le cadre, également, des débats suscités par l'échec de la gauche à ce scrutin et la perspective de l'élection présidentielle en 1981, qu'il faut entendre la question posée l'année suivante :

> Y a-t-il une gouvernementalité adéquate au socialisme? Quelle gouverne-mentalité est possible comme gouvernementalité strictement, intrinsèquement, autonomement socialiste? En tout cas, […] s'il y a une gouvernementalité effectivement socialiste, elle n'est pas cachée à l'intérieur du socialisme et de ses textes. On ne peut pas l'en déduire. Il faut l'inventer [15].

Cette question, qui donne tout son relief à l'analyse de la gouvernemen-talité néolibérale développée dans le cours, ne cessera d'occuper Foucault. Elle est au principe du projet de « livre blanc » sur la politique socialiste qu'il proposera en 1983 : « Y a-t-il une problématique du gouvernement chez les socialistes ou n'ont-ils qu'une problématique de l'État? [16] »

Autre phénomène important dont les cours répercutent, en certains passages, l'immense retentissement : le mouvement de dissidence sovié-tique, qui bénéficie alors d'un soutien de plus en plus large. Foucault, qui avait rencontré Leonid Plioutch à son arrivée à Paris en 1976, organisa en juin 1977 une soirée au théâtre Récamier avec un certain nombre de dissidents, pour protester contre la visite en France de Leonid Brejnev [17]. C'est en référence à ce mouvement qu'il théorise pour la première fois, quelques mois plus tard, le « droit des gouvernés, […] plus précis, plus historiquement déterminé que les droits de l'homme », au nom de « la légitime défense à l'égard des gouvernements [18] ». Le mot de « dissi-dence » entre alors, pour un temps, dans son propre vocabulaire. Il écrit par exemple, à la fin de 1977, en préface au livre de Mireille Debard et

14. Cf. « La grille politique traditionnelle » (*Politique-Hebdo,* 6-12 mars 1978), *DE,* III, n° 227, p. 506.
15. *NBP,* leçon du 31 janvier 1979, p. 95.
16. Cité par D. Defert, « Chronologie », *loc. cit.,* p. 62.
17. *Ibid.,* p. 51. Cf. D. Macey, *The Lives of Michel Foucault,* New York, Pantheon Books, 1993 / *Michel Foucault,* trad. P.-E. Dauzat, Paris, Gallimard (« Biographies »), 1994, p. 388-390.
18. « Va-t-on extrader Klaus Croissant ? » (*Le Nouvel Observateur,* 14 novembre 1977), *DE,* III, n° 210, p. 362 et 364 : « La conception traditionnelle [du droit d'asile] situait le "politique" du côté de la lutte contre les gouvernants et leurs adversaires ; la conception actuelle, née de l'existence des régimes totalitaires, est centrée autour d'un personnage qui n'est pas tellement le "futur gouvernant", mais le "perpétuel dissi-dent" – je veux dire celui qui est en désaccord global avec le système dans lequel il vit, qui exprime ce désaccord avec les moyens qui sont à sa disposition et qui est poursuivi de ce fait. »

Jean-Luc Hennig, *Les Juges kaki*[19] : « Il s'agit de multiplier dans le tissu politique les "points de répulsion" et d'étendre la surface des dissidences possibles[20]. » La banalisation du terme, toutefois, semble l'avoir assez vite agacé, puisqu'il en récuse l'emploi, dans le cours de 1978, à propos des révoltes de conduite[21].

Mais c'est l'affaire Klaus Croissant qui constitue l'événement principal, fin 1977, du point de vue de l'engagement personnel de Foucault. Avocat de la « bande à Baader » *(Rote Armee Fraktion),* Klaus Croissant avait demandé le droit d'asile en France, où il avait trouvé refuge en juillet 1977. Le 18 octobre, trois dirigeants de la RAF, emprisonnés depuis 1972 à Stuttgart, étaient retrouvés morts dans leur cellule. Le 19, par mesure de représailles, des membres du groupe assassinaient le président du patronat, Hanns-Martin Schleyer, qui avait été enlevé le 5 septembre. Incarcéré à la Santé le 24 octobre, Klaus Croissant était extradé le 16 novembre. Foucault, qui participa à la manifestation devant la Santé ce jour-là, avait pris fermement position en faveur de la reconnaissance du droit d'asile pour Croissant. Les articles et interviews qu'il publia à cette occasion présentent un intérêt tout particulier au regard de ses deux prochains cours. Outre l'appel, déjà évoqué, au « droit des gouvernés »[22], il y introduit en effet l'idée du « pacte de sécurité » qui lie désormais l'État à la population :

> Que se passe-t-il donc aujourd'hui ? Le rapport d'un État à la population se fait essentiellement sous la forme de ce qu'on pourrait appeler le « pacte de sécurité ». Autrefois, l'État pouvait dire : « Je vais vous donner un territoire » ou : « Je vous garantis que vous allez pouvoir vivre en paix dans vos frontières ». C'était le pacte territorial, et la garantie des frontières était la grande fonction de l'État[23].

Le titre du cours de 1978 – *Sécurité, Territoire, Population* – est déjà tout entier dans cette phrase. Mais Foucault insiste également, et de façon plus claire sans doute que dans les cours, sur les formes spécifiques de lutte qu'appellent les « sociétés de sécurité ». C'est pourquoi il importe, à ses yeux, de ne pas rabattre ce nouveau type de pouvoir sur les catégories

---

19. Paris, A. Moreau, 1977.
20. « Préface », *DE*, III, n° 191, p. 140. Ce texte parut en bonnes feuilles dans *Le Monde* du 1-2 décembre 1977.
21. Cf. *STP,* leçon du 1er mars 1978, p. 205 : « Après tout, dit-il, qui aujourd'hui ne fait pas sa théorie de la dissidence ? »
22. Cf. *supra,* note 18.
23. « Michel Foucault : la sécurité et l'État » *(Tribune socialiste,* 24-30 novembre 1977), *DE*, III, n° 213, p. 385. Cf. également « Lettre à quelques leaders de la gauche » *(Le Nouvel Observateur,* 28 novembre - 4 décembre 1977), *DE*, III, n° 214, p. 390.

traditionnelles de la pensée politique ni de l'attaquer à travers la grille d'analyse du «fascisme» ou du «totalitarisme». Cette critique, répétée dans le cours de 1979 [24], ne vise pas seulement les thèses gauchistes dont Foucault fut longtemps assez proche. Elle explique également son refus du terrorisme, comme moyen d'action tirant sa légitimité de la lutte antifasciste [25]. Son soutien à Croissant, au nom de la défense du droit d'asile, excluait donc toute solidarité avec le terrorisme. Position qui fut à l'origine, sans doute, de sa brouille avec Gilles Deleuze, qu'il ne devait plus revoir ensuite [26].

L'affaire Croissant met en évidence l'importance de la «question allemande» dans la réflexion politique de Foucault. Ainsi qu'il le déclare au *Spiegel,* un an plus tard : «Ignorer purement et simplement l'Allemagne fut toujours pour la France un moyen de désamorcer les problèmes politiques ou culturels qu'elle lui posait [27]. » Cette question se pose à deux

24. Cf. *NBP,* leçon du 7 mars 1979, p. 191 *sq.,* cf. p. 197: «[…] je crois que ce qu'il ne faut pas faire, c'est s'imaginer que l'on décrive un processus réel, actuel et nous concernant nous, quand on dénonce l'étatisation ou la fascisation, l'instauration d'une violence étatique, etc.»

25. Sur l'opposition de ce type de terrorisme groupusculaire à un terrorisme ancré dans un mouvement national et, de ce fait, «moralement justifié, […] même si on peut être très hostile à tel ou tel type d'action», cf. «Michel Foucault: la sécurité et l'État», *loc. cit.,* p. 383-384 (position très proche de celle soutenue par R. Badinter, «Terrorisme et liberté», *Le Monde,* 14 octobre 1977). Cf. également «Le savoir comme crime» (*Jyôkyô,* avril 1976), *DE,* III, n° 174, p. 83, sur la contre-productivité, en Occident, du terrorisme qui ne peut obtenir que le contraire de ce qu'il vise: «[…] la terreur n'entraîne que l'obéissance aveugle. Employer la terreur pour la révolution: c'est en soi une idée totalement contradictoire.»

26. Cf. D. Eribon, *Michel Foucault,* Paris, Flammarion, 1989, p. 276, qui cite, à l'appui de cette explication, un passage du journal de Claude Mauriac, daté de mars 1984 (*Le Temps immobile,* t. IX, Paris, Grasset, p. 388). Deleuze avait publié, avec Guattari, un article sur Klaus Croissant et le groupe Baader (*Le Monde,* 2 novembre 1977), «Le pire moyen de faire l'Europe», dans lequel, présentant la République fédérale comme un pays «en état d'exporter son modèle judiciaire, policier et "informatif" et de devenir l'organisateur qualifié de la répression et de l'intoxication dans les autres États», il exprimait sa crainte que «l'Europe entière passe sous ce type de contrôle réclamé par l'Allemagne», et cautionnait l'action terroriste: «[…] la question de la violence, et même du terrorisme, n'a pas cessé d'agiter le mouvement révolutionnaire et ouvrier depuis le siècle dernier, sous des formes très diverses, comme réponse à la violence impérialiste. Les mêmes questions se posent aujourd'hui en rapport avec le peuples du tiers-monde, dont Baader et son groupe se réclament, considérant l'Allemagne comme un agent essentiel de leur oppression» (réed. *in* G. Deleuze, *Deux Régimes de fous, et autres textes,* Paris, Minuit, «Paradoxe», 2003, p. 137-138). Cf. également D. Macey, *Michel Foucault,* trad. citée, p. 403 («Foucault avait refusé de signer une pétition que faisait circuler Félix Guattari et qui s'opposait également à l'extradition de Klaus Croissant, mais qualifiait l'Allemagne de "fasciste" […]»). C'est dans ce contexte que s'inscrit le texte de Jean Genet, cité par Foucault in *STP,* leçon du 15 mars 1978 (*supra,* p. 270).

27. «Une énorme surprise» (*Der Spiegel,* 30 octobre 1978), *DE,* III, n° 247, p. 699-700.

niveaux : celui de la division de l'Europe en bloc antagonistes (quels effets en résultent pour l'Allemagne «coupée en deux»?[28]), et celui de la construction de la Communauté européenne (quelle place y occupe la République fédérale?). De là, les longs développements consacrés, en 1979, au «modèle allemand», à travers l'analyse de la pensée ordo-libérale d'après-guerre :

> [L]e modèle allemand, [...] ce n'est pas le modèle si souvent disqualifié, banni, honni, vomi de l'État bismarckien devenant hitlérien. Le modèle allemand qui se diffuse, [...] qui est en question, [...] qui fait partie de notre actualité, qui la structure et qui la profile sous sa découpe réelle, ce modèle allemand, c'est la possibilité d'une gouvernementalité néolibérale[29].

La «question allemande», telle que la pose de façon aiguë le débat sur le terrorisme, est donc, pour Foucault, l'une des clés essentielles de la compréhension politique du présent. C'est à cette préoccupation, également, que se rattachent ses deux voyages à Berlin, en décembre 1977 et mars 1978, pour rencontrer les militants de la gauche alternative[30].

En avril 1978, après avoir achevé son cours, Foucault effectue un voyage de trois semaines au Japon. Il y prononce des conférences dans lesquelles il résume son analyse du pouvoir pastoral[31] et la resitue dans la perspective de l'*Histoire de la sexualité*[32] dont il rédige alors le deuxième tome[33]. Il y expose, en outre, sa conception du rôle du philosophe comme «modérateur du pouvoir», dans la grande tradition, qui remonte à Solon, du philosophe anti-despote, mais à rebours de ses formes classiques[34] :

28. Reprenant à son compte les paroles d'un écrivain d'Allemagne de l'Est, Heiner Müller, Foucault dit en novembre 1977 : «Plutôt que d'invoquer les vieux démons à propos de l'Allemagne, il faut se référer à la situation actuelle : l'Allemagne coupée en deux. [...] On ne peut pas comprendre la multiplication des mesures de sécurité en Allemagne fédérale sans tenir compte d'une peur très réelle qui vient de l'Est» («Michel Foucault : "Désormais, la sécurité est au-dessus des lois"» (*Le Matin,* 18 novembre 1977), *DE,* III, n° 211, p. 367). Il importe de resituer ces déclarations dans le climat de germano-phobie très répandu alors en France et auquel Günther Grass, par exemple, réagissait de la façon suivante : «Quand je me pose la question de savoir où, en Europe, se présente aujourd'hui le danger d'un mouvement de droite agressif – j'écarte le mot "fascisme" qui vient trop facilement à la bouche –, alors j'observe l'Italie ou l'Angleterre, et j'y vois surgir des problèmes qui me font peur. [...] Mais il ne me viendrait pas à l'idée de dire pour autant : l'Angleterre est en marche vers le fascisme» (débat avec Alfred Grosser, paru dans *Die Zeit* du 23 septembre et republié par *Le Monde* des 2-3 octobre 1977).

29. *NBP,* leçon du 7 mars 1979, p. 198.

30. Cf. D. Defert, «Chronologie», *loc. cit.,* p. 52 et 53.

31. Cf. *STP,* leçons des 8, 15, 22 février et 1er mars 1978.

32. Cf. «La philosophie analytique du pouvoir» (27 avril 1978), *DE,* III, n° 232, p. 548-550, et «Sexualité et pouvoir» (20 avril 1978), *ibid.,* n° 233, p. 560-565.

33. Il s'agit du volume sur la pastorale réformée, *La Chair et le Corps,* annoncé dans *La Volonté de savoir,* p. 30 n. 1, dont le manuscrit fut intégralement détruit.

Peut-être la philosophie peut-elle jouer encore un rôle du côté du contre-pouvoir, à condition que ce rôle ne consiste plus à faire valoir, en face du pouvoir, la loi même de la philosophie, à condition que la philosophie cesse de se penser comme prophétie, à condition que la philosophie cesse de se penser ou comme pédagogie, ou comme législation, et qu'elle se donne pour tâche d'analyser, d'élucider, de rendre visibles, et donc d'intensifier les luttes qui se déroulent autour du pouvoir, les stratégies des adversaires à l'intérieur des rapports de pouvoir, les tactiques utilisées, les foyers de résistance, à condition en somme que la philosophie cesse de poser la question du pouvoir en terme de bien ou de mal, mais en terme d'existence[35].

C'est dans ce même esprit que Foucault, dès son retour du Japon, réinterprète la question kantienne : « Qu'est-ce que l'*Aufklärung* ?[36] », à laquelle il ne cessera de revenir[37]. Il explicite ainsi, dans un vocabulaire assez neuf par rapport à ses écrits des années précédentes, le projet critique à l'intérieur duquel s'inscrit son analyse de la gouvernementalité.

Parallèlement à ce travail théorique, Foucault conçoit le programme de « reportages d'idées », associant intellectuels et journalistes dans des enquêtes de terrain approfondies :

> Il faut assister à la naissance des idées et à l'explosion de leur force : et cela non pas dans les livres qui les énoncent, mais dans les événements dans lesquels elles manifestent leur force, dans les luttes que l'on mène pour les idées, contre ou pour elles[38].

---

34. « La philosophie analytique du pouvoir », *loc. cit.*, p. 537.

35. *Ibid.*, p. 540.

36. « Qu'est-ce que la critique ? » (conférence du 27 mai 1978 à la Société française de philosophie), *Bulletin de la Société française de philosophie*, 2, avr.- juin 1990 (Paris, Armand Colin), p. 35-63 (texte non repris dans les *Dits et Écrits*).

37. Cf. « "Omnes et singulatim" : vers une critique de la raison politique » (conférence à Stanford, 10 et 16 octobre 1979), *DE*, IV, n° 291, p. 135 : « [...] depuis Kant, le rôle de la philosophie a été d'empêcher la raison de dépasser les limites de ce qui est donné dans l'expérience ; mais dès cette époque, [...] le rôle de la philosophie a aussi été de surveiller les abus de pouvoir de la rationalité politique [...] » ; « Qu'est-ce que les Lumières ? » (1984), *DE*, IV, n° 339, p. 562-578 ; même titre, *ibid.*, n° 351, p. 679-688 (extrait de la première leçon du cours de 1983, « Le Gouvernement de soi et des autres »).

38. « Les "reportages" d'idées » (*Corriere della sera*, 12 novembre 1978), *DE*, III, n° 250, p. 707. Parmi les reportages prévus, sur le Viêt-nam, les États-Unis, la Hongrie, la démocratisation espagnole, le suicide collectif de la secte du pasteur Jones à Guyana, seuls paraîtront ceux de Foucault sur l'Iran, de A. Finkielkraut sur l'Amérique de Carter et de A. Glucksmann sur les *boat people*. Le reportage de Finkielkraut, qu'introduisait le texte de Foucault cité ci-dessus, contient notamment un chapitre sur l'École néolibérale de Chicago, « Il capitalismo come utopia », à laquelle Foucault consacrera deux leçons dans son cours l'année suivante (*NBP*, 14 et 21 mars 1979) (cf. A. Finkielkraut, *La Rivincita e l'Utopia*, Milan, Rizzoli, 1980, p. 33-44).

Le premier de ces reportages, parus dans le *Corriere della sera,* est celui qu'effectue Foucault en Iran du 16 au 24 septembre[39], quelques jours après le «vendredi noir»[40], puis du 9 au 15 novembre 1978, pendant les grandes émeutes et manifestations contre le chah[41]. Il y rencontre notamment l'ayatollah libéral Chariat Madari, deuxième dignitaire religieux du pays, hostile à l'exercice du pouvoir politique par le clergé chiite[42], et s'intéresse, dans le prolongement du cours donné quelques mois plus tôt[43], à l'idée de «bon gouvernement» exposée par

39. Il y retrouve Pierre Blanchet et Claire Brière, journalistes à *Libération,* qui publieront, en avril 1979, *Iran: la révolution au nom de Dieu* (Paris, Le Seuil, «L'Histoire immédiate»), suivi d'un entretien avec Foucault: «L'esprit d'un monde sans esprit» (*DE,* III, n° 259, p. 743-756). L'entretien est précédé de ces quelques lignes: «[...] À l'heure où les schémas classiques de la lutte armée sont remis en cause, l'événement nous interpelle. Quelle a pu être la force de ce peuple qui a renversé le shah sans tirer un coup de feu? Est-ce la force d'une spiritualité retrouvée à travers une religion, l'Islam shi'ite? Quel peut être l'avenir de cette révolution qui, dans le monde, n'a pas d'équivalent?» (p. 227). Le texte de 4e de couverture, dans le prolongement de cette question, précisait: «Cette irruption de la spiritualité dans la politique n'est-elle pas lourde aussi d'une nouvelle intolérance?»

40. Le 8 septembre avait tiré sur la foule massée sur la place Djaleh, provoquant ainsi plusieurs milliers de morts. Cf. «L'armée, quand la terre tremble» (*Corriere della sera,* 28 septembre 1978), *DE,* III, n° 241, p. 665.

41. Voir l'encadré: «Chronologie des événements d'Iran» (du 8 janvier 1978, date des premières manifestations à Qom, réprimées par l'armée, au 31 mars 1979, date de l'adoption par référendum de la République islamique), *ibid.,* p. 663. Sur les circonstances précises des voyages de Foucault et ses rapports avec les membres de l'opposition iranienne en exil, cf. D. Defert, «Chronologie», *loc. cit.,* p. 55; D. Eribon, *Michel Foucault,* p. 298-309; D. Macey, *Michel Foucault,* p. 416-420. Pour un commentaire des articles de Foucault, cf. H. Malagola, «Foucault en Iran», *in* A. Brossat, dir., *Michel Foucault. Les jeux de la vérité et du pouvoir,* Presses universitaires de Nancy, 1994, p. 151-162.

42. Celui-ci, quand il reçut Foucault, «était entouré de plusieurs militants pour les droits de l'homme en Iran» («À quoi rêvent les Iraniens?» (*Le Nouvel Observateur,* 16-22 octobre 1978), *DE,* III, n° 245, p. 691). Cf. P. Blanchet & C. Brière, *Iran: la révolution...,* p. 169. Cf. également G. Kepel, *Jihad. Expansion et déclin de l'islamisme,* Paris, Gallimard, 2000, rééd. «Folio», p. 157: «Le clergé n'était pas [...] rangé dans sa majorité derrière les conceptions révolutionnaires de Khomeini, qui voulait substituer à l'empire Pahlavi une théocratie *(velayat-e faqih)* où le pouvoir suprême serait détenu par un *faqih* – ce religieux spécialisé dans la loi islamique derrière lequel transparaissait Khomeini lui-même. La plupart des clercs, derrière le grand ayatollah Shari°at Madari, s'y opposaient. Ils se contentaient de réclamer la plus grande autonomie possible, la maîtrise de leurs écoles, de leurs œuvres sociales et de leurs ressources financières face aux empiètements de l'État, mais n'avaient aucune ambition de contrôler un pouvoir tenu théologiquement pour impur – jusqu'au retour de l'imam caché, du messie qui emplirait les ténèbres et l'iniquité du monde de lumière et de justice.» Entré en conflit avec Khomeiny, en février 1979, pour avoir encouragé la création du Parti républicain populaire, Chariat Madari finit ses jours en résidence surveillée.

43. Cf. en particulier *STP,* leçon du 15 février 1978, p. 157-159, à propos des rapports entre le pouvoir pastoral de l'Église et le pouvoir politique.

ce dernier [44]. Le « gouvernement islamique », écrit Foucault, ne saurait désigner « un régime politique dans lequel le clergé jouerait un rôle de direction ou d'encadrement [45] », mais un double mouvement de politisation des structures traditionnelles de la société, en réponse à des problèmes actuels, et d'ouverture d'une « dimension spirituelle » [46] dans la vie politique. Il rend un chaleureux hommage, à cette occasion, à l'action et à l'enseignement d'Ali Chariati [47], mort en 1977, dont « l'ombre [...] hante toute la vie politique et religieuse de l'Iran d'aujourd'hui [48] ». C'est à la lumière de ces grandes figures doctrinales, « libérale » et socialiste, que se comprend la fameuse phrase de Foucault, source de tant de malentendus, sur la « spiritualité politique » :

> Quel sens, pour les [Iraniens], à rechercher au prix même de leur vie cette chose dont nous avons, nous autres, oublié la possibilité depuis la Renaissance et les grandes crises du christianisme : une spiritualité politique. J'entends déjà des Français qui rient, mais je sais qu'ils ont tort [49].

44. « Nous attendons le Mahdi [le douzième imam, ou Imam caché], mais chaque jour nous nous battons pour un bon gouvernement » (cité par Foucault dans « Téhéran : la foi contre le chah » (*Corriere della sera,* 8 octobre 1978), *DE,* III, n° 244, p. 686 ; même citation dans « À quoi rêvent les Iraniens ? », *loc. cit.,* p. 691).

45. « À quoi rêvent les Iraniens ? », *loc. cit.*

46. Expression répétée deux fois, *ibid.,* p. 693-694.

47. Professeur de sociologie à l'université de Mashhad, Ali Chariati (1933-1977) s'était lié à Paris avec de nombreux intellectuels, notamment Louis Massignon, dont il fut le disciple, et Frantz Fanon dont il traduisit en persan *Les Damnés de la terre.* Exclu de l'Université, il poursuivit son enseignement dans un institut religieux au nord de Téhéran. Son audience était telle que le régime fit interdire le bâtiment. Emprisonné pendant dix-huit mois, il choisit ensuite de s'exiler à Londres, où il mourut d'une crise cardiaque. Sur sa pensée, cf. D. Shayegan, *Qu'est-ce qu'une révolution religieuse ?,* Paris, Presses d'aujourd'hui, 1982, rééd. Albin Michel, 1991, p. 222-237. Dans un entretien avec P. Blanchet et C. Brière (« Comment peut-on être persan ? », *Le Nouvel Observateur,* 25 septembre 1982), D. Shayegan situait Chariati dans la lignée de ceux qui, tels Frantz Fanon et Ben Bella, « ont cru possible de marier le profane et le sacré, Marx et Mahomet ». Cf. également P. Blanchet & C. Brière, *Iran : la révolution...,* p. 178-179, et G. Kepel, *Jihad,* p. 53-54 *et passim,* qui souligne l'influence de Chariati (Shariᶜati) sur le mouvement islamo-révolutionnaire des Mojahedines du peuple (p. 56 et 154 ; cf. la note 14, p. 555-556, sur ce mouvement). L'ouvrage de référence sur Chariati est désormais la grande biographie de Ali Rahnema, *An Islamic Utopia : A political biography of Ali Shariᶜati,* Londres, Tauris, 1998.

48. « À quoi rêvent les Iraniens ? », *loc. cit.,* p. 693.

49. *Ibid.,* p. 694. Sur les polémiques suscitées par cette analyse du « gouvernement islamique », cf. D. Eribon, *Michel Foucault,* p. 305, et la « Réponse de Michel Foucault à une lectrice iranienne » (*Le Nouvel Observateur,* 13-19 novembre 1978), *DE,* III, n° 251, p. 708. On reste confondu qu'un éditorialiste en vogue, plus de vingt ans après la publication de ces articles, puisse encore présenter Foucault comme l'« avocat du khomeinisme iranien en 1979 et donc solidaire en théorie de ses exactions » (A. Minc, « Le terrorisme de l'esprit », *Le Monde,* 7 novembre 2001).

Dans une interview donnée au même moment (fin 1978), rappelant les grèves étudiantes de mars 1968 en Tunisie, où il était alors professeur, Foucault lie de nouveau la « spiritualité » à la possibilité du sacrifice de soi :

> Qu'est-ce qui, dans le monde actuel, peut susciter chez un individu l'envie, le goût, la capacité et la possibilité d'un sacrifice absolu ? Sans qu'on puisse soupçonner en cela la moindre ambition ou le moindre désir de pouvoir et de profit ? C'est ce que j'ai vu en Tunisie, l'évidence de la nécessité du mythe, d'une spiritualité, le caractère intolérable de certaines situations produites par le capitalisme, le colonialisme et le néocolonialisme[50].

Le chah quitte le pouvoir le 16 janvier 1979. Le 1er février, Khomeyni, exilé depuis 1964, effectue un retour triomphal en Iran. Peu après, commencent les exécutions d'opposants au nouveau régime par les groupes islamiques paramilitaires. Foucault est alors l'objet de vives critiques, de gauche comme de droite, pour son soutien à la révolution[51]. Sans vouloir entrer dans la polémique[52], il choisit de répondre par un article-manifeste, dans *Le Monde* des 11-12 mai, « Inutile de se soulever ? »[53]. Affirmant la transcendance du soulèvement par rapport à toute forme de causalité historique – « l'homme qui se lève est finalement sans explication[54] » –, il y oppose la « spiritualité à laquelle se référaient ceux qui allaient mourir » au « gouvernement sanglant d'un clergé intégriste »[55]. Le soulèvement est cet « arrachement qui interrompt le fil de l'histoire » et y introduit la dimension de la « subjectivité »[56]. La spiritualité, génératrice de force insurrectionnelle[57], est donc indissociable de la subjectivation, éthique et politique, à laquelle réfléchit alors Foucault[58]. Le « sujet » ne désigne

---

50. « Entretien avec Michel Foucault » (fin 1978), *DE*, IV, n° 281, p. 79.

51. Soutien de plus en plus critique, comme en témoigne sa « Lettre ouverte à Mehdi Bazargan » (*Le Nouvel Observateur*, 14-20 avril 1979), *DE*, III, n° 265, p. 780-782.

52. Cf. « Michel Foucault et l'Iran » (*Le Matin*, 26 mars 1979), *DE*, III, n° 262, p. 762.

53. « Inutile de se soulever ? » (*Le Monde*, 11-12 mai 1979), *DE*, III, n° 269, p. 790-794.

54. *Ibid.*, p. 791.

55. *Ibid.*, p. 793.

56. *Ibid.* : « On se soulève, c'est un fait ; et c'est par là que la subjectivité (pas celle des grands hommes, mais celle de n'importe qui) s'introduit dans l'histoire et lui donne son souffle. »

57. Sur cette analyse de la religion en terme de force, cf. « Téhéran : la foi contre le chah », *loc. cit.*, p. 688 : « La religion chiite [...] est aujourd'hui ce qu'elle a été plusieurs fois dans le passé : la forme que prend la lutte politique dès lors que celle-ci mobilise les couches populaires. Elle fait, de milliers de mécontentements, de haines, de misères, une force. [...] »

58. Le mot apparaît à deux reprises dans *STP*, à la fin de la 7e leçon (22 février 1978), p. 187-188, dans le cadre de l'« histoire du sujet » engagée par l'analyse du pastorat chrétien.

plus simplement l'individu assujetti, mais la singularité qui s'affirme
dans la résistance au pouvoir – les «révoltes de conduite» ou «contre-
conduites» dont traite le cours de 1978 [59]. C'est cette nécessaire résistance («est toujours périlleux le pouvoir qu'un homme exerce sur un
autre [60]») qui justifie également l'invocation de «lois infranchissables
et [de] droits sans restrictions». Foucault oppose ainsi sa «morale théorique» aux calculs des stratèges:

> [...] si le stratège est l'homme qui dit: «Qu'importe telle mort, tel cri, tel
> soulèvement par rapport à la grande nécessité de l'ensemble, et que m'im-
> porte en revanche tel principe général dans la situation particulière où nous
> sommes», eh bien il m'est indifférent que le stratège soit un politique, un
> historien, un révolutionnaire, un partisan du chah ou de l'ayatolllah; ma
> morale théorique est inverse. Elle est «antistratégique»: être respectueux
> quand une singularité se soulève, intransigeant dès que le pouvoir enfreint
> l'universel [61].

C'est entre le refus politique du terrorisme et cet éloge du soulèvement,
au nom d'une «morale antistratégique», que se déploie la problématique
de la «gouvernementalité».

STRUCTURE ET ENJEU DES COURS

### 1. *Sécurité, Territoire, Population* [62]

Le cours de 1978 marque l'ouverture d'un nouveau cycle dans l'enseignement de Michel Foucault au Collège de France.

---

59. Cf. *STP*, leçon du 1er mars 1978. Il est intéressant, à cet égard, de rapprocher l'un
des exemples cités par Foucault de l'analyse de la spiritualité chiite proposée par Henry
Corbin, dans son monumental ouvrage, *En Islam iranien*, Paris, Gallimard («Bibliothèque des idées»), 1978. Celui-ci, en effet, récapitulant les principaux aspects de
l'eschatologie chiite, dont le centre est la personne du XIIe Imâm, y voit le noyau d'une
«chevalerie spirituelle» inséparable du concept des «Amis de Dieu», dont l'«Île verte»
des *Gottesfreunde*, fondée par Rulman Merswin à Strasbourg, au XIVe siècle, constitue-
rait l'une des récurrences historiques en Occident (*op. cit.*, t. IV, p. 390-404). Cf. *STP*,
leçon citée, p. 215, sur Rulman Merswin et l'Ami de Dieu de l'Oberland. Foucault ne
pouvait connaître ce texte, paru en avril 1978, au moment où il faisait son cours. On
sait, toutefois, qu'il lut Corbin avant de partir en Iran (cf. notice de l'éditeur in *DE*,
III, n° 241, p. 662). Les mots qu'il emploie à propos de Chariati, «à qui sa mort [...]
a donné la place, si privilégiée dans le chiisme, de l'invisible Présent, de l'Absent toujours là» («À quoi rêvent les Iraniens?», *loc. cit.*, p. 693) apparaissent comme le
décalque de ceux de Corbin sur le XIIe Imâm, l'«Imâm caché aux sens mais présent au
cœur de ses fidèles» (*op. cit.*, p. XVIII).
60. «Inutile de se soulever?», *loc. cit.*, p. 794.
61. *Ibid.*

Bien qu'il porte, en apparence, sur un tout autre ensemble d'objets que les cours des années 1970-1975, le cours de 1976, en effet, s'inscrivait dans la continuité du même programme de recherche. Comme l'annonçait Foucault, l'année précédente, il devait « termin [er] un cycle »[63]. Son projet était d'étudier, dans le prolongement de ses travaux antérieurs sur « la formation d'un savoir et d'un pouvoir de normalisation, à partir des procédures juridiques traditionnelles du châtiment », « les mécanismes par lesquels, depuis la fin du XIXe siècle, on prétend "défendre la société"[64] ». Il s'agissait alors d'analyser la théorie de la défense sociale apparue en Belgique, autour de 1880, pour décriminaliser et médicaliser les jeunes délinquants[65]. Le cours, en réalité, présente un contenu très différent, puisqu'il traite de la guerre dans le discours historique, et non plus de la défense sociale. Cet objet, toutefois, ne disparaît pas entièrement, mais se trouve resitué dans une perspective généalogique plus générale : celle qui permet de rendre compte du « grand renversement de l'historique au biologique [...] dans la pensée de la guerre sociale[66] ». La défense de la société, ainsi, se rattache à la guerre par le fait qu'elle est pensée, à la fin du XIXe siècle, comme « une guerre interne »[67], contre les dangers naissant du corps social lui-même.

C'est à cette occasion que Foucault avance pour la première fois le concept de bio-pouvoir, ou biopolitique, repris la même année dans *La Volonté de savoir*[68], introduit la notion de population – « masse globale, affectée de processus d'ensemble qui sont propres à la vie [...] comme la naissance, la mort, la [re] production, la maladie, etc.[69] » – et rectifie

62. Le cours était annoncé, dans l'*Annuaire du Collège de France, 77e année*, p. 743, sous le titre « Sécurité, territoire et population ». Michel Foucault, toutefois, rappelant ce titre à deux reprises pendant le cours, – pour l'expliquer tout d'abord (1re leçon), puis pour le corriger (4e leçon) – sous la forme « Sécurité, territoire, population », c'est cette dernière formulation que nous avons retenue.

63. *Les Anormaux. Cours au Collège de France, année 1974-1975*, éd. par V. Marchetti & A. Salomoni, Paris, Gallimard-Le Seuil (« Hautes Études »), 1999, « Résumé du cours », p. 311.

64. *Ibid.*

65. Précision apportée D. Defert, *in* J.-Cl. Zancarini, ed., *Lectures de Michel Foucault*, ENS Éditions, 2000, p. 62. « Foucault – ajoute D. Defert – a d'ailleurs fait un séminaire en Belgique, en 1981, sur ce sujet qui l'intéressait. » Il s'agit du cycle de cours intitulé « Mal faire, dire vrai. Fonctions de l'aveu », donné par Foucault à Louvain, au printemps 1981, dans le cadre de la chaire Franqui. Sur ce séminaire, cf. F. Tulkens, « Généalogie de la défense sociale en Belgique (1880-1914) », *Actes*, 54, été 1986, n° spéc. : *Foucault hors les murs*, p. 38-41.

66. « *Il faut défendre la société* », leçon du 10 mars 1976, p. 194.

67. *Ibid.*

68. *La Volonté de savoir*, p. 184.

69. « *Il faut défendre la société* », leçon du 17 mars 1976, p. 216.

son hypothèse antérieure d'une « société disciplinaire généralisée »[70] en montrant comment les techniques de discipline s'articulent aux dispositifs de régulation.

> Après l'anatomo-politique du corps humain, mise en place au cours du XVIIIe siècle, on voit apparaître, à la fin de ce même siècle, quelque chose qui n'est plus une anatomo-politique du corps humain, mais que j'appellerais une « biopolitique » de l'espèce humaine[71].

Partant des conclusions du cours de 1976, le cours de 1978 se propose de prolonger et d'approfondir ce déplacement théorique. Après l'étude de la discipline des corps, celle de la régulation des populations : ainsi s'ouvre un nouveau cycle, qui conduira Foucault, quelques années plus tard, vers des horizons que ses auditeurs, alors, ne pouvaient soupçonner.

Le titre du cours, *Sécurité, Territoire, Population,* décrit très exactement le problème posé. Il s'agit de savoir, en effet, en quoi consiste cette nouvelle technologie de pouvoir apparue au XVIIIe siècle, qui a pour objet la population et « vise, [...] par l'équilibre global, à quelque chose comme une homéostasie : la sécurité de l'ensemble par rapport à ses dangers internes[72] ». Technologie de sécurité que Foucault oppose aux mécanismes par lesquels le souverain, jusqu'à l'âge classique, s'efforçait d'assurer la sûreté de son territoire[73]. « Territoire » et « population »

---

70. *Ibid.,* p. 225. « Ce n'est, je crois, qu'une première interprétation, et insuffisante, de l'idée de société de normalisation », ajoutait-il. Cette notion de « société disciplinaire » apparaît pour la première fois dans *Le Pouvoir psychiatrique. Cours au Collège de France, année 1973-1974,* éd. par J. Lagrange, Paris, Gallimard-Le Seuil (« Hautes Études »), leçon du 28 novembre 1973, p. 68. Elle est reprise, ensuite, dans *Surveiller et Punir,* p. 217.

71. *Ibid.,* p. 216. Cf. également *La Volonté de savoir,* p. 183 : « [Le] pouvoir sur la vie s'est développé depuis le XVIIe siècle sous deux formes principales ; elles ne sont pas antithétiques ; elles constituent plutôt deux pôles de développement reliés par tout un faisceau intermédiaire de relations. [...] Le premier à s'être formé a été centré sur le corps-machine : son dressage, la majoration de ses aptitudes, l'extorsion de ses forces [etc.], tout cela a été assuré par des procédures de pouvoir qui caractérisent les disciplines : anatomo-politique du corps humain. Le second, qui s'est formé un peu plus tard, vers le milieu du XVIIIe siècle, est centré sur le corps-espèce, [...] le corps [...] servant de support aux processus biologiques [prolifération, naissances et mortalité, niveau de santé, durée de vie] ; leur prise en charge s'effectue par toute une série d'interventions et de contrôles régulateurs : une biopolitique de la population. Les disciplines du corps et les régulations de la population constituent les deux pôles autour desquels s'est déployée l'organisation du pouvoir sur la vie. »

72. *Ibid.,* p. 222.

73. Sur la corrélation, constante dans le cours, des notions de « territoire » et de « souveraineté », cf. en particulier *STP,* leçon du 25 janvier 1978, p. 66-67 : « [...] le problème traditionnel de la souveraineté, et par conséquent du pouvoir politique lié à la forme de la souveraineté, a été jusque-là toujours ou bien de conquérir des

fonctionnent ainsi comme les pôles antithétiques entre lesquels va se déployer la recherche. Comment est-on passé de la souveraineté sur le territoire à la régulation des populations ? Quels ont été les effets de cette mutation sur le plan des pratiques gouvernementales ? Quelle rationalité nouvelle les régit désormais ? L'enjeu du cours, dès lors, est clairement défini : à travers l'histoire des technologies de sécurité, essayer de « repérer si on peut […] parler d'une société de sécurité [74] ». Enjeu politique tout autant qu'historique, puisqu'il concerne le diagnostic du présent : « Peut-on dire que dans nos sociétés l'économie générale de pouvoir est en train de devenir de l'ordre de la sécurité ? [75] »

C'est ce programme que poursuit Foucault jusqu'à la séance du 1er février, à partir de trois exemples empruntés aux xviie-xviiie siècles : les espaces de sécurité, avec le problème de la ville, qui le conduit à souligner les rapports entre une population et son « milieu » ; le traitement de l'aléatoire, avec le problème de la disette et de la circulation des grains, qui lui permet de lier la question de la « population » à l'économie politique libérale ; la forme de normalisation spécifique à la sécurité, enfin, avec le problème de la variole et de l'inoculation, qui l'amène à distinguer normation disciplinaire et normalisation au sens strict. Au terme de ce parcours, qui suit d'assez près le plan tracé en 1976 [76], Foucault en arrive à ce qui devait, selon lui, « être le problème précis de cette année : la corrélation entre la technique de sécurité et la population [77] ». L'émergence de cette dernière, en tant qu'idée et réalité, n'est pas seulement importante au niveau politique. Elle a également une signification décisive au plan épistémologique, comme en témoigne la manière dont il reformule, à sa lumière, l'archéologie des sciences humaines exposée dans *Les Mots et les Choses* :

---

territoires nouveaux, ou bien au contraire de garder le territoire conquis […] Autrement dit, il s'agissait de quelque chose que l'on pourrait appeler précisément la sûreté du territoire ou la sûreté du souverain qui règne sur le territoire. »

74. *STP*, leçon du 11 janvier 1978, p. 12.

75. *Ibid.*

76. Foucault distinguait alors trois grands domaines d'intervention de la biopolitique à la fin du xviiie et au début du xixe siècle : (1) les processus de natalité et mortalité, induisant une nouvelle approche du problème de la morbidité ; (2) les phénomènes de la vieillesse, des accidents, des infirmités, etc., qui altèrent la capacité des individus ; (3) les relations entre les hommes, en tant qu'être vivants, et leur milieu, à travers, essentiellement, le problème de la ville (*« Il faut défendre la société »*, leçon du 17 mars 1976, p. 216-218). La grande différence entre cette description et les exemples choisis en 1978 réside, bien entendu, dans l'absence du problème des grains. C'est la question du libéralisme, en d'autres termes, comme nouvelle rationalité gouvernementale, qui reste informulée dans le cours de 1976.

77. *STP*, leçon du 11 janvier 1978, p. 13.

> [...] la thématique de l'homme, à travers les sciences humaines qui l'ana-
> lysent comme être vivant, individu travaillant, sujet parlant, il faut la
> comprendre à partir de l'émergence de la population comme corrélatif de
> pouvoir et comme objet de savoir. L'homme, [...] ce n'est rien d'autre,
> finalement, qu'une figure de la population[78].

L'analyse des dispositifs de sécurité relatifs à la population a conduit
Foucault à mettre en relief, progressivement, le concept de « gouvernement ». Alors que ce dernier est employé tout d'abord dans son sens traditionnel d'autorité publique ou d'exercice de la souveraineté, il acquiert
peu à peu, à la faveur du concept physiocratique de « gouvernement économique », une valeur discriminante, désignant les techniques spécifiques
de gestion des populations. Le « gouvernement », dans ce contexte, prend
alors le sens étroit d'« art d'exercer le pouvoir dans la forme de l'économie[79] », ce qui permet à Foucault de définir le libéralisme économique
comme un art de gouverner.

Au triangle problématique – sécurité-territoire-population – qui servait
de cadre initial à la recherche, s'est ainsi substituée la série systématique
sécurité-population-gouvernement. C'est pourquoi Foucault, le 1er février,
choisit de consacrer la séance à l'analyse du troisième terme. Cette leçon,
qui s'inscrit dans le prolongement logique des précédentes, marque, en
réalité, un profond tournant dans l'orientation générale du cours. Foucault
y introduit, en effet, le concept de « gouvernementalité », par lequel, en
une sorte de coup de théâtre théorique, il déplace soudain l'enjeu de son
travail. Après avoir dissocié le problème du gouvernement, tel qu'il se
pose au XVIe siècle, des stratagèmes du prince habile décrits par Machiavel
et montré comment la « population » avait permis le déblocage de l'art
de gouverner, par rapport au double modèle, juridique et domestique,
qui l'empêchait de trouver sa dimension propre, il revient sur le titre du
cours, qui ne lui semble plus convenir à son projet :

> [...] si j'avais voulu donner au cours que j'ai entrepris cette année un titre
> plus exact, ce n'est certainement pas « sécurité, territoire, population » que
> j'aurais choisi. Ce que je voudrais faire maintenant, si vraiment je vou-
> lais le faire, ça serait quelque chose que j'appellerais une histoire de la
> « gouvernementalité »[80].

Ce tournant constitue-t-il un simple approfondissement des hypothèses de départ, ou participe-t-il de cette démarche d'écrevisse par

---

78. *STP*, leçon du 25 janvier 1978, p. 81.
79. *STP*, leçon du 1er février 1978, p. 99.
80. *Ibid.*, p. 111.

laquelle Foucault, avec humour, caractérise son mode de progression
(« je suis comme l'écrevisse, je me déplace latéralement [81] ») ? Question,
sans doute, dépourvue de pertinence. L'invention du concept de « gouvernementalité » procède à la fois du développement d'un plan préétabli
(qui correspond, on l'a constaté, aux quatre premières leçons) et d'une
pensée en mouvement qui décide, à partir de ce qu'elle découvre, de ré-
investir certaines analyses antérieures (à propos de l'art de gouverner et
de la pastorale des âmes [82]), dans une perspective théorique élargie. Plus
que tout autre moment de l'enseignement de Foucault, peut-être, elle
illustre ce goût du labyrinthe « où m'aventurer, déplacer mon propos, lui
ouvrir des souterrains, l'enfoncer loin de lui-même, lui trouver des sur-
plombs qui résument et déforment son parcours », invoqué dans l'introduction à *L'Archéologie du savoir* [83].

Avec ce concept s'ouvre un nouveau champ de recherche – non plus
l'histoire des technologies de sécurité, qui passe provisoirement au
second plan, mais la généalogie de l'État moderne – dont la leçon suivante explicite les présupposés méthodologiques et théoriques. Il s'agit
d'appliquer à l'État le « point de vue » qui avait été adopté, les années
précédentes, dans l'étude des disciplines, en dégageant les relations de
pouvoir de toute approche institutionnaliste ou fonctionnaliste [84]. C'est
pourquoi Foucault redéfinit ainsi l'enjeu du cours :

> Est-ce qu'il est possible de replacer l'État moderne dans une technologie
> générale de pouvoir qui aurait assuré ses mutations, son développement,
> son fonctionnement ? Est-ce qu'on peut parler de quelque chose comme
> une « gouvernementalité », qui serait à l'État ce que les techniques de ségré-
> gation étaient à la psychiatrie, ce que les techniques de discipline étaient au
> système pénal, ce que la biopolitique était aux institutions médicales ? [85]

La problématique de la « gouvernementalité » marque donc l'entrée
de la question de l'État dans le champ d'analyse des micro-pouvoirs. Il
convient, à ce propos, de faire quelques remarques :

1. Cette problématique répond à l'objection fréquemment adressée
à Foucault d'ignorer l'État dans son analyse du pouvoir. Or celle-ci,

---

81. *NBP,* leçon du 31 janvier 1979, p. 80.
82. L'un et l'autre, comme on le rappelle plus loin, ont déjà fait l'objet de l'attention
de Foucault dans *Les Anormaux* (cf. *infra,* p. 403-404).
83. *L'Archéologie du savoir,* Paris, Gallimard (« Bibliothèque des sciences
humaines »), 1969, p. 28.
84. Foucault précise, dans le manuscrit du cours, quels sont les effets politiques de
ce choix méthodologique. Cf. *STP,* leçon du 8 février 1978, p. 123-124, note *.
85. *Ibid.,* p. 124.

explique-t-il, n'exclut pas plus l'État qu'elle ne lui est subordonnée. Il ne s'agit ni de nier l'État ni de l'installer en position de surplomb, mais de montrer que l'analyse des micro-pouvoirs, loin d'être limitée à un domaine précis qui serait défini par un secteur de l'échelle, doit être considérée «comme un point de vue, une méthode de déchiffrement valable pour l'échelle tout entière, quelle qu'en soit la grandeur[86]».

2. L'intérêt nouveau de Foucault pour l'État, toutefois, ne se réduit pas à ces considérations de méthode. Il découle également de l'élargissement du champ d'analyse opéré à la fin du cours de 1976. La gestion des «processus bio-sociologiques des masses humaines», à la différence des disciplines, mises en œuvre dans le cadre d'institutions limitées (école, hôpital, caserne, atelier, etc.), implique en effet l'appareil d'État. C'est au niveau de l'État que se trouvent les «organes complexes de coordination et de centralisation» nécessaires à cette fin. La biopolitique ne peut donc se concevoir que comme «une bio-régulation par l'État»[87].

3. La prise en compte de la question de l'État est indissociable, chez Foucault, de la critique de ses représentations courantes: l'État comme abstraction intemporelle[88], pôle de transcendance[89], instrument de domination de classe[90] ou monstre froid[91], — toutes formes, à ses yeux de «survalorisation du problème de l'État»[92], auxquelles il oppose la thèse que l'État, «réalité composite»[93], n'est rien d'autre que «l'effet mobile d'un régime de gouvernementalités multiples»[94]. C'est cette même approche qui lui permet, en 1979, de lier la question de l'État à celle de la «phobie d'État»[95], dont il met en évidence les effets «inflationnistes»[96].

---

86. *NBP,* leçon du 7 mars 1979, p. 192.
87. *«Il faut défendre la société»,* p. 223.
88. Cf. *NBP,* leçon du 10 janvier 1979, p. 4, à propos des universaux auxquels Foucault choisit d'opposer le point de vue d'un nominalisme méthodologique, et *ibid.,* leçon du 31 janvier 1979, p. 78-79.
89. Cf. *STP,* leçon du 5 avril 1978, p. 366.
90. Cf. *STP,* leçon du 1er février 1978, p. 112.
91. *Ibid.* et *NBP,* leçon du 10 janvier 1979, p. 7.
92. *Loc. cit. supra,* note 90.
93. *Ibid.*
94. *NBP,* leçon du 31 janvier 1979, p. 79. C'est ainsi qu'il faut entendre l'expression, quelque peu obscure au premier abord, de «gouvernementalisation de l'État» utilisée par Foucault à la fin de la 4e leçon de *STP* (1er février 1978, p. 112).
95. *NBP,* leçon du 31 janvier 1979, p. 79.
96. *NBP,* leçon du 7 mars 1979, p. 192-196. À cette critique de la «phobie d'État» font écho, de façon inversée, les questions que se pose alors Foucault (mais qu'il ne formule pas dans le cours) sur le «désir d'État» à l'époque classique. Cf. «Méthodologie pour la connaissance du monde: comment se débarrasser du marxisme», entretien avec R. Yoshimoto (25 avril 1978), *DE,* III, n° 235, p. 617-

La grille d'analyse de la gouvernementalité» ne constitue donc pas une rupture, dans le travail de Foucault, par rapport à son analyse antérieure du pouvoir, mais s'inscrit dans l'espace ouvert par le problème du bio-pouvoir[97]. Il serait donc inexact d'affirmer que le concept de «gouvernement» se substitue, à partir de cette date, à celui de «pouvoir», comme si ce dernier appartenait à une problématique désormais dépassée. Le glissement du «pouvoir» au «gouvernement» qui s'effectue dans le cours de 1978 ne résulte pas de la mise en cause du cadre méthodologique, mais de son extension à un nouvel objet, l'État, qui n'avait pas sa place dans l'analyse des disciplines.

Ce sont les étapes de cette «gouvernementalisation de l'État» qui font l'objet des neuf dernières leçons du cours, à travers l'analyse du pastorat chrétien (leçons 5-8, des 8, 15, 22 février et 1er mars 1978) et du passage du pastorat au gouvernement politique des hommes (leçon 9, du 8 mars), puis de l'art de gouverner selon la raison d'État[98] (fin de la leçon 9 - leçon 11, des 8 à 22 mars) et des deux ensembles technologiques qui le caractérisent: le système diplomatico-militaire ordonné au maintien de l'équilibre européen (leçon 11) et la police, au sens classique de «l'ensemble des moyens nécessaires pour faire croître, de l'intérieur, les forces de l'État[99]» (leçons 12 et 13, des 29 mars et 5 avril)[100]. La dernière leçon s'achève par le retour au problème de la population, dont Foucault,

---

618: «Cette année je donne un cours sur la formation de l'État et j'analyse, disons, les bases des moyens de réalisation étatique sur une période qui va du XVIe siècle au XVIIe siècle en Occident, ou plutôt le processus au cours duquel ce qu'on appelle la raison d'État se forme. Mais j'ai buté contre une part énigmatique qui ne peut plus être résolue par la simple analyse des rapports économiques, institutionnels ou culturels. Il y a là une sorte de soif gigantesque et irrépressible qui oblige à se tourner vers l'État. On pourrait parler de désir de l'État.»

97. C'est bien en vue d'«aborder le problème de l'État et de la population» que Foucault justifie l'élaboration de cette grille d'analyse (cf. *STP,* leçon du 8 février 1978, p. 120).

98. La source principale de Foucault, dans ces leçons, est le livre d'E. Thuau, *Raison d'État et Pensée politique à l'époque de Richelieu,* Paris, Armand Colin, 1966 (rééd. Paris, Albin Michel, «Bibliothèque de l'évolution de l'humanité», 2000). Il ne semble pas avoir lu, alors, l'ouvrage classique de F. Meinecke, *Die Idee der Staatsräson in der neueren Geschichte,* Munich-Berlin, Oldenburg, 1924 / *L'Idée de la raison d'État dans l'histoire des Temps modernes,* trad. M. Chevallier, Genève, Droz, 1973, mentionné en octobre 1979 dans sa conférence «"Omnes et singulatim"», *loc. cit.,* p. 150. D'une façon générale, il ne prend pas en compte les nombreux travaux, allemands et italiens, parus sur le sujet depuis les années 1920. Pour une biblio- graphie complète sur le sujet, avant et après 1978, cf. G. Borrelli, *Ragion di stato e Leviatano,* Bologne, Il Mulino, 1993, p. 312-360, et les livraisons régulières de l'*Archivio della Ragion di Stato* (Naples) depuis 1993.

99. Cf. «Résumé du cours», *supra,* p. 375.

100. Sur cette série de leçons, cf. *ibid.,* p. 373-376.

maintenant, peut mieux définir le lieu d'émergence, «en dérivation par rapport à la technologie de "police" et en corrélation avec la naissance de la réflexion économique [101]». C'est parce que ce problème est au cœur de la critique de l'État de police par l'économie politique que le libéralisme apparaît comme la forme de rationalité propre aux dispositifs de régulation biopolitique.

Telle est précisément la thèse que se propose de développer le cours de 1979.

### 2. Naissance de la biopolitique

Ce cours se présente, dès la première séance, comme la suite directe du précédent. Annonçant son intention de continuer ce qu'il avait commencé à dire l'an passé, Foucault précise tout d'abord le choix de méthode qui commande son analyse [102], puis résume les dernières leçons, consacrées au gouvernement de la raison d'État et à sa critique à partir du problème des grains. Au principe de limitation externe de la raison d'État, que constituait le droit, s'est substitué, au XVIIIe siècle, un principe de limitation interne, sous la forme de l'économie [103]. L'économie politique, en effet, porte en elle l'exigence d'une autolimitation de la raison gouvernementale, fondée sur la connaissance du cours naturel des choses. Elle marque donc l'irruption d'une nouvelle rationalité dans l'art de gouverner : gouverner moins, par souci d'efficacité maximum, en fonction de la naturalité des phénomènes auxquels on a affaire. C'est cette gouvernementalité, liée dans son effort d'autolimitation permanente à la question de la vérité, que Foucault appelle le «libéralisme». L'objet du cours, dès lors, est de montrer en quoi celui-ci constitue la condition d'intelligibilité de la biopolitique :

> Avec l'émergence de l'économie politique, avec l'introduction du principe limitatif dans la pratique gouvernementale elle-même, une substitution importante s'opère, ou plutôt un doublage, puisque les sujets de droit sur lesquels s'exerce la souveraineté politique apparaissent eux-mêmes comme une *population* qu'un gouvernement doit gérer.
>
> C'est là que trouve son point de départ la ligne d'organisation d'une «biopolitique». Mais qui ne voit pas que c'est là une part seulement de quelque chose de bien plus large, et qui [est] cette nouvelle raison gouvernementale ? Étudier le libéralisme comme cadre général de la biopolitique [104].

---

101. *Ibid.*, p. 376. Cf. *STP*, leçon du 5 avril 1978, p. 359-362.
102. Cf. *supra*, note 84.

Le plan annoncé est le suivant : étudier tout d'abord le libéralisme dans sa formulation originelle et ses versions contemporaines, allemande et américaine, puis en venir au problème de la politique de la vie [105]. Seule la première partie de ce programme, en fait, sera réalisée, Foucault ayant été conduit à développer son analyse du néolibéralisme allemand plus longuement qu'il ne l'envisageait [106]. Cet intérêt pour l'économie sociale de marché ne tient pas seulement au caractère paradigmatique de l'expérience allemande. Il s'explique également par des raisons de « moralité critique », face à « cette espèce de laxisme » que constitue, à ses yeux, une « critique inflationniste de l'État » prompte à dénoncer le fascisme dans le fonctionnement des États démocratiques occidentaux [107]. La « question allemande » se trouve ainsi placée au cœur des questions méthodologiques, historiques et politiques qui forment la trame du cours.

Les 2ᵉ et 3ᵉ leçons (17 et 24 janvier) sont consacrées à l'étude des traits spécifiques de l'art libéral de gouverner, tel qu'il se dessine au XVIIIᵉ siècle. Foucault y explicite, en premier lieu, le lien entre vérité et gouvernementalité libérale, à travers l'analyse du marché comme lieu de véridiction, et précise les modalités de limitation interne qui en découlent. Il fait ainsi apparaître deux voies de limitation de la puissance publique, correspondant à deux conceptions hétérogènes de la liberté : la voie axiomatique révolutionnaire, qui part des droits de l'homme pour fonder le pouvoir souverain, et la voie radicale utilitariste, qui part de la pratique gouvernementale pour définir, en termes d'utilité, la limite de compétence du gouvernement et la sphère d'indépendance des individus. Voies distinctes, mais non exclusives l'une de l'autre. C'est à la lumière de leur interaction stratégique qu'il convient d'étudier l'histoire du libéralisme européen, depuis le XIXᵉ siècle. C'est elle, également, qui éclaire, ou met en perspective, la manière dont Foucault, à partir de 1977, problématise

---

103. Dans le manuscrit sur le « gouvernement », qui servit d'introduction au séminaire de 1979, Foucault décrit ce passage comme « le grand déplacement de la véridiction juridique à la véridiction épistémique ».

104. Manuscrit de la première leçon. Cf. *NBP*, leçon du 10 janvier 1979, p. 24, note *.

105. Cf. *NBP, ibid.*, p. 23 *sq*. Le plan ici esquissé se trouve précisé (et, de ce fait, rétrospectivement éclairé) plus loin : cf. *NBP*, leçon du 31 janvier 1979, p. 80 *sq*.

106. Cf. *NBP*, début de la leçon du 7 mars 1979, p. 191 : « [...] j'avais bien l'intention, au départ, de vous parler de biopolitique et puis, les choses étant ce qu'elles sont, voilà que j'en suis arrivé à vous parler longuement, et trop longuement peut-être, du néolibéralisme, et encore du néolibéralisme sous sa forme allemande. » Cf. également le « Résumé du cours », *ibid.*, p. 323 : « Le cours de cette année a été finalement consacré, en son entier, à ce qui devait n'en former que l'introduction. »

107. *NBP*, leçon du 7 mars 1979, p. 194-196.

les « droits des gouvernés », par rapport à l'invocation, plus vague et plus abstraite, des « droits de l'homme »[108].

Dans la 3e leçon, après avoir examiné la question de l'Europe et de ses rapports avec le reste du monde selon la nouvelle raison gouvernementale, il revient sur son choix d'appeler « libéralisme » ce qui se présente plutôt, au XVIIIe siècle, comme un naturalisme. Le mot de libéralisme se justifie par le rôle que joue la liberté dans l'art libéral de gouverner : liberté garantie, sans doute, mais également produite par ce dernier, qui a besoin, pour atteindre ses fins, de la susciter, de l'entretenir et de l'encadrer en permanence. Le libéralisme, ainsi, peut se définir comme le calcul du risque – le libre jeu des intérêts individuels – compatible avec l'intérêt de chacun et de tous. C'est pourquoi l'incitation à « vivre dangereusement » implique l'établissement de multiples mécanismes de sécurité. Liberté et sécurité : ce sont les procédures de contrôle et les formes d'intervention étatique requises par cette double exigence qui constituent le paradoxe du libéralisme et sont à l'origine des « crises de gouvernementalité »[109] qu'il a connues depuis deux siècles.

La question est donc maintenant de savoir quelle crise de gouvernementalité caractérise le monde actuel et à quelles révisions de l'art libéral de gouverner elle a donné lieu. C'est à cette tâche de diagnostic que répond l'étude, à partir de la 4e leçon (31 janvier), des deux grandes écoles néolibérales, l'ordolibéralisme allemand[110] et l'anarcho-libéralisme américain[111] – unique incursion de Foucault, tout au long de son enseignement au Collège de France, dans le champ de l'histoire contemporaine. Ces deux écoles ne participent pas seulement d'un même projet de refondation du libéralisme. Elles représentent aussi deux formes distinctes de « critique de l'irrationalité propre à l'excès de gouvernement »[112], l'une faisant valoir la logique de la concurrence pure, sur le terrain économique, tout en encadrant le marché par un ensemble d'interventions

108. Il ne s'agit pas, bien entendu, de rabattre la problématique des « droits des gouvernés », indissociable du phénomène de la dissidence (cf. « Va-t-on extrader Klaus Croissant ? », *loc. cit.,* p. 364) sur celle de l'indépendance des gouvernés selon le calcul utilitariste, mais de souligner une proximité, qui n'est sans doute pas étrangère à l'intérêt que Foucault manifeste alors pour le libéralisme.

109. *NBP,* leçon du 24 janvier 1979, p. 70.

110. La bibliographie française sur le sujet étant extrêmement réduite, en dehors de la thèse de F. Bilger (*La Pensée économique libérale de l'Allemagne contemporaine,* Paris, Librairie générale de Droit, 1964) dont se sert Foucault, signalons la parution récente du colloque *L'Ordolibéralisme allemand. Aux sources de l'économie sociale de marché,* s. dir. P. Commun, Université de Cergy-Pontoise, CIRAC/CICC, 2003.

111. Cf. *NBP,* « Résumé du cours », p. 327-329.

112. *Ibid.,* p. 327.

étatiques (théorie de la «politique de société»), l'autre cherchant à étendre la rationalité du marché à des domaines tenus jusque-là pour non-économiques (théorie du «capital humain»).

Les deux dernières leçons traitent de la naissance de l'idée d'*homo œconomicus,* en tant que sujet d'intérêt distinct du sujet de droit, dans la pensée du XVIII<sup>e</sup> siècle, et de la notion de «société civile», corrélative de la technologie libérale de gouvernement. Alors que la pensée libérale, dans sa version la plus classique, oppose la société à l'État, comme la nature à l'artifice ou la spontanéité à la contrainte, Foucault met en évidence le paradoxe que constitue leur relation. La société, en effet, représente le principe au nom duquel le gouvernement libéral tend à s'autolimiter. Elle l'oblige à se demander sans cesse s'il ne gouverne pas trop et joue, à cet égard, un rôle critique par rapport à tout excès de gouvernement. Mais elle forme également la cible d'une intervention gouvernementale permanente, non pour restreindre, sur le plan pratique, les libertés accordées formellement, mais pour produire, multiplier et garantir ces libertés dont a besoin le système libéral [113]. La société, ainsi, représente à la fois «l'ensemble des conditions du moindre gouvernement libéral» et «la surface de transfert de l'activité gouvernementale» [114].

CONCEPTS ESSENTIELS

Terminons cette présentation par quelques remarques sur les deux concepts fondamentaux – «gouvernement» et «gouvernementalité» – autour desquels s'organisent les cours.

*Gouvernement*

C'est dans le cours de 1975, *Les Anormaux,* que se dessine, pour la première fois, la problématique de l'art de gouverner. Opposant le modèle de l'exclusion des lépreux à celui de l'inclusion des pestiférés [115],

---

113. Cf. la dernière leçon de *STP* (5 avril 1978, p. 360-362), p. 360-362, à laquelle renvoie implicitement Foucault lorsqu'il parle d'«un gouvernement omniprésent, [...] qui, tout en «respect[ant] la spécificité de l'économie», doit «gér[er] la société, [...] gér[er] le social» (*NBP,* p. 300).

114. Manuscrit de 1981 sur «[Le] libéralisme comme art de gouverner» dans lequel Foucault, renvoyant au séminaire de l'année précédente, récapitule son analyse du libéralisme. Cette analyse est à rapprocher, notamment, de celle proposée par P. Rosanvallon, *Le Capitalisme utopique. Critique de l'idéologie économique,* Paris, Le Seuil («Sociologie politique»), 1979, p. 68-69 (rééd. sous le titre *Le Libéralisme économique. Histoire de l'idée de marché,* Paris, Le Seuil, «Points Essais», 1989),

Foucault créditait alors l'Âge classique de l'invention de technologies positives de pouvoir, applicables à des niveaux divers (appareil d'État, institutions, famille) :

> L'Âge classique a donc élaboré ce qu'on peut appeler un « art de gouver-ner », au sens où précisément l'on entendait, à ce moment-là, le « gouverne-ment » des enfants, le « gouvernement » des fous, le « gouvernement » des pauvres et bientôt le « gouvernement » des ouvriers [116].

Par « gouvernement », précisait Foucault, il fallait entendre trois choses : l'idée nouvelle d'un pouvoir fondé sur le transfert, l'aliénation ou la représentation de la volonté des individus ; l'appareil d'État mis en place au xviiie siècle ; et enfin, une « technique générale de gouver-nement des hommes », qui constituait « l'envers des structures juridiques et politiques de la représentation et la condition de fonctionnement de ces appareils [117] ». Technique dont le « dispositif type » consistait dans l'orga-nisation disciplinaire décrite l'année précédente [118].

L'analyse du « gouvernement », dans ce même cours, ne se limitait pas aux disciplines, mais s'étendait aux techniques du gouvernement des âmes forgées par l'Église autour du rituel de la pénitence [119]. Disci-pline des corps et gouvernement des âmes apparaissaient ainsi comme les deux faces complémentaires d'un même processus de normalisation :

> Au moment où les États étaient en train de se poser le problème technique du pouvoir à exercer sur les corps [...], l'Église, de son côté, élaborait une tech-nique de gouvernement des âmes qui est la pastorale, la pastorale définie par le concile de Trente et reprise, développée ensuite par Charles Borromée [120].

L'art de gouverner et la pastorale : ce sont ces deux fils que déroule de nouveau le cours de 1978, mais avec un certain nombre de différences significatives. Extension considérable, tout d'abord, du cadre chrono-logique : ce n'est plus au xvie siècle, en réaction à la Réforme, que se constitue la pastorale, mais dès les premiers siècles du christianisme,

---

avec laquelle elle semble parfois dialoguer (cf. la référence de Foucault à ce livre dans le « Résumé du cours », *NPB*, p. 326).

115. Modèles qu'il restitue, en 1978, dans le cadre de son analyse des technologies de sécurité (cf. *STP*, leçon du 11 janvier 1978, p. 10-12).

116. *Les Anormaux*, leçon du 15 janvier 1975, p. 45.

117. *Ibid.*

118. Cf. *Le Pouvoir psychiatrique*, leçons des 21 et 28 novembre, et du 5 décembre 1973.

119. *Les Anormaux*, leçon du 19 février 1975, p. 158-180.

120. *Ibid.*, p. 165.

le gouvernement des âmes étant défini par les Pères comme «l'art des arts» ou la «science des sciences»[121]. Foucault réinscrit donc la pastorale tridentine dans la longue durée du pastorat chrétien. Recentrement, ensuite, de l'art de gouverner sur le fonctionnement même de l'État: le gouvernement, dans son sens politique, ne désigne plus les techniques par lesquelles le pouvoir se branche sur les individus, mais l'exercice même de la souveraineté politique[122] – nous avons vu, plus haut, à quel enjeu méthodologique correspondait ce nouveau «point de vue»[123]. Déplacement, enfin, de l'analyse des mécanismes effectifs du pouvoir à la «conscience de soi du gouvernement»[124]. Ce geste, toutefois, ne rompt pas avec l'approche «microphysique» des travaux antérieurs. Ainsi qu'il s'en explique dans l'introduction au séminaire de 1979, il s'agit moins, pour Foucault, d'étudier les pratiques que la structure programmatique qui leur est inhérente, afin de rendre compte des «procédures d'objectivation» qui en découlent:

> Toute gouvernementalité ne peut être que stratégique et programmatique. Ça ne marche jamais. Mais c'est par rapport à un programme qu'on peut dire que ça ne marche jamais.
>
> De toute façon, ce ne sont pas les effets d'organisation sociale que je veux analyser, mais les effets d'objectivation et de véridiction. Et ceci dans les sciences humaines → folie, pénalité, et par rapport à elle-même, dans la mesure où elle se réfléchit → gouvernementalité (État/société civile).
>
> Il s'agit d'interroger le type de pratique qu'est la gouvernementalité, dans la mesure où elle a des effets d'objectivation et de véridiction quant aux hommes eux-mêmes en les constituant comme sujets[125].

## Gouvernementalité

(a) Formulé pour la première fois dans la 4e leçon du cours de 1978 (1er février 1978), le concept de «gouvernementalité»[126] glisse progressivement d'un sens précis, historiquement déterminé, à une signification

121. Cf. *STP*, leçon du 15 février 1978, p. 154.

122. *NBP*, leçon du 10 janvier 1979, p. 4, où Foucault explique qu'il entend, par «art de gouverner», «la rationalisation de la pratique gouvernementale dans l'exercice de la souveraineté politique».

123. Cf. *supra*, p. 397, notes 84 et 85.

124. *NBP*, leçon du 10 janvier 1979, p. 3-4: «Je n'ai pas étudié, je ne veux pas étudier la pratique gouvernementale réelle, telle qu'elle s'est développée en déterminant ici et là la situation qu'on traite, les problèmes posés, les tactiques choisies, les instruments utilisés, forgés ou remodelés, etc. J'ai voulu étudier l'art de gouverner, c'est-à-dire la manière réfléchie de gouverner au mieux et aussi et en même temps la réflexion sur la meilleure manière possible de gouverner. C'est-à-dire que j'ai essayé

plus générale et abstraite. Il sert, en effet, dans cette leçon, à nommer le régime de pouvoir mis en place au XVIIIᵉ siècle, qui « a pour cible principale la population, pour forme majeure de savoir l'économie politique, pour instrument technique essentiel les dispositifs de sécurité[127] », ainsi que le processus ayant conduit à « la prééminence de ce type de pouvoir qu'on peut appeler le "gouvernement" sur tous les autres : souveraineté, discipline, etc.[128] ». Il désigne donc un ensemble d'éléments dont la genèse et l'articulation sont spécifiques à l'histoire occidentale.

Au caractère événementiel, par sa dimension historique et singulière, de la « gouvernementalité » s'ajoutent les limites de son champ d'application. Elle ne définit pas n'importe quelle relation de pouvoir, mais les techniques de gouvernement qui sous-tendent la formation de l'État moderne. Elle est, en effet, à l'État

> [...] ce que les techniques de ségrégation [sont] à la psychiatrie, [...] les techniques de discipline [...] au système pénal [et] la biopolitique aux institutions médicales[129].

La « gouvernementalité », à cette étape de la réflexion de Foucault, est donc le concept qui permet de découper un domaine spécifique de relations de pouvoir, en rapport avec le problème de l'État. C'est ce double caractère, événementiel et régional, de la notion qui va tendre à s'effacer au cours des années suivantes. Dès 1979, le mot ne désigne plus seulement les pratiques gouvernementales constitutives d'un régime de pouvoir particulier (État de police ou moindre gouvernement libéral), mais « la manière dont on conduit la conduite des hommes », servant ainsi de

---

de saisir l'instance de la réflexion dans la pratique de gouvernement et sur la pratique de gouvernement. »

125. Manuscrit de l'introduction au séminaire de 1979.

126. Contrairement à l'interprétation proposée par certains commentateurs allemands, le mot « gouvernementalité » ne saurait résulter de la contraction de « gouvernement » et « mentalité » (cf. par exemple U. Bröckling, S. Krasmann & T. Lemke, dir., *Gouvernementalität der Gegenwart. Studien zur Ökonomisierung des Sozialen*, Francfort/Main, Suhrkamp, 2000, p. 8), « gouvernementalité » dérivant de « gouvernemental » comme « musicalité » de « musical » ou « spatialité » de « spatial » et désignant, selon les occurrences, le champ stratégique des relations de pouvoir ou les caractères spécifiques de l'activité de gouvernement. La traduction du mot par « *Regierungsmentalität* », qui apparaît dans le texte de présentation du colloque « Governmentality Studies » réuni à Vienne les 23-24 mars 2001, est donc un contresens.

127. *STP,* leçon du 1ᵉʳ février 1978, p. 111.

128. *Ibid.* Processus qui se résume à la séquence : pouvoir pastoral - dispositif diplomatico-militaire - police (p. 111-112).

129. *STP,* leçon du 8 février 1978, p. 124. Cf. *supra,* p. 397.

«grille d'analyse pour les relations de pouvoir» en général [130]. Si cette grille, alors, est toujours mise en œuvre dans le cadre du problème de l'État, elle s'en détache l'année suivante pour devenir coextensive au champ sémantique du «gouvernement»,

> [...] cette notion étant entendue au sens large de techniques et procédures destinées à diriger la conduite des hommes. Gouvernement des enfants, gouvernement des âmes ou des consciences, gouvernement d'une maison, d'un État ou de soi-même [131].

«Gouvernementalité» semblant se confondre, dès lors, avec «gouvernement» [132], Foucault s'emploie à distinguer les deux notions, la première définissant le «champ stratégique de relations de pouvoir, dans ce qu'elles ont de mobile, de transformable, de réversible» [133], au sein duquel s'établissent les types de conduite, ou de «conduite de conduite», qui caractérisent la seconde. Plus exactement – car le champ stratégique n'est rien d'autre que le jeu même des relations de pouvoir entre elles –, il montre comment elles s'impliquent réciproquement, la gouvernementalité ne constituant pas une structure, c'est-à-dire «un invariant relationnel entre des [...] variables», mais une «généralité singulière» [134], dont les variables, dans leur interaction aléatoire, répondent à des conjonctures.

Elle est ainsi la rationalité immanente aux micro-pouvoirs, quel que soit le niveau d'analyse considéré (rapport parents/enfants, individu/ puissance publique, population/médecine, etc.). Si elle est «un événement» [135], ce n'est plus en tant que séquence historique déterminée,

---

130. *NBP,* leçon du 7 mars 1979, p. 192.

131. Résumé du cours «Du gouvernement des vivants» (1980), *DE,* IV, n° 289, p. 125.

132. Sur le gouvernement comme pratique consistant à «conduire des conduites», cf. également «Deux essais sur le sujet et le pouvoir» (avril 1983), *in* H. Dreyfus & P. Rabinow, *Michel Foucault: Beyond structuralism and hermeneutics,* University of Chicago Press, 1982 / *Michel Foucault. Un parcours philosophique,* trad. F. Durand-Bogaert, Paris, Gallimard («Bibliothèque des sciences humaines»), 1984, p. 314.

133. *L'Herméneutique du sujet. Cours au Collège de France, année 1981-1982,* éd. par F. Gros, Paris, Gallimard-Le Seuil («Hautes Études»), 2001, p. 241. Cf. également le «Résumé du cours» de 1981, «Subjectivité et vérité», *DE,* IV, n° 304, p. 214: l'un des objectifs auxquels répondait l'étude de la «gouvernementalité», outre la critique des conceptions courantes du «pouvoir», était d'analyser ce dernier «comme un domaine de relations stratégiques entre des individus ou des groupes – relations qui ont pour enjeu la conduite de l'autre ou des autres [...]».

134. Manuscrit sur la gouvernementalité (sans titre, liasse de 11 feuillets numérotés p. 22 à 24 puis non paginés), inséré entre les leçons du 21 février et du 7 mars 1979 de *NBP.*

135. *Ibid.*

comme dans le cours de 1978, mais dans la mesure où toute relation de pouvoir relève d'une analyse stratégique :

> Une généralité singulière : elle n'a de réalité qu'événementielle et son intelligibilité ne peut mettre en œuvre qu'une logique stratégique [136].

Il reste à se demander quel lien unit, dans la pensée de Foucault, ces types d'événementialité : celle qui s'inscrit dans un processus historique particulier, propre aux sociétés occidentales, et celle qui trouve son ancrage théorique dans une définition générale du pouvoir en terme de «gouvernement» [137].

(b) L'analyse des types de gouvernementalité est indissociable, chez Foucault, de celle des formes de résistance, ou «contre-conduites», qui lui correspondent. C'est ainsi que dans la 8e leçon du cours de 1978 (1er mars 1978) il établit l'inventaire des principales formes de contre-conduite développées au Moyen Âge par rapport au pastorat (l'ascétisme, les communautés, la mystique, l'Écriture, la croyance eschatologique). De même l'analyse de la gouvernementalité moderne, ordonnée au principe de la raison d'État, le conduit-elle, à la fin du cours, à mettre en relief différents foyers de contre-conduites spécifiques, au nom de la société civile, de la population ou de la nation. Ces contre-conduites constituant le symptôme, à chaque époque, d'une «crise de gouvernementalité [138]», il importe de se demander quelles formes elles prennent, dans la crise actuelle, afin de définir de nouvelles modalités de lutte ou de résistance. La lecture du libéralisme proposée par Foucault ne peut donc se comprendre que sur fond de cette interrogation.

Il nous paraît intéressant, à cet égard, de citer le passage suivant du manuscrit dans lequel Foucault définissait la gouvernementalité comme «généralité singulière». On y voit, en effet, comment la politique se conçoit toujours, pour lui, du point de vue des formes de résistance au pouvoir [139] (c'est par ailleurs le seul texte, à notre connaissance, où il fait allusion à Carl Schmitt) :

136. Cf. *supra*, note 134.
137. Cf. «Deux essais sur le sujet et le pouvoir», *loc. cit.*, p. 314 : «Le mode de relation propre au pouvoir ne serait donc pas à chercher du côté de la violence et de la lutte, ni du côté du contrat et du lien volontaire (qui ne peuvent en être tout au plus que des instruments) ; mais du côté de ce mode d'action singulier – ni guerrier ni juridique – qui est le gouvernement.»
138. *NBP*, leçon du 24 janvier 1979, p. 70.
139. Cf., là encore, «Deux essais sur le sujet et le pouvoir», p. 300, où Foucault suggère un nouveau mode d'investigation des relations de pouvoir consistant «à prendre les formes de résistance aux différents types de pouvoir comme point de départ».

L'analyse de la gouvernementalité comme généralité singulière implique que «tout est politique». On donne traditionnellement deux sens à cette expression:

– Le politique se définit par toute la sphère d'intervention de l'État, [...] Dire que tout est politique, c'est dire que l'État est partout, directement ou indirectement.

– Le politique se définit par l'omniprésence d'une lutte entre deux adversaires [...]. Cette autre définition est celle de K. *[sic]* Schmitt.

La théorie du camarade.

[...]

En somme, deux formulations: tout est politique par la nature des choses; tout est politique par l'existence des adversaires.

Il s'agit de dire plutôt: rien n'est politique, tout est politisable, tout peut devenir politique. La politique n'est rien de plus rien de moins que ce qui naît avec la résistance à la gouvernementalité, le premier soulèvement, le premier affrontement [140].

(c) Si les deux cours de 1978 et 1979 sont demeurés inédits jusqu'à ce jour, à l'exception de la 4e leçon (1er février 1979) du premier [141] et de quelques extraits du second [142], la problématique de la gouvernementalité, à partir notamment du résumé qu'en avait présenté Foucault dans ses conférences à Stanford, en 1979 [143], a donné naissance à un vaste champ de recherches, depuis une dizaine d'années, dans les pays anglo-saxons, et plus récemment en Allemagne [144], les *« governmentality studies »*. Celles-ci ont même pris rang, dans certaines universités, parmi les disciplines des départements de sociologie ou de science politique. Le point de départ de ce mouvement fut la publication du livre *The Foucault Effect :*

140. Manuscrit sur la gouvernementalité cité *supra,* note 134. L'écriture de Foucault, en plusieurs endroits, étant malaisément déchiffrable, nous n'avons pas cité les passages où notre transcription eût été trop lacunaire ou incertaine.

141. Parue en italien dans *Aut-Aut,* n° 167-168, 1978, puis en français dans *Actes,* 54, été 1986. C'est ce texte, sensiblement différent de celui que nous publions, qui est repris dans *DE,* III, n° 239, p. 635-657. Une traduction anglaise de cette même leçon parut dans la revue *Ideology and Consciousness,* 6, 1979.

142. Extrait de *NBP,* leçon du 31 janvier 1979, sous le titre «La phobie d'État», *Libération,* 967, 30 juin - 1er juillet 1984 (texte traduit en allemand *in* U. Bröckling, S. Krasmann & T. Lemke, dir., *Gouvernementalität der Gegenwart,* p. 68-71); extrait de *NBP,* leçon du 24 janvier 1979, sous le titre «Michel Foucault et la question du libéralisme», *Le Monde,* supplément au n° du 7 mai 1999. Rappelons, en outre, que la première leçon de chacun des deux cours avait fait l'objet d'une édition en cassettes, sous le titre *De la gouvernementalité* (Paris, Le Seuil, 1989).

143. «"Omnes et singulatim" », *loc. cit.,* p. 134-161.

144. Outre l'ouvrage collectif déjà cité (*supra,* notes 126 et 142), cf. les nombreux articles de T. Lemke, qui font suite à son remarquable ouvrage, *Eine Kritik der politischen Vernunft. Foucaults Analyse der modernen Gouvernementalität,* Berlin-Hambourg, Argument Verlag, 1997.

*Studies in governmentality,* en 1991 par G. Burchell, C. Gordon et P. Miller [145], qui contenait, outre la leçon de Foucault sur le sujet, une longue introduction de Colin Gordon, offrant une synthèse approfondie des cours de 1978 et de 1979, et un ensemble d'études centrées, en particulier, sur la notion de risque (conception du risque social, modalités de prévention du risque, développement des techniques d'assurance, philosophie du risque, etc.) [146]. Il en est résulté le développement d'une littérature considérable, dans le champ des sciences sociales, de l'économie politique et de la théorie politique, dont il n'est évidemment pas possible d'établir l'inventaire dans le cadre de cette présentation. On se reportera, pour une vue d'ensemble, au livre de Mitchell Dean, *Governmentality: Power and rule in modern society* [147], et à l'article de Thomas Lemke, « Neoliberalismus, Staat und Selbsttechnologien. Ein kritischer Überblick über die *governmentality studies* » [148]. L'application récente du concept de gouvernementalité à des domaines aussi éloignés des centres d'intérêt de Foucault que la gestion des ressources humaines [149] ou la théorie des organisations [150] témoigne de la plasticité de ce schème d'analyse et de sa capacité de circulation dans les espaces les plus divers.

*

145. Londres, Harvester Wheatsheaf, 1991.

146. Voir les articles de J. Donzelot, « The mobilisation of society » (p. 169-179), F. Ewald, « Insurance and risk » (p. 197-210), D. Defert, « "Popular life" and insurance technology » (p. 211-233), et R. Castel, « From dangerousness to risk » (p. 281-298). Le texte de D. Defert constitue une introduction générale aux travaux du groupe de recherche « on the formation of the insurance apparatus, considered as a schema of social rationality and social management » (p. 211) constitué en 1977 avec J. Donzelot, F. Ewald et d'autres chercheurs, qui donna lieu à la rédaction de plusieurs mémoires : « Socialisation du risque et pouvoir dans l'entreprise » (dactylogramme, ministère du Travail, 1977) et « Assurance-Prévoyance-Sécurité : Formation historique des techniques de gestion dans les sociétés industrielles » (dactylogramme, ministère du Travail, 1979). Pour une discussion de cet ensemble de travaux, cf. P. O'Malley, « Risk and responsibility », *in* A. Barry, T. Osborne & N. Rose, *Foucault and Political Reason : Liberalism, Neo-liberalism and rationalities of government,* Londres, University College, 1996, p. 189-207.

147. Londres, Thousand Oaks / New Dehli, Sage Publications, 1999.

148. *Politische Vierteljahresschrift,* 41 (1), 2000, p. 31-47.

149. Cf. notamment B. Townley, *Reframing Human Resource Management : Power, ethics and the subject at work,* Londres, Thousand Oaks / New Delhi, Sage Publications, 1994 ; E. Barratt, « Foucault, HRM and the ethos of the critical management scholar », *Journal of Management Studies,* 40 (5), juillet 2003, p. 1069-1087.

150. Cf. A. McKinlay & K. Starkey, dir., *Foucault : Management and organization theory, from Panopticon to technologies of the Self,* Londres, Thousand Oaks / New Dehli, Sage Publications, 1998, et le colloque « Organiser après Foucault », qui s'est tenu à l'École des Mines, à Paris, les 12-13 décembre 2002.

Je tiens à remercier Daniel Defert, pour la générosité avec laquelle il a mis à ma disposition les manuscrits et dossiers de Michel Foucault, ainsi que mon épouse, Chantal, pour son aide si précieuse dans le travail de transcription des cours.

M. S.

*Indices*

# Index des notions

Abondance/rareté (oscillations) : 38-39, 40, 61, 70 ;
abondance [des récoltes, des produits] : 35, 36, 38, 52 n. 10, 71, 350 ;
(– monétaire) : 107 ;
(– d'hommes) : 331 ;
(– de citoyens, *copia civium*) : 331, 339 n. 33 ; v. Hohenthal ;
(– des salaires) : 85 n. 19 ; v. Weulersse ;
(excès d'– et effondrement des prix) : 34, 36 ;
(sources de l'– [Quesnay]) : 88 n. 40.
âge pastoral, du pastorat : 152, 200.
âge de Chronos : 148.
âge des conduites : 236.
âge des gouvernements : 236.
âge du juridico-légal : 10.
agouvernementalité (l') de la nature : 245 ; *vs.* gouvernementalité.
aléatoire(s)
(traitement de l'–) : 13 ;
(éléments – dans l'espace) 22 ; v. Leibniz.
aménagement
(– de la prévention) : 6 ;
(– de la ville : Nantes) : 17, 19-20, 21 ; voir Le Maître ;
(– de la vie cénobitique) : 179.
anabaptisme, anabaptistes : 203, 207, 225 n. 25, 254 n. 1.
analyse généalogique : 121.
analyse génétique : 121.
anti-Machiavel (littérature) : 94-95, 250 ; v. Elyoth, Frédéric II, Gentillet, La Perrière, Paruta.
anti-pastorale : 211 ; v. ascétisme.
*apatheia* : 181-182, 192 n. 36-37, 209.
art de gouverner : 81, 93-98, 104-113, 154, 167, 242, 248-249, 258 n. 39 & n. 42, 25 n. 43, 264-266, 279, 284, 293-294, 297, 319, 326, 346, 355-356, 374, 376, 404 ; v. gouvernementalité, raison d'État.
arts adjuvants de la politique : 149.

artificialisme, artificialité : 75 ;
(– politique, de la politique) : 23, 357 ; *vs.* naturalité ; v. économistes, société.
ascèse : 218.
ascétisme : 152, 195, 199, 208, 209, 210, 234, 272 ;
(excès propre à l'–) : 211.
assujettissement : 187, 221 n. 5 ; v. individualisation.

« Balance » : 187, 280, 306-307 ; v. équilibre européen.
berger
(– humain) : 147 ;
(– des hommes) : 128-134, 137 n. 28, 149-157, 161 n. 10, 167-168, 171-172 ;
(– des peuples) : 136 n. 23 ;
(fonctionnaire-berger) : 143 ; (magistrat-berger, thème pythagoricien du –) : 144, 146, 373 ;
(métaphore du –) : 128, 142 ;
(paradoxe du –) : 173 ;
(principe de l'unicité du –) : 147 ;
v. multiplicité, pastorat.
berger-troupeau (rapport) : 155, 157, 160 n. 8, 217, 242, 373 ;
v. pouvoir pastoral, pastorat.
bien commun : 98, 101, 116, 238, 239, 255 ;
(–, économie de la famille) : 116 n. 18 ;
(–, fin de la souveraineté [selon les juristes], « fin convenable » [selon les économistes]) : 102.
bien public : 102, 286, 342.
« bien-être » des individus : 335, 376 ; v. mieux que vivre ; Montchrétien.
biopolitique : 23, 25 n. 1 & n. 6, 124 n. *, 377, 394 & n. 71, 400, 401 n. 106 ; v. espèce humaine ; Lamarck.
bio-pouvoir : 3, 23, 25 n. 1, 381, 382, 393, 399 ; v. biopolitique, espèce humaine, milieu, naturalité.
« bon gouvernement » de l'État : 98, 321 ; v. police.

# Index des noms de personnes

# Table

*Table* 433

qué par la raison d'État. – Traits spécifiques de la raison d'État par rapport au gouvernement pastoral : (1) Le problème du salut : la théorie du coup d'État (Naudé). Nécessité, violence, théâtralité. – (2) Le problème de l'obéissance. Bacon : la question des séditions. Différences entre Bacon et Machiavel. – (3) Le problème de la vérité : de la sagesse du prince à la connaissance de l'État. Naissance de la statistique. Le problème du secret. – Le prisme réflexif dans lequel est apparu le problème de l'État. – Présence-absence de l'élément « population » dans cette nouvelle problématique.

La raison d'État (III). – L'État comme principe d'intelligibilité et objectif. – Le fonctionnement de cette raison gouvernementale : (A) Dans les textes théoriques. La théorie du maintien de l'État. (B) Dans la pratique politique. Le rapport de concurrence entre les États. – Le traité de Westphalie et la fin de l'Empire romain. – La force, nouvel élément de la raison politique. – Politique et dynamique des forces. – Le premier ensemble technologique caractéristique de ce nouvel art de gouverner : le système diplomatico-militaire. – Son objectif : la recherche d'un équilibre européen. Qu'est-ce que l'Europe ? L'idée de « balance ». – Ses instruments : (1) la guerre ; (2) la diplomatie ; (3) la mise en place d'un dispositif militaire permanent.

Le second ensemble technologique caractéristique du nouvel art de gouverner selon la raison d'État : la police. Significations traditionnelles du mot jusqu'au XVIᵉ siècle. Son sens nouveau aux XVIIᵉ-XVIIIᵉ siècles : calcul et technique permettant d'assurer le bon emploi des forces de l'État. – Le triple rapport entre le système de l'équilibre européen et la police. – Diversité des situations italienne, allemande, française. – Turquet de Mayerne, *La Monarchie aristo-démocratique*. – Le contrôle de l'activité des hommes comme élément constitutif de la force de l'État. – Objets de la police : (1) le nombre des citoyens ; (2) les nécessités de la vie ; (3) la santé ; (4) les métiers ; (5) la coexistence et la circulation des hommes. – La police comme art de gérer la vie et le bien-être des populations.

La police (suite). – Delamare. – La ville, lieu d'élaboration de la police. Police et réglementation urbaine. L'urbanisation du territoire. Rapport de la police avec la problématique mercantiliste. – L'émergence de la ville-marché. – Les méthodes de la police. Différence entre police et justice. Un pouvoir de type essentiellement réglementaire. Réglementation et discipline. – Retour au problème des grains. – La critique de l'État de police à partir du problème de la disette. Les thèses des économistes, relatives au prix du grain, à la population et au rôle de l'État. – Naissance d'une nouvelle gouvernementalité. Gouvernementalité des politiques et gouvernementalité des économistes. – Les transformations de la raison d'État : (1) la naturalité de la société ; (2) les nouveaux rapports du pou-

*Table* 435

voir et du savoir; (3) la prise en charge de la population (hygiène
publique, démographie, etc.); (4) les nouvelles formes d'intervention étatique; (5) le statut de la liberté. – Les éléments du nouvel
art de gouverner: pratique économique, gestion de la population,
droit et respect des libertés, police à fonction répressive. – Les différentes formes de contre-conduite relatives à cette gouvernementalité. – Conclusion générale.

IMPRESSION : LABALLERY À CLAMECY
DÉPÔT LÉGAL : OCTOBRE 2004. N° 30799-10 (902182)
*Imprimé en France*